LES CITÉS
DE L'AFRIQUE ROMAINE
AU BAS-EMPIRE

I

L'AFRIQUE

Mosaïque du IVe siècle, trouvée dans la villa de Piazza Armerina (Sicile).
Photo : G. V. GENTILI, La villa Ercolia di Piazza Armerina, 1959, pl. XXXVI.

Claude LEPELLEY

Maître de Conférences à l'Université de Lille III

LES CITÉS
DE L'AFRIQUE ROMAINE
AU BAS-EMPIRE

Tome I

La permanence d'une civilisation municipale

ÉTUDES AUGUSTINIENNES

3, rue de l'Abbaye

75006 PARIS

1979

ISBN 2-85121-029-7

LISTE DES ABRÉVIATIONS UTILISÉES

(On trouvera à la fin du second volume une bibliographie et l'index général de l'ouvrage. La présente liste, de même que la table des matières détaillée *in fine*, est destinée à faciliter l'utilisation autonome de ce premier tome.)

I) PROVINCES

B.	:	Byzacène
M. C.	:	Maurétanie Césarienne
M. S.	:	Maurétanie Sitifienne
N.	:	Numidie
P.	:	Afrique Proconsulaire
T.	:	Tripolitaine

II) OUVRAGES ET PUBLICATIONS

A.E. — *L'Année Épigraphique* (Paris).

Atl. arch. de l'Alg. — S. GSELL, *Atlas archéologique de l'Algérie* Alger-Paris, 1911.

Atl. arch. de Tun. — A. BABELON, R. CAGNAT, S. REINACH, *Atlas archéologique de la Tunisie* (au 1/50 000), Paris, 1893.

Atl. arch. de Tun., II — R. CAGNAT et A. MERLIN, *Atlas archéologique de la Tunisie*, seconde série (au 1/100 000), Paris, 1914-1926.

B.A. — *Bibliothèque Augustinienne* (œuvres de saint Augustin publiées sous la direction des *Études Augustiniennes*, Paris).

B.C.T.H. — *Bulletin archéologique du Comité des travaux historiques et scientifiques*, Paris.

Bull. Soc. Nat. Ant. de Fr. — *Bulletin de la Société Nationale des Antiquaires de France*, Paris.

C.	*Corpus Inscriptionum Latinarum*, Berlin, depuis 1863. Le sigle *C.* sans numéro de tome renvoie au tome VIII du *Corpus* (*Inscriptiones Africae latinae*).
C.C.	*Corpus Christianorum, series latina* (Turnhout, Belgique, depuis 1954).
CHASTAGNOL, *Consulaires*	A. CHASTAGNOL, *Les consulaires de Numidie*, *Mélanges offerts à Jérome Carcopino*, Paris, 1966, p. 216-228.
CHASTAGNOL, *Gouverneurs*	A. CHASTAGNOL, *Les gouverneurs de Byzacène et de Tripolitaine*, *Antiquités Africaines*, I, 1967, p. 119-134.
C. Just.	*Corpus Iuris Ciuilis*, II, *Codex Iustinianus* (éd. P. KRUEGER, Berlin, 1929).
COURTOIS, *Vandales*	C. COURTOIS, *Les Vandales et l'Afrique*, Paris, 1955.
C.R.A.I.	*Comptes-rendus des séances de l'Académie des Inscriptions et Belles-Lettres*, Paris.
C.S.E.L.	*Corpus Scriptorum Ecclesiasticorum Latinorum* (publié par l'Académie de Vienne).
C. Th.	*Codex Theodosianus* (éd. MOMMSEN-MEYER, Berlin, 1904).
D.A.C.L.	H. CABROL, H. LECLERCQ, H.-I. MARROU, *Dictionnaire d'archéologie chrétienne et de liturgie*, Paris.
Dig.	*Corpus Iuris Ciuilis*, I, *Digeste* (éd. MOMMSEN-KRUEGER, Berlin, 1908).
F.I.R.A.	V. ARANGIO-RUIZ, S. RICCOBONO, T. BAVIERA, *Fontes Iuris Romani Anteiustiniani*, 3 vol., Florence, 1941-1943.
GASCOU, *Politique municipale*	J. GASCOU, *La politique municipale de l'empire romain en Afrique Proconsulaire de Trajan à Septime Sévère*, Rome, 1972.
GSELL, *Hist. anc. Afr. du N.*	S. GSELL, *Histoire ancienne de l'Afrique du Nord*, 8 vol., Paris, 1913-1928.
I. L. Afr.	R. CAGNAT, A. MERLIN, L. CHATELAIN, *Inscriptions latines d'Afrique*, Paris, 1923.
I. L. Alg.	*Inscriptions latines de l'Algérie* (S. GSELL, t. I, Paris, 1922 ; H.-G. PFLAUM, t. II, 1, Paris, 1957 et t. II, 2, Alger, 1976).
I.L.C.V.	E. DIEHL, *Inscriptiones Latinae Christianae Veteres*, 3 vol., Berlin, 1925-1931 ; supplément par J. Moreau et H.-I. Marrou, 1961.
I.L.S.	H. DESSAU, *Inscriptiones latinae selectae*, 3 tomes en 5 vol., Berlin, 1892-1916.

I. L. Tun.	A. MERLIN, *Inscriptions latines de Tunisie*, Paris, 1944.
I.R.T.	J. M. REYNOLDS — J. B. WARD-PERKINS, *Inscriptions of Roman Tripolitania*, Rome-Londres, 1952.
J.R.S.	*Journal of Roman Studies* (Londres).
KOLBE, *Statthalter*	H.-G. KOLBE, *Die Statthalter Numidiens von Gallien bis Konstantin (268-320)*, Munich, 1962.
M.E.F.R.	*Mélanges d'archéologie et d'histoire*, publiés par l'École française de Rome (depuis 1972, *M.E.F. R.A.* = série *Antiquité*).
MESNAGE	J. MESNAGE, *L'Afrique chrétienne, évêchés et ruines antiques*, Paris, 1912.
M.G.H., a.a.	*Monumenta Germaniae Historica, auctores antiquissimi.*
MONCEAUX, *Hist. litt. Afr. chrét.*	P. MONCEAUX, *Histoire littéraire de l'Afrique chrétienne*, 7 vol., Paris, 1901-1923.
PALLU, *Fastes*	G. PALLU de LESSERT, *Fastes des provinces africaines sous la domination romaine*, t. I (Haut-Empire), Paris, 1896 ; t. II (Bas-Empire), Paris, 1901.
PFLAUM, *Romanisation*	H.-G. PFLAUM, *La romanisation de l'ancien territoire de la Carthage punique à la lumière des découvertes épigraphiques récentes, Antiquités Africaine*, IV, 1970, p. 75-117 = *Afrique romaine*, Paris, 1978, p. 300-344.
P.G.	J.-P. MIGNE, *Patrologiae cursus completus, series graeo-latina.*
P.I.R. 1	E. KLEBS, H. DESSAU, P. VON ROHDEN, *Prosopographia Imperii Romani saec. I, II, III*, Berlin, 1897-1898, 3 vol.
P.I.R. 2	E. GROAG, A. STEIN *et alii*, *Prosopographia Imperii Romani saec. I, II et III*, Berlin, depuis 1933 (publication en cours).
P.L.	J.-P. MIGNE, *Patrologiae cursus completus, series latina.*
P.L.R.E.	A. H. M. JONES, J. R. MARTINDALE, J. MORRIS, *Prosopography of the Later Roman Empire*, Cambridge, 1971.
P.L.S.	A. HAMMAN, *Patrologiae Latinae supplementum*, 5 vol., Paris, 1958-1975.
POINSSOT, *Villes romaines*	L. POINSSOT, *Les villes romaines de Tunisie*, dans *Tunisie — Atlas historique, géographique, économique et touristique*, Paris, 1936, p. 28-38.
P.W.	A. PAULY — G. WISSOWA, *Real-Encyclopädie der klassischen Altertumswissenschaft*, Stuttgart, depuis 1893.

R. Afr.	*Revue Africaine* (Alger).
R.E.A.	*Revue des Études anciennes* (Bordeaux).
R.E.L.	*Revue des Études Latines* (Paris).
Rec. Const.	*Recueil des notices et mémoires de la société archéologique de Constantine.*
R. Phil.	*Revue de Philologie* (Paris).
Salama, *Voies romaines*	P. Salama, *Les voies romaines de l'Afrique du Nord*, Alger, 1951.
S.C.	Collection *Sources Chrétiennes*, Paris.
Seeck	O. Seeck, *Regesten der Kaiser und Päpste fur die Jahre 311 bis 476 n. Chr.*, Stuttgart, 1919.
Z.P.E.	*Zeitschrift für Papyrologie und Epigraphik* (Bonn).

Introduction

L'effondrement de l'empire d'Occident et de la civilisation romaine sous les coups des envahisseurs barbares est, à coup sûr, l'un des événements de l'histoire humaine qui ont exercé la plus grande fascination sur les historiens, depuis Montesquieu et Gibbon. Cette catastrophe a été, pour la conscience occidentale, l'exemple de la mortalité des civilisations et de la précarité des plus grandes constructions de la société et de l'intelligence humaines. L'explication historique a permis d'exorciser cette angoisse. Les Romains avaient toujours idéalisé le temps passé et décrit leur époque comme un âge de fer : ceux du Bas-Empire ne faillirent pas à cette tradition. En reprenant leurs considérations sur la décadence des mœurs et des esprits, les historiens modernes en vinrent à expliquer la catastrophe du ve siècle par une décomposition interne multiforme, une crise englobant tous les domaines, l'armée comme l'autorité politique, l'économie et les structures sociales comme la culture et la pensée[1]. L'Afrique romaine offrait un champ privilégié à ce type d'explication. En effet, la civilisation romaine avait laissé de nombreuses survivances en Europe : on y parla des langues issues du latin ou profondément influencées par lui ; dans le domaine du droit et de la culture, des permanences demeurèrent, grâce aux clercs notamment, pierres d'attente pour les renaissances médiévales ; comme le monde byzantin bien qu'à un moindre degré, l'occident médiéval est issu de l'empire romain.

---

1. Les hypothèses, parfois déconcertantes, des historiens pour expliquer cette décadence ont été analysées par M. Rostovtzeff, *Social and economic History of the Roman Empire*, 2e édition, Oxford, 1957, p. 535-541 ; par A. Piganiol, *L'Empire chrétien*, Paris, 1947, p. 410-420 ; par S. Mazzarino, *Aspetti sociali del quarto secolo*, Rome, 1951, p. 8-31 et *La fin du monde antique*, trad. franç., Paris, 1973, *passim* ; par R. Rémondon, *La crise de l'empire romain*, Paris, 1964, p. 249-262. Le point de vue « pessimiste » a largement prévalu jusqu'à l'époque récente ; il a cependant été contesté dès 1889 par J. B. Bury (*History of the later Roman Empire from Arcadius to Irene*), ainsi que par A. Piganiol et S. Mazzarino, dans les ouvrages cités *supra*. Remarquons que, dans leur tentative de réhabilitation du Bas-Empire, ces historiens ne font qu'une place très limitée aux villes.

Rien de tel en Afrique du Nord. La romanité disparut totalement dans cette région, d'abord du fait des invasions de nomades berbères à partir de la fin du ve siècle, et surtout à la suite de la conquête du pays par les Arabes musulmans à partir du viie siècle et de son islamisation générale. Le christianisme aussi cessa d'exister dans le Maghreb, alors que des communautés chrétiennes nombreuses, héritières des églises du monde romain oriental, se sont perpétuées jusqu'à nos jours dans le Moyen-Orient arabe. Les seules traces de la romanité et du christianisme en Afrique du Nord sont donc les nombreuses ruines que les archéologues ont dégagées depuis plus d'un siècle[2].

L'explication qui d'emblée se présente à l'esprit est, évidemment, la fragilité de la romanisation du pays, son caractère de vernis superficiel. La civilisation romaine aurait été, au Maghreb, le fait d'une frange étroite de la population, formée de descendants des colons du premier siècle ou de berbères romanisés, tandis que la masse de la population serait restée fidèle à ses traditions ancestrales. L'Empire, selon le mot de Christian Courtois, n'aurait fait qu'« éblouir les hommes de son incomparable illusion[3] ».

Reprenant, après bien d'autres, ce problème, je voulais initialement dresser une sorte de bilan de la romanisation, de son ampleur et de ses limites, en Afrique au temps de l'empire tardif. Il s'agissait, pour l'essentiel, d'histoire sociale, puisque le problème était de déterminer quelles catégories de la population avaient été touchées par la romanisation ou lui étaient restées étrangères. L'ampleur du sujet et celle de la documentation m'ont amené à restreindre mon enquête au signe le plus visible de la romanité, la ville.

Les villes avaient été, sous le Haut-Empire, le cadre et l'instrument de la romanisation des provinces occidentales. Qu'elles fussent des créations du conquérant ou des cités pré-romaines qui avaient lentement accédé au statut de municipe ou de colonie honoraire, elles furent le lieu où les individus acquirent la citoyenneté romaine, où le droit, les institutions, le genre de vie, la culture, se modelèrent sur l'exemple romain. Une régression de la vie urbaine et municipale au Bas-Empire ne pouvait qu'entraîner une crise de la romanisation, une décadence de toutes les structures politiques, sociales et culturelles sur lesquelles s'était édifié l'Empire. C'est ce processus que l'historiographie a décrit, pour l'Afrique et les autres provinces, jusqu'à une date récente.

---

2. Sur ce problème, l'étude classique demeure l'article de Christian Courtois, *De Rome à l'Islam*, dans *Revue Africaine*, 86, 1942, p. 24-55.

3. C. Courtois, *Les Vandales et l'Afrique*, Paris, 1955, p. 359. Le problème vient d'être repris, pour les trois premiers siècles de l'Empire, par Marcel Bénabou, *La résistance africaine à la romanisation*, Paris, 1976. Cet historien analyse brillamment tous les traits distinctifs de la spécificité africaine sous le Haut-Empire, qu'il a tendance à voir, d'une manière quelque peu systématique, comme autant de refus de la romanisation.

L'opinion courante des historiens du xixᵉ siècle et de la première partie du xxᵉ siècle sur les villes romaines au Bas-Empire fut exprimée simultanément dans trois ouvrages de synthèse parus en 1926 et 1927. Dans son *Histoire économique et sociale de l'Empire romain*, Michel Rostovtzeff[4] affirma que les aristocraties et bourgeoisies urbaines avaient été massacrées ou ruinées par les empereurs militaires du iiiᵉ siècle et leur soldatesque, animés par la haine qu'auraient ressentie ces gens d'origine rurale pour l'élite cultivée des villes, qui vivait aux dépens des paysans. A partir du règne de Dioclétien, une implacable tyrannie bureaucratique aurait supprimé toute autonomie locale et asservi la classe décurionale, accablée d'exactions et de corvées dont la principale était la perception des impôts. Pour ses derniers « bourgeois », la ville, selon Rostovtzeff, était devenue une prison. Il n'y avait plus de place pour la culture, l'évergétisme ou le patriotisme local dans ces citées ruinées et dépeuplées[5].

En la même année 1926, parut à Princeton une synthèse sur l'administration municipale dans l'empire romain, due à Frank Abbot et Allan Johnson. Dans cet ouvrage, A. Johnson décrivait des cités qui, au ivᵉ siècle, devenaient de simples villages ou disparaissaient complètement. L'autorité accrue des gouverneurs et des autres agents impériaux, la puissance des grands propriétaires et celle de l'Église, s'exerçaient au dépens de l'autorité municipale dont les représentants n'étaient plus que les fonctionnaires bénévoles et terrorisés d'un état tyrannique, ruinés et dépourvus de toute possibilité d'initiative. Comme Rostovtzeff, Johnson insistait sur l'effondrement économique, l'extension des friches, la régression de la population[6].

Dans son livre célèbre *La fin du monde antique et le début du Moyen Age*, Ferdinand Lot donna à ces idées une forme brillante et encore plus systématique[7]. « Réduite, écrivait-il, à un chef-lieu qui n'est plus qu'une forteresse, habitée par les plus pauvres des propriétaires ruraux... qui désormais forment la curie, ... la cité entre, au ivᵉ siècle, dans une décadence irrémédiable. Les curiales voudraient la fuir et se retirer aux champs eux-aussi. Mais la loi intervient pour les retenir dans cette prison qu'est devenue la ville... Les pauvres villes anémiées ne sont plus capables d'alimenter une civilisation brillante. La décadence de la vie urbaine

---

4. Ouvrage cité, *supra*, n. 1. La première édition est de 1926 ; une édition révisée en langue italienne parut en 1933 ; l'édition anglaise de 1957 en est la traduction.

5. Éd. anglaise de 1957, chap. 12, *The oriental despotism and the problem of the decay of ancient civilisation*, p. 504, 513, 522-527. On notera que la part faite au Bas-Empire dans ce gros livre est extrêmement réduite.

6. F. Abbott — A. Johnson, *Municipal administration in the Roman Empire*, chap. 14, *The decline of Roman municipalities*, p. 197-231.

7. Rédigé entre 1913 et 1921, ce livre ne fut publié, dans la collection *L'Évolution de l'Humanité*, qu'en 1926. Une réédition fut donnée par l'auteur en 1951, avec de simples corrections de détail.

tr   it d'une manière qui ne trompe pas la régression d'une société[8] ».

dinand Lot étayait ses considérations d'exemples pris en Gaule
et   Italie du Nord. Pourtant, en 1931, Charles-André Julien, dans son
Hi   re de l'Afrique du Nord, étendait ces conceptions à l'Afrique romaine.
« C   me ailleurs, écrivait-il, la cité, désormais désertée par l'aristocratie,
dev   pauvre et maussade » et il définissait le Bas-Empire en Afrique
con   « une banqueroute frauduleuse de la colonisation romaine[9] ».

D   documents concernant l'Afrique pouvaient sembler légitimer
cett   ision catastrophique. Pour des raisons que nous examinerons
plus   n, une notable partie des constitutions contenues dans le *Code*
Théc ien sont adressées à des gouverneurs ou autres dignitaires en
poste n Afrique. Pour une bonne part, ces documents concernaient
le str contrôle exercé par l'état romain sur les responsables municipaux
accak de lourdes charges qu'ils tentaient de fuir illégalement : la
vision e la vie municipale qui en résulte est donc pessimiste. Nous
conna ns, d'autre part, de graves insurrections des populations non-
romar es : celle qui agita la Maurétanie au milieu du iiie siècle, puis
de no au sous Dioclétien ; les ravages dont souffrit la Tripolitaine
de la t d'envahisseurs venus du sud entre 363 et 367 ; le ralliement
des m agnards de Maurétanie à la révolte du prince berbère Firmus
entre 3 et 375[10].

Les   eurs chrétiens, Optat de Milev et saint Augustin, ont évoqué
une jac rie violente qui sévit en Numidie : elle était animée par les
circonce ns, aile extrémiste de l'église schismatique donatiste, recrutée
dans le it peuple des campagnes. De très nombreux documents ecclé-
siastiqu voquent la virulence extraordinaire de l'affrontement entre
les dona es et les catholiques de 313 à la veille de l'invasion vandale[11].
Des aut modernes ont pensé que cette guerre religieuse s'expliquait
par l'ho té foncière à Rome des populations campagnardes, restées
fidèles à rs traditions ancestrales, dont l'usage de la langue punique
ou des di tes berbères. Le schisme aurait permis à ces gens d'exprimer
leur refu la romanité qui s'appuyait, depuis Constantin, sur l'église
catholiqu 'autres ont vu dans le schisme et les violences des cir-
concellion réaction du prolétariat rural, opprimé par les propriétaires
fonciers e utorité romaine[12].

---

8. *Loc. ci*   146. Aucun historien n'admet aujourd'hui que les forteresses
édifiées dans   villes gauloises à partir du iiie siècle enfermaient la totalité de la
population.   rovence n'a pas connu l'édification de ces enceintes et est restée
profondémen   anisée au ive siècle (cf. P. A. Février, *Le développement urbain*
en Provence   *oque romaine à la fin du XIVe siècle*, Paris, 1964, p. 43-48).

9. 2e éd., P   1956, t. I, p. 231. Pour les villes, Ch.-A. Julien reprenait l'opinion
de Jules Tout   *Les cités romaines de la Tunisie*, Paris, 1895, p. 363-373).

10. Sur ces   ements, voir chap. i, p. 38-39 ; 52-53 et ii, p. 102-103.

11. Voir cha   p. 91-97 et 108-109.

12. La visio   donatisme comme expression du particularisme berbère se
surtout   W. H. C. Frend, *The Donatist Church*, Oxford, 1952 ; il est

Ainsi, on a pu décrire l'Afrique romaine au ive siècle comme un pays en état d'insurrection, où régnait une insécurité quasi-permanente. En 1928, Eugène Albertini a émis une théorie selon laquelle Dioclétien s'était résigné à un important recul de la frontière : Rome aurait abandonné de vastes territoires en Maurétanie, à l'ouest de l'embouchure du Chélif ; il n'y aurait plus eu aucune communication terrestre entre ce qui restait de la Maurétanie Césarienne et la Maurétanie Tingitane, réduite elle-même à la région de Tanger. Cette théorie s'appuyait sur un argument *a silentio* : l'absence, dans cette région, de milliaires datables du ive siècle. On supposa donc que les cités de la Césarienne occidentale avaient conservé le mode de vie romain sans appartenir désormais à l'Empire[13]. Christian Courtois, dans son ouvrage sur *Les Vandales et l'Afrique*, paru en 1955, développa cette hypothèse et affirma que l'Afrique romaine du ive siècle était amputée d'un tiers du territoire occupé sous les Sévères. Il étendit à la Tripolitaine la théorie d'Albertini et soutint que Rome ne contrôlait plus qu'une bande côtière de quelques kilomètres à l'est de la frontière tuniso-libyenne actuelle. Pour Courtois, l'Afrique romaine fut, au Bas-Empire, une peau de chagrin aux dépens de laquelle se développa ce qu'il appelle l'Afrique inconnue, peuplée, tant à l'extérieur qu'à l'intérieur du *limes*, de berbères irréductibles, hostiles à la romanité[14].

Quelques voix, cependant, s'élevèrent pour nuancer quelque peu ce tableau systématiquement noir. Eugène Albertini avait commenté, dans deux courts articles, deux textes qui impliquaient l'existence d'une prospérité relative au ive siècle : un passage du *De ordine* de saint Augustin qui supposait le maintien d'une abondante production d'huile d'olive, source traditionnelle de la richesse du pays ; une constitution d'Honorius émise en 397 qui exaltait la prospérité des villes africaines et le grand nombre de leurs décurions[15]. De son côté, le juriste Jean Declareuil

---

considéré comme une lutte de classes par H. I. Diesner, *Studien zur Gesellschaftslehre und sozialen Haltung Augustins*, Halle-Saale, 1954. Le livre de J. P. Brisson, *Autonomisme et christianisme en Afrique romaine de Septime Sévère à l'invasion vandale*, Paris, 1958, va aussi dans ce sens ; malheureusement, il ne propose guère que des extrapolations à partir d'un choix de textes littéraires et ignore par trop les autres sources (cf. le compte rendu sévère mais justifié d'André Mandouze, *Encore le donatisme*, dans *L'Antiquité classique*, 29, 1960, p. 61-107). Sur les critiques faites récemment à ces théories par E.Tengström et P. Brown, voir *infra*, p. 20 et n. 32.

13. E. Albertini, *La route frontière de Maurétanie Césarienne entre Boghar et Lalla Maghnia*, dans *Bull. de la Société géogr. et archéol. d'Oran*, 1928, p. 33-48. Jérôme Carcopino reprit cette hypothèse dans son mémoire *La fin du Maroc romain*, dans *M.E.F.R*, 1940, p. 349-358, reproduit dans *Le Maroc Antique*, Paris, 1943, p. 231-304, et plus spécialement, p. 233-244. Sur la ruine récente de cette théorie, voir *infra*, p. 19 et chap. i, p. 37-38 et 51.

14. C. Courtois, *Vandales*, p. 65-91 ; cf. chap. i, p. 55-57.

15. E. Albertini, *Un témoignage de saint Augustin sur la prospérité relative de l'Afrique au IVe siècle*, dans *Mélanges Paul Thomas*, Paris, 1930, p. 1-5 (sur Augustin, De ordine, 1, 3, C.S.E.L., 63, p. 125) ; *Idem, Témoignages du Code Théodosien sur la prospérité relative de l'Afrique au IVe siècle* (C. Th., XII, 5, 3), dans *Bull. de la Soc. Nat. des Ant. de Fr.* 1933, p. 109-112.

avait publié au début du xxe siècle une série d'articles fort documentés
sur les institutions municipales dans l'empire romain tardif où il reprenait,
en les développant, les études de Mommsen. Sans remettre en cause
le schéma admis de la décadence des cités, il montrait la complexité
des institutions, le maintien au Bas-Empire de beaucoup de structures
héritées de l'époque précédente, en Afrique tout particulièrement[16].

Cependant, jusqu'au milieu de notre siècle, nul n'a sérieusement mis
en doute la conception traditionnelle. En témoignent les deux grandes
synthèses publiées en 1952 et 1955, *The Donatist Church* de W. H. C. Frend,
et *Les Vandales et l'Afrique* de C. Courtois. L'érudition fort considérable
de ce dernier historien l'obligeait à constater une certaine activité des
villes africaines au ive siècle et un maintien des conditions économiques
qui avaient assuré la prospérité du pays sous le Haut-Empire. Mais
selon Courtois, tout cela n'était qu'une « illusion »[17].

On peut le constater, cette vision de l'Afrique romaine tardive repose
pour l'essentiel sur les sources juridiques et littéraires : les lois contre
la désertion des curies ; les passages des auteurs chrétiens sur les exactions
des circoncellions et la guerre religieuse entre catholiques et donatistes ;
le témoignage d'Ammien Marcellin sur les guerres berbères sous Valentinien Ier. En fait, cette conception historique ne faisait que reprendre
et développer les résultats acquis par la science allemande du xixe siècle,
avant que l'exploration archéologique du pays et l'ouverture d'importants chantiers de fouilles ne viennent apporter une masse énorme de
documents nouveaux.

En effet, la découverte de milliers d'inscriptions et les fouilles systématiques entreprises sur certains sites à partir de la fin du siècle dernier
vinrent bouleverser les données du problème. Les résultats étaient décon-
certants pour des esprits formés par l'historiographie classique. On
devait, en effet, constater que la romanisation de l'Afrique était chose
tardive[18] ; le nombre d'inscriptions et de monuments datés était médiocre
à l'époque de l'apogée de l'Empire, entre Auguste et Hadrien. Le grand

---

16. J. DECLAREUIL, *Quelques problèmes d'histoire des institutions municipales
au temps de l'Empire romain*, Paris, 1911 (reprise d'une série d'articles parus dans
Revue Hist. de droit de 1902 à 1909). L'idée de Declareuil, très neuve pour l'époque,
est qu'il faut attendre le courant du ive siècle pour constater une véritable dété-
rioration des institutions municipales.

17. C. COURTOIS *Vandales*, p. 149-151. W. H. C. Frend constate aussi le maintien
d'une prospérité des campagnes (*op. cit.*, p. 66-67). La principale contradiction
du livre, fort brillant assurément, de Courtois est la suivante : son grand apport
est d'avoir montré comment se maintinrent, dans l'Afrique vandale, un ordre et
une prospérité indéniables ; mais Courtois a refusé d'admettre que, quelles que
fussent les qualités politiques de Genséric, ceci n'était possible que grâce au maintien
de cet ordre et de cette prospérité durant la dernière phase de la domination romaine.

18. Cette lenteur de la romanisation sous le Haut-Empire a été bien montrée
dans l'importante étude de H.-G. PFLAUM, *La romanisation de l'ancien territoire
de la Carthage punique à la lumière des découvertes épigraphiques récentes*, dans *Antiquités Africaines*, 4 1970, p. 75-117. = H. G. PFLAUM, *Afrique romaine*, Paris, 1978,
p. 300-344.

essor n'advenait vraiment que dans la seconde moitié du iie siècle, pour culminer à l'époque sévérienne, c'est-à-dire en un temps où, dans d'autres régions de l'Empire, la crise sévissait déjà. Ceci valait pour l'ampleur et la richesse des villes et de leurs monuments, mais aussi pour la romanisation des statuts municipaux et des institutions. Et, passés les cinquante ans de crise qui séparent la fin de la dynastie sévérienne en 235 de l'avènement de Dioclétien, de nouveau les inscriptions municipales se multipliaient, évoquant tout particulièrement des constructions et des restaurations d'édifices publics. Le grand nombre des églises chrétiennes exhumées lors des fouilles témoignait éloquemment de l'importance de l'urbanisme tardif. Pourtant, archéologues et épigraphistes tentèrent vaille que vaille d'intégrer ces nouvelles données dans la perspective traditionnelle. Les inscriptions monumentales du Bas-Empire furent systématiquement taxées d'exagération rhétorique, de pathos amplificateur[19]. Toute construction médiocre, tout mur mal bâti, toute mosaïque grossière, fut catalogué comme « de basse époque », cette catégorie étant un obscur magma chronologique de plus d'un demi-millénaire, situé entre 235 et les premiers temps de l'époque arabe. Au vrai, les critères de datation étaient fort vagues ; ils étaient souvent esthétiques : plus un édifice ou une mosaïque étaient beaux — selon le goût de l'archéologue — plus ils étaient considérés comme anciens. En fait, la précision scientifique fait cruellement défaut dans les publications archéologiques romano-africaines du siècle dernier et du premier tiers de notre siècle, même dans les cas privilégiés où parurent de véritables éditions de fouilles (ainsi, pour Timgad, les ouvrages de Cagnat, Ballu et Boeswillwald ; pour Madaure, Thibilis et Thubursicu Numidarum, ceux de Stéphane Gsell)[20]. Un bon exemple de refus d'amender la vision traditionnelle

---

19. Voici un exemple très typique de cette attitude : trois inscriptions trouvées à Madaure évoquent des travaux exécutés dans les thermes d'été de cette ville, en 364, 366-367 et enfin en 407-408 (*I. L. Alg.*, I, 2101, 2102, 2108 ; voir notre notice *Madauros* – P. –, n. 9, 10, 15). Ces textes donnent, ce qui est inhabituel, beaucoup de détails techniques sur le travail effectué (réfection des sols, des baignoires, de cuves de bronze, de voûtes, du système de chauffage). De toute évidence, on a remis ces thermes en état de fonctionnement ; les inscriptions commémoratives sont précises, mais sans nulle enflure particulière. Or, Stéphane Gsell écrit, dans son ouvrage sur Madaure : « En lisant ces inscriptions, nous devons faire la part des exagérations dont le style emphatique de cette période était coutumier » (*Khamissa Mdaourouch, Announa*, fasc. II, *Mdaourouch*, Alger-Paris, 1922, p. 108). On peut aussi trouver, dans l'œuvre de Gsell, de nombreux jugements systématiquement péjoratifs sur l'architecture et l'art décoratif du Bas-Empire ; Gsell est, à coup sûr, le plus grand historien de l'Afrique antique et son œuvre immense est à tous égards admirable, mais il était tributaire des préjugés de son temps. On doit reconnaître, à sa décharge, que l'art de la graphie sur pierre connut un indéniable déclin au ive siècle et que beaucoup d'inscriptions africaines tardives sont gravées superficiellement et présentent des lettres trop grêles et irrégulières ; suspecter leur témoignage était donc une réaction naturelle.

20. E. Boeswillwald, R. Cagnat, A. Ballu, *Timgad, une cité africaine sous l'empire romain*, Paris, 1891-1905 ; A. Ballu, *Les ruines de Timgad*, I, Paris, 1903 ; II, Paris, 1911. Nous ne possédons aucune édition des fouilles menées à Timgad

à cause de la découverte de nouveaux documents est donné par l'attitude
ambiguë de Mommsen lors de la publication, en 1875, de la première
partie de l'album municipal de Timgad. Mommsen se félicitait de connaître désormais avec précision une curie du IVe siècle, grâce à un texte
que la mention du patron clarissime Vulcacius Rufinus, connu par ailleurs,
obligeait de dater vers le règne de Julien ; mais il ajoutait aussitôt qu'il
n'avait pas le temps ni ne voyait la nécessité de reprendre pour autant
l'étude globale des problèmes municipaux après Dioclétien[21]. Les villes
africaines exhumées ne correspondaient nullement au schéma de Ferdinand Lot. Hors de Maurétanie et de Tripolitaine, elles n'avaient pas été
fortifiées. A Timgad et à Djemila, la répartition des églises chrétiennes
à la périphérie, supposait une occupation totale, à l'époque tardive,
de l'espace urbain dans sa plus grande extension[22]. Ceci n'empêcha
nullement Christian Courtois d'affirmer que, même en Proconsulaire,
les cités africaines « avaient pris l'allure des villes fortes[23] ».

Il était réservé à une nouvelle génération d'archéologues de bouleverser
les idées reçues. L'application de méthodes rigoureuses de datation
permit, sur leurs chantiers, d'établir une chronologie serrée de l'occupation
des sites et de l'édification des monuments. Dès 1959, Gilbert Picard
a montré dans sa *Civilisation de l'Afrique romaine* la densité de l'urbanisation, l'activité des villes et la puissance de la romanisation vers la
fin du Haut-Empire dans la Proconsulaire (dans son extension d'avant
Dioclétien) et la Numidie[24]. Les recherches de Paul-Albert Février à
Sétif et à Djémila, celles de Noël Duval à Sbeitla[25], les travaux récents
de Gilbert Picard sur Carthage[26], ont mis en valeur la grande vitalité de
l'urbanisme tardif en Afrique romaine. Les spécialistes de la mosaïque
ont révisé bien des datations et attribuent aujourd'hui beaucoup de

---

après 1911. Bien des monuments et des sites sont connus seulement par des descrip-
tions sommaires. Pour Madaure, Thibilis et Thubursicu, l'étude de Gsell est citée
dans la note précédente.

21. Th. MOMMSEN, *Album ordinis Thamugadensis*, dans *Ephem. Epigr.*, III, I,
1876, p. 77-84 = MOMMSEN, *Gesammelte Schriften*, t. VIII, Berlin, 1913, p. 312-320
(« Nam plurimis negotiis districto mihi otium defuit, nec placet pro albi huius
interpretatione rem municipalem post Diocletianum universam retractare »).

22. C. COURTOIS, *Timgad, antique Thamugadi*, Alger, 1951 (plan hors-texte I) ;
P.-A. FÉVRIER, *Notes sur le développement urbain en Afrique du Nord : les exemples
comparés de Djemila et de Sétif*, dans *Cahiers Archéologiques*, 14, 1964, p. 13-24.

23. C. COURTOIS, *Vandales*, p. 123.

24. *La civilisation de l'Afrique romaine*, *passim*, et plus particulièrement p. 45-59
et 354-358. L'un des principaux mérites de ce livre est d'avoir bien montré l'opposition entre l'est et l'ouest de l'Afrique du Nord et l'inadéquation à la Proconsulaire
de la description, par Courtois ou Frend, d'une présence romaine sporadique telle
qu'on peut, de fait, l'observer en Maurétanie.

25. Les publications de P.-A. Février sur Sétif et Djemila sont citées dans nos
notices Sitifis (Maurétanie Sitifienne) et Cuicul (Numidie) ; celles de N. Duval sur
Sbeitla sont citées dans notre notice Sufetula (Byzacène).

26. Ces travaux sont évoqués dans *La Carthage de saint Augustin*, Paris, 1965.

beaux pavements au Bas-Empire[27]. Enfin, d'importantes études ont été menées récemment sur la céramique africaine tardive. Outre les perspectives qu'elles ouvrent pour la datation stratigraphique dans les fouilles à venir, ces recherches ont permis de connaître une très considérable production de poterie, largement exportée dans le monde méditerranéen[28].

Malheureusement, ces études, riches de promesses, sont encore trop peu nombreuses et concernent trop peu de sites pour être à la base d'une synthèse sur les villes d'Afrique au Bas-Empire. La faible part de l'archéologie dans la présente étude n'est pas due seulement à mon ignorance d'une discipline de plus en plus technique et autonome. La principale raison est l'absence, dans les publications anciennes, de datation rigoureuse des monuments présentés. De fait, quand la date d'un édifice municipal n'était pas donnée par une inscription, les archéologues d'autrefois proposaient des hypothèses fondées sur des critères si subjectifs qu'il est préférable de n'en pas tenir compte.

La théorie de la régression massive du territoire romain à partir de Dioclétien avait été fermement critiquée dès 1946 par William Seston[29]. Elle s'est effondrée depuis, par suite de la découverte de milliaires du Bas-Empire en Maurétanie Césarienne occidentale par Pierre Salama[30]. Des explorations archéologiques dans le sud de la Tripolitaine menées par Maurice Euzennat, René Rebuffat et Pol Trousset ont montré le maintien des positions romaines sur le *limes* sévérien au ive siècle, confirmant l'opinion avancée dès 1964 par A. di Vita[31].

---

27. Citons, sur ce problème, A. CARANDINI, *Metodo e critica nel problema dei mosaici di Sousse (Hadrumetum)*, dans *Archeologia Classica*, 14, 1962, p. 244-250 ; cette datation tardive est refusée par L. Foucher (*ibidem*, 15, 1963, p. 102-104). Sur l'exportation d'œuvres issues d'ateliers africains du Bas-Empire, voir A. CARANDINI, *La villa di Piazza Armerina, la circolazione della cultura figurativa africana nel tardo impero ed altre precisazioni*, dans *Dialoghi di Archeologia*, 1, 1967, p. 93-120.

28. L'importance du problème céramologique et l'absence d'études sérieuses en Afrique avaient été soulignées par P.-A. Février dans un article des *Cahiers de Tunisie*, 1964, p. 129-137. Depuis, d'importants travaux ont paru ou sont en cours notamment sur la sigillée claire africaine tardive ; citons J. W. SALOMONSON, *Spätrömische rote Tonware mit Reliefverzierung aus nordafrikanischen Werkstätten*, dans *Bulletin van de Vereeniging tot Bevordering der Kennis van de Antieke Beschaving*, 1969, p. 4-109 ; Fausto ZEVI et André TCHERNIA, *Amphores de Byzacène au Bas-Empire*, dans *Ant. Afr.*, 3, 1969, p. 173-214. A. Tchernia montre, dans cette dernière étude que l'huile africaine contenue dans ces amphores supplanta l'huile de Bétique exportée en Gaule, dès le dernier quart du iiie siècle. Voir aussi A. CARANDINI, *Produzione agricola e produzione ceramica dell' Africa d'eta imperiale*, dans *Studi Miscellanei*, 15, 1969 - 1970, p. 95-119.

29. W. SESTON, *Dioclétien et la Tétrarchie*, Paris, 1946, p. 118-119.

30. P. SALAMA, *L'occupation de la Maurétanie Césarienne occidentale sous le Bas-Empire romain*, dans *Mélanges André Piganiol*, Paris, 1966, t. 3, p. 1291-1311.

31. Maurice EUZENNAT, *Quatre années de recherches sur la frontière romaine en Tunisie méridionale*, dans *C.R.A.I.*, 1972, p. 7-27 ; René REBUFFAT, *Deux ans de recherches dans le sud de la Tripolitaine*, dans *C.R.A.I.*, 1969, p. 189-212 ; *Nouvelles recherches dans le sud de la Tripolitaine*, dans *C.R.A.I.*, 1972, p. 319-339 ; Pol TROUSSET, *Recherches sur le « limes Tripolitanus »*, Paris, 1974 (voir notamment la préface

Des travaux récents, dûs notamment à Emin Tengström et à Peter Brown[32], ont apporté de sérieuses critiques aux thèses considérant le schisme donatiste comme l'expression d'un refus de la romanisation et d'une révolte du prolétariat rural : ces conceptions, de fait, supposent de majorer certains textes au détriment de nombreux autres. Notre opinion sur ce sujet est, nous le verrons, nuancée. Retenons que l'examen de l'ensemble du dossier oblige à pondérer certaines systématisations[33].

D'autres recherches ont abouti à la mise en question de l'idée d'un grave appauvrissement économique, essentiellement à la suite d'une régression de l'agriculture. Nous pensons avoir montré qu'une loi d'Honorius datée de 422, traditionnellement invoquée comme la preuve d'une large extension des friches, avait été interprétée à contre-sens[34].

Nous nous trouvons donc en présence de tout un faisceau d'études convergentes qui obligent à une révision radicale de l'image de l'Afrique au Bas-Empire donnée par l'historiographie traditionnelle.

Les travaux récents sur l'Empire tardif ont mis l'accent sur un point essentiel : l'ampleur des disparités régionales. L'importance de la romanisation et de l'urbanisation, l'activité agricole et commerciale, variaient beaucoup d'une région à l'autre. Les diverses parties de l'Empire ont été exposées de manière extrêmement inégale au choc des invasions du iiie siècle. Il apparaît donc qu'il est impossible d'étendre à tout le monde romain une information valable pour une province ou une zone particulière[35]. Les historiens de naguère ne s'en sont pas fait faute, mais cette présomption a été à l'origine de graves erreurs. Ceci vaut tout particulièrement pour les destins opposés de l'Empire d'Occident et du futur monde byzantin ; mais on retrouve des différences très grandes entre les divers éléments de la *pars occidentalis*. Nous pensons pouvoir affirmer que

---

de M. Euzennat à ce dernier ouvrage). La théorie de C. Courtois avait été combattue par A. di Vita dans son article *Il limes romano di Tripolitania nella sua concreteza archeologica e nelle sua realta storica*, dans *Libya Antica*, 1, 1964, p. 65-98).

32. Emin TENGSTRÖM, *Donatisten und Katholiken*, Göteborg, 1964 ; Peter BROWN, *Religious dissent in the Later Roman Empire : the case of North Africa*, dans *History*, 1961, p. 83-101, repris dans *Religion and society in the age of saint Augustin*, Londres, 1972, p. 237-259 ; idem, *La vie de saint Augustin*, trad. franç., Paris, 1971, p. 255 et n. 36. Dans le même sens, André MANDOUZE, *Encore le donatisme*, dans *L'Antiquité classique*, 20, 1960, p. 61-107.

33. Voir ci-après, chap. ii, vi et viii.

34. C. LEPELLEY, *Déclin ou stabilité de l'agriculture africaine au Bas-Empire ? A propos d'une loi de l'empereur Honorius*, dans *Ant. Afr.*, 1, 1967, p. 135-144 (à propos de *C. Th.* XI, 28, 13) ; nous reprenons le problème chapitre i, *infra*, p. 31-33. Sur la prospérité de l'Afrique au ive siècle, voir les réflexions d'Henri Marrou, *R.E.L.*, 45, 1967, p. 179-180. Pour les villes voir J. KOLENDO - T. KOTULA, *Quelques problèmes du développement des villes en Afrique romaine*, dans *Klio*, 59, 1, 1977, p. 175-184.

35. Ceci a été fortement souligné, à propos des destins divergents de l'Orient et de l'Occident romains, par Roger Rémondon dans sa synthèse *La crise de l'Empire romain* (Paris, 1964) p. 256-262.

l'Afrique fut, dans l'ensemble, un îlot de prospérité dans le monde occidental, mais il nous est apparu qu'un abîme séparait l'est du pays, riche, romanisé et pacifique, des Maurétanies où les villes peu nombreuses étaient menacées en permanence par les tribus berbères, imperméables à la romanisation et inexpugnables dans leurs montagnes. La documentation est assez riche pour pouvoir distinguer, en plus de cette opposition fondamentale, d'importantes différences entre les diverses situations provinciales et même locales[36]. En bref, tout comme l'Empire dans son ensemble, on ne peut pas considérer l'Afrique romaine comme un tout homogène auquel on pourrait étendre sans risque une observation faite en l'une de ses parties. Le contraste est radical entre la Proconsulaire et la Maurétanie Tingitane. Nous avons exclu cette dernière province de notre étude ; détachée du diocèse d'Afrique et rattachée à celui d'Espagne, son destin se différencie, au IVe siècle, de celui des autres provinces africaines. Certes, il eût été intéressant d'étudier la Tingitane, pour mieux analyser le contraste ; c'était malheureusement impossible, car nous ne possédons, pour la période considérée, aucun document d'histoire municipale sur les villes de cette province.

*
* *

Ce livre se situe donc dans la perspective ouverte par de nombreuses recherches actuelles. Il n'est pas la synthèse sur l'Afrique du Bas-Empire que j'avais envisagée au début de mon travail : une telle œuvre eût dépassé mes forces et eût, sans doute, été prématurée. La seule synthèse existant à ce jour est le petit livre de Brian H. Warmington sur les provinces nord-africaines de Dioclétien à la conquête vandale, publié en 1954[37]. Certes, le dossier réuni par l'auteur était incomplet, vu les dimensions modestes de l'ouvrage et l'état des recherches lors de sa rédaction. Pourtant, B. H. Warmington a ouvert des perspectives nouvelles et fécondes, en particulier dans son chapitre sur les cités. Je suis grandement redevable, pour plusieurs aspects de la présente étude, à ce livre qui n'a pas reçu, lors de sa publication, l'accueil qu'il méritait[38].

---

36. Voir chapitre I, p. 37-57.

37. B. H. WARMINGTON, *The North African provinces from Diocletian to the Vandal conquest*, Cambridge, 1954, (124 p.).

38. Le compte-rendu donné par C. Courtois (*Revue Africaine*, 1955, p. 422-424) s'attache à des erreurs de détail et ne relève pas les apports nouveaux du livre, notamment quant à l'utilisation des inscriptions et des textes juridiques pour l'histoire urbaine. Le compte-rendu de W. H. C. Frend (*J.R.S.*, 1955, p. 203-204) reconnaît mieux la valeur de l'ouvrage mais reste, à mon sens, trop négatif. Mon ignorance de la langue russe ne m'a pas permis de prendre connaissance de la synthèse de G. G. Diliguenski sur la société africaine au Bas-Empire (*Severnaïa Afrika v IV-V vekakh*, Moscou, 1961). Le compte-rendu très substantiel que Tadeusz Kotula a donné de cet ouvrage (*Bull. d'arch. Alg.*, 2, 1966-1967, p. 343-349) montre le chemin parcouru en U.R.S.S. depuis les publications de l'ère stalinienne recensées naguère par P. Gacic (*En Afrique romaine : classes et luttes sociales d'après les historiens soviétiques*, dans *Annales, E.S.C.*, 1957, p. 650-661). Les auteurs russes d'alors

Je me suis limité à l'étude des villes d'après les sources écrites, c'est-à-
dire à la vie municipale entendue dans son acception la plus large :
non seulement les aspects juridiques et institutionnels mais aussi les
implications sociales et religieuses de la vie des cités et leur signification
quant à l'histoire des mentalités et de la romanisation. Certes, j'étais
amené à ne traiter qu'allusivement de problèmes fondamentaux : la vie
rurale, les peuples berbères non romanisés, l'armée, la vie religieuse
en tant que telle. Mais le sujet retenu donnait un point de vue très privilégié sur l'ensemble de la réalité historique : la ville a joué, on le sait,
un rôle capital dans la civilisation classique et fut l'outil essentiel de la
romanisation du droit, des mentalités, de la vie quotidienne. Sa survie
ou sa crise déterminait donc le sort de la romanité, dans une région
donnée de l'Empire.

L'étude de la vie municipale dans l'Empire romain tardif a été renouvelée par une série d'importants travaux. Arnold H. M. Jones avait ouvert
la voie dès 1937 et 1940, par ses livres sur les cités du monde hellénistico-
romain oriental[39]. La publication des papyrus d'Oxyrhynchos permit
de connaître les cités de l'Égypte romaine tardive. L'étude de la source
incomparable (mais partielle) que constituent les œuvres de Libanius
permit à Paul Petit et à H. Liebeschuetz de renouveler nos connaissances sur Antioche[40]. La publication ou l'étude, par Louis Robert,
de nombreuses inscriptions grecques du Bas-Empire, ont ouvert de
riches perspectives sur la vie municipale dans l'Orient romain à cette
époque. Louis Robert a montré tout le parti qu'on pouvait tirer de
passages des Pères de l'église grecque pour la compréhension d'inscriptions
évoquant l'évergétisme. Ces textes, écrit-il, « montrent vigoureusement
quelle est, au ivᵉ siècle, la persistance de la vie des cités et de l'esprit
municipal de l'Antiquité[41] ». Nous sommes loin, désormais, des simplifi-
cations abusives des historiens d'autrefois ; la réalité municipale de
l'empire tardif apparaît comme fort complexe, parfois contradictoire,
souvent très vivace. Certes, la crise que durent affronter les cités fut
parfois grave, tant du point de vue des institutions que du point de vue
social, mais il n'est plus question de réduire l'évolution des villes au
ivᵉ siècle à un schéma *a priori* concluant à leur disparition. Dans son

---

voulaient à tout prix trouver dans l'Afrique du Bas-Empire les structures « féoda-
listes » qui impliquaient la disparition de la cité « esclavagiste ». Du coup, ils durcis-
saient encore les conceptions des historiens occidentaux, dont ils étaient, en fait,
tributaires. G. G. Diliguenski récuse l'idée d'un déclin des villes, tout en soulignant
une opposition de classe accrue entre l'oligarchie municipale et la masse appauvrie
des petits décurions.

39. A. H. M. Jones, *The cities of the Eastern Roman Provinces*, Oxford, 1937 ;
The Greek City from Alexander to Justinian, Oxford, 1940.

40. P. Petit, *Libanius et la vie municipale à Antioche au IVᵉ siècle*, Paris, 1955 ;
J. H. Liebeschuetz, *Antioch : city and imperial administration in the Later Roman
Empire*, Oxford, 1972.

41. Louis Robert, Τροφεύς et Ἀριστεύς, dans *Hellenica*, 11-12, 1960, p. 569-576
et particulièrement p. 571, n. 1.

importante étude récente sur l'évergétisme, Paul Veyne va jusqu'à dire que, du Haut-Empire au Bas-Empire, la vie municipale a fort peu changé[42]. Nous reprenons pour l'essentiel cette assertion à notre compte.

Arnold H. M. Jones a pu donner une vaste synthèse sur le problème des cités dans son grand ouvrage sur le Bas-Empire[43]. Il y regrettait l'absence, pour l'Occident romain, d'études comparables à celles que lui-même et Paul Petit avaient consacrées à l'Orient[44]. C'est cette lacune que le présent ouvrage voudrait tenter de combler en ce qui concerne l'Afrique. Certes, nous ne disposons pas pour cette région d'une source aussi riche que les écrits de Libanius. En conséquence, certains points restent dans l'ombre : on voit mal, par exemple, le détail des *munera* qui pesaient si lourdement sur les décurions, ou encore les problèmes financiers des cités. Nous nous sommes efforcé de recourir le moins possible, pour combler ces lacunes, à des textes non africains où à des lois qui n'étaient pas destinées spécifiquement à l'Afrique. Il eût été tout particulièrement contestable d'extrapoler des faits connus pour Antioche, car les situations respectives de l'Orient et de l'Occident étaient fort différentes et le devinrent de plus en plus au cours de la période. On peut souhaiter que d'autres études régionales permettent de déterminer les éléments communs aux diverses parties de l'Empire et donnent, en conséquence, la possibilité de combler les lacunes du présent ouvrage sans trop de risque.

Cependant, les sources sont abondantes. On pense d'emblée, pour l'Afrique du Bas-Empire, à l'énorme masse des écrits relatifs au donatisme

---

42. Paul Veyne, *Le pain et le cirque, sociologie historique d'un pluralisme politique*, Paris, 1976, p. 51. P. Veyne cite à l'appui de son opinion un passage de Symmaque (Lettres, I, 3) affirmant que les aristocrates romains et municipaux « épuisent à qui mieux mieux leur patrimoine pour orner leur cité ». De même, ajoute-t-il à la suite de Louis Robert, « les Pères de l'église grecque sont une des sources les plus abondantes pour l'histoire de l'évergétisme ». On pourrait en dire autant, en ce qui concerne l'Afrique, de saint Augustin (voir chap. VI, p. 298-302 et VIII, p. 376-388).

43. A. H. M. Jones, *The Later Roman Empire*, Oxford, 1964, t. 2, chap. XIX, *The Cities*, p. 712-766. On peut citer encore deux synthèses récentes, moins satisfaisantes. Le livre de Roland Ganghoffer, *L'évolution des institutions municipales en Occident et en Orient au Bas-Empire*, Paris, 1963, est rapide, mais a l'intérêt de montrer la différence de l'évolution à l'est et à l'ouest. Toutefois, R. Ganghoffer garde l'idée d'un déclin global des villes occidentales, sans nuances régionales. De plus, la perspective est presque exclusivement juridique. Le livre de Walter Langhammer, *Die rechtliche und soziale Stellung der « Magistratus municipales » und der « Decuriones »*, Wiesbaden, 1973 constitue un manuel très utile, rassemblant de nombreuses données institutionnelles et juridiques ; mais cette étude n'apporte rien de bien neuf par rapport à l'historiographie du XIXe siècle ; les différences régionales sont ignorées, ainsi que les perspectives récentes sur le Bas-Empire (voir le c.-r. de J. Béranger, *R.E.L.*, 53, 1975, p. 533-535). On doit constater que ces auteurs dépendent étroitement de l'érudition et des préjugés de Th. Mommsen (*Droit public romain*, dans *Manuel des antiquités romaines*, trad. fr., Paris, 1890-1900, t. I-VII) et de son élève W. Liebenam (*Städteverwaltung im römischen Kaiserreich*, Leipzig, 1900).

44. A. H. M. Jones, *op. cit.*, t. 3, p. 225, n. 1.

et à l'œuvre immense de saint Augustin. C'est sur cette documentation
que s'appuient pour l'essentiel les études des historiens modernes, et il
en résulte une certaine déformation des perspectives, une exagération
de l'importance des controverses ecclésiastiques. C'est un peu comme
si l'on faisait l'histoire du règne de Louis XIV avec pour seules sources
les nombreux écrits concernant la querelle janséniste. « Toujours le
donatisme. A quand l'Afrique ? », demandait justement Paul-Albert
Février[45]. Pourtant, ces textes ecclésiastiques fournissent un nombre fort
appréciable de renseignements sur les cités africaines et les sociétés
urbaines. J'ai pu constater que, bien souvent, ces témoignages n'avaient
pas été étudiés pour eux-mêmes. C'est qu'ils ne sont, le plus souvent,
intelligibles que si on les examine à la lumière des autres sources, les
inscriptions et les textes juridiques essentiellement. Les auteurs chrétiens
n'écrivaient pas de traités sur la vie municipale ou les structures sociales.
Il faut donc un œil exercé pour déceler dans leurs écrits les allusions
à ces problèmes[46].

Les inscriptions constituent une source essentielle. La terre d'Afrique
en a fourni, depuis plus d'un siècle, des dizaines de milliers ; nous en
avons étudié près de mille, qui éclairent la vie des cités au Bas-Empire.
Leur valeur est inégale, car elles vont d'une simple dédicace honorifique
à un empereur au document capital qu'est l'album municipal de Timgad.
La part la plus importante commémore des constructions ou des restaurations d'édifices publics urbains, souvent liées à des actes d'évergétisme. Leur témoignage sur les institutions municipales est fondamental ;
c'est par ces inscriptions que nous pouvons connaître un grand nombre
de dignitaires et de bienfaiteurs des villes. J'ai pu constater que ces
inscriptions municipales tardives n'avaient jamais fait l'objet d'une
étude d'ensemble, contrairement à leurs homologues du Haut-Empire
qui ont bien davantage suscité l'intérêt des historiens[47].

La troisième grande catégorie de sources est constituée par les textes

---

45. P.-A. FÉVRIER, *Toujours le donatisme. A quand l'Afrique ?* dans *Rivista di
storia e letteratura religiosa*, 2, 1966, p. 228-240. Cet article est un compte-rendu
détaillé de l'ouvrage d'E. TENGSTRÖM, *Donatisten und Katholiken.* Tout en recon-
naissant la valeur et le sérieux de ce livre, Paul-Albert Février regrettait qu'on
reprît toujours les mêmes textes et souhaitait une étude de l'Afrique romaine
tardive fondée aussi sur les autres catégories de sources. Notre livre tente d'exaucer
ce vœu, au moins pour un aspect de la question.

46. J'ai déjà abordé ce problème dans mon article *Saint Augustin et la cité romano-
africaine*, dans *Jean Chrysostome et Augustin*, recueil édité par Ch. Kannengiesser,
Paris, 1975, p. 13-29. Il m'est apparu que l'énorme bibliographie sur saint Augustin
faisait une part très réduite à son témoignage sur l'Afrique de son temps. Je suis
conscient de n'avoir pas épuisé ici, malgré l'aide amicale de Mlle A.-M. La Bonnardière, toutes les ressources de l'œuvre augustinienne.

47. Paul Veyne a dit que le manque de rapports entre les historiens du Haut-Empire et ceux du Bas-Empire était dû au fait que les premiers travaillaient pour
l'essentiel d'après les inscriptions, les seconds d'après les textes chrétiens et le *Code
Théodosien* (*Comment on écrit l'histoire. Essai d'épistémologie historique*, Paris, 1971,
p. 333). En ce qui concerne l'Afrique, ce fait provient d'une carence, non d'une
nécessité.

juridiques. Pour l'essentiel, on les trouve dans le *Code Théodosien*. Il faut en chercher d'autres dans le *Code Justinien* et quelques compilations secondaires. Fréquemment, les adresses de ces lois impériales mentionnent des destinataires africains, vicaires et gouverneurs de provinces le plus souvent. Les compilateurs du *Code Théodosien* semblent avoir privilégié, dans les archives de chancellerie, ce qui concernait les provinces africaines : en comparaison, les textes adressés à la Gaule apparaissent en nombre infime. Une raison de cette préférence pourrait être la prospérité de l'Afrique à l'époque tardive, le maintien des structures municipales et juridiques traditionnelles, l'importance toute particulière de cette contrée dans l'empire d'Occident[48]. Il faudrait aussi faire entrer en ligne de compte la présence de nombreux hommes de loi dans ce pays que Juvénal appelait déjà « la nourrice des avocats », l'importance qu'y gardaient les actes écrits, comme nous le constaterons à maintes reprises. Les Africains n'hésitaient nullement à saisir la chancellerie impériale des problèmes les concernant, à expédier des ambassades municipales au *comitatus*. Ils suscitaient ainsi des réponses des bureaux centraux, dont les archives gardaient des traces que devaient retrouver les compilateurs de Théodose II[49].

Les autres documents sont éparpillés dans diverses sources. Ammien Marcellin donne de précieux renseignements sur la Tripolitaine et la Maurétanie Césarienne sous Valentinien Ier. Une lettre de Julien, quelques passages de la correspondance de Symmaque, divers textes d'auteurs païens et chrétiens fournissent certains éléments. Il est difficile d'être exhaustif dans une enquête aussi multiforme : ma recension, à coup sûr, pourra être complétée par des lecteurs érudits[50].

Du point de vue de la méthode, mon travail m'a surtout montré combien pouvait être fructueuse l'utilisation simultanée de sources de nature différente : inscriptions, textes patristiques et documents juridiques s'éclairent mutuellement. Or, le strict cloisonnement des

---

48. Dans son article sur *Constantin et les curies municipales* (dans *Iura, Rivista internazionale di diritto romano e antico*, 2, 1951, p. 45), Jean Gaudemet constate l'importance des textes se rapportant à son sujet et concernant spécialement l'Orient, « ce qui s'explique, écrit-il, sans doute moins par l'accident du rassemblement des textes au C. Th. que par le plus grand développement des villes dans cette région... » La même constatation et la même explication valent pour l'Afrique. Des travaux récents ont conduit à une interprétation nouvelle des nombreux textes juridiques coercitifs concernant les obligations des décurions. Ainsi l'étude d'André CHASTAGNOL *Les modes de recrutement du Sénat au IV e siècle après J. C.* dans *Recherches sur les structures sociales de l'Antiquité classique*, éd. par C. Nicolet, Paris, 1970, p. 187-211, montre que l'entrée de nombreux aristocrates locaux dans l'ordre sénatorial élargi, à partir de Constantin, est dû à une modification de la politique impériale et non à une crise des cités (voir chap. v, p. 256-260).

49. Sur l'importance de l'acte écrit et des ambassades municipales, voir chap. iv, p. 211 et 223-224.

50. Voir, tome II *in fine*, la liste des sources utilisées. Les renseignements fournis par les publications de fouilles archéologiques sont, bien entendu, utilisés parallèlement au témoignage des inscriptions découvertes sur les sites concernés.

disciplines a très souvent empêché les spécialistes de percevoir cette complémentarité. Certes, ce type de recherche n'est pas aisé, car il est difficile d'utiliser avec un égal bonheur les techniques et les instruments bibliographiques de plusieurs disciplines largement autonomes. Ma tentative de perception de la réalité historique dans son ensemble était à ce prix.

Ces documents montrent l'existence, hors de la Maurétanie, de villes actives, ayant gardé des structures municipales vivantes, animées par une classe décurionale dynamique et résistant bien aux épreuves qu'elle subissait. On ne peut substituer au schéma ancien de l'effondrement des villes dès le IIIe siècle le type d'évolution que J. H. Liebeschuetz discerne à Antioche : après une nette renaissance sous Dioclétien et Constantin, un déclin progressif qui s'accélère dans le dernier quart du IVe siècle. L'étude chronologique montre en Afrique, après le renouveau sous Dioclétien, une longue période de marasme qui dura jusqu'aux dernières années du règne de Constance II. Puis vient, dans la seconde moitié du IVe siècle, une brillante renaissance de l'activité municipale culminant au début du règne de Valentinien Ier, caractérisée par un nouvel essor des constructions publiques et, fait tout particulièrement notable, de l'évergétisme. Cette conjoncture brillante ne se détériora que lentement, sous les règnes de Théodose et d'Honorius[51].

Ces constatations m'ont amené à mettre, plus que d'autres historiens, l'accent sur l'importance et la profondeur de la romanisation de l'Afrique. Mais il faut aussi apporter à ce point de vue d'importants correctifs : la zone à forte densité urbaine où l'influence romaine a pu s'exercer pleinement ne constituait, à l'est de Maghreb, qu'une partie limitée du monde berbère[52]. Si le Bas-Empire a su conserver l'héritage urbain de l'époque précédente, il a vu se tarir le mouvement de création de cités nouvelles. Enfin, il est certain que le rayonnement de la romanité sur les campagnes dépendant des villes a été parfois fort limité. Mais, ces réserves posées, on doit constater que la documentation témoigne d'un indéniable maintien de la vie urbaine et municipale : saint Augustin n'a pas reçu sa formation, n'a pas vécu dans « ces pauvres villes anémiées, incapables d'alimenter une civilisation brillante » que décrivait Ferdinand Lot[53].

A mesure de mon cheminement, c'était une vue à bien des égards neuve des cités d'Afrique au Bas-Empire qui se présentait à moi. Or, les chemins que j'empruntais étaient peu frayés. Les épigraphistes ont beaucoup

---

51. Sur ces variations extrêmement nettes de la conjoncture voir chap. II, p. 82-111.

52. Sur les disparités dans l'espace, également très fortes, voir chap. I, p. 37-57.

53. Sur la richesse de la civilisation du Bas-Empire telle qu'Augustin l'a connue et exprimée, voir H.-I. MARROU, *Saint Augustin et la fin de la culture antique*, *Retractatio*, Paris, 1958, p. 690-702, et *Décadence romaine ou antiquité tardive ?*, Paris, 1977, *passim*.

étudié, ces dernières années en particulier, les inscriptions municipales africaines du Haut-Empire. On a scruté de près l'évolution des institutions et des statuts des cités jusqu'au IIIe siècle[54] ; on a aussi analysé les textes évoquant des actes d'évergétisme, en particulier ceux qui mentionnaient des sommes d'argent[55].

Rien de tel pour les inscriptions du Bas-Empire, pourtant nombreuses. Même un document aussi important que l'album municipal de Timgad, connu presque dans son intégralité depuis 1948, n'avait fait l'objet d'aucune étude systématique jusqu'au livre que vient de lui consacrer André Chastagnol. Il semble que la vieille idée mommsenienne d'une quasi-disparition des structures municipales sous le « dominat » ait découragé les éventuels chercheurs. De même, les nombreuses allusions à la vie des cités éparses dans les textes patristiques n'ont jamais été rassemblées : ainsi, un document aussi riche de renseignements sur la vie sociale et les institutions que les actes du procès de Félix, évêque d'Abthugni, n'avait suscité que fort peu de commentaires.

A mesure que progressait mon enquête, je m'aperçus donc que je me trouvais souvent en terrain vierge, bien que je n'aie jamais utilisé de sources inédites. Ma recherche m'amenait à contester nombre d'idées reçues et je ne pouvais qu'assez rarement m'appuyer sur des travaux de détail parus antérieurement. J'estimai donc nécessaire d'étayer mes conclusions par une analyse précise des sources recensées, que personne, jusqu'ici, n'avait rassemblées, même pour Carthage. Cette analyse constitue la seconde partie de l'ouvrage. On y trouve regroupée la documentation sur l'histoire municipale africaine entre Dioclétien et l'invasion vandale, pour 170 cités. Une notice est consacrée à toute commune pour laquelle nous possédons au moins un document municipal datable de la période considérée. Un résumé de l'histoire antérieure de la cité est donné en tête de chaque notice. Cette méthode m'a permis d'alléger considérablement la synthèse, proposée en première partie. Le lecteur spécialiste devra donc se reporter aux notices rassemblées dans le second tome de l'ouvrage, s'il veut étudier de plus près tel ou tel document. J'espère que cette partie analytique pourra rendre service aux chercheurs qui travaillent sur l'Afrique romaine, même si le thème de leur étude est différent.

*
* *

---

54. Citons l'important mémoire de H.-G. Pflaum, *La romanisation de l'ancien territoire de la Carthage punique à la lumière des découvertes épigraphiques récentes*, dans *Ant. Afr.*, 4, 1970, p. 75-117 et le livre de Jacques Gascou, *La politique municipale de l'empire romain en Afrique Proconsulaire de Trajan à Septime Sévère*, Rome, 1972.

55. Ainsi dans les travaux de Richard P. Duncan-Jones, *The Economy of the Roman Empire*, Cambridge, 1974, p. 63-119 (reprise d'un article paru dans *Papers of the British school at Rome*, 30, 1962, p. 47-115), ou dans les articles de Paul Veyne, *Deux inscriptions de Vina*, dans *Karthaga*, 9, 1958, p. 91-101 et de François Jacques, « *Ampliatio et mora* » : *évergètes récalcitrants d'Afrique romaine*, dans *Ant. Afr.*, 9, 1975, p. 159-180.

Ce livre n'aurait pu voir le jour sans l'aide et le soutien de mes maîtres et de mes amis. J'évoquerai d'abord deux disparus : le doyen André Aymard qui m'a envoyé, au lendemain de l'agrégation, enseigner à l'Université de Tunis alors en formation et m'a, le premier, incité à me consacrer à l'histoire africaine ; Charles Saumagne qui m'accueillit en Tunisie avec tant de chaleureuse cordialité et me fit profiter libéralement de son incomparable connaissance de l'Afrique antique.

C'est à mon directeur de thèse, M. William Seston, que je dois le choix du thème de ma recherche et la découverte de sa méthode. M. W. Seston me fit voir combien l'histoire de l'Afrique tardive pouvait être éclairée par une étude systématique de la documentation, alors que l'analyse d'un choix arbitraire de témoignages, dont on se contentait jusqu'alors, déformait les perspectives. Il m'incita tout particulièrement à l'étude de la documentation capitale et trop négligée que constituent les sources juridiques. La bienveillance et le ferme appui de M. Seston ont été pour moi, au long de ce travail, un irremplaçable encouragement.

Je dois à M. Henri-Irénée Marrou, mon initiation au Bas-Empire et au christianisme ancien. C'est grâce à son enseignement que j'ai pu me familiariser avec l'univers patristique et il m'a beaucoup encouragé à tenter de mener à bien cette étude du milieu concret où vécut saint Augustin[56].

Parmi les autres maîtres qui m'ont aidé par leurs conseils et leurs encouragements, je citerai MM. Jean Lassus, Hans-Georg Pflaum, Gilbert Picard et André Chastagnol. Une lecture attentive de mon texte a permis à M. Marcel Leglay de me faire bénéficier de nombreuses et judicieuses observations. Ma reconnaissance lui est acquise, de même qu'à Mlle Anne-Marie La Bonnardière, qui a fort généreusement mis à ma disposition sa grande connaissance d'Augustin.

Ce travail doit beaucoup aux remarques et suggestions de mes amis Paul-Albert Février, Noël Duval, Charles Pietri, Michel Humbert, Roger Hanoune. Je dois une reconnaissance particulière à François Jacques qui m'a aidé à interpréter certains textes difficiles et m'a secondé, avec la collaboration de Pierre Jaillette, dans la tâche aride de la relecture de l'ouvrage.

Le P. Georges Folliet et M. Jacques Fontaine m'ont fait l'honneur d'accueillir dans la collection des *Études Augustiniennes* ce livre qui se situe au carrefour de la patristique et d'autres approches de l'Antiquité tardive. Ma gratitude leur est acquise pour cette généreuse hospitalité.

---

56. Ces lignes étaient rédigées quand Henri-Irénée Marrou est mort, le 11 avril 1977. Cette disparition avive en moi la conscience de ma dette envers ce maître dont l'enseignement inoubliable me révéla, comme à tant d'autres, et la grandeur méconnue de l'Antiquité tardive, et la noblesse du métier d'historien.

CHAPITRE PREMIER

Le contexte géographique et les disparités régionales

I — La prospérité de l'Afrique au Bas-Empire : lieu commun ou réalité ?

Au début de la conférence qui réunit à Carthage en 411 les épiscopats catholique et donatiste, on donna lecture d'une lettre impériale par laquelle Honorius prescrivait la tenue de cette *collatio*. L'empereur exprimait son désir de voir l'unité chrétienne rétablie dans cette région qu'il déclarait être « la partie la plus importante de son empire »[1]. De fait, au cours de ces années terribles qui virent le déferlement des barbares sur l'Empire d'Occident, l'Afrique semblait une terre privilégiée, exempte des ravages que subissait l'Europe. Sa conquête par les Vandales de Genséric entre 429 et 439 fut très certainement l'élément décisif du processus de disparition de l'Empire en Occident.

Toutefois, l'Afrique possédait depuis longtemps la réputation d'une terre exceptionnellement riche et prospère. Lactance affirmait que Maximien fut privilégié parmi les Tétrarques, parce qu'il disposait de l'Italie et des provinces les plus riches, l'Afrique et l'Espagne[2]. Pour l'auteur de l'*Expositio totius mundi*, qui écrivait au temps de Constance II, la province d'Afrique est « riche en toutes choses, en récoltes comme en chevaux ; presque à elle toute seule, elle fournit à tous les peuples l'huile

---

1. *Actes de la conférence de Carthage en 411*, I, 4, éd. Lancel, t. II, *S.C.*, 195, p. 562-564 : « ... Africam, hoc est *regni nostri maximam partem* et saecularibus officiis fideliter seruientem... » Je remercie mon ami Tadeusz Kotula d'avoir bien voulu me signaler l'intérêt de cette formule.

2. Lactance, *De la mort des persécuteurs*, VIII, éd. Moreau, *S.C.*, 39, p. 86 : « ... opulentissimae prouinciae, uel Africa, uel Hispania... »

dont ils ont besoin[3] ». Le texte évoque ensuite les multiples villes qui couvrent le pays et sur lesquelles Carthage l'emporte par son importance et la beauté de ses édifices[4].

Le témoignage de l'*Expositio* sur l'oléiculture, source essentielle des exportations africaines, est corroboré par un passage du *De ordine* de saint Augustin, commenté jadis par Eugène Albertini. Augustin raconte qu'il vivait, après sa conversion, avec ses amis et ses disciples, dans une maison de Classiciacum près de Milan ; or les chambres n'étaient pas éclairées, car l'utilisation continue de lampes à huile était, en Italie, un luxe que même des personnes riches ne se permettaient pas[5]. Ceci implique qu'il n'en était pas de même en Afrique, où l'on pouvait sans dépense excessive lire et écrire la nuit, à la lueur de ces lampes que les archéologues ont retrouvées par milliers[6].

Dans une loi datée de 397, Honorius ordonnait au proconsul d'Afrique Probinus de veiller à une équitable répartition des charges municipales entre les curiales, de manière à ce que certains n'en fussent pas illégalement dispensés pendant que d'autres devaient accomplir deux fois le même *munus*[7]. Cette prescription était fort banale et reprenait une jurisprudence maintes fois réaffirmée depuis l'époque sévérienne. Mais le rédacteur ajoutait une considération beaucoup plus intéressante : une répartition injuste serait particulièrement inique « dans des villes florissantes et riches du nombre souhaité de curiales[8] ». Dans son commentaire du code Théodosien, Godefroy avait déjà remarqué la signification de ce document impérial ; dans l'expression *uotiua curialium numerositas*, l'adjectif *uotiua* signifie enviable, désirable[9]. Cela sous-

---

3. *Expositio totius mundi*, 61, éd. Rougé, *S.C.*, 124, p. 201 : « ... Africae regio diues in omnibus inuenitur ; omnibus bonis ornata est, fructibus quoque et iumentis, et paene ipsa omnibus gentibus usum olei praestat. »

4. Sur ce passage, voir notice *Karthago*, n. 48.

5. AUGUSTIN, *De ordine*, X, 1, 3, C.S.E.L., 63, p. 125. Commentaire de ce texte par Eugène ALBERTINI, *Un témoignage de saint Augustin sur la prospérité relative de l'Afrique au IVe siècle*, dans *Mélanges Paul Thomas*, Paris, 1930, p. 1-5.

6. Cette importance de l'oléiculture africaine apparaît aussi dans les recherches récentes d'A. Carandini, F. Zevi et A. Tchernia sur la céramique africaine tardive, dont la diffusion dès le dernier quart du IIIe siècle en Gaule du sud est liée à l'exportation d'huile d'olive (voir *supra*, Introduction, p. 19 et n. 28). La vente d'huile est présentée, dans un sermon d'Augustin, comme le commerce par excellence : « Accipe hic a me aurum, et da mihi in Africa oleum » (« Reçois mon or, et donne-moi de l'huile d'Afrique » ; *sermo* 177, 10, *P.L.*, 38-39, 959).

7. *C. Th.*, XII, 5, 3.

8. *Ibidem* : « ... in urbibus magnifico statu praeditis ac *uotiua curialium numerositate* locupletibus... » Cf. E. ALBERTINI, *Témoignages du Code Théodosien sur la prospérité relative de l'Afrique au IVe siècle*, dans *Bull. de la Soc. Nat. des Ant. de Fr.*, 1933, p. 109-112. Albertini commentait également dans cet article la loi *C. Th.*, XII, 5, 1, de 325, sur l'élection des magistrats par le peuple dans les cités africaines, qu'il considérait comme un indice de la prospérité des villes (voir chap. III, *infra*, p. 142-146).

9. J. GODEFROY, *Codex Theodosianus cum perpetuis commentariis*, t. 4, éd. Ritter Leipzig, 1740, p. 564, note d.

entend, note E. Albertini, « qu'on voudrait bien que, dans les autres provinces, les curies fussent aussi peuplées qu'en Afrique ». Le même historien conclut que, dans cette région, beaucoup de propriétaires atteignaient le cens curiale et étaient assez à leur aise pour faire face à tour de rôle aux charges municipales ; les notables des villes avaient donc mieux résisté qu'ailleurs à la crise économique et aux charges fiscales.

Une constitution émise par Honorius en 422 a été interprétée par de nombreux historiens comme la preuve d'une grave crise de l'agriculture africaine à la veille de l'invasion vandale[10]. Ce document, établi *secundum fidem polyptychorum* et à la suite d'une enquête précise, distingue en Proconsulaire et en Byzacène des terres payant des redevances (*in soluendo* ; *in praestanda functione*) et des terres non cultivées dont on ne devait exiger aucune prestation (*in remouendis* ; *in auferenda*). En Proconsulaire, 4 551 km² étaient solvables, 2 881 km² étaient exempts de redevance ; en Byzacène, 3 771 km² étaient solvables, 3 849 km² étaient exempts. Les terres stériles constituaient donc un tiers de l'ensemble considéré en Proconsulaire, et un peu plus de la moitié en Byzacène. L'ensemble des deux provinces couvrant environ 91 000 kilomètres carrés, la statistique de 422 porte sur un sixième de cette superficie totale. Des historiens ont pensé que ce sixième était la superficie cultivée au ive siècle ; devant l'abandon massif des terres par les paysans, la chancellerie d'Honorius aurait dû rayer des registres fiscaux une large partie de cette superficie déjà fort réduite : les 8 322 km² mentionnés comme solvables ne représentent qu'un onzième de l'étendue des deux provinces. Cette interprétation suppose donc une décadence catastrophique de l'agriculture africaine, une dégradation accélérée de la situation. C'est l'image retenue par d'éminents historiens, tels H. Dessau ou E. Stein[11]. Des commentateurs plus perspicaces ont compris que la loi de 422 avait en fait une portée plus restreinte ; elle s'adressait en effet au *comes rei priuatae*, responsable de l'administration des domaines impériaux. Elle ne concernait donc que ces derniers, et non les propriétés des particuliers[12]. Elle nous apprend d'abord que les domaines impériaux

---

10. *C. Th.*, XI, 28, 13. J'ai commenté ce texte dans mon étude *Déclin ou stabilité de l'agriculture africaine au Bas Empire ? A propos d'une loi de l'empereur Honorius*, dans *Antiquités Africaines*, 1, 1967, p. 135-144. On trouvera ici le résumé de l'argumentation et des conclusions de cet article.

11. H. DESSAU, art. *Byzacium*, dans *P.-W.*, III, 1116 ; E. STEIN, *Histoire du Bas Empire*, éd. fr., Paris, 1959, t. 1 (2), p. 584, n. 136. S. Mazzarino partage ce point de vue (*Aspetti sociali del quarto secolo*, Rome, 1951, p. 253-254 et p. 418, n. 95) ; de même F. LOT, *Rev. hist. de droit fr. et étr.*, 4, 1925, p. 24-27. Toutefois, ces auteurs n'avaient pas cherché à transposer en mesures de superficie modernes les centuries et les jugères indiqués par le texte et à comparer ces statistiques à celles de l'étendue totale des deux provinces. Du coup, le caractère dérisoire de la surface cultivée indiquée par la loi de 422 ne leur apparaissait pas nettement.

12. W. BARTHEL, *Römische Limitation in der Provinz Afrika*, dans *Bonner Jarhbücher*, 1911, p. 49-50 ; R. M. HAYWOOD, *Roman Africa*, dans Tenney FRANK,

couvraient un sixième de la superficie des provinces de Proconsulaire et de Byzacène. Il reste qu'une grande partie de ces domaines, un tiers au nord, une moitié au sud, était exempte de toute redevance parce que non cultivée, ce qui semble en totale contradiction avec les documents évoquant la prospérité de l'Afrique au Bas-Empire.

Reprenant après beaucoup d'autres l'étude de ce texte, j'ai été amené aux constatations suivantes[13]. En premier lieu, l'enquête ordonnée aux services de la *res priuata* visait à obtenir, d'après les polyptyques, une statistique globale des terres cultivées et en friches ; on ne cherchait nullement à distinguer entre friches récentes, dues à un éventuel abandon de terres, et friches anciennes. Or, les domaines impériaux étaient immenses ; ils comprenaient donc des pentes de montagnes, des territoires en forêts ou en broussailles et, en Byzacène, des morceaux de steppe stérile. La loi d'Hadrien sur les terres incultes, connue grâce à l'inscription d'Aïn el Djemala, évoquait déjà ces mauvaises terres qu'on s'efforçait de mettre en valeur en les confiant à des *cultores manciani* bénéficiant des baux exceptionnellement favorables[14]. La chancellerie d'Honorius avait les mêmes soucis ; la loi de 422 ordonnait d'accorder le contrat emphythéotique à ceux qui accepteraient de prendre en charge les terres en friches des domaines ; ils pourraient bénéficier d'un droit de possession sans limite de durée et transmissible à leurs héritiers[15].

La montagne et la steppe couvrent une partie importante de la Tunisie et de la portion de l'Algérie qui correspond à l'ouest de l'Afrique Proconsulaire. Un tiers de friches au nord et une moitié au sud n'ont, dans ces conditions, rien de surprenant et ne témoignent nullement d'une dégradation particulière de l'agriculture. La loi de 422 suggère que certaines terres avaient été laissées en friches à une date plus ou moins récente et qu'elles pouvaient porter des récoltes, c'est pourquoi elle ordonne aux responsables de la *res priuata* de réagir et de recruter des fermiers. Mais elle ne donne aucun renseignement sur l'ampleur de ce phénomène, qui peut très bien avoir été fort limité. Cette loi n'est donc pas, comme on l'avait cru, en contradiction avec les nombreux témoi-

Economic Survey of Ancient Rome, t. 4, Baltimore, 1938, p. 118 ; C. COURTOIS, *Vandales*, Paris, 1955, p. 132 ; G. PICARD, *La civilisation de l'Afrique romaine*, Paris, 1959, p. 370, n. 29. G. Picard fournit un argument décisif : une surface cultivée aussi restreinte n'eût pas pu produire le montant de l'annone fournie par l'Afrique à Rome ; il eût donc fallu importer des denrées agricoles pour nourrir l'Afrique, que pourtant toutes nos sources présentent comme excédentaire et exportatrice.

13. C. LEPELLEY, *op. cit.* (n. 10), p. 141-144.

14. Inscription d'Aïn et Djemala, éd. J. Carcopino, dans *M.E.F.R.*, 1906, p. 370 : « ... si qui agri cessant et rudes sunt ; si qui siluestres aut palustres... »

15. *C. Th.*, XI, 28, 13 : « ... circa eos quibus conlocata ac releuata sunt praedia, ad securitatem perpetuae proprietatis intermina possint aetate seruari. » Les gouverneurs devaient rechercher des candidats *idonei* à ces baux emphythéotiques ; cette procédure montre bien qu'il s'agissait uniquement de domaines impériaux, car l'autorité impériale n'eût pas pu disposer ainsi des biens des particuliers.

gnages que nous possédons par ailleurs sur la richesse de l'Afrique à l'époque romaine tardive[16].

Christian Courtois a solidement montré que Genséric avait délibérément voulu mener son peuple depuis l'Espagne jusqu'à Carthage et que le but de ce long périple était la conquête d'un territoire exceptionnellement riche, où les Vandales pourraient s'installer définitivement et connaître l'abondance[17]. Pour leur roi, le traité de 435 qui leur laissait la Berbérie centrale ne constituait qu'une étape[18] ; son but était l'occupation de la partie la plus prospère du pays. Des chefs barbares du temps, Genséric était de loin le plus intelligent, le seul capable d'un véritable dessein politique[19]. L'invasion qu'il mena à bien témoigne donc de la richesse du pays conquis, sinon de son aptitude à se défendre. Après leur course à travers la Gaule, l'Espagne, la Maurétanie, l'est de l'Afrique du Nord devait paraître aux Vandales un pays incomparable. Nous avons sur ce point le témoignage très explicite de Victor de Vita : « Ils trouvèrent une province pacifique et tranquille ; ils découvrirent la beauté d'une terre de tous côtés florissante[20] ».

On trouve une description fort éloquente de cette prospérité dans le traité *Sur le gouvernement de Dieu* du gaulois Salvien. Ce moine marseillais écrivait vers 440 ; il se proposait de justifier la Providence qui, selon lui, n'avait permis la catastrophe des invasions que pour punir les Romains de leurs péchés. Les événements d'Afrique tiennent une grande place dans son livre ; il semblait bien renseigné, probablement par des moines réfugiés dans le sud de la Gaule. Pour Salvien, en conquérant l'Afrique, les Vandales avaient en quelque sorte « fait captive l'âme de l'État ». « Où trouver, écrivait-il, de plus grands trésors, un négoce plus important, des magasins plus fournis ? On dit que ' tu as empli d'or tes trésors grâce à la multitude de tes opérations commerciales ' ; je dirai davantage : l'Afrique a été naguère si riche qu'à mon point de vue, elle a paru contenir grâce à l'opulence de son commerce, non seulement ses propres trésors,

---

16. La proportion de terres cultivées et de terres en friches indiquée par la loi d'Honorius correspond à peu près exactement à celle qu'on trouve de nos jours dans les limites des anciennes provinces de Proconsulaire et de Byzacène (4/9 de friches) ce qui montre que le pays a retrouvé aujourd'hui, après les défrichements réalisés depuis un siècle, à peu près le niveau agricole qui fût le sien sous l'Empire romain. Je remercie MM. Jean Despois et Pierre Marthelot qui m'ont aidé dans cette recherche statistique.

17. C. COURTOIS, *Vandales*, p. 157 : « Il n'est pas douteux qu'avec ses champs de blé et ses olivettes, (la Berbérie orientale) n'ait fait, aux yeux des Vandales, figure de terre promise. » *Id.*, p. 158.

18. Le traité de 435 laissait pourtant aux barbares les riches plaines de Numidie et de Sitifienne. Courtois émet l'hypothèse, mais sans avancer de preuves, que Genséric abandonna dès ce moment la Césarienne (*op. cit.*, p. 170).

19. Sur la personnalité de Genséric, voir COURTOIS, *Vandales*, p. 260-262.

20. VICTOR DE VITA, *Historia persecutionis Africae prouinciae*, I, 1, 3, *C.S.E.L.*, 7, p. 3 : « Inuenientes... pacatam quietamque prouinciam, speciositatem totıus terrae florentis quaquauersum... »

mais ceux du monde entier[21] ». L'insistance de Salvien sur l'aspect commercial et monétaire de la richesse africaine est notable ; bien entendu, ces ressources et cette thésaurisation provenaient des exportations, qui portaient essentiellement sur des produits agricoles, au premier rang desquels se trouvait l'huile d'olive. Salvien rend un hommage enthousiaste à la beauté et à l'activité de Carthage, qu'il nomme la Rome africaine. Nul doute que les activités commerciales et bancaires qu'il évoquait n'aient été très largement concentrées dans la métropole de l'Afrique romaine[22].

Nous possédons des témoignages épigraphiques et archéologiques sur l'activité agricole de l'Afrique au Bas-Empire. Ranuccio Bianchi Bandinelli a proposé récemment, à la suite d'une analyse stylistique précise, de dater de la seconde moitié du IIIe siècle, et non de l'époque sévérienne, la célèbre mosaïque des travaux champêtres de Cherchel. Cette œuvre de très grande qualité picturale montre avec « un réalisme expressionniste » des scènes de labour, de semailles et d'entretien de vignes. Les ouvriers et les animaux semblent mûs par une fougue, une vie intenses ; il s'agit-là d'un document exceptionnel sur le renouveau agricole du pays au sortir de la crise du IIIe siècle[23]. La célèbre épitaphe du moissonneur de Mactar est aujourd'hui datée par Gilbert Picard vers 270 ; elle témoigne donc aussi de la vigoureuse réaction de la paysannerie africaine devant les difficultés nées de la grande crise ; le moissonneur étant un petit paysan enrichi, cette réaction semble donc avoir suscité l'accès à la fortune et aux honneurs municipaux d'une nouvelle couche sociale[24].

Une grande stèle dédiée à Saturne a été trouvée en Tunisie centrale, à Siliana ; Gilbert Picard et Marcel Leglay la datent du temps de Dioclétien. Sur les registres inférieurs sont représentées des scènes champêtres, les labours et la moisson sur le domaine du dédicant, Cuttinus ; G. Picard

---

21. SALVIEN, *De gubernatione Dei*, VI, 12, éd. Pauly, *C.S.E.L.*, 8, p. 144 : « ... Africam ipsam, id est quasi animam captiuauere reipublicae » ; VII, 14, *ibid.*, p. 174 : « Ubi enim amiores thesauri, ubi maior negotiatio, ubi promptuaria pleniora ? *Auro*, inquit, *implesti thesauros tuos a multitudine negotiationis tuae* (*Ez.* 28, 45). Ego plus addo : Tam diuitem quondam Africam fuisse, ut mihi copia negotiationis suae non suos tantum sed etiam mundi thesauros uideatur implesse. »

22. Sur cette description voir notice *Karthago*, n. 49-51 ; 81-85.

23. R. BIANCHI BANDINELLI, *Rome, La fin de l'art antique*, Paris, 1970, p. 252-259. Une autre mosaïque de Cherchel, également de facture remarquable, représente une scène de vendanges ; elle date de la fin du IVe siècle (J. Lassus, dans *Libyca*, 7, 1959, p. 257-269).

24. *C.* 11824 = *I.L.S.*, 7457. Sur la datation de ce document, voir G. PICARD, H. LE BONNIEC et J. MALLON, *Le cippe de Beccut*, dans *Antiquités Africaines*, 4, 1970, p. 148 et 162. Sur la signification que nous attribuons à ce texte pour l'histoire sociale du IIIe siècle, voir notice *Mactaris* – B. –, n. 9-13, et chapitre II, p. 84.

voit ici l'expression du triomphe de la classe des propriétaires fonciers
« sortie victorieuse de la crise sociale du IIIe siècle[25] ».

Deux inscriptions évoquent l'essor que connut l'oléiculture dans
l'Afrique du Bas-Empire. La première, publiée très récemment, a été
trouvée au *Fundus Aufidianus*, à cinq kilomètres au sud de Thizica, à
22 kilomètres au nord-ouest de Thuburbo Minus (Tébourba), en Tunisie
du nord. Il s'agit de l'épitaphe d'un agriculteur (*agricola*), fermier du
domaine (*conductor*) ; au témoignage de l'inscription, ce personnage
remit en valeur les terres en créant un grand nombre d'oliviers par
greffe d'oléastres, en creusant un puits, en plantant un verger et des
vignes[26]. L'éditeur, J. Peyras, date le document sur critère paléographique
de la seconde moitié du IIIe siècle[27]. On le voit, le puissant renouveau
de l'urbanisme et des constructions publiques que l'on constate dans
les villes africaines au temps de Dioclétien était lié à une restauration
de la production agraire. Le mouvement continua par la suite, comme
en témoigne une inscription funéraire chrétienne d'Uppenna, dans le
nord-est de la Byzacène ; le défunt, Dion, vécut jusqu'à quatre-vingts ans
et, selon son épitaphe, planta au cours de sa vie 4 000 arbres, des oliviers
selon toute probabilité. La présence du chrisme « constantinien » en
tête de l'inscription incite à ne pas la dater plus tard que le IVe siècle[28].

Il n'est pas de mon propos de procéder à une étude détaillée de la
vie économique africaine au Bas-Empire. Mon but est seulement de
montrer que le fait majeur qui ressort de la présente recherche, le maintien
de la vie urbaine et municipale, s'explique en premier lieu par une puis-

---

25. Stèle dite Boglio ; *cf.* G. PICARD, *Les religions de l'Afrique antique*, Paris,
1954, p. 122 et M. LEGLAY, *Saturne africain, Histoire*, Paris, 1966, p. 97-98 et
pl. h. t. III.

26. J. PEYRAS, *Le Fundus Aufidianus, étude d'un grand domaine de la région
de Mateur*, dans *Antiquités Africaines*, 9, 1975, p. 181-222 (texte de l'inscription
p. 198) :

- - - - *agricolae in* [*spl(endissima)*] ? | *re p(ublica) Bihensi Bilt*[*a*] | *conduc-
tori pari* /*atori restitutori* | *fundi Aufidiani et praeter cetera bona q*[*uae*] | *in eodem
f(undo) fecit steriles* | *qu*[*o*]*que oleastri surcul*[*os*] | *inserendo plurimas o*[*leas*] | *ins-
tituit, puteum iux*[*ta*] | *uiam, pomarium cum tri*[*chilis*] | *post collectarium, uin*[*eas*] |
nouellas sub silua aequ[*e in*] /*stituit. Uxor mar*[*ito*] | *incomparabili fec*[*it*].

La cité, pour laquelle M. Peyras propose le toponyme de Biha Bilta, correspond
aux ruines du Henchir Béhia, à 12 km au sud de Mateur (voir notice *Res publica
Bihensis Bilt...* – P. –).

27. *Loc. cit.*, p. 203-204. J. Peyras voit dans cette restauration du domaine une
réaction contre un processus d'abandon des terres qu'il juge très grave, en invoquant
à l'appui de cette thèse mon article *Déclin ou stabilité de l'agriculture africaine
au Bas-Empire* ? (cité *supra*, p. 31, n. 10). J. Peyras a dû lire mon étude d'un œil
distrait, car j'y exprime l'opinion que la désertion des terres fût un phénomène
limité, particulièrement en Afrique. Si, ce qui me semble probable, la datation
paléographique proposée est exacte, nous avons plutôt ici un exemple du renouveau
économique qui suivit la crise du IIIe siècle.

28. *I.L. Tun.*, 243 : *instituit arbores quator milia* (*cf.* notice *Uppenna* – B. –,
n. 6). Sur la datation de cette épitaphe, voir G. PICARD, *La civilisation de l'Afrique
romaine*, p. 64.

sante renaissance économique, fondée sur un nouvel essor de l'agriculture et des exportations de ses produits. L'essentiel des ressources provenant de la terre, on doit aussi constater que la richesse des villes et de leurs notables est un indice très probant de la prospérité des campagnes et de l'importance des ressources qu'en tiraient les propriétaires fonciers[29]. Nous évoquerons ultérieurement un problème important, celui de la répartition de ces revenus selon les couches sociales[30] ; nous nous bornons pour l'instant à constater l'importance du volume global de la production. Tout porté qu'il fût à peindre sous de sombres couleurs l'Afrique à la veille de la conquête vandale, Christian Courtois a cependant constaté que l'état économique du pays ne semble pas s'être sensiblement modifié entre le Haut-Empire et la fin du IVe siècle[31]. Les documents que nous venons d'évoquer montrent même une vigoureuse reprise de cette économie à partir du dernier quart du IIIe siècle. Un grand apport du livre de Courtois a été de montrer la persistance de la prospérité dans le royaume vandale[32]. La régression agricole vint plus tard en deux étapes. La première commence dès la fin du Ve siècle, avec les invasions de nomades maures, favorisées par l'incurie régnant dans l'état vandale déclinant, et dont l'autorité et l'armée byzantines ne purent ensuite, malgré un immense effort, empêcher les ravages. Le second assaut est beaucoup plus tardif ; c'est l'invasion des nomades arabes orientaux qui déferla sur le Maghreb à partir du milieu du XIe siècle et qui mit fin à la prospérité dont témoignent les géographes arabes du haut Moyen-Age musulman. Dès lors, quelques zones privilégiées mises à part, la Berbérie devint un pays ravagé où les troupeaux des nomades paissaient parmi les ruines des villes, des fermes et des huileries antiques, une steppe où poussaient parfois des oléastres, surgeons stériles des oliviers qui avaient fait la fortune de l'Afrique romaine[33].

---

29. Le puissant renouveau que connurent les constructions et restaurations de monuments publics urbains sous Dioclétien ne peut s'expliquer sans un retour à la prospérité agricole (*cf.* chapitre II, *infra*, p. 85-89). Nous pouvons également constater que ces chantiers demeurèrent nombreux jusqu'à la fin du règne de Théodose, ce qui correspond aux témoignages des sources littéraires sur la prospérité du pays jusqu'à l'invasion vandale (*cf.* chapitre II, *infra*, p. 106-108). Un net déclin apparaît dans l'activité bâtisseuse sous Honorius et Valentinien III (*ibidem*, p. 108-111), mais la cause doit être non un appauvrissement de l'agriculture, mais un déclin des exportations dû aux invasions en Europe.

30. Voir chapitre VI, *infra*, p. 326-330.

31. C. Courtois, *Vandales*, p. 149-150.

32. *Ibidem*, p. 316-324.

33. Sur ces problèmes, voir G. Marçais, *La Berbérie musulmane et l'Orient au Moyen-Age*, Paris, 1946, *passim* et en particulier p. 208-214 ; J. Despois, *La Tunisie orientale, sahel et basse steppe*, 2e édition, Paris, 1955, p. 129-135. Notons que J. Poncet a récemment mis en doute l'importance de l'invasion « hillalienne » (*Le mythe de la catastrophe hillalienne*, dans *Annales E.S.C.*, 1968, p. 1099-1120). Il est, de fait, probable que le processus de dégradation s'échelonna sur une longue période.

II — LES DISPARITÉS RÉGIONALES : LES PROVINCES ORIENTALES

Les témoignages que nous venons de citer concernent tous la partie orientale de l'Afrique romaine : la Proconsulaire, la Byzacène et la Numidie. 2 600 kilomètres séparent à vol d'oiseau les autels des Philènes, frontière de la Cyrénaïque, de la côte ouest de la Maurétanie Tingitane, soit plus que la distance de Paris à Moscou. Il est donc impossible de considérer globalement un ensemble aussi vaste, disparate, divers par le relief et par le climat. Mais le contraste fondamental est celui qui oppose les Maurétanies et les provinces de l'Est.

La stabilité de la frontière méridionale.

Les recherches archéologiques anciennes et récentes permettent de faire la constatation suivante : la limite de l'Afrique romaine du côté saharien est restée, entre Dioclétien et l'invasion vandale, fixée là où les Antonins et les Sévères avaient établi le *limes*, au sud des provinces de Tripolitaine, de Byzacène et de Numidie. Quelques postes sahariens mis à part, on ne remarque, dans ces régions, aucune régression du territoire romain par rapport à sa plus grande extension au début du iiie siècle. Christian Courtois croyait à des abandons massifs de territoires au Bas-Empire ; il reconnaissait cependant que la frontière romaine suivait toujours le tracé fixé par les Antonins dans le sud de la Numidie, entre l'ouest du chott Djerid et les monts du Zab (à l'ouest de Biskra). « On ne peut, écrit-il, manquer d'être frappé par cette permanence de trois siècles sur un tracé de 300 kilomètres[34] ».

C. Courtois, en revanche, avait émis l'hypothèse d'une réduction de la Tripolitaine à une étroite bande côtière ; seules les villes auraient été protégées militairement, avec un arrière-pays limité autour de chacune d'elles et la route côtière qui les reliait[35]. Pourtant, la *Notitia Dignitatum* énumère douze *praepositi limitis Tripolitani* ; les noms de leurs circonscriptions obligent à constater que le *limes* sévérien existait toujours à la fin du ive siècle ou au début du ve siècle. Courtois fut donc amené à nier toute valeur au témoignage de la *Notitia*. Sa théorie hyper-

---

34. C. COURTOIS, *Vandales*, p. 68-70. Le *limes* de Numidie a été étudié en détail par Jean BARADEZ, *Vue aérienne de l'organisation romaine dans le sud-algérien - Fossatum Africae*, Paris, 1949. Malheureusement, ce livre fondé sur l'examen des photographies aériennes ne donne aucun élément de datation des vestiges repérés. Le maintien du *fossatum* au ive siècle a été montré par J. Guey, *M.E.F.R.*, 1939, p. 178-248. Certains postes avancés furent pourtant évacués au iiie siècle : ainsi Castellum Dimmidi sous Gordien III (G. PICARD, *Castellum Dimmidi*, Alger-Paris, 1947, p. 115-123).

35. C. COURTOIS, *Vandales*, p. 70-79.

critique a été totalement infirmée par des recherches archéologiques récentes, menées dans le sud de la Tunisie et de la Tripolitaine libyenne, qui ont montré l'exactitude des renseignements transmis par la *Notitia* sur le tracé du *limes Tripolitanus*[36].

Au Bas-Empire comme à l'époque sévérienne, la frontière romaine suivait donc d'est en ouest les directions générales suivantes :

— Des autels des Philènes, limite de la Cyrénaïque, à la longitude de Bu-Ngem, il semble qu'elle demeure proche de la mer pendant plus de quatre cents kilomètres ; de fait, le désert s'étend presque jusqu'au littoral du golfe des Syrtes.

— A partir du nord de Bu-Ngem, la frontière se trouve en moyenne à 150 kilomètres de la côte ; elle suit le djebel Nefoussa à partir de la longitude de Tripoli.

— Dans le sud tunisien, elle remonte en direction du nord et passe entre les chotts Fedjadj et Djerid et la lisière du grand erg oriental.

— En Numidie, le *limes* passe au sud des monts des Némencha et de l'Aurès, au nord des chotts du piémont saharien (chotts el Rharsa et Melrhir). Puis, suivant les monts du Zab, il remonte vers le chott el Hodna.

On doit donc constater que, dans toute la partie orientale de l'Afrique romaine, l'Empire conserva jusqu'au ve siècle le contrôle de l'ensemble du pays, jusqu'au piémont saharien inclus, et qu'il en maintint la défense contre les incursions éventuelles des nomades du sud. Assurément, le point le plus vulnérable était le *limes* de Tripolitaine. Il fut développé au IVe siècle ; des fermes furent fortifiées, groupées autour de fortins[37]. Pourtant, entre 363 et 367, un peuple du sud, les Austuriens, accomplit

---

36. La théorie de Courtois fut critiquée dès 1964 par A. di Vita dans son étude *Il limes romano di Tripolitania nella sua concreteza archeologica e nella sua realta storica*, dans *Libya Antica*, 1, p. 65-98. La valeur des indications de la *Notitia* a été affirmée, contre Courtois, par G. CLEMENTE, *La Notitia Dignitatum*, Cagliari, 1968, p. 318-342. Surtout, la reprise de l'exploration archéologique a permis de constater sur le terrain la permanence du tracé de la frontière au IVe siècle (René REBUFFAT, *Deux ans de recherches dans le sud de la Tripolitaine*, dans *C.R.A.I.*, 1969, p. 189-212 ; *Nouvelles recherches dans le sud de la Tripolitaine*, *ibid.*, 1972, p. 319-339 ; Pol TROUSSET, *Recherches sur le « limes Tripolitanus »*, Paris, 1974). Ces travaux confirment l'opinion exprimée jadis par R. CAGNAT, *L'armée romaine d'Afrique*, éd. 1913, p. 524 sq., et S. GSELL, *La Tripolitaine et le Sahara au IIIe siècle de notre ère*, dans *Mém. Ac. des Inscr.*, 43, 1926, p. 152 et 165. Remarquons cependant que les postes avancés en zone saharienne occupés sous les Sévères étaient évacués au IVe siècle : c'est le cas de Cidamus-Ghadamès et, semble-t-il, de Gholaia - Bu Njem (R. REBUFFAT, *Bu Njem — Notes et documents, Zella et les routes d'Égypte*, dans *Libya Antiqua*, 6-7, 1969-1970, p. 185 ; l'hypothèse de l'abandon paraît confirmée par les recherches ultérieures, encore inédites, de R. Rebuffat). On observe un processus semblable à Castellum Dimmidi (*supra*, n. 34).

37. Description dans P. TROUSSET, *Recherches sur le « limes Tripolitanus »*, p. 129-146.

trois raids, ravagea la région de Lepcis Magna et détruisit Sabratha[38].
Ces événements montraient que les grands nomades chameliers constituaient une menace pour l'Afrique romaine, mais ils sont le seul exemple
d'une invasion de berbères de l'extérieur, les Maurétanies mises à part,
durant toute la période considérée. Le danger ne devint pressant que
dans le dernier quart du ve siècle, du fait que les Vandales n'avaient pas
réussi à assurer la défense d'un *limes* qui avait été efficace durant trois
siècles[39].

La Numidie fut fort peu touchée par les insurrections qui agitèrent
la Maurétanie voisine aux iiie et ive siècles. Vers 259, le légat de la
IIIa legio Augusta C. Macrinius Decianus dut mener des opérations
contre les *Quinquegentanei* de Kabylie et les *Fraxinenses*, qui avaient
pénétré dans la région de Milev. Les combats se déroulèrent près de la
frontière de la Maurétanie, aux confins de la petite Kabylie et des hautes
plaines du Constantinois[40]. En revanche, les révoltes du temps de Dioclétien ne paraissent pas avoir entraîné d'invasion de la Numidie. Il en fut
de même lors de la révolte de Firmus, entre 371 et 375 ; le théâtre des
opérations en est bien connu, grâce au récit d'Ammien Marcellin : il
est limité au territoire maurétanien[41].

Sous le Haut-Empire, on le sait, les provinces sénatoriales ne possédaient
pas d'armée ; le proconsul d'Afrique avait été privé du commandement
de la troisième légion au temps de Caligula. La séparation des fonctions
civiles et militaires au Bas-Empire modifia les données du problème.
Pourtant, l'évêque Optat de Milev révèle que le Proconsulaire avait
conservé son caractère de province désarmée dans la seconde moitié
du ive siècle ; on n'y trouve, dit-il, aucun soldat en arme[42]. De fait,
en dehors des gardes du proconsul, du vicaire et du comte, les seuls
soldats étaient quelques groupes de *stationarii* dispersés dans la province.
Il en était très probablement de même pour la Byzacène.

Ainsi, tout au long de la période considérée, la partie orientale de
l'Afrique romaine n'a connu ni révolte ni invasion barbare, à l'exception
des raids Austuriens en Tripolitaine. Elle a vécu à l'abri de son *limes*,
sans nulle régression territoriale. Les événements violents dont cette

---

38. AMMIEN MARCELLIN, XXVIII, 6, 1-30. Sur ces faits, voir notice *Lepcis
Magna* – T. –, notes 83-118. Le sac de Sabratha a été révélé par les fouilles (voir
notice, n. 5-8 et 12 ; *cf. I.R.T.*, 103). Pour la chronologie des événements, voir
notice *Lepcis Magna*, n. 103.

39. Voir *infra*, p. 44 et n. 67-68.

40. *C.*, 2615 ; commentaire par M. BÉNABOU, *La résistance africaine à la romanisation*, Paris, 1976, p. 224-227.

41. La révolte du temps de Dioclétien se déroula en Kabylie (voir *infra*, p. 52-53).
Sur les régions touchées par la rébellion de Firmus, voir S. GSELL, *Observations
géographiques sur la révolte de Firmus*, dans *Recueil de Constantine*, 1903, p. 21-
46.

42. OPTAT, III, 4, *C.S.E.L.*, 26, p. 81 : « ... in prouincia Proconsulari tunc nullus
armatum militem uidit. »

région fut alors le théâtre furent d'un autre ordre : la répression, par
les soldats de Maxence, de l'usurpation de Domitius Alexander en 310
et la jacquerie des circoncellions, dans les années 340-347 en Numidie,
dont les composantes furent religieuses et sociales[43]. Cette partie de
l'Empire, comme le soulignait récemment Maurice Euzennat, a connu
près de quatre siècles de paix, des Flaviens à l'invasion vandale[44]. Nous
avons ici un élément fondamental d'explication des faits majeurs que
nous avons constatés au long de cette étude, le maintien de la prospérité
économique, de la vie urbaine, des institutions et de la société municipales
traditionnelles.

Il existe un signe fort tangible de cette conjoncture, l'absence de
fortifications autour de la plupart des villes. Ceci vaut pour les cités
de Proconsulaire, mais aussi pour celles de Byzacène et de Numidie.
Lambèse et Timgad, au pied de l'Aurès, étaient dépourvues de remparts,
de même que Djemila-Cuicul, au pied des Babors. Si un mur fut édifié
à Carthage en 425 sur ordre impérial, ce n'était pas par crainte des
Berbères non-romanisés, mais de Germains venus d'outre-mer[45].

Stéphane Gsell a remarqué que presque toutes les villes de la Maurétanie
furent fortifiées à l'époque romaine, alors que les villes de Numidie sont
restées ouvertes[46]. Le contraste entre les deux parties du Maghreb romain
apparaît ici dans toute sa force. On connaît cependant une exception,
facilement explicable : Lepcis Magna s'entoura d'un rempart, peut-être
dans la seconde moitié du IIIe siècle, ce qui lui permit d'échapper à un
sac par les Austuriens sous Valentinien Ier[47]. Pour la Tunisie actuelle,
Christian Courtois a nié l'évidence quand il a affirmé que « les villes
de l'intérieur connaissaient un problème de sécurité » et qu'en dehors
de Carthage, un certain nombre étaient fortifiées[48]. Pour Pheradi Maius
(Byzacène), son erreur vient du fait que le mot *moenia*, lu sur une inscription, ne signifie plus au Bas-Empire remparts, mais monuments publics.

---

43. Contrairement à l'opinion de W. H. C. Frend ; *cf. infra*, p. 49 et n. 90-
91.

44. Préface au livre de P. Trousset, *Recherches sur le « limes Tripolitanus »*,
p. 7.

45. Voir notice *Karthago*, n. 24. Un rempart fut aussi édifié à Hippone, peut-
être à la même époque ; la ville soutint un siège lors de l'invasion vandale en 430 ;
cf. notice *Hippo Regius* – P. –, n. 45.

46. S. Gsell, *Les monuments antiques de l'Algérie*, t. 1, Paris, 1901, p. 90. Les
recherches postérieures ont confirmé cette observation, comme le remarque Paul-
Marie Duval (*Cherchel et Tipasa, recherches sur deux villes fortes de l'Afrique romaine*,
Paris, 1946, p. 17-18) qui observe que « la sécurité romaine, suivant le mouvement de
la conquête, allait en décroissant de l'Est à l'Ouest ». On trouve une liste des villes
fortifiées dans C. Courtois, *Vandales*, p. 122-123 ; on est surpris de trouver dans
cette liste Cuicul et Thamugadi, qui ne possédaient pas de remparts au Bas-Empire,
mais avaient eu, semble-t-il, une petite muraille lors de leur fondation sous Nerva et
Trajan, muraille vite disparue ensuite.

47. *Cf.* notice *Lepcis Magna* – T. –, n. 13 ; 83-114.

48. C. Courtois, *Vandales*, p. 123.

Le texte en question évoque la restauration des toits et des charpentes (*fastigia* et *columina*) de ces *moenia*, ce qui serait inattendu pour des remparts[49].

Romains et Berbères hors des Maurétanies.

Cependant, un problème demeure. N'existait-il pas, à l'intérieur du *limes*, des tribus berbères non romanisées et restées fidèles à leur organisation traditionnelle ? Certes, l'absence dans les sources de toute mention de révolte montre qu'elles n'auraient représenté aucun danger immédiat ; mais on peut penser qu'en cas d'attaque venue de l'extérieur, elles risquaient de se rallier à l'envahisseur. C. Courtois a affirmé que des tribus hostiles habitaient le massif du Zaghouan, à 50 kilomètres au sud de Carthage[50]. Son argumentation ne résiste pas à l'examen. Le Zaghouan est un petit massif d'environ 17 kilomètres de long sur huit kilomètres de large. Il domine des plaines fertiles qui comptaient parmi les zones les plus urbanisées de la Proconsulaire ; on trouve des villes jusque sur les premières pentes (Ziqua, Thaca). Le djebel lui-même est très abrupt, les dénivellations y sont telles qu'il est pratiquement vide de population. Il est donc parfaitement gratuit de faire de cette petite montagne escarpée un refuge de tribus insoumises, un foyer d'insécurité et de résistance à la romanisation. Le seul argument était une prétendue destruction de Thuburbo Maius au cours du ve siècle. Or Louis Maurin a montré depuis que cette cité connut à l'époque vandale un déclin progressif, sans nulle intervention extérieure brutale[51].

Des tribus maures envahirent le sud de la Byzacène dans le dernier quart du ve siècle, ce qui amena saint Fulgence de Ruspe à fuir sa région natale de Thelepte pour chercher refuge à Thala, à 75 kilomètres au nord, dans des « régions inconnues » dit son biographe Ferrandus[52]. Christian Courtois a compris que l'expression *ignotae regiones* désignait des zones qui, dès le ve siècle, étaient devenues inconnues des Romains car elles faisaient partie de « l'Afrique oubliée », retournée aux Berbères[53]. Or, le texte dit simplement que Fulgence et ses moines ne connaissaient

---

49. *I. L. Tun.*, 251 ; notice *Pheradi Maius* – B. –, n. 10. Courtois reconnaissait que son interprétation était incertaine (*Vandales*, p. 122). Sur le sens de *moenia publica*, voir notice *Lepcis Magna*, – T. – n. 20.

50. C. COURTOIS, *Vandales*, p. 123. Cette hypothèse avait déjà été formulée par L. Poinssot et R. Lantier, *B.C.T.H.*, 1925, p. LXXXIV-LXXXV.

51. L. MAURIN, *Thuburbo Maius et la paix vandale*, dans *Mélanges offerts à Charles Saumagne, Cahiers de Tunisie*, 15, 1967, p. 226-228 ; 238-240. Comme le note justement G. Picard (*Civilisation*, p. 204-205), le ravitaillement en eau de Carthage dépendait de l'aqueduc du Zaghouan ; il est donc inconcevable qu'il ait été laissé à la merci des coups de main de berbères insoumis.

52. FERRANDUS, *Vie de saint Fulgence de Ruspe*, éd. Lapeyre, Paris, 1929, p. 33.

53. C. COURTOIS, *Vandales*, p. 118.

pas la région de Thala : s'ils s'y réfugiaient, c'était justement parce qu'elle n'était pas touchée par l'invasion[54]. On le voit, Christian Courtois a cherché à étendre à tout prix à l'est de l'Afrique romaine les constatations qu'il avait faites en Maurétanie, à savoir que les montagnes furent souvent imperméables à la romanisation et restèrent des foyers, au moins potentiels, de dissidence. Nos sources ne nous font connaître rien de tel pour l'Afrique Proconsulaire et la Byzacène. Comme l'a remarqué Gilbert Picard, « en Tunisie, la situation est exactement inverse de celle que postulait C. Courtois » ; les montagnes de la Dorsale comptaient un nombre très considérable de villes, chaque vallée comprend une grande densité de ruines antiques ; en revanche, les steppes de Byzacène paraissent vides, et étaient très probablement laissées aux transhumants, nomades ou semi-nomades[55]. On peut, de fait, supposer qu'au nord des chotts, à l'ouest de la riche région du Sahel (au-delà de la route d'Hadrumète à Thaenae par Thysdrus), à l'est de Sufes et de Sufetula, une vaste zone steppique échappait au cadre municipal et, en conséquence, à la romanisation. Il est probable qu'il en était de même pour certaines montagnes du nord, comme les monts des Mogods et de Kroumirie, de même que les monts de la Medjerda et le massif de l'Edough dans la partie de la Proconsulaire aujourd'hui rattachée à l'Algérie. Saint Augustin décrit les montagnards voisins d'Hippone comme des villageois de langue punique[56]. Certes, il existait bien des populations peu romanisées dans l'est du Maghreb, mais nous n'y trouvons rien de semblable à la puissante organisation tribale des Maurétanies, à ces peuples vivant selon leur droit coutumier, sous la direction de leurs chefs traditionnels, qu'étaient les *Quinquegentanei*, les Bavares ou les Baquates. Dans son *Catalogue des tribus* J. Desanges n'a relevé que fort peu de mentions de tribus dans l'*Africa* et la Numidie de la fin du Ier siècle ap. J. C. à la fin du Ve siècle[57]. Assurément, beaucoup de *populi* se sont alors sédentari-

---

54. Ce contre-sens de Courtois a été signalé par F. CHATILLON, *L'Afrique oubliée de Christian Courtois et les « ignotae regiones » de la « Vita Fulgentii »*, dans *Rev. du Moyen-Age latin*, 11, 1955 (paru en 1965), p. 371-388.

55. G. PICARD, *La civilisation de l'Afrique romaine*, p. 6 ; l'auteur présente la situation (*ibid.*, p. 6-8) aux époques antonine et sévérienne, mais nous devons constater qu'elle n'était pas différente au IVe siècle.

56. Les passages d'Augustin sur l'usage de la langue punique ont été rassemblés par C. COURTOIS, *Saint Augustin et le problème de la survivance du punique*, dans *Rev. Afr.*, 1950, p. 259-282. Fidèle à sa thèse sur l'omniprésence du berbérisme, Courtois a affirmé qu'Augustin appelait *lingua punica* des dialectes libyques. Marcel Simon a montré, exemples à l'appui, qu'il s'agissait bien de parlers néo-puniques (*Punique ou berbère ? Note sur le problème linguistique dans l'Afrique romaine*, dans *Ann. de l'Inst. de Philol. et d'Hist. orientale et slave*, 13, Bruxelles, 1955 = *Mélanges Isidore Lévy*, p. 613-629). On doit, de fait, constater l'abandon des traditions berbères (nomadisme, structures tribales, langue) a commencé dans l'est du Maghreb avant la conquête romaine, sous l'influence punique.

57. J. DESANGES, *Catalogue des tribus africaines de l'Antiquité classique*, Dakar, 1962, p. 75-143. Une loi émise en 405 par Honorius (*C. Th.*, XI, 30, 62) ordonne que les appels interjectés par les *gentiles*, c'est-à-dire les membres des tribus, soient jugés par le pronconsul. Nous pensons que ce document n'avait pour but que de

sés, voire municipalisés ; les inscriptions permettent de constater cette évolution pour plusieurs cas[58]. Les Musulames, farouches ennemis de Rome au premier siècle de l'Empire, ne sont plus mentionnés au Bas-Empire. Ils semblent avoir été intégrés dans les cités trouvées de part et d'autre de la frontière tuniso-algérienne actuelle (Madaure, Theveste, Ammaedara, Thala) ou avoir nomadisé paisiblement dans les steppes de la Byzacène[59].

Les tribus berbères qui subsistaient probablement dans certaines régions de la Proconsulaire et de la Byzacène ne posèrent nul problème à l'autorité romaine et aux cités, comme en témoigne le silence des sources. Une preuve de cette conjoncture paisible est donnée par les inscriptions commémorant des restaurations d'édifices publics. On restaura plus qu'on ne construisit en Afrique au Bas-Empire. En Maurétanie, certaines inscriptions précisent que les édifices étaient détruits « par suite de la cruauté de la guerre », « par suite d'une incursion de rebelles[60] ». Rien de tel à l'Est ; les monuments sont dits détériorés à cause de leur vétusté ou de l'incurie des responsables municipaux antérieurs. La seule exception concerne la restauration de la statue et du temple de Vénus à Sicca Veneria à la suite de déprédations commises par des brigands (*latrones*)[61] ; mais ce terme peut avoir désigné les soldats de Maxence lors de leur marche sur Cirta en 310[62].

La Numidie ne présentait pas, sur les plans que nous venons d'évoquer, de différences substantielles avec les régions plus orientales. Les hautes plaines du Constantinois couvrent la plus grande partie de la province. La conversion des habitants à l'agriculture sédentaire avait été en grande partie réalisée dès le second siècle avant l'ère chrétienne par Massinissa et ses successeurs, au moins dans la partie nord, la région de Cirta. Dans la partie sud des hautes plaines, l'implantation de la vie urbaine et, très probablement, la mise en valeur agricole, furent l'œuvre du Haut-Empire, essentiellement par la création de villes de vétérans comme

---

répartir les appels entre les deux juges *uice sacra* africains, le vicaire et le proconsul, et que les *gentiles* mentionnés étaient répartis sur toutes les provinces du diocèse d'Afrique et pas seulement la Proconsulaire. Constantin semble avoir donné au proconsul la préférence sur le vicaire pour la juridiction d'appel dans le diocèse d'Afrique, situation qui, on le voit ici, a perduré (*C. Th.*, XI, 30, 3 et XI, 36, 3, de 315 ; voir *infra*, chapitre III, p. 138-139 et n. 88-90).

58. Ainsi, les *Niciues*, au nord des monts de Batna, les *Thabarbusitani*, près de Guelma, les *Cinithii*, à Gighthis (sud tunisien), les *Nattabutes* (confins de la Numidie et de la Proconsulaire). Sur cette question, se reporter au chapitre III, *infra*, p. 135 et n. 71-74.

59. *Cf.* J. DESANGES, *Catalogue*, p. 117-121 ; voir *infra*, chapitre III, p. 135.

60. *C.* 9041 = *I.L.S.*, 627 (Auzia : *pontem belli saeuitia destructum*). *C.*, 20836 = *I.L.S.*, 638 (Rapidum : *municipium... rebellium incursione captum ac dirutum*).

61. *C.*, 15881 = *I.L.S.*, 5505 ; notice *Sicca Veneria* – P. – n. 10.

62. Les *latrones* peuvent avoir été de vulgaires brigands, mais il est surprenant qu'ils se soient aventurés en pleine ville. Sur l'interprétation de ce document, voir notice *Sicca Veneria*, – P. – n. 11-13.

Lambèse, Verecunda, Thamugadi, Lambiridi, Casae[63]. Il s'agissait soit de colonies créées *ex nihilo* (Thamugadi), soit, le plus souvent, d'agglomérations spontanées créées par d'anciens soldats et des autochtones, qui reçurent à un moment donné le statut de municipe ; c'est le cas, de la ville de Lambèse, édifiée près du camp de la troisième légion Auguste. En revanche, la ville de Nicivibus correspondait certainement au chef-lieu du peuple des *Niciues*, sédentarisé et municipalisé[64].

Les montagnes de l'Aurès et des Némencha ne furent pas considérées, à partir du second siècle, comme les refuges de berbères hostiles et redoutables, car les villes édifiées au nord de ces massifs ne furent défendues par aucun rempart. L'exploration archéologique a révélé la présence de nombreux restes antiques dans toutes les vallées aurasiennes et celle d'un réseau routier assez dense[65]. On ne saurait donc, remarquait déjà Christian Courtois, assimiler ces montagnes aux grands massifs maurétaniens, comme la Grande Kabylie ou l'Ouarsenis, blocs berbères enkystés dans la Césarienne et imperméables à la romanisation[66].

Si les montagnards aurasiens furent des voisins paisibles pour les villes du plat pays à partir de l'époque antonine, ils pouvaient cependant être tentés par le pillage. La présence de la légion à Lambèse a suffi, semble-t-il, à les en dissuader. La conquête vandale désorganisa le système de défense et Procope nous apprend que les Maures détruisirent les villes du nord de l'Aurès[67]. Son témoignage a été confirmé par l'archéologie à Lambèse et à Timgad[68]. Il semble que ces envahisseurs descendaient des montagnes voisines[69].

On doit donc constater que le cœur de l'Afrique romaine était entouré de zones où la romanisation était faible : l'Atlas Tellien du nord (monts des Mogods et de Kroumirie, Edough, Kabylie de Collo) et au sud, l'Aurès, les Némencha, les steppes de Byzacène. Les habitants de ces régions n'ont représenté aucun danger pour l'Empire depuis l'époque antonine, mais l'incapacité des Vandales à maintenir l'appareil militaire romain (pourtant léger) devait modifier les données du problème à la fin du Ve siècle.

---

63. Voir les notices consacrées à ces cités.

64. Voir notice *Niciuibus* – N. –, n. 1-4.

65. J. ALQUIER, *Les ruines antiques de la vallée de l'oued el Arab (Aurès)*, dans *Rev. Afr.*, 1941, p. 31-39 ; L. LESCHI, *Un aqueduc romain dans l'Aurès*, dans *Rev. Afr.*, 1941, p. 23-30 = *Études d'épigraphie d'archéologie et d'histoire africaines*, Paris, 1957, p. 267-270.

66. C. COURTOIS, *Vandales*, p. 117-118.

67. PROCOPE, *Bellum Vandalicum*, II, 13 (= *Hist. des guerres*, IV, 13).

68. Voir notices *Lambaesis* – N. –, n. 36-38 et *Thamugadi* – N. –, n. 113-117.

69. Procope (*Bell. Vand.*, I, 8, 5 = *Hist. des guerres*, III, 8, 5) affirme que les habitants de l'Aurès se rendirent indépendants des Vandales (...Μαυρουσίων ἤδη ἐν τῷ Αὐρασίῳ ὄρει ᾠκημένων).

Stéphane Gsell a émis en 1926 une théorie destinée à un grand retentissement[70]. La constitution du *limes* en Tripolitaine et en Numidie sur le piémont saharien aurait amené le cantonnement des nomades sur des terrains de parcours réduits et, très souvent, leur expulsion vers les régions inhospitalières du grand Sud. Or l'utilisation du chameau se serait alors généralisée. Les berbères devenus chameliers se seraient lancés à la conquête du Sahara, dont les anciens habitants, des « Éthiopiens » noirs, auraient été expulsés ou asservis. Puis, les tribus berbères émigrées au Sahara auraient profité de l'affaiblissement de la défense romaine pour tenter de forcer le *limes*. Cette théorie souvent reprise repose sur une documentation étonnamment restreinte et fort peu explicite[71]. Mlle E. Demougeot a montré depuis que la conquête du Sahara par les Berbères s'échelonna sur de longs siècles et qu'elle n'apparaît nullement liée à la fixation du *limes* sous les Antonins et les Sévères ; quant à la diffusion du chameau, on la constate de part et d'autre du *limes*, dès le Haut Empire[72]. L'hypothèse de Gsell se heurte surtout à la constatation suivante : si l'on met à part les raids des Austuriens en Tripolitaine, le *limes* ne subit pas d'attaques graves, même aux époques les plus troublées, jusqu'au dernier quart du Ve siècle. En revanche, en Maurétanie, Rome n'a pas occupé le piémont saharien ni même les hautes plaines steppiques de l'Algérois et de l'Oranie. Les nomades avaient donc là tous les terrains de parcours désirables. C'est pourtant en Maurétanie qu'éclatèrent régulièrement de graves révoltes, non chez les Sahariens mais chez les montagnards.

Le problème nomade semble donc avoir été infiniment moins grave que ne l'avait cru Gsell. Je me rallie totalement à l'opinion de Maurice Euzennat pour qui Rome, dans le sud de la Tunisie et du Constantinois, a cherché à intégrer les nomades et nullement à les refouler[73].

---

70. S. Gsell, *La Tripolitaine et le Sahara au IIIe siècle de notre ère*, dans *Mém. Ac. des Inscriptions*, 43, 1926, p. 149-166. L'hypothèse fut reprise par Julien Guey (*Note sur le « limes » romain de Numidie et le Sahara au IVe siècle*, dans *M.E.F.R.*, 1939, p. 178-248) qui parle d'un « limes du chameau ».

71. On le voit au petit nombre de références figurant dans le mémoire de Gsell ; cette attitude est, assurément, exceptionnelle de la part du grand historien de l'Afrique antique. Ce qui demeure incontestable, c'est que Rome procéda à un cantonnement des tribus, c'est-à-dire à une délimitation précise de leurs territoires ; en témoignent un certain nombre de bornes indiquant ces *fines*. Ceci donna lieu à des contestations, dont la plus célèbre est la grande révolte des Musulames sous Tibère. On trouvera une mise au point sur ce problème dans M. Bénabou, *La résistance africaine à la romanisation*, Paris, 1976, p. 429-445.

72. E. Demougeot, *Le chameau et l'Afrique du Nord romaine*, dans *Annales E.S.C.*, 1960, p. 209-247.

73. M. Euzennat, préface au livre de P. Trousset, *Recherches sur le « limes » Tripolitanus »*, p. 6-7. Comme le remarque M. Euzennat, on ne peut plus dire aujourd'hui, avec Gsell, Guey, Baradez, Despois, que la frontière romaine correspondait, dans les provinces orientales de l'Afrique, avec la limite de la zone des cultures et de la vie sédentaire. Un bon exemple de rapports pacifiques avec les nomades est donné dans la lettre du sénateur Publicola à Augustin (parmi les lettres

Les habitants de l'Afrique des cités, ceux qui ne vivaient ni dans le Sud ni en Maurétanie, ne connaissaient qu'indirectement les nomades et les tribus. Ceci apparaît bien dans l'œuvre de saint Augustin. Quand il évoque les habitants des campagnes et des montagnes de la région d'Hippone, il ne les présente jamais comme groupés en tribus, vivant selon leur droit et leurs usages ancestraux, sous l'autorité de chefs coutumiers. Il s'agit toujours de villageois, groupés, semble-t-il, en *castella*, dirigés par des *seniores* dépendant des magistrats d'Hippone[74]. En revanche, dans une lettre à l'évêque Hesychius de Salone, Augustin a évoqué les peuples barbares d'Afrique. Voici ce texte caractéristique :

« Il existe chez nous, c'est-à-dire en Afrique, d'innombrables peuples barbares chez qui l'Évangile n'a jamais été prêché. On en ramène des captifs que les Romains joignent à leurs esclaves ; il nous est facile d'apprendre quotidiennement d'eux des choses nouvelles[75] ».

On le voit, Augustin et ses concitoyens d'Hippone ne connaissaient les tribus maures que par les récits des esclaves qui avaient été capturés lors des guerres ou escarmouches qui opposaient l'armée romaine à ces *gentes*. Pour les habitants de la partie nord-est de l'Afrique, profondément romanisée, ces peuples étaient des barbares, aussi étrangers que ceux d'au-delà du Rhin et du Danube[76].

La répartition des villes.

On trouvait des centaines de villes, réparties sur la plus grande partie du territoire des provinces orientales de l'Afrique romaine. Seules quelques régions, nous l'avons vu, restèrent non urbanisées, la steppe de Byzacène et certaines montagnes périphériques. Toutefois, la densité de l'urbanisation variait beaucoup selon les zones.

La multitude des villes antiques dans le nord-est de la Tunisie suscite, de prime abord, l'étonnement. Les limites de cette région sont les sui-

---

d'Augustin, *epist.* 46, *C.S.E.L.*, 34, 2, p. 123-129) : des barbares franchissaient légalement le *limes* pour aller travailler, à certains moments de l'année, sur les terres de ce sénateur. Il s'agissait d'*Arzuges*, peuple proche du *limes* de Tripolitaine.

74. Voir notice *Hippo Regius* – P. –, n. 40-44, et chapitre III, p. 132-134 et n. 54-68.

75. AUGUSTIN, *Epist.* 199, *C.S.E.L.*, 57, p. 284 : « Sunt enim apud nos, hoc est in Africa, barbarae innumerabiles gentes, in quibus nondum esse praedicatum euangelium, ex his qui ducuntur inde captiui et Romanorum seruitiis iam miscentur, cotidie nobis addiscere in promptu est. »

76. Un autre passage caractéristique se trouve dans l'*Enarratio in ps.* 148, 10, *C.C.*, 40, p. 2173. Augustin évoque le Gétule, c'est-à-dire le Saharien. S'il est capturé et installé au milieu des arbres, dans une campagne fertile, il veut fuir et retourner dans sa Gétulie désolée : « Apprehende inde Getulum, pone inter istas arbores amoenas ; fugere hinc uult, et redire ad nudam Getuliam ». Augustin oublie de dire qu'il est légitime de préférer la liberté dans le Sahara à l'esclavage dans le Nord.

vantes : au nord, depuis le cap Bon, le littoral, puis la face sud des monts des Mogods et de Kroumirie, d'Hippo Diarrhytus (Bizerte) à Bulla Regia, par Matera (Mateur) et Vaga (Béja) ; à l'ouest, les montagnes de la Dorsale entre Simittu (Chemtou), Sicca Veneria (Le Kef) et Althiburos (Medeina) ; au sud, la zone de Mididi, Mactar, Chusira (La Kessera), jusqu'au littoral, à la latitude d'Uppenna. On le constate, la partie nord de la Byzacène ne se différencie pas sur ce point de la région voisine de la Proconsulaire. L'ensemble forme grossièrement un rectangle de 175 kilomètres sur 120, soit 21 000 kilomètres carrés, la superficie de deux ou trois de nos départements.

Or, sur cet espace restreint, 150 cités sont recensées sur la carte dressée par Pierre Salama en 1947. Il faut leur ajouter huit communes découvertes ou identifiées depuis cette date[77]. Cela donne un territoire municipal moyen de 140 kilomètres carrés par cité, ce qui est fort peu, surtout si l'on retranche les montagnes stériles et inhabitées. Ces cités restèrent vivantes au Bas-Empire et gardèrent la structure municipale traditionnelle, qui impliquait l'existence d'un conseil de décurions dont les membres atteignaient un cens minimal. Même si ces curies ne comportaient pas toutes un grand nombre de membres, cette poussière de cités suppose l'existence de milliers de décurions. Ceci implique la présence de nombreux propriétaires fonciers petits et moyens[78].

Cette forme d'habitat était fort ancienne ; la plupart des villes de la région ont une origine punique ou numide, et elles accédèrent lentement, au cours du Haut-Empire, au statut de municipe ou de colonie honoraire[79], en même temps qu'elles édifiaient la parure monumentale, expression architecturale de leur dignité de commune romaine. Bien entendu, ces villes n'étaient que des bourgs ruraux. A. N. Sherwin-White a fort bien montré que ce type d'habitat correspond à une tradition méditerranéenne que l'on retrouve de nos jours, notamment en Italie du sud où des agglomérations d'allure urbaine ont une fonction purement rurale. « La petite ville méditerranéenne typique est une résidence de paysans, tout en devenant parfois un centre commercial. Les paysans en partent quotidiennement travailler dans les champs, souvent à des distances surprenantes. Ou encore, ils peuvent vivre dans des huttes durant le temps de la moisson, et passer en ville le reste de l'année[80] ». Dans la plaine du Fahs, autour de Thuburbo Maius, dans la moyenne vallée de la Medjerda et celle de l'oued Khralled (la région de Thugga), les paysans

---

77. Abbir Maius, Abitinae, Asadi, r.p. Bihensis Bilt ---, mun. Thadduritanum, Ureu, Uzali Sar (voir notices) ; Alma (*C.R.A.I.*, 1974, p. 219).

78. Sur ce point, voir chapitre VI, *infra*, p. 318-323.

79. Sur cette lenteur de la romanisation juridique, voir H.-G. PFLAUM, *Romanisation*.

80. A. N. SHERWIN-WHITE, *Geographical factors in Roman Algeria*, dans *J.R.S.*, 34, 1944, p. 8-10. Cette étude concerne l'Algérie, mais la description donnée par l'auteur de la répartition des villes et de leurs rapports avec la campagne environnante convient en fait à la Tunisie du Nord.

n'avaient pas à franchir de longues distances pour se rendre sur leurs champs, puisque les villes se succédaient en moyenne tous les cinq à dix kilomètres. Bien entendu, elles ne comprenaient chacune que quelques milliers d'habitants, mais vu leur grand nombre, la région dans son ensemble était à coup sûr densément peuplée[81].

Dans la partie occidentale de la Proconsulaire et dans la Numidie Cirtéenne, les villes restent nombreuses, mais leur densité est bien moindre. Sur la côte, on trouve comme ailleurs des cités qui correspondent aux antiques escales puniques. Dans l'intérieur, l'urbanisation remonte à Massinissa et à ses successeurs. S'y ajoutèrent quelques fondations romaines, comme Madaure ou le chef-lieu d'un peuple berbère municipalisé, Thabarbusis[82]. Les territoires municipaux étaient beaucoup plus vastes qu'à l'est ; ainsi, des bornes entre le territoire d'Hippo Regius et ceux de Cirta et de Thabraca ont été retrouvées respectivement à 40 et 45 kilomètres d'Hippone[83]. Des villages existaient dans la région, nous l'avons vu[84].

La Numidie du nord formait, à l'exception de la colonie de Cuicul, la vaste confédération cirtéenne. Cette institution originale fut démantelée dans la seconde moitié du IIIe siècle : les trois colonies « contribuées » de Rusicade, Chullu et Milev devinrent donc indépendantes, ainsi que certains *pagi* comme Thibilis et Tigisis. Mais il semble que, là aussi, subsistèrent des villages qui n'accédèrent pas au statut municipal[85].

Plus au sud, la vie urbaine fut pour l'essentiel une création romaine. Si Thala et Theveste existaient avant la conquête, Sufetula, Ammaedara, Thamugadi, Lambèse et presque toutes les villes de la Numidie méridionale doivent leur origine à l'implantation militaire romaine à partir de l'époque flavienne[86]. Les cités sont plus denses dans cette zone que dans la région d'Hippone.

---

81. L'approche la plus précise du problème de la population des villes a été faite par R. Duncan-Jones (*The Economy of the Roman Empire*, Cambridge, 1974, chap. 6, The size of cities, p. 259-287, reprenant l'article *City population in Roman Africa*, dans *J.R.S.*, 53, 1963, p. 85-90) ; l'auteur estime à 28 000 habitants la population de la ville moyenne d'Oea, entre 5 000 et 9 000 celle de la ville de Siagu – P. –. Les calculs démographiques de Christian Courtois (*Vandales*, p. 105-111) semblent sous-estimer la population des villes et des campagnes (voir les critiques de G. Picard, *Civilisation de l'Afrique romaine*, p. 45-58, et de R. Duncan-Jones, *City population*, p. 85).

82. Sur l'origine de ces deux communes, voir les notices correspondantes.

83. *I.L. Alg.*, I, 134 et 109. Cirta et Thabraca sont respectivement à 159 et 125 kilomètres d'Hippone. Des communes intermédiaires existaient cependant au Bas-Empire (Thullio vers Thabraca, Thibilis vers Cirta).

84. Voir *supra*, p. 46 et *infra*, p. 133.

85. Voir chapitre III, *infra*, p. 123-125.

86. Voir les notices correspondant à ces cités. Des bornes milliaires permettent de connaître l'étendue de Diana Veteranorum : le territoire de cette cité de Numidie méridionale s'étendait jusqu'à 26 km à l'ouest, 20 km, au nord-ouest, 15 km au sud-ouest, 16 km au nord (S. Gsell, *Ruines romaines au nord des monts de Batna*, dans *M.E.F.R.*, 14, 1894, p. 528-529). Sur la densité de l'occupation rurale dans

La documentation sur les provinces orientales de l'Afrique romaine au Bas-Empire est fort abondante. L'examen de l'ensemble du dossier nous oblige à souscrire au jugement porté par Gilbert Picard : nous ne sommes pas en présence « d'un ensemble lâche de cellules urbaines noyées dans un milieu étranger et hostile[87] ». « On est loin, écrit de son côté Maurice Euzennat, de cette Afrique oppressée et bouillonnante, que trop d'études récentes veulent à tout prix nous révéler »[88]. Deux problèmes graves agitaient pourtout ces régions. D'une part, le mécontentement d'une partie de la plèbe rurale qui supportait difficilement les prélèvements qu'opéraient sur ses maigres ressources les propriétaires fonciers et le fisc impérial[89] ; d'autre part, un violent conflit religieux suscité par le schisme donatiste. En certaines circonstances, l'aile extrémiste du parti donatiste reçut l'appui de paysans révoltés et la guerre religieuse fut l'expression de leurs rancœurs. Toutefois, l'église schismatique dans son ensemble n'eut jamais, quoi qu'on eût dit, un programme social particulier et elle compta dans son sein de nombreux notables[90]. Surtout, on doit constater qu'aucun document ne permet de dire que ces troubles socio-religieux aient, à un moment quelconque, revêtu la forme d'une révolte nationale berbère, d'un refus de la romanité en tant que telle. La thèse soutenue jadis par W. H. C. Frend et assimilant le donatisme à un nationalisme africain ne repose pas, on doit le constater, sur le témoignage des sources[91].

Mais à l'ouest de la Numidie, la situation se présentait d'une manière très différente : il existe un contraste radical entre le cœur de l'Afrique romaine et les Maurétanies, pays d'insécurité et de romanisation précaire.

III — LA FAIBLESSE DE LA ROMANISATION EN MAURÉTANIE

L'un des thèmes essentiels du livre de Christian Courtois sur les Vandales est l'existence de deux Afriques. L'une est l'Afrique romaine, bien

---

ces régions, voir A. BERTHIER, *Les vestiges du christianisme antique dans la Numidie centrale*, Alger, 1942, p. 35-166.

87. G. PICARD, *Civilisation*, p. 6.

88. M. Euzennat, préface à P. Trousset, *Recherches sur le « limes Tripolitanus »*, p. 7.

89. *Cf. infra*, chapitre vi, p. 326-330.

90. Sur le problème de la signification sociale du donatisme, voir les études de Peter Brown et d'Emin Tengström, citées dans l'introduction du présent ouvrage, p. 20, n. 32 et voir *infra*, chapitre ii, p. 91-97.

91. W. H. C. FREND, *The Donatist Church, a movement of protest in Roman North Africa*, Oxford, 1952. Si l'église donatiste avait appuyé un mouvement d'opposition politique à l'ordre romain, ses adversaires catholiques et, en premier lieu, saint Augustin en eussent tiré des arguments essentiels dans la polémique. En fait, on ne trouve que quelques allusions à une collusion épisodique de l'évêque Optat de Timgad avec le comte d'Afrique révolté Gildon (voir notice *Thamugadi* – N. – n. 106-112).

connue par de nombreux textes littéraires et épigraphiques et par les ruines de ses multiples villes. L'autre est le pays des tribus berbères rebelles à la romanisation ; c'est l'Afrique inconnue, pour laquelle notre documentation est très restreinte. Pour Courtois, la seconde Afrique gagna progressivement du terrain aux dépens de la première dès le IIIe siècle. Nous avons vu qu'il n'en fut rien dans la partie orientale du pays, que le *limes* demeura là où les Sévères l'avaient établi au sud de la Tripolitaine et de la Numidie, qu'aucune menace berbère ne pesa sur les régions montagneuses des provinces de l'Est. La situation apparaît très différente dans les Maurétanies. Ces provinces annexées tardivement à l'Empire furent toujours considérées comme marginales ; jusqu'à la fin du IVe siècle, elles ont été administrées par de simples chevaliers[92]. Par rapport au cœur de l'Afrique romaine, elles firent toujours figure de marches en pays semi-barbare. C'est très sensible dans l'*Expositio totius mundi* ; l'auteur, qui exalte la richesse de la Proconsulaire et de la Numidie, déclare que les habitants de la Maurétanie « ont une vie et des mœurs de barbares, quoique sujets des Romains », et il signale que ce pays tire une partie de ses ressources de la vente d'esclaves[93], fait dont nous avons déjà trouvé la mention chez saint Augustin[94]. Les Maurétaniens avaient eux-mêmes fortement conscience de leur particularisme : Augustin dit, dans sa lettre 93, que « la Maurétanie Césarienne ne veut pas être appelée Afrique[95] ».

Le contraste avec l'Est est fort sensible si l'on considère le tracé du *limes* : on constate que Rome, dans ces régions, non seulement n'a pas cherché à occuper le piémont saharien, mais a laissé hors de ses frontières les hautes plaines, steppiques il est vrai, de l'Algérois et de l'Oranie. Le *limes* remonte vers le nord à la hauteur de chott el Hodna ; puis il suit la limite septentrionale des hautes plaines, au sud des massifs du Titteri et de l'Ouarsenis. Après un redent vers le sud aux monts de Saïda, il remonte jusqu'à 80 kilomètres du littoral aux monts de Tlemcen[96].

---

92. Un gouverneur perfectissime est encore en fonction en Sitifienne entre 379 et 383 (*P.L.R.E.*, p. 1088). Les gouverneurs des provinces maurétaniennes furent pris parmi les clarissimes à l'extrême fin du IVe siècle, ou au début du Ve siècle.

93. *Expositio totius mundi*, 40, éd. Rougé, *S.C.*, 124, p. 200 : « Homines qui inhabitant barbarorum uitam et mores habent, tamen Romanis subditi. Quae prouincia uestem et mancipia negotiatur... » La province, selon ce texte, est riche en blé (*frumentum abundat*) ; les emblavures devaient être importantes dans les plaines de Sétif et d'Oran. Le commerce des vêtements était lié à la présence de troupeaux de moutons dans les zones steppiques.

94. *Supra*, p. 46. Cette habitude de capturer des esclaves dans leur sein ne contribuait sans doute pas à apaiser l'agressivité des tribus maures.

95. AUGUSTIN, *Epist.* 93, 8, 24, *C.S.E.L.*, 34, 2, p. 469 : « Mauretania tamen Caesariensis..., quando nec Africam se uult dici... »

96. Voir la carte donnée par R. CAGNAT, *L'armée romaine d'Afrique*, 2e éd., Paris, 1913, p. 747.

Cependant, nul ne pense plus aujourd'hui, comme l'avaient fait J. Carcopino et C. Courtois à la suite d'une hypothèse d'E. Albertini, que le territoire situé à l'ouest de l'embouchure du Chélif fut abandonné par l'Empire sous Dioclétien[97]. Pierre Salama a montré qu'il n'en fut rien ; des milliaires du ive siècle attestent la présence de l'autorité romaine jusqu'aux monts de Tlemcen[98]. Une dédicace en l'honneur d'Honorius et de Théodose II (408-423), trouvée à Altava, montre que l'autorité impériale continuait à être reconnue dans cette région périphérique à la veille de l'arrivée des Vandales[99]. Nous ne possédons pas d'étude récente et précise du *limes* maurétanien ; il n'est donc pas possible d'affirmer, comme pour le *limes Tripolitanus*, qu'il resta au Bas-Empire là où les Sévères l'avaient établi. On peut cependant penser d'ores et déjà que les modifications de frontière, s'il y en eut, furent de peu d'ampleur. Comme l'écrivait récemment Marcel Bénabou, tant en Maurétanie qu'en Tripolitaine, « ce que C. Courtois appelait l'' Afrique abandonnée ' s'est maintenant singulièrement rétréci[100] ».

Ceci dit, la domination romaine à l'intérieur de ces frontières maintenues paraît singulièrement précaire. On constate ici la situation que C. Courtois avait indûment transposée dans les provinces orientales ; les montagnes, particulièrement nombreuses et élevées dans cette région, constituaient autant d'îlots réfractaires à la romanisation, où vivaient de multiples peuples maures sur lesquels Rome exerçait au mieux un protectorat, concrétisé par une investiture donnée aux chefs coutumiers[101].

Pourtant, là aussi, des nuances s'imposent. L'opposition absolue entre plaines et montagnes, telle que Courtois l'a décrite, a fait l'objet de critiques, même pour la Maurétanie. P.-A. Février a remarqué, qu'en Sitifienne, l'occupation romaine est partie des montagnes qui bordent, au nord et au sud, les hautes plaines qui restèrent longtemps aux mains des tribus[102]. Philippe Leveau a constaté l'importance, jusqu'alors ignorée,

---

97. E. ALBERTINI, *La route frontière de Maurétanie Césarienne entre Boghar et Lalla Magnia*, dans *Bull. Soc. géogr. et arch. d'Oran*, 1928, p. 33-48 ; J. CARCOPINO, *Le Maroc antique*, Paris, 1943, p. 231-304 ; C. COURTOIS, *Vandales*, p. 79-90.

98. P. SALAMA, *L'occupation de la Maurétanie Césarienne occidentale sous Le Bas-Empire romain*, dans *Mélanges André Piganiol*, Paris, 1966, t. 3, p. 1291-1311. La théorie d'Albertini avait été critiquée dès 1946 par M. William SESTON, *Dioclétien et la Tétrarchie*, p. 118-119.

99. C., 9834 + J. MARCILLET-JAUBERT, *Les inscriptions latines d'Altava*, Aix-en-Provence, 1968, n° 122 ; notice *Altava* – M. C. –, n. 45.

100. M. BÉNABOU, *La résistance africaine à la romanisation*, p. 239.

101. L'érudit Servius Honoratus, qui écrivait à la fin du ive siècle, évoque dans son commentaire de l'*Énéide* (IV, 242) cette investiture donnée aux préfets des tribus maures sous la forme de la remise d'un sceptre : « praefecti gentium Maurorum cum fiunt uirgam accipiunt et gestant ». Sur ces *praefecti gentis*, choisis au Bas-Empire dans la tribu et non parmi les officiers romains comme à l'époque précédente, voir C. LEPELLEY, *La préfecture de tribu dans l'Afrique du Bas-Empire*, dans Mélanges William Seston, Paris, 1974, p. 285-295, et *infra*, chap. III, p. 137.

102. P.-A. FÉVRIER, *Aux origines de l'occupation romaine dans les hautes plaines de Sétif*, dans *Mélanges offerts à Charles Saumagne = Cahiers de Tunisie*, 1967, p. 64.

des restes romains dans l'arrière-pays montagneux de Cherchel et il s'est demandé si l'hypothèse d'une imperméabilité des massifs montagneux à la romanisation n'était pas principalement due à une exploration archéologique très insuffisante des dits massifs : ne sera-t-on pas amené, pour certaines montagnes maurétaniennes, à une mise en question des schémas reçus, semblable à celle opérée pour l'Aurès[103] ? Il est, de fait, probable que certaines systématisations, certains pseudo-déterminismes géographiques, ne résisteront pas à l'examen. Ceci posé, le caractère précaire et lacunaire de l'emprise romaine sur la Maurétanie est difficilement niable, vu le grand nombre de documents qui le manifestent. Les recherches stimulantes de Ph. Leveau minimisent trop le contraste entre la Maurétanie et les provinces orientales de l'Afrique[104].

Le signe le plus caractéristique de cette situation est la répartition des forces militaires dans le pays ; à l'est, les *praepositi limitis* énumérés par la *Notitia dignitatum* commandent des garnisons cantonnées aux confins du Sahara. En Maurétanie, ils sont répartis dans toute la province, parfois très près de la mer ; ainsi pour le *praepositus limitis Tubusubditani*, qui résidait à Tubusuptu (Tiklat), dans la vallée de l'Oued Soummam, à une vingtaine de kilomètres du port de Saldae (Bougie) ; son rôle n'était pas de surveiller les nomades du sud, mais les montagnards de Kabylie[105]. Nous avons vu que toutes les villes maurétaniennes étaient fortifiées, et ceci dès le Haut-Empire[106]. Une inscription a permis de connaître la date de l'édification des puissants remparts qui protégeaient Tipasa : ils furent élevés en 147, sous Antonin le Pieux[107]. L'histoire de la Maurétanie est jalonnée de révoltes, et les villes vécurent sous la menace continuelle d'incursions et de pillages. Certains soulèvements touchèrent beaucoup de tribus et nécessitèrent des opérations militaires d'envergure : ainsi entre 144 et 152 sous Antonin, entre 253 et 262 sous Valérien et Gallien, entre 289 et 298 sous Dioclétien[108]. Au IVe siècle, la révolte de Firmus, entre 371 et 375, s'étendit à toute la région et amena la

---

103. Ph. LEVEAU, *Paysanneries antiques du pays des Beni-Menacer : à propos des ruines romaines de la région de Cherchel*, dans *B.C.T.H.*, n. s. 8, 1972, p. 3-26 ; *Paysans maures et villes romaines en Maurétanie Césarienne centrale*, dans *M.E.F.R.A.* 1975, p. 857-871 ; et surtout *L'opposition de la montagne et de la plaine dans l'historiographie de l'Afrique du Nord antique*, dans *Annales de Géographie*, 474, mars-avril 1977, p. 201-295.

104. Ph. Leveau, comme M. Bénabou (*op. cit.*), garde cette vue trop unitaire du Maghreb antique qui est une des faiblesses majeures du livre de Courtois.

105. *Cf.* R. CAGNAT, *L'armée romaine d'Afrique*, 2e éd., Paris, 1913, p. 754-762, et carte, p. 747. Trois *praepositi* sont au sud, sept dans l'intérieur, ce qui montre bien que le danger principal ne venait pas des Sahariens.

106. *Supra*, p. 40.

107. *A.E.*, 1954, 130.

108. On trouvera une étude de ces révoltes dans M. BÉNABOU, *La résistance africaine à la romanisation*, p. 135-237.

destruction de la capitale, Césarée[109]. Le récit précis qu'en a donné Ammien Marcellin montre le grand nombre de tribus impliquées dans le soulèvement que le comte Théodose parvint à juguler[110]. On doit donc constater que, depuis l'annexion du pays sous Caligula, Rome ne put maintenir sa domination en Maurétanie qu'au prix d'un effort militaire incessant et que le processus de romanisation, si puissant dans les provinces orientales, n'eut que peu de prise dans ces marches occidentales. Il n'existe toutefois pas de différence substantielle entre la situation que l'on y constate au Bas-Empire et celle qui existait durant les siècles précédents[111].

Les villes étaient réparties dans les zones romanisées. A l'est, la petite province de Maurétanie Sitifienne, détachée de la Césarienne sous Dioclétien, prolongeait la Numidie ; de fait, les hautes plaines de Sétif continuent vers l'ouest celles du Constantinois. Sitifis était une colonie de vétérans fondée sous Nerva[112] ; Paul-Albert Février pense que des *castella* regroupant les paysans de grands domaines impériaux furent créés au début du iiie siècle[113]. Il y eut une mise en valeur agricole accompagnée, sinon d'une urbanisation, du moins de la création d'un habitat villageois et d'une transformation de la condition sociale et juridique des habitants. Les sources font cependant état d'une sécurité moindre que dans la Numidie proche. Ainsi, saint Augustin évoque, dans une lettre au prêtre sitifien Victorianus, des moines tués par des barbares qui emmenèrent comme captives des moniales, parmi lesquelles la nièce de l'évêque Severus[114]. De fait, les plaines de Sétif sont entourées de montagnes (les Babors au nord, les monts de Hodna au sud, les Bibans à l'ouest) qui restèrent très vraisemblablement aux mains de tribus non romanisées. Le principal port de la province, Saldae (Bougie), subit un siège, probablement sous Dioclétien, et dut son salut à une sortie victorieuse de l'association locale de *iuuenes*[115].

En Césarienne, les villes se répartissaient selon trois axes. Sur la côte, on trouvait de très anciennes cités correspondant le plus souvent aux vieilles escales puniques ; parmi elles se trouvait la capitale, Césarée.

---

109. Ammien Marcellin, XXIX, 5. *Cf.* notice *Caesarea* – M. C. –, n. 16-27.

110. Ammien, XXIX, 5, 28 : « ... dissonas cultu et sermonum uarietate nationes plurimas unum spirantibus animis, immanium exordia concitare bellorum, adigante hortanteque maxima spe praemiorum... »

111. On doit même constater que la Maurétanie fut plus paisible au ive siècle qu'au second et au iiie siècles. Entre la victoire de Maximien en 298 et le regain de troubles constaté à la veille de l'invasion vandale (voir *infra*, n. 118), la seule révolte connue fut celle de Firmus, entre 371 et 375. La guerre de Gildon ne fut pas une rébellion de peuples, mais celle d'un général romain.

112. Voir notice *Sitifis* – M. S. –, n. 1.

113. P. A. Février, *Aux origines de l'occupation romaine dans les hautes plaines de Sétif*, dans *Mélanges Charles Saumagne = Cahiers de Tunisie*, 1967, p. 62-64.

114. Augustin, *Epist.* 111, C.S.E.L., 34, 2, p. 642-657.

115. *A.E.*, 1928, 38 ; *cf.* notice *Saldae* – M.S. –, n, 9-12,

Ces villes avaient un arrière-pays limité entre la mer et l'Atlas Tellien[116]. Au sud de ce dernier, on trouve une seconde série de villes, le long de la vallée de la Soummam, d'une route contournant l'Atlas de Blida par Auzia, Rapidum, Thanaramusa Castra, et enfin de la vallée du Chélif (Oppidum Novum ; Castellum Tingitanum). Le troisième axe est en bordure des hautes plaines et il correspond au *limes* du sud maurétanien. De grands massifs montagneux peu accessibles à la romanisation isolent l'une de l'autre ces séries de villes qui, pour la plupart, furent fondées par des vétérans et restèrent dans le pays comme des corps étrangers[117].

Les Maures guettaient le moindre signe de faiblesse de la part de l'Empire pour fondre sur ces cités et leurs territoires cultivés ; on l'avait vu au milieu du IIIe siècle, après que Gordien III eut commis l'imprudence de dissoudre la légion de Lambèse. Il en fut de même quand l'armée d'Afrique fut désorganisée par suite des querelles entre le comte Boniface et la régente Placidie, en 427-428 ; saint Augustin, dans une lettre au comte, évoqua les dévastations accomplies alors par les barbares africains qu'on tenait en respect peu de temps auparavant[118]. Ces faits n'eurent pas lieu dans la Proconsulaire ou la Numidie car Augustin en eût parlé avec plus de précision dans d'autres lettres ; ils concernaient donc la Maurétanie. Bien entendu, la désorganisation du système de défense à la suite de la conquête vandale devait entraîner un déferlement des Maures sur les zones romanisées[119].

Les inscriptions municipales du Bas-Empire sont beaucoup moins nombreuses en Maurétanie que dans l'Est. Elles reflètent bien la situation précaire des villes. Certaines, avons-nous vu, évoquent des monuments, voire une ville entière, restaurés à la suite de destructions dues à des faits de guerre[120]. Les remparts de Tipasa furent renforcés et des tours nouvelles furent édifiées entre 305 et 307[121]. A Altava, des fortifications

---

116. L'arrière-pays montagneux de Césarée était, on l'a vu, bien occupé et exploité (*supra*, n. 103). En Oranie, à l'ouest de l'embouchure de Chélif, on trouve une plaine vaste et fertile, bien plus facile à défendre que les régions plus orientales de la Césarienne. Elle devait, avec la plaine de Sétif, produire le blé maurétanien auquel fait allusion l'auteur de l'*Expositio totius mundi* (*cf. supra*, n. 94). L'hypothèse de l'abandon de cette zone est donc bien gratuite (*cf. supra*, p. 51 et n. 97-98).

117. Ces massifs sont d'est en ouest : au nord, la Petite et la Grande Kabylie, l'Atlas de Blida, le Chenoua, le Dahra ; au sud, les Bibans, l'Ouarsenis, le Daïa, les monts de Tlemcen.

118. AUGUSTIN, *Epist.* 220, 7, *C.S.E.L.*, 57, p. 436 : « Quid autem dicam de uastatione Africae quam faciunt Afri barbari resistente nullo ?... » Simple tribun, Boniface tenait en respect tous ces barbares ; maintenant, il est comte d'Afrique et il doit les laisser ravager le pays : « tribunus cum paucis foederatis omnes ipsas gentes expugnando et terrendo pacauerat, nunc tantum fuisse barbaros ausuros, tantum progressuros, tanta uastaturos, tanta rapturos, tanta loca, quae plena populis fuerant, deserta facturos ? ». Ces graves événements ne sont pas connus par d'autres sources.

119. *Cf.* C. COURTOIS, *Vandales*, p. 333-349.

120. *Cf. supra*, p. 43, n. 60.

121. *A.E.*, 1960, 600 ; notice *Tipasa* – M.C. –, n. 7.

furent inaugurées en 349 ou 350[122]. Sur l'ordre du comte d'Afrique, de nouveau *moenia* furent élevés à Mouzaïa (Elephantaria ?) entre 351 et 354 ; ce terme désigne, au ive siècle, toute espèce de monuments publics. Vu le caractère militaire de l'autorité qui présida à l'opération, il semble que le mot *moenia* avait ici conservé son sens primitif de fortifications[123]. Nous avons évoqué plus haut l'inscription qui commémore la mise en fuite des assiégeants de Saldae par un assaut des *iuuenes*[124]. C'est toute la Maurétanie qui semble avoir été en état de siège, au témoignage de ces inscriptions et des fortes murailles qui protégeaient les villes. Le contraste apparaît vraiment radical avec la Proconsulaire, la Byzacène et même la Numidie, où les documents, pourtant plus abondants, ne nous laissent voir rien de semblable.

Nous n'avons pas inclus la Maurétanie Tingitane dans la présente étude. Cette province périphérique, rattachée par Dioclétien au diocèse d'Espagne, apparaît au Bas-Empire comme très en marge de l'Afrique romaine, même si toute communication terrestre par la route côtière n'était pas coupée, comme on l'a cru longtemps. La Tingitane fut-elle réduite, à partir du règne de Dioclétien, à une zone étroite autour de Tanger ? Une dédicace à Constantin trouvée à Sala semble montrer que, là aussi, l'hypothèse d'une régression massive du territoire romain est fragile[125]. Pourtant, les difficultés rencontrées par Rome en Césarienne semblent avoir été encore plus fortes dans cette province où les gouverneurs romains, dès le Haut-Empire, devaient accepter de traiter d'égal à égal avec les puissants chefs du peuple Baquate. Les fouilles de Thamusida ont montré que la ville avait été brusquement abandonnée par ses habitants entre 274 et 280, peut-être consécutivement au départ de l'armée romaine[126]. La vie continua à Volubilis, mais on ne peut dire si l'administration romaine conserva la ville sous sa juridiction au ive siècle.

La distinction proposée par Christian Courtois entre deux Afriques, coexistant au temps de l'Empire romain tout en demeurant profondé-

---

122. *A.E.*, 1935, 86 ; notice *Altava* – M.C. –, n. 40.

123. *C.*, 9282 ; notice Mouzaïa – M.C. –, n. 4. Le rempart de Sétif, long de cinq kilomètres, fut édifié au ive siècle (P. A. Février, *Notes sur le développement urbain en Afrique du Nord : les exemples comparés de Djemila et de Sétif*, dans *Cahiers archéologiques*, 14, 1964, p. 32 ; notice *Sitifis* – M.S. –, n. 4).

124. *Cf. supra*, n. 115.

125. J. Boube, *Découvertes récentes à Sala colonia (Chellah)*, dans *B.C.T.H.*, 1959-1960, p. 141-145. La *Notitia Dignitatum* ne mentionne en Tingitane que des lieux de garnison situés dans la partie nord de la province, ce qui incite à estimer fondée l'hypothèse d'un repli (R. Cagnat, *L'armée romaine d'Afrique*, p. 762-765).

126. R. Rebuffat, *Les fouilles de Thamusida et leur contribution à l'histoire du Maroc*, dans *Bull. d'archéol. marocaine*, 8, 1968-1972, p. 51-65 ; J.-P. Callu, *Thamusida, I*, dans *M.E.F.R.*, Suppléments, 2, Paris, 1965, p. 258 sq.

ment distinctes et opposées, se révèle une vue historique féconde et pertinente. L'exposé de Courtois doit cependant être rectifié sur deux points importants. Tout d'abord, l'hypothèse selon laquelle le territoire occupé par Rome fut amputé d'un tiers à la fin du iiie siècle, déjà contestée quand elle fut émise, s'est révélée inacceptable à la lumière des recherches récentes. D'autre part, les deux Afriques ne s'interpénétraient pas comme le pensait Courtois. Ses efforts pour transposer en Tunisie les constatations faites au Maroc, dans l'Oranie ou l'Algérois apparaissent à l'examen en contradiction totale avec le témoignage unanime des documents. En fait, la situation était beaucoup plus simple qu'il ne le pensait. Les régions où demeuraient les structures tribales et où les Berbères opposaient une résistance victorieuse à la romanisation étaient les steppes et les déserts du Sud, les montagnes de la Maurétanie et probablement certaines montagnes périphériques de la Numidie. Dans la Tunisie et, pour l'essentiel, dans le Constantinois actuels, la paix romaine régnait, la densité des villes était très considérable, les campagnards non-romanisés parlaient le punique et non le libyque ; ils se groupaient en villages et non en tribus. Cette région paisible (*pacata et quieta*, disait Victor de Vita)[127] n'avait besoin que d'une très modeste protection militaire : une police des confins sahariens surveillant les nomades qui, sauf en Tripolitaine, n'eut pas à faire face à des attaques dont les sources aient gardé la mémoire.

Entre la côte nord, le littoral de la Byzacène à l'est, la frontière maurétanienne à l'ouest et au sud le parallèle de Sufetula et de Lambèse, l'Afrique vraiment romaine, avec ses multiples cités, formait un rectangle d'environ 480 kilomètres de long sur 230 kilomètres de large, soit 110 400 kilomètres carrés[128]. Il s'agissait donc d'un territoire assez important mais qui ne correspond qu'à peine au tiers de l'Afrique du Nord, les déserts et les steppes étant exclus. Or on doit constater que le Bas-Empire se contenta, comme ailleurs, de conserver l'acquis des siècles précédents. Il y parvint, contrairement à ce qu'on a cru jusqu'à une date récente ; mais on ne trouve plus à cette époque l'élan dynamique qui avait amené la mise en valeur de terres nouvelles, la création de nombreuses villes. Il est certain, à mon sens, que la romanisation continua là où elle avait déjà commencé, que la Proconsulaire était romanisée plus en profondeur au temps de saint Augustin qu'au temps de Septime Sévère. Mais on ne chercha pas à étendre le processus à de nouvelles zones ; le christianisme ne fut pas l'agent d'une romanisation élargie qu'il aurait pu être. Certes il pénétra chez les peuples maures de l'Ouest, mais on ne connaît pas l'existence de véritables missions chez les tribus non soumises à Rome. Dans le texte que nous avons cité plus haut, saint Augustin considère comme normal que les peuples d'au-delà du *limes* n'aient jamais été évangélisés et il constate que ceux qui se

---

127. *Cf. supra*, p. 33, n. 20.

128. C'est-à-dire environ trois fois le territoire de la Hollande actuelle. C'est peu, à l'échelle d'un vaste continent.

soumettent et reçoivent des préfets romains à la place de leurs rois commencent à se christianiser ; l'acceptation de l'autorité romaine constitue, en quelque sorte, un préalable à l'évangélisation[129].

Les historiens modernes ont certainement exagéré le danger représenté par les nomades du Sud ; la steppe et le désert ne peuvent nourrir des populations très nombreuses et il fallait de graves désordres au Nord pour que ces gens devinssent dangereux[130]. La menace représentée par les tribus maures étaient beaucoup plus considérable. Il est probable qu'un bon nombre des envahisseurs qui surgirent en Byzacène à la fin du Ve siècle venaient de l'ouest. Ainsi, les *Frexes* dirigés par Antalas étaient, selon toute vraisemblance, les descendants des *Fraxinenses* qui ravagèrent une partie de la Numidie au milieu du IIIe siècle et qui se trouvaient alors probablement en Grande Kabylie. C. Courtois avait cherché à démontrer que l'habitat originel de ce peuple était situé dans la dorsale tunisienne mais son argumentation est extrêmement fragile[131].

En bref, les tribus Maures, qu'elles fussent en deçà ou au-delà du *limes*, correspondaient très exactement pour la Proconsulaire, la Byzacène et la Numidie à ce que représentaient pour les provinces européennes de l'Empire les Germains d'outre-Rhin et Danube. Ce péril, contrairement à ce que pensait Courtois, est resté extérieur jusqu'au dernier quart du Ve siècle ; auparavant, seuls les Romains de la côte de Tripolitaine, des confins du *limes* et des Maurétanies furent directement en contact avec « l'autre Afrique ». La menace n'en existait pas moins mais, durant la période considérée, les cités du cœur de l'Afrique romaine purent mener une vie paisible et prospère, sans que leurs habitants eussent une conscience claire de la précarité de leur situation.

---

129. Lettre à Hésychius de Salone, citée supra, p. 46, n. 75 (*Epist.* 199, *C.S.E.L.*, 57, p. 284-285) : « ... super eos praefecti a romano constituantur imperio, et illi ipsi eorum praefecti christiani esse coeperunt ; interiores autem, qui sub nulla sunt potestate romana, prorsus nec religione christiana in suorum aliquibus detinentur... » Ce texte suggère que c'est par l'intermédiaire des préfets que le christianisme se répandait chez les peuples qui se soumettaient à l'Empire. Sur les préfets de tribu, voir *infra*, chapitre III, p. 137.

130. *Cf. supra*, p. 45.

131. Sur les *Frexes*, mentionnés par Corripus (*Johannide*, II, 43, 184 ; III, 187 ; VII, 384 ; VIII, 648), voir J. DESANGES, *Catalogue des tribus africaines de l'Antiquité classique*, p. 90-91. Sur les *Fraxinenses*, voir *ibidem*, p. 52-53. C'est J. Desanges qui suggère le rapprochement entre les deux ethniques.

CHAPITRE II

Les constructions et restaurations
de bâtiments publics urbains
et les variations de la conjoncture dans le temps

Le Bas-Empire, du dernier quart du IIIe siècle au premier tiers du
Ve siècle inclus, fut en Afrique une période d'intense activité dans le
domaine des chantiers urbains. Les inscriptions permettent de connaître
332 chantiers de construction ou de restauration d'édifices publics
urbains appartenant au patrimoine des cités. Il s'agit de forums et
de portiques, de curies et de basiliques, de marchés, de fontaines et
d'aqueducs, de temples païens et de thermes, d'arcs ou de portes monumentales, de lieux de spectacles (théâtres, amphithéâtres, cirques)[1].
On a exclu de cette statistique les monuments trop petits pour avoir
une signification économique et municipale : ainsi les statues d'empereurs, de gouverneurs ou d'évergètes qui ornaient les forums, ou les
autels votifs. Sont également exclues les églises chrétiennes, dont le
nombre comme les dimensions augmentèrent beaucoup durant la période,
mais qui n'étaient pas des édifices municipaux construits et entretenus
par les cités[2]. Il faudrait cependant en tenir compte pour avoir une vue
exacte de l'activité bâtisseuse dans les villes et, donc, de la conjoncture
économique. Malheureusement, leur datation pose problème, car les
inscriptions de dédicace, quand il y en a, ne mentionnent pas les empereurs et les gouverneurs. Les études archéologiques précises menées
depuis quelque temps sur ce sujet permettront de compléter nos connais-

1. Nous examinons les types de monuments construits ou restaurés et leurs
proportions respectives dans le chapitre VI, *infra*, p. 295-297 ; les édifices mentionnés
ici sont les plus fréquemment cités.

2. Sur cette séparation très nette entre cité et église dans le domaine des institutions, des finances, du patrimoine immobilier, voir chapitre VIII, *infra*, p. 373-376.

sances à cet égard. De même, des maisons privées furent bâties ou restaurées en grand nombre ; les recherches archéologiques récentes, beaucoup plus soucieuses que celles d'autrefois de précision chronologique, ont mis nettement ce fait en valeur en se fondant notamment sur les mosaïques, dont un grand nombre, et non des moins belles, sont maintenant datées de notre période par les spécialistes[3]. Les remparts des villes mis à part, nous avons exclu les constructions militaires (forts, *centenaria*, ouvrages du *limes*) qui sont extérieures au cadre municipal.

Comme nous le remarquions dans l'introduction de cet ouvrage, beaucoup d'éléments nouveaux s'ajouteront à cette enquête quand seront multipliées les fouilles archéologiques menées selon les techniques modernes[4]. Les résultats acquis d'ores et déjà montrent l'importance du renouveau urbain du Bas-Empire, tant pour les constructions privées que pour les édifices publics. Il est trop tôt pour en mesurer exactement l'ampleur et les limites, pour évaluer avec précision les différences d'une région ou d'une ville à l'autre. Mais on peut, dès maintenant, récuser pour une large part le jugement des archéologues d'autrefois attribuant systématiquement au Bas-Empire les constructions médiocres et les réparations hâtives ; le jugement des épigraphistes accusant systématiquement d'exagération les auteurs des inscriptions évoquant des travaux publics à l'époque tardive. On peut considérer comme valable pour la majorité des villes africaines le jugement d'A. Mahjoubi dans son étude sur Belalis Maior : le paysage urbain est resté au ive siècle ce qu'il était sous le Haut-Empire, et on fit d'importants efforts pour le maintenir tel[5]. Ce n'est que plus tard, à partir de la période vandale, que les choses se modifièrent profondément et qu'on entra vraiment dans ce qu'il est convenu d'appeler la basse époque.

Si on se limite aux édifices publics municipaux, 332 chantiers, avons-nous dit, sont connus pour l'époque considérée, sur lesquels 236 sont datables avec quelque précision. Si l'on fait la part des inscriptions non encore découvertes et de celles qui ont disparu, notamment sur des sites comme Carthage ou Constantine où il y eut permanence urbaine proche ou sur place, on doit considérer qu'il y eut des milliers de chantiers, sans compter ceux des églises et des demeures privées. La prédominance des restaurations sur les constructions[6], l'importance moindre de ces dernières par rapport à l'époque sévérienne, incitent à penser que cette activité ne retrouva pas l'ampleur de celle de la fin du second siècle

---

3. Voir *supra*, Introduction, p. 18-19 et n. 27.

4. *Ibidem*, p. 18 et n. 24-26.

5. A. MAHJOUBI, *Recherches d'histoire et d'archéologie à Henchir el Faouar : la cité des Belalitani Maiores*, Publications de l'Université de Tunis, Tunis, 1978, p. 446-447.

6. On compte, pour l'ensemble de la période, 50 constructions, 160 restaurations plus 122 chantiers dont on ne peut déterminer la nature ; ces derniers mis à part, on compte donc plus de trois restaurations pour une construction. Voir le détail de ces statistiques *infra*, tableaux 2 à 5, p. 75-78,

ou du premier tiers du IIIe ; elle fut pourtant considérable, surtout si l'on fait la part de la rigueur de la fiscalité du Bas-Empire qui absorbait une part importante des revenus. C'est là l'indice d'une indéniable prospérité économique des villes et de leurs aristocraties[7]. Avant d'examiner le détail de notre enquête, et en particulier les considérables variations dans le temps du nombre des chantiers, précieux reflet de la conjoncture économique[8], il est nécessaire d'évoquer la législation impériale qui servit de cadre juridique à cette importante activité.

I — LA LÉGISLATION SUR LES CONSTRUCTIONS PUBLIQUES

Le gouvernement impérial ne pouvait pas ne pas se préoccuper des chantiers publics des villes africaines, vu l'importance de leur nombre — probablement plusieurs milliers avons nous dit — et des moyens financiers qu'ils exigeaient. Nul doute que l'activité des gouverneurs provinciaux et des responsables municipaux n'ait été pour une bonne part accaparée par ces multiples travaux. Une abondante législation a fixé les règles que les gouverneurs devaient faire appliquer pour l'entretien et l'enrichissement du patrimoine immobilier des villes[9]. Dans une proportion non négligeable, ces décisions impériales s'adressaient directement aux provinces africaines : c'est là une constatation que nous serons amené à faire pour bien d'autres domaines.

Les gouverneurs exerçaient, sur ce chapitre, une stricte tutelle sur l'administration municipale qui n'était donc pas entièrement libre de ses décisions. Les inscriptions de dédicace des édifices construits ou restaurés mentionnent en général le nom du gouverneur en fonction. Il est souvent précisé qu'il procéda à l'inauguration (*dedicauit*). Parfois, il est dit que les travaux furent accomplis sur son *instantia*, c'est-à-dire sa demande pressante ; il est notable qu'on ne dise pas sur son ordre (*iussus*) : la nuance est importante, car elle implique que la cité demeurait libre de ne pas ouvrir le chantier même s'il y avait *instantia* du gouverneur[10]. Comme c'est souvent le cas, on constate en l'occurrence que la

---

7. Cette documentation épigraphique confirme le témoignage des auteurs du Bas-Empire exaltant la richesse de l'Afrique et montre qu'il ne s'agissait pas là seulement d'un topos littéraire traditionnel (voir *supra*, chap. I, p. 29-36).

8. Voir *infra*, graphiques I à 3, p. 79-81.

9. Cette législation est, pour l'essentiel, rassemblée sous le *titulus I, De operibus publicis*, du livre XV du *Code Théodosien*. Une traduction et un commentaire de ces lois ont été donnés par Yves Janvier dans son ouvrage *La législation du Bas-Empire romain sur les édifices publics* (Publications des Annales de la Faculté des Lettres d'Aix-Marseille, Travaux et Mémoires, LVI, Aix, 1969).

10. Le législateur s'adressait au gouverneur, intermédiaire normal avec les cités ; il ne faut pas en conclure que ces dernières étaient totalement privées d'initiative en la matière mais, à coup sûr, elles étaient sous la tutelle de l'administration

législation du Bas-Empire reprend souvent des prescriptions émises longtemps auparavant. La tutelle du gouverneur en matière immobilière n'était pas chose nouvelle : nous voyons, au début du IIᵉ siècle, Pline le Jeune surveiller de près le programme de construction des villes en Pont-Bithynie, interdire des travaux trop dispendieux, contraindre de terminer des ouvrages commencés avant d'en entreprendre de nouveaux. Nous le voyons aussi en référer à Trajan[11], dont les réponses précises et tranchantes devaient faire jurisprudence.

De même, au IVᵉ siècle, les empereurs rappellent aux gouverneurs de ne pas négliger de faire observer la vieille prescription sur la nécessité de terminer les ouvrages en chantier avant d'en entreprendre d'autres : c'est l'objet d'une loi de Julien en 362[12], d'une loi de Théodose en 393[13].

Le gouvernement impérial apparaissait soucieux de freiner la gloriole de certains gouverneurs avides de popularité, qui voulaient attacher leur nom à des constructions neuves et inutiles. Théodose, en 394, devait même leur rappeler qu'ils étaient coupables du crime de lèse-majesté (*maiestatis obnoxii*) s'ils inscrivaient leur nom au lieu de celui de l'empereur sur des édifices publics[14]. Nous n'avons pas d'exemples de cet abus sur les inscriptions africaines, mais quand on y lit le nom du gouverneur après ceux des empereurs régnants, il n'est pas rare de voir magnifier assez lourdement son action.

Deux points reviennent fréquemment dans la législation du Bas-Empire sur les constructions : la préférence que les gouverneurs devaient accorder à la restauration d'ouvrages anciens sur la construction de nouveaux édifices ; l'interdiction du remploi. En ce qui concerne ce dernier point, nous avons l'exemple de Constance II qui prescrit en 357 au proconsul d'Afrique Flavianus d'éviter de laisser dépouiller des cités « de la parure reçue des aïeux » pour orner d'autres villes[15]. En 365, Valentinien Iᵉʳ

provinciale. Selon la règle traditionnelle, rappelée en 385 (*C. Th.*, XV, 1, 24), ce n'était pas le gouverneur, mais les magistrats de la cité ou les décurions ayant assuré la *cura* des travaux, qui étaient responsables sur leurs deniers pendant quinze ans, en cas de malfaçon.

11. PLINE LE JEUNE, *Lettres*, X, 37-38 ; 39-40 ; 49-50 ; 70-71 ; 90-91 ; 98-99. Trajan trouvait normal que Pline le consultât sur des sujets aussi minces que le financement d'un égout à Amastris (lettres 98 et 99) ou le choix d'un terrain pour la construction de thermes à Pruse (lettres 70 et 71).

12. *C. Th.*, XV, 1, 3 (29 juin 362 — Seeck, p. 210). Julien excluait cependant les temples de cette règle.

13. *C. Th.*, XV, 1, 29 (loi orientale). Ces lois ne font que reprendre le principe posé par Trajan à propos de l'achèvement du théâtre de Nicée (PLINE, *Lettres*, X, 40).

14. *C. Th.*, XV, 1, 31 (loi orientale). AMMIEN MARCELLIN (XXVII, 3, 7) fait grief au préfet de la Ville Volusianus Lampadius (365-366) d'avoir fait graver des inscriptions le donnant pour le constructeur d'édifices élevés par des empereurs et qu'il n'avait fait que réparer.

15. *C. Th.*, XV, 1, 1 (2 février 357 ; Seeck, p. 203) : « Nemo propriis ornamentis esse priuandas existimet ciuitates : fas si quidem non est acceptum a ueteribus decus perdere ciuitatem ueluti ad urbis alterius moenia transferendum. » Nous avons ici

précise l'interdiction dans une constitution adressée à Mamertinus, préfet du prétoire d'Italie (dont l'Afrique dépendait). Certains gouverneurs avaient fait orner leur capitale ou les principales cités de leur province avec des statues, des colonnes, des plaques de marbre, prises dans des villes de moindre importance. Ces transferts et ces remplois étaient formellement interdits[16]. Honorius en 398 condamna à nouveau les gouverneurs qui décoraient des constructions nouvelles avec des ornements de marbre et de bronze arrachés à d'anciens monuments[17]. L'amende de trois livres d'or qui frappait le gouverneur fautif devait également punir les conseils des cités qui avaient accepté le procédé et n'avaient pas « défendu la parure de leur patrie ancestrale[18] ». La mention des petites cités dépouillées au profit de villes prospères est intéressante : elle montre que certaines villes connaissaient un grave déclin et que le patrimoine monumental hérité du Haut-Empire y tombait en ruines sans que les autorités locales pussent y remédier[19]. Assurément, la situation devait être très variable selon les lieux, mais il est fort vraisemblable que certaines des innombrables petites cités du nord de la Proconsulaire étaient retombées au niveau de simples villages.

Pas moins de quinze constitutions impériales sont consacrées, en tout ou en partie, entre 321 et 395, au problème de la restauration des édifices anciens[20]. C'est à partir de l'avènement de Valentinien Ier que ces lois se multiplient ; le législateur insiste surtout sur la préférence à

---

un bon exemple de l'emploi du terme *moenia* au sens, non de remparts, mais d'édifices publics : il n'y a aucune ambiguïté, puisqu'il s'agit d'éléments de décoration (*decus*) et non de pierres de taille.

16. *C. Th.*, XV, 1, 14 : « Praesumptionem iudicum ulterius prohibemus, qui in euersionem abditorum oppidorum metropoles uel splendidissimas ciuitates ornare se fingunt transferendorum signorum uel marmorum uel columnarum materiam requirentes. »

17. *C. Th.*, XV, 1, 37. En 398, cette interdiction devait tout particulièrement viser ceux qui dépouillaient les temples désaffectés. Honorius s'efforça, dans une loi émise en 399, de limiter le zèle iconoclaste des chrétiens et d'interdire la destruction des temples considérés comme monuments publics et des ornements des cités (*C. Th.*, XVI, X, 15 : « Sicut sacrificia prohibemus, ita uolumus publicorum operum ornamenta seruari » ; de même dans *C. Th.*, XV, 10, 18).

18. *C. Th.*, XV, 1, 37 : « similis etiam condemnatio ordines ciuitatum manebit, nisi ornamentum genitalis patriae decreti huius auctoritate defenderint. »

19. Les inscriptions africaines font connaître quelques rares cas de remploi. A Thubursicu Numidarum, le légat de Numidie Proconsulaire Atilius Theodotus fit reconstruire le nouveau forum et il l'orna de statues enlevées à des emplacements envahis par les ruines (peut-être la *platea uetus* ; *I.L. Alg.* I, 1229 ; 1247 = *I.L.S.*, 9357 ; 1274 ; notice *Thuburscicu Numidarum* – P. –, n. 12-14). De même, à Caesarea, des statues de divinités furent « transférées de lieux malpropres » (*translata de sordentibus locis*) dans les grands thermes de l'ouest, peut-être après le sac de la ville par Firmus en 371 ou 372 (*C.*, 20963 ; 20965 ; 21078 ; 21079 ; notice *Caesarea* – M.C. – n. 9-11). Le fait qu'il était précisé, sur ces inscriptions, que les éléments remployés provenaient « de lieux en ruines » ou « de lieux malpropres » s'explique peut-être par le souci de montrer qu'on ne contrevenait pas à ces lois.

20. La loi la plus ancienne de la série émane de Constantin ; elle est datée de 321 (*C. Th.*, XV, 1, 2).

accorder aux restaurations sur les constructions. En 365, Valentinien
avise le préfet du prétoire d'Italie qu'il interdit toute construction nouvelle dans une ville avant que les édifices anciens ne soient remis en
état[21]. La même mesure est signifiée, toujours en 365, au vicaire d'Afrique
Dracontius : il faut réparer les édifices lézardés par suite de la vétusté
avant d'entreprendre aucun ouvrage neuf[22].

En 380, Théodose prescrivait au préfet d'Égypte d'affecter les deux
tiers des ressources disponibles aux restaurations et le tiers restant aux
constructions[23]. Il est impossible de savoir si cette mesure était propre
ou non à l'Égypte. En 390, Valentinien II précisa qu'aucune ressource
publique ne pouvait être affectée à la construction d'un édifice neuf ;
si un évergète privé avait fait commencer un nouvel ouvrage, il devait
le faire achever et régler lui-même toute la dépense[24]. En 394, Théodose
décida qu'un gouverneur ne pourrait entreprendre la construction d'un
nouveau bâtiment sans une autorisation impériale ; sinon, il devait
terminer l'ouvrage à ses frais, en restant sur place comme personne
privée[25]. Seule une catégorie de constructions échappait à ces restrictions :
en 396, une loi d'Arcadius donnait aux conseils des cités toutes facilités
administratives et financières pour la construction de remparts[26].

On a pu induire de cette abondante législation une grave crise de la
vie urbaine : on se serait contenté au Bas-Empire d'essayer d'entretenir
tant bien que mal l'énorme patrimoine monumental hérité des siècles
précédents ; il n'aurait plus été possible de l'enrichir ou de le renouveler,
faute de ressources financières, de générosités évergétiques, de goût
artistique. Cette vue est contredite par une évidence : on a beaucoup
construit au IVe siècle. Sans parler de Constantinople ou des autres
résidences impériales, et pour rester dans le cadre africain, les archéologues constatent que Carthage a vu son urbanisme profondément
renouvelé à cette période[27]. Beaucoup d'édifices publics ont été bâtis
ou reconstruits dans les villes africaines au Bas-Empire, et s'y ajoutèrent
des églises chrétiennes en nombre croissant[28]. La législation impériale

---

21. *C. Th.*, XV, 1, 14. Nous avons déjà mentionné ce texte, qui interdit la pratique
du remploi (*supra*, n. 16).

22. *C. Th.*, XV, 1, 15 : « Lex sancientibus nobis rogata est quae iudices omnes
et rectores prouinciarum edicto suo adque auctoritate cohibet aliquid noui operis
adripere, priusquam ea quae uicta senio fatiscerent, repararent. Quae nunc etiam
credidimus repetenda. » Cette décision est répétée dans *C. Th.*, XV, 1, 16 (365) ;
XV, 1, 17 (365) ; XV, 1, 19 (376) ; XV, 1, 21 (380) ; XV, 1, 29 (393).

23. *C. Th.*, XV, 1, 20.

24. *C. Th.*, XV, 1, 28.

25. *C. Th.*, XV, 1, 31 (loi orientale).

26. *C. Th.*, XV, 1, 34 (loi orientale).

27. G. PICARD, *La Carthage de saint Augustin*, Paris, 1965 p. 14-17. *Cf.* notice
sur Carthage, n. 4-8 ; 10.

28. Mais les églises n'étaient pas des édifices publics et leur construction n'était
donc pas visée par cette législation.

était surtout soucieuse de prévenir des abus. L'insistance notable sur la nécessité d'éviter le gaspillage que constituait la construction d'édifices nouveaux et inutiles montre que cet abus existait ; la réitération des lois, sur ce point comme sur bien d'autres, montre qu'on ne les respectait pas toujours. Les empereurs, au moins à partir de Valentinien Ier, semblent avoir été soucieux de limiter les dépenses excessives qu'impliquait, pour les cités, un urbanisme de luxe. Mais, s'ils légiféraient en ce sens, c'est que les gouverneurs et les conseils des cités n'avaient pas renoncé à ce goût somptuaire. Cependant, les inscriptions africaines montrent, nous le verrons, que ces lois furent assez bien suivies : les restaurations ont été nettement plus nombreuses que les constructions[29].

La parure monumentale des villes africaines n'était pas très ancienne : dans la plupart des cités, ce n'est guère qu'à partir du milieu du second siècle qu'on a bâti des monuments publics nombreux et importants ; c'est l'époque sévérienne qui vit l'essor le plus spectaculaire. Or, pour un contemporain de Constantin, les édifices sévériens n'étaient pas plus anciens que ne le sont pour nous les constructions du Second Empire. Les forums et les Capitoles, les basiliques civiles et les lieux de spectacles, les portiques et les arcs qui avaient été élevés sous les derniers Antonins et les Sévères en Afrique, étaient toujours debout. Il suffisait de les entretenir et de les restaurer, quand des lézardes apparaissaient, pour conserver aux cités leur parure. Les thermes exigeaient davantage de soins : la circulation de l'eau et les fournaises dégradaient l'édifice, qui nécessitait périodiquement des réparations importantes : les inscriptions en font foi. Pour le législateur, il suffisait donc d'entretenir l'héritage des générations passées. Les inscriptions montrent pourtant que les villes demeurées prospères complétèrent au ive siècle leur patrimoine monumental et élevèrent de nouveaux édifices. A Thibilis, en Numidie, le cadre urbain traditionnel fut créé de toutes pièces. Thibilis était un simple *pagus* de Cirta ; dans la seconde moitié du iiie siècle, la bourgade reçut le statut de municipe[30] et on décida, à partir du règne de Dioclétien, de créer la parure monumentale correspondant à ce rang de commune romaine autonome : un forum, des portiques, des portes monumentales furent édifiés, ainsi qu'un Capitole qui resta inachevé, de toute évidence à cause du triomphe du christianisme sous Constantin[31].

Un fait de mentalité est significatif. On a constaté l'insistance des textes législatifs sur « la parure ancestrale » des villes, qui devait être respectée et entretenue. Il est certain que les Romains du Bas-Empire ont eu, à l'égard des œuvres de leurs ancêtres, une attitude admirative, comparable à la nôtre devant les monuments historiques. Ceci apparaît

---

29. *Cf. infra*, tableaux 2 à 5, p. 75-78.

30. Sur l'histoire municipale de Thibilis, voir notice, n. 4-19.

31. S. Gsell, *Khamissa, Mdaourouch, Announa*, fasc. 3, *Announa*, Alger-Paris, 1918, p. 50-52 ; 70-72.

fort clairement dans le récit que donne Ammien Marcellin du séjour de Constance II à Rome en 357 : l'historien montre l'empereur confondu d'admiration devant les monuments de la Ville et désespéré à l'idée qu'il ne pourrait jamais rien bâtir qui puisse égaler la splendeur du forum de Trajan[32]. La législation impériale, si soucieuse de la préservation et de l'entretien des monuments du passé, se situe dans une perspective semblable, de même que les multiples restaurations réalisées alors en Afrique par les gouverneurs et les cités.

Sans doute la primauté des restaurations sur les constructions est-elle l'indice d'une richesse moindre qu'à l'époque sévérienne et d'une diminution de l'évergétisme monumental. Disons que l'activité bâtisseuse, bien que notable, n'a pas retrouvé le rythme qu'elle avait atteint sous les Sévères. Mais l'ampleur du patrimoine monumental laissé par les générations antérieures permettait aux cités de bénéficier d'un urbanisme d'une grande richesse en se contentant d'entretenir et d'enrichir l'acquis.

Le gouvernement impérial connaissait l'importance des monuments urbains africains et il se souciait de la formation d'un personnel d'architectes aptes à les entretenir ou à en bâtir de nouveaux. En 334, Constantin enjoignit au préfet du prétoire Félix de veiller à ce que des jeunes gens instruits âgés de dix-huit ans fussent orientés vers cette profession dans les provinces africaines et qu'ils reçussent la formation requise. Pour favoriser les vocations, l'empereur décidait que les intéressés percevraient un salaire durant leurs études, qu'eux et leurs parents seraient exemptés des *munera personalia*, donc, s'ils étaient de naissance curiale, des charges municipales non financières[33].

Le souci des empereurs de favoriser le plus possible la formation et l'activité en Afrique des techniciens et artistes du bâtiment, apparaît aussi dans la constitution adressée par Valentinien Ier en 374 au vicaire d'Afrique Chilon. Cette mesure exemptait de la capitation les professeurs de peinture (*picturae professores*), leur famille et leurs esclaves ; ils étaient même dispensés de payer le chrysargyre sur la vente des produits de leur art[34]. Nous avons-là la preuve de l'existence, en Afrique au Bas-Empire, d'écoles de peinture où étaient formés des artistes qui décoraient

---

32. AMMIEN MARCELLIN, XVI, 10, 13-17.

33. *C. Th.*, XIII, 4, 1 : « Architectis quam plurimis opus est ; sed quia non sunt, sublimitas tua in prouinciis Africanis ad hoc studium eos inpellat, qui ad annos ferme duodeuiginti nati liberales litteras degustauerint. Quibus ut hoc gratum sit, tam ipsos quam eorum parentes ab his, quae personis iniungi solent, uolumus esse inmunes ipsisque qui discent salarium competens statui. » On remarque l'insistance sur le besoin d'architectes nombreux et sur l'insuffisance de leur effectif. Saint Augustin évoque, dans les *Confessions* VI, 9, 15, un architecte des bâtiments publics de Carthage (*architectus cuius maxima erat cura publicarum fabricarum*).

34. *C. Th.*, XIII, 4, 4 = *C. Just.*, XII, 40, 8 : « Picturae professores, si modo ingenui sunt, placuit neque sui capitis censione neque uxorum aut etiam liberorum nomine tributis esse munificos, et ne seruos quidem barbaros in censuali adscribtione profiteri, ad negotiatorum quoque conlationem non deuocari, si modo ea in mercibus habeant quae sunt propria artis ipsorum. »

les murs de constructions publiques et privées et qui dessinaient les cartons des mosaïques. L'art africain de la mosaïque avait une production considérable ; des artistes travaillaient même outre-mer (ainsi à Piazza Armerina). Des maîtres se chargeaient de leur formation. Leur renom et leur nombre étaient suffisamment grands pour que l'empereur se préoccupât de les protéger par des faveurs fiscales extraordinaires : nouvelle preuve de l'intérêt avec lequel le gouvernement impérial suivait l'activité de construction en Afrique ; preuve aussi que la mosaïque africaine n'était pas seulement un art mineur à la renommée purement locale.

Le financement des constructions publiques.

Le plus souvent, les constructions ou restaurations de monuments publics dans les cités africaines au Bas-Empire furent exécutées, au témoignage des inscriptions, aux frais de la caisse municipale (*pecunia publica*) ; les opérations financées par des évergètes constituent une minorité, non négligeable du reste (un peu moins du quart). La législation impériale contemporaine permet d'éclairer le financement des travaux réalisés aux frais des cités. Un problème important se pose : dans quelle mesure les variations de cette législation expliquent-elles la très grande inégalité de la répartition dans le temps des deux cent trente-six constructions ou restaurations connues par les inscriptions datées, entre 276 et 439 ?

Les ressources financières des cités avaient quatre origines : les taxes locales et les droits d'entrée sur des marchandises ; les sommes honoraires, les *munera* financiers et les dons évergétiques versés par les membres de la curie ; les intérêts dûs pour des sommes d'argent placées ; enfin, les revenus de domaines possédés par la cité et que les textes juridiques appellent *fundi rei publicae*. Nous examinons ailleurs le financement par les *munera* et les dons évergétiques[34bis]. Les sommes placées en numéraire avaient, bien entendu, fondu durant la grande inflation du IIIe siècle. Voyons ici ce qu'il advint des deux autres sources principales de revenu, les taxes locales (*uectigalia publica*) et les loyers des terres municipales.

Il semble bien que, certaines cités portuaires mises à part, les rentes des domaines municipaux constituaient l'essentiel des ressources des villes. Ce patrimoine s'était enrichi de génération en génération par le jeu des héritages et des donations, certaines de ces dernières étant dues à des générosités impériales. Or, nous savons qu'au IVe siècle, ces domaines furent placés sous le contrôle de l'administration des domaines impériaux, la *res priuata*. La mesure fut prise avant le règne de Julien, car une loi

---

34 bis. *Infra*, chap. IV et VI, p. 206-212 et 298-318.

de cet empereur décida de restituer leurs possessions aux cités[35] ; cette décision, qu'Ammien Marcellin a évoquée[36], se situe évidemment dans le contexte de la politique de restauration de la vie municipale tradition-nelle élaborée par Julien. Cette restitution ne dura pas. Une inscription d'Éphèse fait connaître un rescrit de Valens au proconsul d'Asie, Eutrope ; elle est datable de 370-371. L'empereur évoquait les plaintes des cités qui ne pouvaient obtenir des intendants (*actores*) des domaines impériaux les revenus des terres municipales qu'à grand-peine et après de longs délais. L'empereur refusa de leur rendre la gestion directe de leurs domaines, mais il leur accorda de percevoir les revenus dans toute la mesure de leurs besoins, de manière à pouvoir restaurer leurs monuments endommagés (peut-être à la suite de tremblements de terre)[37]. En 374 une loi générale fut émise, sous la forme de rescrits au préfet du prétoire d'Italie et au proconsul d'Afrique. Valentinien décidait de faire verser aux cités un tiers des revenus des *fundi rei publicae*, pour le financement des constructions publiques. Les deux autres tiers devaient revenir au fisc impérial (*largitiones*). Le gouverneur pouvait décider, en cas de nécessité, d'affecter à certains travaux des revenus provenant des domaines d'autres cités, toujours à concurrence du tiers de l'ensemble[38]. Cette législation dura : Honorius, en 395, rappela que les conseils des cités ne devaient pas dépasser le tiers des revenus procurés par les biens munici-paux pour l'entretien des édifices publics[39].

---

35. *C. Th.*, X, 3, 1 : « Possessiones publicas ciuitatibus iubemus restitui, ita ut iustis aestimationibus locentur, quo cunctarum possit ciuitatium reparatio procurari » (13 mars 362). La *reparatio* des cités évoquée par ce texte était, au premier chef, la restauration des monuments, comme le montre un autre passage de la même loi conservé dans le *Code Justinien* (XI, 70, 1) où il est précisé que les revenus (*pensio*) restitués sont destinés aux *aedes rei publicae* ; ce terme, chez Julien, devait désigner en premier lieu les temples, mais aussi, selon l'usage, les autres bâtiments publics.

36. AMMIEN MARCELLIN, XXV, 4, 15 : « Vectigalia ciuitatibus reddita cum fundis. » Les *uectigalia* étaient les taxes locales (voir *infra*, p. 70-71 et n. 46 sq.). Autre allusion à cette restitution sous Julien dans LIBANIUS, *Discours*, XIII, 45.

37. *F.I.R.A.*, I (2e éd.), 108. L'empereur ajouta même au patrimoine d'Éphèse et des autres cités de nouveaux domaines. Il est notable que la plainte des cités ne concernait pas la législation impériale, mais l'application qu'en faisaient les *actores rei priuatae* qui détournaient à leur profit les rentes foncières dues aux cités.

38. *C. Th.*, XV, 1, 18 (26 janvier 374 ; à Probus, préfet du prétoire d'Italie) : « Rectores prouinciarum quodcumque opus inchoandum esse necessario uiderint in aliqua ciuitate, id arripere non dubitent. Si ciuitatis eius res publica tantum in tertia pensionis parte non habeat, quantum coeptae fabricae poscat inpendium, ex aliarum ciuitatum rei publicae canone praesumant, tertiae uidelicet portionis. » *C. Th.*, IV, 13, 7 (à Constantius, proconsul d'Afrique ; 7 septembre 374) : « Ex reditibus rei publicae omniumque titulorum ad singulas quasque pertinentium ciuitates, duae partes totius pensionis ad largitiones nostras peruaniant, tertia probabilibus ciuitatum deputetur expensis. »

39. *C. Th.*, XV, 1, 32 (à Eusebius, comte des largesses ; 21 juin 395) : « Ne splendi-dissimae urbes uel oppida uetustate labantur, de reditibus fundorum iuris rei publicae tertiam partem reparationi publicorum moenium et thermarum subustioni deputa-

Il ressort donc de ces documents que les cités avaient perdu, au IVe siècle, les deux tiers de leurs revenus fonciers. On pense que cette confiscation eut lieu sous le règne de Constantin ou ceux de ses fils. Les historiens modernes ont cru qu'entre cette mesure et l'éphémère restitution intégrale au temps de Julien, la totalité des revenus des domaines municipaux alla au fisc impérial. A. H. M. Jones en induit une crise dramatique, impliquant l'abandon non seulement des plaisirs de la vie urbaine mais même des services publics essentiels[40]. Cette conception n'est guère soutenable telle quelle. Constatons d'abord que les terres municipales ne furent jamais confondues avec les domaines impériaux : elles gardèrent leur spécificité (*fundi iuris rei publicae*). D'autre part, dans son discours 31, prononcé en 360, Libanius évoque les domaines importants que possède la cité d'Antioche. Surtout, le même Libanius, si zélé pour défendre les intérêts municipaux, ne fait pas allusion à cette spoliation sauf, rapidement, à propos de la restitution sous Julien[41]. Nul doute que, si les cités avaient été privées totalement des revenus de leurs domaines, il en eût parlé[42]. Il semble donc que, même au début de la confiscation, les cités continuèrent à percevoir une partie de leurs rentes foncières. Constance II, en 358 accorda aux cités africaines de percevoir un quart des anciennes taxes locales confisquées par le trésor impérial, pour leur permettre de restaurer leurs monuments. Peut-être la part ristournée des revenus fonciers était-elle alors de même taux[43].

mus. » L'allusion à la possibilité d'utiliser les revenus versés au chauffage des thermes montre que ce document n'a rien à voir avec des problèmes de défense : les *moenia publica* sont les monuments publics, et non les remparts, contrairement à ce qu'ont dit E. Stein (*Hist. du Bas-Empire*, trad. franç., t. 1, Paris, 1959, p. 181) et A. Piganiol (*L'Empire chrétien*, Paris, 1947, p. 281). Les remparts sont toujours nommés *murus* dans les textes du Bas-Empire (sur le sens de *moenia*, voir notre notice Lepcis Magna – T. –, n. 20). Deux autres mesures d'Honorius, émises aussi à Milan et datées de l'été 395, concernent le même problème : *C. Th.*, XV, 1, 33, où il est précisé que la procédure de la ristourne du tiers des revenus a été instaurée par Valentinien 1er ; *C. Th.*, V, 14, 35 = *C. Just.*, XI, 70, 3, qui concerne aussi les taxes locales (*cf. infra*, p. 70-71 et n. 46-50).

40. A. H. M. Jones, *The Later Roman Empire*, t. 1, p. 131.

41. Jones (*op. cit.*, t. 3, p. 231, n. 44) propose une solution ingénieuse : la spoliation aurait eu lieu à l'extrême fin du règne de Constance II. Ce n'est pas recevable pour la raison suivante : nous possédons, pour ces années, la chronique détaillée donnée par Ammien Marcellin, qui n'aurait pas manqué de stigmatiser une mesure d'une telle gravité.

42. Si les villes avaient vu disparaître en totalité sous la dynastie constantinienne les revenus des taxes, ceux des terres municipales et ceux des biens des temples, leur situation eût été absolument dramatique ; la seule ressource eût été les *munera* financiers payés par les décurions. On aurait eu des échos des protestations des villes chez Ammien et Libanius, qui eussent trouvé là un motif supplémentaire d'exalter la politique de Julien. Libanius évoque encore en 385 les biens fonciers de la cité d'Antioche (*Discours*, L, 5).

43. *C. Th.*, IV, 13, 5 (*cf. infra*, n. 46). Ce document incite Santo Mazzarino à dire que, durant tout le Bas-Empire et même sous Constantin et ses fils, les cités ont perçu une partie de leurs revenus (*Aspetti sociali del quarto secolo*, Rome, 1951, p. 324),

Les documents épigraphiques africains permettent pourtant d'affirmer que la fraction qui revint aux cités de leurs anciens revenus était maigre sous Constantin et ses fils. Cette époque, de fait, se signale dans les cités d'Afrique par un nombre médiocre de constructions et de restaurations d'édifices publics. L'activité bâtisseuse avait été grande au temps de Dioclétien. Elle est nulle dans la période troublée qui suit son abdication (305-312). Or, nous constatons qu'elle ne reprend qu'assez faiblement durant les années 312-361[44], ce que n'explique aucune guerre civile ou aucune invasion dont l'Afrique ait eu à souffrir, si l'on excepte la grande jacquerie des circoncellions en Numidie dans les années 340. La raison de cette stagnation est, à coup sûr, à chercher dans la politique de Constantin et de ses fils à l'égard des *fundi rei publicae*. L'extraordinaire essor des travaux publics que l'on constate au temps de Valentinien Ier et de Valens, dès les années 364-367, est lié à la nouvelle politique inaugurée par Julien. On ignore quand fut rapportée la mesure de ce dernier restituant intégralement les domaines aux cités. Assurément, Valentinien et Valens eurent une attitude moins généreuse, mais elle fut suffisamment bienveillante pour permettre l'essor que nous constatons dans les cités africaines. La ristourne du tiers des revenus fut probablement décidée après divers tâtonnements et expériences ; cette politique se situe à mi-chemin entre l'excessive rigueur de la dynastie constantinienne et la générosité de Julien.

Ammien Marcellin est très défavorable à Valentinien Ier : il insiste beaucoup sur sa cruauté envers les aristocrates, sur la rigueur de son despotisme. Il est d'autant plus significatif de le voir rendre hommage à la modération fiscale de cet empereur et de son frère Valens : ils diminuèrent le montant de l'impôt, ils n'admirent aucun relèvement des taxes, ils eurent le souci de ne pas accabler les provinciaux[45]. Certes, ce témoignage d'Ammien concernait au premier chef le principal impôt, la capitation, dont les indictions furent donc modérées ; mais une restitution partielle aux cités de leurs anciens revenus confisqués s'inscrit fort bien dans le contexte de cette politique globale. Nous avons là, en tout cas, un important élément d'explication du renouveau de l'urbanisme africain à cette époque.

Les taxes municipales (*uectigalia publica*) furent également confisquées par le trésor impérial, au temps de Constantin ou de ses fils semble-t-il. En 358, dans un rescrit adressé au vicaire d'Afrique Martinianus, Constance II décida d'en ristourner un quart aux cités africaines, pour les

---

44. Voir *infra*, p. 74-81, tableaux statistiques et graphiques. L'indice moyen d'activité des chantiers est, pour cette période, trois fois et demi inférieur à ce qu'il était sous Dioclétien.

45. AMMIEN MARCELLIN, XXX, 9, 1 (Valentinien 1er) : « In prouinciales admodum parcus, tributorum ubique molliens sarcinas. » Ce compliment est d'autant plus remarquable qu'il vient après un impitoyable pamphlet contre cet empereur (XXX, 8). Sur Valens, *cf.* AMMIEN, XXXI, 14, 2 : « Tributorum onera studio quodam molliens singulari, nulla uectigalium admittens augmenta. »

aider à financer la restauration de leurs édifices publics[46]. Selon Ammien, Julien les restitua intégralement aux cités[47]. Il est possible que Valentinien et Valens accordèrent la même ristourne d'un tiers que pour les domaines[48]. En 395, Honorius, tout en confirmant l'octroi du tiers pour les revenus des biens-fonds, décida que la totalité des *uectigalia publica* devait revenir à la caisse impériale (*largitiones*)[49]. Pourtant, en 431, une loi de Valentinien III évoqua la possibilité de verser aux cités un tiers de ces taxes, en cas de nécessité. La politique impériale en la matière semble donc avoir varié[50].

Les cités pâtirent aussi d'une autre confiscation : celle des biens des temples dont, le plus souvent, elles assumaient la gestion, et qui furent inclus dans la *res priuata* par Constantin. Cependant, il semble bien que, pour cette catégorie de terres également, les cités parvinrent à conserver une partie des revenus[51].

La législation impériale évoque aussi les biens-fonds des cités et des temples à propos de leur adjudication à des fermiers. Le plus souvent, ces terres étaient affermées à des décurions et il en résultait des abus : des baux de complaisance prévoyaient des redevances anormalement basses[52]. C'est vraisemblablement pour cette raison que Valentinien Ier décida d'exclure les décurions de cette fonction en 372 : preuve qu'ils avaient conservé ce privilège malgré le rattachement des domaines municipaux à la *res priuata*[53]. Cette exclusion ne dura pas ; en 383, une

---

46. *C. Th.*, IV, 13, 5 : « Diualibus iussis addimus firmitatem et uectigalium quartam prouincialibus et urbibus Africanis hac ratione concedimus, ut ex his moenia publica restaurentur uel sarcientibus tecta substantia ministretur. »

47. Ammien Marcellin, XXV, 4, 15.

48. A. H. M. Jones (*Later Roman Emp.*, t. 3, p. 232, n. 45) suppose que la loi émise par Valentinien Ier en 374 et restituant aux cités un tiers des rentes foncières (*C. Th.* IV, 13, 7) leur rendait aussi un tiers des taxes, car elle est rangée sous le *titulus « de uectigalibus et commissis »*.

49. *C. Th.*, V, 14, 35 : « De uectigalibus itaque publicis quae semper ex integro nostri aerarii conferebant expensas, nihil omnino decerpi nomine ciuitatum permittimus. »

50. *C. Just.* IV, 61, 13 (431). Ce texte distingue des taxes qui vont intégralement au fisc impérial et d'autres, dont un tiers peut être ristourné aux cités. Il ne précise pas la nature des unes ni des autres. Autre allusion à des impôts levés par les cités dans *C. Just.*, IV, 61, 10 (entre 400 et 403 selon Seeck).

51. Libanius (*Discours*, XXX, 6, 37) fait allusion à la confiscation des biens des temples par Constantin. Elle fut renouvelée, après la réaction païenne de Julien qui l'annula, par Valentinien et Valens (*C. Th.*, V, 13, 3 ; X, 1, 8, de 364). Comme celles des cités, les terres des temples formèrent une catégorie à part dans la *res priuata* (*fundi iuris templorum*). Là aussi, tout ne fut pas perdu pour les cités : à Antioche, le revenu des biens confisqués des temples servait à payer les représentations théâtrales (Libanius, *Discours*, XXVI, 24).

52. Voir, sur ce point, les critiques de Julien adressées à la curie d'Antioche (*Misopogon*, 370).

53. *C. Th.*, X, 3, 2. Cette tentative d'exclusion n'était pas nouvelle : les *Opiniones* attribuées à Ulpien (*Dig.*, L, 8, 2, 1) considèrent comme usurpés les *praedia publica*

loi de Théodose ordonna de restituer les anciens domaines des temples et des cités aux *possessores antiqui id est decuriones*, si des fermiers volontaires ne s'étaient pas présentés[54]. Les empereurs ont donc échoué dans leur tentative d'exclure les décurions des domaines confisqués : sauf entre 372 et 383, les curies restèrent maîtresses d'affermer les anciens domaines municipaux à leurs membres, ce qui permit évidemment de calculer au plus juste le montant des redevances dont les deux tiers allaient au fisc. Certes, les finances municipales n'y gagnaient rien : elles étaient même aussi perdantes, pour le tiers qui leur revenait, que la caisse impériale. En revanche, les intérêts de la classe dirigeante locale étaient ainsi favorisés et sa prééminence sociale sauvegardée, ce qui pouvait entraîner certaines conséquences positives pour la vie des cités, largement tributaire des sommes honoraires, des *munera* financiers et des dons évergétiques auxquels étaient tenus les décurions.

Il est incontestable que les cités furent victimes des exigences fiscales des empereurs et virent leurs revenus diminuer gravement au IVe siècle. Mais nous devons aussi constater que des mesures successives mitigèrent la rigueur des confiscations et que les cités parvinrent à sauvegarder assez de ressources pour maintenir une vie municipale traditionnelle, certes moins brillante et dispendieuse que sous le Haut-Empire, mais beaucoup plus active que ne l'avaient pensé les historiens modernes.

II — CONSTRUCTIONS ET RESTAURATIONS D'ÉDIFICES
PUBLICS MUNICIPAUX DE 276 À 439 :
TABLEAUX STATISTIQUES

Ces tableaux statistiques ont été établis grâce à la mise sur cartes perforées des données contenues dans les 332 inscriptions recensées, datables de la période (dont 236 avec précision) et relatant des travaux publics municipaux.

L'indice de l'activité constructrice qui figure sur le tableau n° 1 et sur le graphique n° 2 a été obtenu de la manière suivante : le total des chantiers connus pour chaque période a été divisé par le nombre de mois considérés et multiplié par 100. Le mois a été choisi de préférence à l'année, car les règnes impériaux, qui sont le critère essentiel de datation,

---

affermés par des décurions ou leurs prête-noms (... *quae decurionibus conducere non licet secundum legem*). Je dois cette référence à l'obligeance de F. Jacques.

54. *C. Th.*, X, 3, 4 ; cette loi fut émise en Orient, mais il est très probable qu'elle sanctionna un échec de la loi de Valentinien Ier dans l'ensemble de l'Empire. Sur l'exploitation par les bouleutes d'Antioche des vastes domaines de la cité, voir Libanius, discours XXXI, 16 ; *cf.* P. PETIT, *Libanius et la vie municipale à Antioche au Bas-Empire*, Paris, 1955, p. 96-98.

ne coïncident évidemment pas avec un total d'années complètes. La multiplication par 100 était nécessaire pour ne pas avoir des sous-multiples de un. Les indices ont été ramenés à la demi-unité la plus proche. Ces indices sont fort précis mais, bien entendu, leur valeur est relative et non absolue. Leur fonction est uniquement de montrer de façon rigoureuse les variations de la conjoncture dans le temps.

Lorsque la fourchette de datation d'une inscription englobe deux périodes, l'alternative figure sur les tableaux et graphiques : ainsi, en Numidie au temps de Dioclétien, on ne peut décider, pour un document, s'il appartient aux années 285-293 ou 293-305 : sont donc mentionnés, en 285-293, 8 ou 9 chantiers, en 293-305, 5 ou 6 chantiers (tableau I), sans, bien entendu, que cette incertitude modifie le total pour l'ensemble de la période. Les inscriptions dont la fourchette de datation dépasse deux périodes (ainsi, celles sur lesquelles est mentionné un empereur Valentinien dont on ne sait s'il s'agit du premier, du second, voire du troisième) sont rangées sous la rubrique « date indéterminée du Bas-Empire ».

On trouvera en appendice à ce chapitre l'ensemble des références aux documents d'où ces statistiques sont tirées.

Des analyses complémentaires, établies à partir des mêmes données, se trouvent au chapitre vi (p. 295-318 ; nature des monuments construits ou restaurés ; actes d'évergétisme).

Le lecteur qui désirera connaître la moyenne annuelle des chantiers pour une période donnée devra multiplier par 12 et diviser par 100 l'indice d'activité. Nous n'avons pas donné ces moyennes, qui pourraient, a priori, paraître éclairantes, à cause du caractère déconcertant des nombres ainsi obtenus (ainsi, 0,78 pour les années 337-350).

Tableau I : ENSEMBLE DES TRAVAUX DE CONSTRUCTION ET DE RESTAURATION

	Proc.	Byz.	Trip.	Num.	M. Sit.	M. Cés.	Total	Indice d'activité
276-285		3		3			6	5,5
285-293	13	9		8 ou 9		1	31 ou 32	de 35 à 36
293-305	18	3		5 ou 6	1	2	29 ou 30	de 20 à 20,5
305-312							0	0
312-324	6	1		2	0 ou 1		9 ou 10	de 6,5 à 7
324-337	10	3	2		0 ou 1		15 ou 16	de 10 à 10,5
337-350	5		4			1	10	6,5
350-361	8	1	2			1	12	8,5
361-364	7			1	2		10	37
364-367	10	2		16			28	66,5
367-375	10 ou 11	1 ou 2		de 3 à 5			de 14 à 18	de 14 à 18
375-383	19 ou 20	0 ou 1	1	de 8 à 10	1	0 ou 1	de 29 à 34	de 31 à 36,5
383-395	de 9 à 11	1		5	1	0 ou 1	de 16 à 19	de 12,5 à 14,5
395-408	de 4 à 6			2			de 6 à 8	de 4 à 5
408-423	9			1			10	5,5
423-439	2						2	1
Total des inscriptions datées	133	25	9	57	6	6	236	12
Date indéterminée	53	10	4	23	3	3	96	—
Total pour la période	186	35	13	80	9	9	332	18

Tableau II : Constructions d'édifices nouveaux

	Proc.	Byz.	Trip.	Num.	M. Sit.	M. Cés.	Total
276-285		1		2			3
285-293	2	3		1 ou 2			6 ou 7
293-305	7	3		1 ou 2	1		12 ou 13
305-312							0
312-324	1						1
324-337	1	1					2
337-350						1	1
350-361							0
361-364				1			1
364-367		1		5			6
367-375	2 ou 3 + 1 ?			2			4 ou 5 + 1 ?
375-383	1 ou 2 + 1 ?			3			4 ou 5 + 1 ?
383-395				1			1
395-408							0
408-423	1						1
423-439	1						1
Date indéterminée	3					2	5
Total pour la période	20 + 2 ?	9	0	17	3	1	50 + 2 ?

N.B. : Les deux chantiers mentionnés avec un point d'interrogation correspondent à des inscriptions ne permettant pas de préciser s'il s'agit d'une construction ou d'une restauration importante. On les retrouve sur le tableau suivant.

Tableau III : Restaurations importantes (*a solo* ; *a fundamentis*)

	Proc.	Byz.	Trip.	Num.	M. Sit.	M. Cés.	Total
276-285				1			1
285-293	3	1				1	5
293-305						1	1
305-312							0
312-324	1						1
324-337	5						5
337-350	1						1
350-361	1	1				1	3
361-364	2						2
364-367	1	1		4			6
367-375	1 + 1 ?						1 + 1 ?
375-383	2 + 1 ?		1	2			5 + 1 ?
383-395							0
395-408	3						3
408-423	1						1
423-439							0
Date indéter- minée	7	1		4			12
Total pour la période	28 + 2 ?	4	1	11	0	3	47 + 2 ?

N.B. : Pour les deux chantiers mentionnés avec un point d'interrogation, voir tableau précédent.

Tableau IV : Restaurations simples ou indéterminées

	Proc.	Byz.	Trip.	Num.	M. Sit.	M. Cés.	Total
276-285		2					2
285-293	4	1		5			10
293-305	8			2		1	11
305-312							0
312-324		1		2	0 ou 1		3 ou 4
324-337	2	1	2		0 ou 1		5 ou 6
337-350	2		4				6
350-361	3		2				5
361-364	4				2		6
364-367	4			5			9
367-375	3			1			4
375-383	6			1	1	1 ou 0	8 ou 9
383-395	7			1	1	1 ou 0	9 ou 10
395-408	1			2			3
408-423	5			1			6
423-439							0
Date indéterminée	12	3	4	1	1	3	24
Total pour la période	61	8	12	21	6	5	113

Tableau V : Travaux indéterminés

(Chantiers connus grâce à des inscriptions fragmentaires
qui ne permettent pas de connaître la nature ou l'ampleur
des travaux effectués).

	Proc.	Byz.	Trip.	Num.	M. Sit.	M. Cés.	Total
276-285							0
285-293	4	4		2			10
293-305	3			2			5
305-312							0
312-324	4						4
324-337	2	1					3
337-350	2						2
350-361	4						4
361-364	1						1
364-367	5			2			7
367-375	3	1 ou 2		de 0 à 2			de 4 à 7
375-383	9	0 ou 1		de 2 à 4			de 11 à 14
383-395	de 2 à 4	1		3			de 6 à 8
395-408	de 0 à 2						de 0 à 2
408-423	2						2
423-439	1						1
Date indéterminée	30	6		19			55
Total pour la période	74	14	0	32	0	0	120

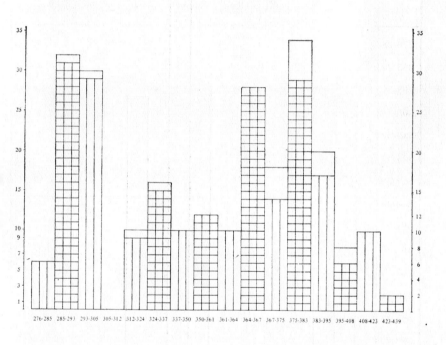

Graphique 1 : Variations du nombre total de chäntiers par période.

(Les périodes correspondent à des règnes ou à des fractions de règne ; elles sont donc de durée variable. Le taux d'activité n'apparaît ici que très imparfaitement : pour voir ses variations réelles, se reporter aux deux graphiques suivants).

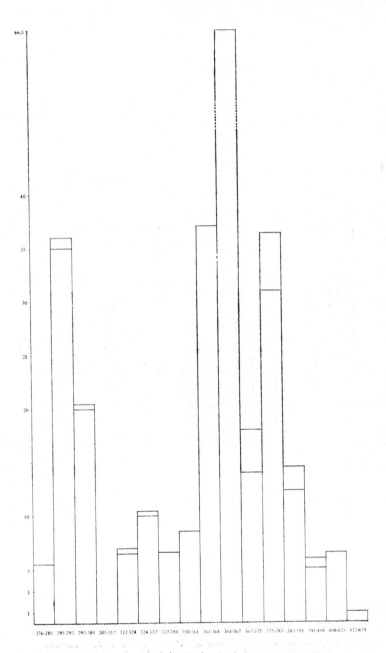

Graphique II : Les variations dans le temps de l'indice d'activité

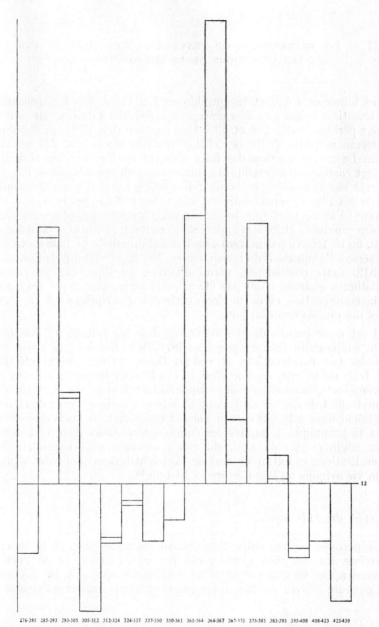

276-285 285-293 293-305 305-312 312-324 324-337 337-350 350-361 361-364 364-367 367-375 375-383 383-395 395-408 408-423 423-439

Graphique III : Les variations de l'indice d'activité par rapport à l'indice moyen (l'indice moyen global étant calculé uniquement d'après les 236 inscriptions datées).

III — LA RÉPARTITION DES TRAVAUX PUBLICS DANS LE TEMPS : LES VARIATIONS DE LA CONJONCTURE

Les tableaux I à V et les graphiques I à III donnent la répartition des chantiers urbains connus grâce aux inscriptions datées, par province et par période, entre 276 et 439. Une constatation s'impose d'emblée : l'extrême inégalité de la répartition dans le temps des 236 chantiers datés. Le grand nombre des faits recensés confère à cette statistique un fort coefficient de crédibilité, surtout si l'on considère que l'enquête a porté sur des sites nombreux : il ne s'agit pas d'une extrapolation fondée sur l'histoire particulière d'une ville ou d'une petite région. Nous verrons d'autre part que les événements graves qui ont perturbé la vie des provinces africaines apparaissent nettement dans ces statistiques : ainsi, on ne trouve pas un seul chantier datable de la période de troubles qui sépare l'abdication de Dioclétien en 305 de la victoire de Constantin en 312. Cette coïncidence, parmi d'autres, implique que les résultats statistiques globaux n'ont pas été affectés sérieusement par les hasards de la conservation et de la découverte des inscriptions ; à ce niveau, la loi des grands nombres joue.

Il est donc permis de considérer ces données comme un bon indice de la conjoncture économique dans les villes africaines au cours de la période. Les constructions et restaurations, qu'elles soient effectuées aux frais de la cité, comme c'est le cas le plus fréquent, ou aux frais d'évergètes[55], supposaient des disponibilités financières. Les chantiers permettaient de donner du travail à toute une série de corps de métiers : ils étaient donc à la fois conséquence et cause de la richesse économique. Mais le graphique 2 montre les énormes variations dans le temps de cette conjoncture ; on voit, du coup, combien sont imprudentes les généralisations et extrapolations de tant d'historiens modernes à propos de la vie urbaine au Bas-Empire en Afrique[56].

La crise du IIIe siècle.

La période incluse entre l'avènement de Dioclétien et la mort de Théodose est marquée globalement par une renaissance de l'activité urbaine après la grave crise d'un demi-siècle qui suit la disparition d'Alexandre Sévère en 235. L'époque sévérienne avait vu l'apogée des

---

55. 71 chantiers ont été financés par des évergètes, soit un peu moins du quart : la proportion demeure forte, contrairement aux idées reçues de l'historiographie traditionnelle. Nous étudions cette question au chapitre VI, *infra*, p. 298-318.

56. Pour les contrastes, également très forts, d'une province à l'autre, voir chapitre I, *supra*, p. 37-57.

villes romano-africaines. On assista alors à une romanisation juridique accélérée, par l'octroi massif, puis généralisé, de la citoyenneté romaine aux individus, et par la promotion de multiples cités aux rangs de municipe et de colonie honoraire[57]. Parallèlement, le cadre de vie était romanisé par la construction de très nombreux et très riches monuments et l'extension des villes selon les critères de l'urbanisme romain. C'est alors que Timgad, Djemila et surtout Lepcis Magna virent la construction de quartiers nouveaux et d'édifices publics bâtis à une bien plus vaste échelle qu'à l'époque antonine[58]. L'Afrique échappa, au début du iiie siècle, aux prodromes de la crise qui affectaient déjà d'autres régions de l'Empire. Peut-être l'origine africaine de la dynastie et le fait qu'un grand nombre d'Africains occupaient de hautes fonctions permirent à la région d'être épargnée, dans une certaine mesure, par les dures exigences fiscales qui pesaient déjà sur les aristocraties urbaines.

La crise vint brutalement. La description que donne Hérodien des villes ruinées par les exactions fiscales et les confiscations ordonnées par l'empereur Maximin vaut, à coup sûr, pour l'Afrique où le contraste avec l'euphorie des années précédentes dut être durement ressenti[59]. La révolte de 238, où des propriétaires fonciers africains tuèrent le procurateur chargé d'extorquer les impôts et proclamèrent empereur le vieux proconsul Gordien, est caractéristique du refus de l'économie de crise par les notables africains. La dure répression menée par le légat de la troisième légion Auguste, Capellianus, aboutit à un massacre d'aristocrates municipaux compromis avec Gordien[60].

Le meilleur témoignage sur la crise des villes durant ces cinquante années est le silence des inscriptions, qui contraste vivement avec l'extraordinaire abondance épigraphique de l'époque sévérienne. Un nombre infime de textes évoque des constructions ou des restaurations de monuments publics durant cette période[61]. On peut signaler une timide renais-

---

57. Sur les statuts municipaux, voir chap. iii, *infra*, p. 121-132.

58. C. Courtois, *Timgad antique Thamugadi*, Alger, 1951, p. 19 ; 69-72 ; 77-81 ; P. A. Février, *Djemila*, Alger, 1968, p. 17-19 ; 53-61 ; R. Bianchi-Bandinelli, E. Vergara Caffarelli, G. Caputo, *Lepcis Magna*, trad. angl., *The buried city, excavations at Lepcis Magna*, Londres, 1966, p. 25-26 ; 31-48.

59. Hérodien, *Histoire romaine*, VII, 9. Hérodien insiste tout particulièrement sur les confiscations des biens des cités et des temples, terres et trésors. « Les villes, écrit-il, étaient dépouillées et comme prises d'assaut sans qu'il n'y eût de guerre ni d'ennemi ». On retrouvera sous Constantin une situation de même ordre bien que moins violente : les exigences fiscales et les confiscations des revenus des cités entraînèrent une diminution considérable des chantiers de monuments publics.

60. *S.H.A.*, *Maximin*, XIV ; *Les trois Gordiens*, VII-IX ; XV. Hérodien, VII, 4-10. Sur la signification de ces événements pour l'histoire de l'Afrique, voir G. Picard, *Civitas Mactaritana*, dans *Karthago*, 8, 1957, p. 93-95.

61. R. Duncan-Jones (*The Economy of the Roman Empire, quantitative Studies*, Cambridge, 1974, p. 90-93) a recensé 96 inscriptions africaines antérieures à la fin du iiie siècle et mentionnant des montants de dons évergétiques pour des constructions publiques. Seules deux inscriptions sont datées de la période 235-275. Significativement, l'une évoque une construction réalisée à Mustis sous la réaction

sance sous le règne de Gallien (260-268), puis de nouveau sous Probus et sous Carus, à la veille de l'avènement de Dioclétien[62]. Les villes, cependant, avaient survécu : on ne connaît pas de disparition, d'abandon par la population. On attendit des jours meilleurs, dans un cadre urbain qui, ne l'oublions pas, était récent et ne risquait donc pas encore de se lézarder et de tomber en ruines.

L'Afrique n'eut pas à subir de choc comparable aux invasions germaniques et perses. Elle souffrit donc bien moins que d'autres régions, ce qui permet d'expliquer la survie des villes. Elle fut cependant touchée par l'effondrement de la monnaie. Les exportations de denrées agricoles, principalement vers l'Italie, constituaient semble-t-il la source essentielle de richesse et elles furent sans conteste gravement perturbées. L'épidémie de peste fit de cruels ravages, comme en témoigne le traité *De mortalitate*, rédigé par saint Cyprien en 252 ou 253[63]. Les Maurétanies et l'ouest de la Numidie furent envahies et ravagées par les Bavares et les *Quinquegentanei* de 253 à 263[64].

Si l'Afrique eut sa part de malheurs des temps, rien ne permet de dire que son agriculture fut ruinée et désorganisée. L'épitaphe du « moissonneur de Mactar », qu'on s'accorde aujourd'hui à dater vers le milieu du iiie siècle (peut-être vers 270), montre comment un paysan pouvait, à cette époque, s'enrichir et monter dans l'échelle sociale[65]. Cette ascension d'un petit propriétaire exploitant, ouvrier agricole saisonnier, puis contremaître d'une équipe de moissonneurs, qui devint maître d'un domaine et dignitaire municipal de Mactar, peut fort bien s'expliquer par le contexte de crise : des familles de notables et de propriétaires fonciers avaient été ruinées ou avaient disparu lors de l'épidémie ; on assistait donc à un renouvellement de l'élite dirigeante de Mactar, dont sut profiter le « moissonneur[66] ». N'imaginons pas, pourtant, à la suite de Rostovtzeff,

---

sénatoriale du temps de Gordien III (*B.S.N.A.F.* 1967, p. 273). L'autre date du temps de Gallien (Macomades ; *A.E.*, 1905, 35). D'après les dépouillements de B. Warmington (*The North-African provinces from Diocletian to the Vandal Conquest*, Cambridge, 1954, p. 33), seuls 11 chantiers sont mentionnés de 244 à 276 : cela fait, d'après notre code, un indice moyen d'activité de moins de 3. Si l'on met à part la période de troubles des années 305-312, il faut attendre 423 pour retrouver un indice aussi bas en Afrique. Encore faut-il remarquer que ces chantiers sont largement concentrés au temps de la timide renaissance du temps de Gallien (ainsi, à Thugga, *I.L. Afr.*, 530 = C. 2658 et *I. L. Tun.*, 1416 ; à Thubursicu Bure, *I.L. Afr.*, 506 ; à Macomades, le texte cité *supra*).

62. On connaît 6 chantiers entre 276 et 285, soit un indice d'activité de 5, 5.

63. Cyprien, *De mortalitate*, 14-15, *C.S.E.L.*, 3, 1, p. 305-306.

64. *Cf.* M. Bénabou, *La résistance africaine à la romanisation*, Paris, 1976, p. 214-231.

65. *C.*, 11824 = *I.L.S.*, 7457 ; notice *Mactar – B. –*, n. 9-13. Sur la datation, voir G. Picard, H. Le Bonniec, J. Mallon, *Le cippe de Beccut*, dans *Antiquités Africaines*, 4, 1970, p. 148 et 162.

66. Contrairement à nous, Gilbert Picard (*loc. cit.*) pense que l'ascension sociale du moissonneur se situe avant la fin de la dynastie des Sévères ; mais cela suppose une improbable longévité, si l'on retient, comme M. Picard, la date approximative de 270 pour l'épitaphe.

une disparition totale des familles aristocratiques anciennes. Si à Lepcis Magna, on ne retrouve plus les gentilices du Haut-Empire parmi les éléments dirigeants du ive siècle, dans d'autres cités on constate le maintien, par-delà la crise, de certaines grandes familles à la tête de la vie municipale.

A coup sûr, la crise fut rude, mais elle ne dura pas assez longtemps pour aboutir à une déchéance irrémédiable de la vie urbaine et municipale, dans une région qui, la Maurétanie mise à part, avait été épargnée par les invasions et avait su sauvegarder sa richesse agricole[67].

La renaissance au temps de Dioclétien.

Les statistiques des constructions et restaurations d'édifices publics montrent l'importance et la soudaineté du renversement de la conjoncture sous Dioclétien. Notons qu'aucune inscription ne mentionne Dioclétien seul ou associé à Maximien César : il faut donc ne pas dater le début de la reprise avant 286, année où Maximien reçut le rang d'Auguste. Soixante-et-un chantiers sont connus dans les villes d'Afrique sous Dioclétien, dont trente-et-un (ou trente-deux) avant l'instauration de la Tétrarchie en 293, vingt-neuf (ou trente) après[68]. Dix-neuf opérations, soit près d'un tiers, consistent en la construction de nouveaux édifices, ce qui est une proportion importante pour le Bas-Empire. Pour l'autre période de grande activité bâtisseuse, entre 361 et 375, les constructions ne représentent qu'environ un quart des travaux.

Cette activité correspondait à une préoccupation de l'empereur. Les gouverneurs de province furent, bien entendu, les agents de cette politique. L'un d'eux, le proconsul T. Claudius Aurelius Aristobulus, s'est signalé par une activité remarquable ; son mandat fut d'une exceptionnelle longueur : il gouverna la Proconsulaire pendant quatre ans, de l'été 290 à l'été 294[69]. Ce n'est que postérieurement à son départ que la province d'Afrique fut morcelée et que furent créées les provinces de Byzacène et de Tripolitaine. Il est vraisemblable qu'Aristobulus avait reçu de l'autorité impériale le mandat de mener à bien la restauration générale des villes de Proconsulaire ; ceci expliquerait la durée inhabituelle de sa fonction. Nous ne possédons pas moins de treize mentions de son intervention pour des constructions et des restaurations, qu'elles aient

---

67. Sur le maintien ou la restauration de la prospérité agricole, voir *supra*, p. 29-36.

68. C'est donc avant la Tétrarchie que l'activité fut la plus forte : l'indice fourni par le tableau I pour les années 293-305 est inférieur de près d'un tiers à celui des années 286-293.

69. Une inscription de Calama (*I.L. Alg.* I, 179 = *I.L.S.* 5477 ; *cf.* notice *Calama* – P. –, n. 5) le dit proconsul pour la quatrième année (*proconsulatu quarto*). Sur sa carrière, voir A. CHASTAGNOL, *Les fastes de la préfecture de Rome au Bas-Empire*, Paris, 1962, p. 21-25. Il fût préfet de la Ville en 295-296, donc au lendemain de son proconsulat (*P.L.R.E.*, p. 106).

été faites sur son *instantia* ou qu'il ait présidé à l'inauguration[70]. Son
légat de Numidie, C. Macrinius Sossianus, lui est associé sur neuf inscriptions et semble avoir pris une part très active à ces opérations ; il est
souvent précisé sur les inscriptions que les ouvrages furent inaugurés par
le proconsul après avoir été exécutés sur l'*instantia* du légat. Sossianus
avait des liens personnels avec la Numidie Proconsulaire : une inscription
de Calama datée du règne de Carus le désigne comme curateur de la
cité[71]. Aristobulus semble l'avoir chargé de superviser l'ensemble des
travaux publics dans le diocèse de la Numidie d'Hippone.

On ne doit pas induire de cette activité des autorités provinciales que
les cités se contentèrent de bénéficier de ces travaux publics et n'eurent
aucune initiative. L'énergie des gouverneurs n'aurait pas suffit à mener
à bien cette renaissance urbaine qui supposait des villes relativement
prospères, des caisses municipales capables de supporter les frais, des
dignitaires municipaux actifs et susceptibles de payer les *munera*. Dans
plusieurs cas, des évergètes offrirent les travaux : ainsi, à Thala, en
Byzacène, un flamine perpétuel fit bâtir un portique à ses frais[72], à
Calama, un notable restaura ou reconstruisit un temple d'Apollon[73].
A Mididi, en Byzacène, ce sont les membres des curies qui se cotisèrent
pour reconstruire la curie et les portiques adjacents[74].

Nous avons déjà évoqué le cas de Thibilis, ce pagus de Cirta qui accéda
dans la seconde moitié du IIIe siècle à l'autonomie municipale et au statut
de municipe. La ville se donna à partir du règne de Dioclétien le décor
urbain adéquat à sa nouvelle dignité[75] : un forum fut construit, dominé
par un Capitole que la conversion de Constantin fit rester inachevé[76].

Trois inscriptions de Byzacène (une trouvée à Mactar, deux à Mididi)
font suivre les noms des empereurs d'une formule très caractéristique :
« par la valeur et la prévoyance de qui toutes choses sont restaurées en

---

70. Voir tome II, notices et notes suivantes : *Calama* – P. –, 5 ; *Cit...* (Sidi Ahmed
El Hachemi) – P. –, 1 (seul demeure le nom du légat Sossianus, le nom d'Aristobulus
doit être restitué) ; *Mactar* – B. –, 16 (plus le fragment *C.*, 624 + 11782) ; *Madaure* – P. –, 6 ; *Madaure*, 7 (nom de Sossianus ; le nom d'Aristobulus doit être
restitué) ; Ksal El Hammam – B. –, 1 ; Ksar Mdoudja – B. –, 2 (deux inscriptions) ; *Mididi* – B. –, 3 et 5 (le second texte date du début de la Tétrarchie) ;
Thagura – P. –, 3 ; *Thubursicu Numidarum* – P. –, 6 ; *Thugga Terebenthina* – B. –,
2. Sept de ces inscriptions ont été retrouvées dans la future Byzacène.

71. *I.L. Alg.*, 1, 247 = *C.*, 17486 = 5332 ; notice *Calama* – P. –, n. 18.

72. *C.*, 501 ; notice *Thala* – B. –, n. 8. De même, à Thala, les héritiers d'un
édile construisirent une place que ce magistrat avait promise *ob honorem* (*C.*, 23291 ;
notice, n. 6) : on a attendu des temps propices pour réaliser la promesse.

73. *I.L. Alg.*, I, 250 = *C.*, 17487 = 5333 ; notice *Calama* – P. –, n. 4.

74. *C.*, 1174 ; notice *Mididi* – B. –, n. 3. C'est l'une des dernières mentions des
curies municipales (*cf.* chapitre III, *infra*, p. 140-142).

75. *Cf. infra*, chap. III, p. 124-125.

76. Notice *Thibilis* – N. –, n. 20-21. S. GSELL, *Khemissa, Mdaourouch, Announa*,
fasc. 3, *Announa*, Alger-Paris, 1918, p. 70-72.

mieux » *(quorum uirtute atque prouidentia omnia in melius reformantur)*[77]. Certes, les formules qui accompagnaient les noms des empereurs sur les inscriptions exprimaient surtout des thèmes de propagande politique et une volonté de flatterie. Il est pourtant permis de penser que cette formulation originale traduit la confiance et l'enthousiasme qui durent accueillir, dans les villes africaines, les efforts de Dioclétien pour rétablir la prospérité de l'Empire[78]. Les contemporains ont été conscients du retour à l'ordre et à la paix, de la rupture avec les troubles et l'instabilité de la période précédente. Le patrimoine monumental hérité de l'époque des Antonins et des Sévères avait été conservé ; on avait continué, durant la grande crise, à utiliser des édifices publics qui, pour la plupart, n'étaient pas très anciens. Faute de ressources, leur entretien avait été réduit au minimum ou n'avait pas été assuré. On avait désormais la possibilité de les réparer, de les rendre à leur beauté et à leur utilisation premières. Parfois, on put achever des édifices commencés et laissés inachevés faute d'argent. Çà et là, on compléta ce patrimoine par la construction d'une nouvelle bâtisse.

Des inscriptions évoquent l'état de délabrement que l'incurie de la période précédente avait causé pour certains édifices.

— A Bulla Regia, des bâtiments publics « détruits par la vétusté » furent remis à neuf ou décoré de peintures murales et de placages de marbre[79].

— A Madaure, on acheva un temple d'Hercule et ses portiques, dont le chantier était interrompu depuis de longues années et qui menaçait de tomber en ruines[80].

— A Naraggara (Proconsulaire, diocèse d'Hippone), des thermes furent achevés après une longue interruption des travaux[81].

— A Thagura (Proconsulaire, diocèse d'Hippone), une salle des thermes fut restaurée, après avoir été fermée au public, vu son mauvais état, pendant une longue période[82].

— Au *castellum Ma.....rensium* (en Kroumirie), on restaura un temple de Mercure « s'effondrant à cause de sa vétusté[83] ».

---

77. Mactar : *Karthago*, 8, 1957, p. 100-103 (= *C.* 23413 + *C.* 624 + *A.E.*, 1946, 119) ; notice n. 16. Mididi : *C.*, 11774 (notice, n. 3) et *C.*, 608 = 11772 = *I.L.S.*, 637 (notice, n. 5).

78. On ne retrouve pas cette formule hors de ces deux villes, distantes de quinze kilomètres ; ce n'était pas un lieu-commun banal. Sur deux des trois inscriptions (celle de Mactar et, à Mididi, *C.*, 11774), on lit le nom du même curateur, l'*egregius uir* P. Rupilius Pisonianus ; il fut, très probablement, l'auteur de cette formule originale.

79. *C.*, 25520 ; notice *Bulla Regia* – P. –, n. 6.

80. *I.L. Alg.*, I, 2048 ; notice *Madauros* – P. –, n. 6.

81. *I.L. Alg.*, I, 1187 = *C.*, 16812 = 10766 ; notice *Naraggara* – P. –, n. 4.

82. *I.L. Alg.*, I, 1032 = *C.*, 4645 ; notice *Thagura* – P. –, n. 3.

83. *C.*, 17327 ; notice *Castellum Ma,.,..rensium* – P. –, n. 1.

— C'est encore un temple de Mercure qui fut relevé à Timgad, alors qu'il était tombé en ruines « par suite d'une longue négligence[84] ».

— A Lambèse, on remit en état l'aqueduc « détérioré par suite de sa grande ancienneté[85] ».

— Dans le sud de la Numidie, la ville d'Ad Maiores avait été éprouvée par un tremblement de terre en 267 ; deux duumvirs avaient promis, pour participer aux travaux de reconstruction, d'édifier à leurs frais et *ob honorem* un arc. Ce n'est qu'en 286 ou 287 que leurs héritiers purent accomplir la promesse[86].

On a souvent dit que les auteurs de ce type d'inscriptions du Bas-Empire exagéraient l'importance des travaux effectués et transformaient volontiers de modestes réparations en reconstructions totales. Seules des études archéologiques précises (fort rares jusqu'à présent) pourraient trancher définitivement. Bien entendu, cette exagération concernerait aussi le mauvais état de l'édifice restauré. On l'a dit, le patrimoine monumental des villes africaines n'était pas très ancien au temps de Dioclétien : pour l'apport considérable de l'époque sévérienne, il avait moins d'un siècle. La vétusté et les ruines évoquées par les inscriptions sont-elles donc pure amplification ? Il ne faut pas se hâter de l'affirmer. Une incurie d'un demi-siècle était très grave pour les monuments des eaux (aqueducs, thermes, fontaines) qui nécessitaient un entretien régulier sous peine d'être hors d'usage. Pour les autres édifices, surtout ceux qui étaient antérieurs aux Sévères, bien des lézardes et des fissures avaient dû apparaître, bien des toitures devaient laisser passer l'eau. On l'a vu, on avait profité de l'acquis monumental durant la grande crise, sans beaucoup l'entretenir ; un demi-siècle n'avait pas suffi à le ruiner, mais il était grand temps, sous Dioclétien, de procéder à de sérieuses restaurations, si l'on ne voulait pas voir le patrimoine urbain définitivement compromis. Les documents épigraphiques montrent que les gouverneurs et les autorités municipales firent alors le nécessaire pour corriger les effets de la crise, et qu'elles purent trouver les ressources financières nécessaires.

Nous avons déjà constaté la rareté des documents fournis par les Maurétanies. C'est fort sensible ici : quatre inscriptions seulement mentionnent des constructions ou des restaurations de bâtiments municipaux.

---

84. *B.C.T.H.*, 1907, p. 274 ; notice *Thamugadi* – N. –, n. 12.

85. *C.*, 2660 = *I.L.S.*, 5787 ; notice *Lambaesis* – N. –, n. 10.

86. *C.*, 2480 + 17970 ; *C.*, 2481 + 17970 ; notice *Ad Maiores* – N. –, n. 6. Autre exemple d'exécution sous Dioclétien d'une promesse évergétique ancienne, *supra*, n. 72 (Thala). On trouve encore des cas d'édifices endommagés par suite de leur vétusté et restaurés à cette période à Cuicul – N. – (*A.E.*, 1920, 15 ; notice, n. 14) et à Verecunda – N. – (*C.*, 4224 ; notice, n. 5). A Biia (Byzacène) une inscription du Bas-Empire non datable avec précision (*C.*, 11185 = 915 ; notice, n. 6) évoque la restauration d'un édifice « vieux de près d'un siècle » (*diuturna pene saeculi uetustate*). Cette formule aurait pu s'appliquer à de nombreux bâtiments.

Pour deux de ces textes, il s'agit de reconstructions après des faits de guerre. A Auzia (Sour-el-Ghozlane, jadis Aumale, en Césarienne) c'est un pont détruit « par la cruauté de la guerre » qui fut rebâti par les soins du gouverneur Aurelius Litua et des autorités municipales, entre 290 et 293[87]. Au municipe de Rapidum, à 33 kilomètres plus à l'ouest, c'est toute la cité qui dut être reconstruite au temps de la Tétrarchie : elle avait été prise et détruite par une incursion de rebelles qu'on peut situer entre le règne d'Aurélien et l'avènement de Dioclétien[88]. Si en Proconsulaire ou en Numidie les dommages dont avaient souffert les bâtiments publics étaient dus avant tout à une crise financière d'un demi-siècle qui avait empêché leur entretien, en Maurétanie s'ajoutaient les dégats causés par les révoltes des berbères non romanisés. Un nouveau soulèvement, fort grave, affecta la Maurétanie entre 289 et 298. Les villes de la région avaient à résoudre des problèmes plus urgents que la restauration de leur patrimoine monumental : la rareté des inscriptions sur ce dernier point n'est pas seulement le résultat du hasard de la conservation des pierres[89]. Le contraste entre les deux parties de l'Afrique romaine est ici saisissant : on se félicitait à l'est de la paix retrouvée,du renouveau des villes et de l'économie, pendant qu'à l'ouest, on menait à grand peine un conflit épuisant.

La crise de succession de 305 à 312.

La période de troubles qui sépare l'abdication de Dioclétien le 1er mai 305 (ou plutôt la mort de Constance Chlore le 25 juillet 306) et la victoire de Constantin sur Maxence au pont Milvius le 28 octobre 312, fut durement ressentie en Afrique. L'usurpation, en 308, du vicaire Domitius Alexander, coupa la région du reste de l'Empire. En 310, l'invasion de l'armée de Maxence entraîna de graves destructions à Carthage et à Cirta, ainsi que la mise à mort de nombreux aristocrates soupçonnés de sympathies envers l'usurpateur[90]. Charles Saumagne a montré, d'après les monnaies retrouvées à Carthage, les incertitudes et la crise

---

87. *C.*, 9041 = *I.L.S.*, 627 ; notice *Auzia* – M.C. –, n. 9.

88. *C.*, 20836 = *I.L.S.*, 638 ; notice *Rapidum* – M.C. –, n. 3. *Cf.* W. SESTON, *Le secteur de Rapidum sur les limes de Maurétanie Césarienne après les fouilles de 1927*, dans *M.E.F.R.*, 1927, p. 150-183.

89. Cependant le nombre infime de documents provenant des Maurétanies fait que les variations des résultats statistiques ont beaucoup moins de sens pour ces provinces que pour les régions plus orientales.

90. AURELIUS VICTOR, *De Caes.*, XL, 17-19 ; *Epitom.*, XL, 2 et 6. Le témoignage essentiel est celui de ZOSIME, II, 12 et 14, qui précise que « latitude fut donnée aux dénonciateurs d'accuser comme partisans d'Alexandre pour ainsi dire tous ceux qui, en Afrique, avaient une position privilégiée grâce à leur noblesse ou à leur richesse. » Il faut dater ces événements de 310 et non de 311, vu la carrière du préfet du prétoire de Maxence, Rufius Volusianus, qui commanda l'expédition (*cf.* A. CHASTAGNOL, *Les fastes de la préfecture de Rome au Bas-Empire*, Paris, 1962, p. 54-56).

de l'autorité que l'on constate en Afrique pendant cette période[91]. Aucune construction d'édifice public n'est connue en Afrique durant ces sept années ; un édifice fut bien dédié au lendemain de l'abdication de 305, à Tubusuptu (Tiklat), en Maurétanie Sitifienne, mais il s'agissait d'entrepôts pour l'approvisionnement de l'armée et non d'un bâtiment municipal[92]. Cette interruption brutale et totale des chantiers, après une période faste, montre la grande sensibilité de la vie municipale à la conjoncture politique générale, même avant que l'Afrique ne fût touchée directement, en 308, par les événements.

Une période d'activité médiocre : les règnes de Constantin et de ses fils.

La victoire de Constantin au pont Milvius fut très bien accueillie en Afrique, où les exactions des soldats de Maxence avaient laissé de fort mauvais souvenirs. Des inscriptions honorifiques exaltèrent l'empereur « restaurateur de la liberté », « le maître du triomphe de la liberté, le restaurateur, par ses exploits invaincus, du bien-être privé et public[93] ». Carthage et Cirta avaient beaucoup souffert des ravages de l'armée de Maxence. Constantin accorda des avantages financiers à ces deux cités, ce qui leur permit de réparer leurs ruines. Cirta prit le nom de Constantine, pour exprimer sa reconnaissance[94]. A Carthage, des inscriptions proclamèrent l'empereur le nouveau fondateur de la ville (*conditor*), celui qui « avait restauré et accru toutes les édifices publics[95] ». Un texte de ce style a été aussi trouvé à Utique[96]. Pourtant ce long règne, commencé ainsi sous d'heureux auspices, vit dans les villes africaines une activité bâtisseuse nettement moindre que sous Dioclétien : vingt-cinq chantiers sont connus pour vingt-cinq ans de règne, alors que sous Dioclétien,

---

91. Ch. Saumagne, *La crise de l'autorité en Afrique au début du IVe siècle de notre ère*, dans *Rev. Tunisienne*, 1921, p. 133-142.

92. *C.*, 8836 = *I.L.S.*, 645. Cette construction militaire n'est, bien entendu, pas retenue pour nos statistiques.

93. *C.*, 15451 = *I.L.S.*, 690 (à Uchi Maius, Proconsulaire ; notice, n. 13) : [*D*]*omino triumfi libertatis et nostro restitutori inuictis laboribus suis priuatorum et publicae salutis...* Une série d'inscriptions exaltant la victoire de Constantin a été gravée à Cirta (notice, n. 29) ; citons *I. L. Alg.*, II, 582 = *C.* 7006 = *I.L.S.*, 688 : *Triumphatori omnium gentium ac domitori uniuersaru[m factionum] q[u]i libertatem tenebris seruitutis oppressam sua felici ui[ctoria noua] luce inluminauit.*

94. La générosité de Constantin pour la reconstruction de Carthage et de Cirta est connue par Aurelius Victor, *De Caesaribus*, XL, 28.

95. *C.*, 12524 (notice *Karthago*, n. 10) : *Instauratori adque am*[*plificato*]*ri uniu*[*ersorum*] *operum* ---- *conditori...* Constantin est qualifié de *conditor* sur le fragment *C.*, 24562 (notice *Karthago*, n. 22, b).

96. Utique semble en effet avoir aussi été gratifiée d'un bienfait du Prince : une inscription (*C.*, 1179 ; notice n. 13) y désigne Constantin comme celui qui « rehausse par la générosité de sa clémence l'état et la parure des diverses cités » (*singularum quarumque ciuitatum statum adque ornatum liberalitate clementiae suae augenti*).

on peut en recenser soixante-et-un en dix-neuf ans. Quelles sont les causes de ce ralentissement de l'activité ? Une raison simple, qui ne tient pas à la conjoncture générale, a dû jouer : on avait beaucoup restauré sous Dioclétien et les édifices remis en état ne nécessitaient pas de gros travaux nouveaux avant longtemps. Mais cette explication n'est que partiellement valable. En effet, la stagnation dura longtemps ; elle se poursuivit jusqu'aux dernières années de Constance II qui virent une reprise, confirmée sous Julien. Cinquante ans s'étaient écoulés depuis l'abdication de Dioclétien et une nouvelle campagne de restaurations intensives s'imposait. Elle fut favorisée nettement par les mesures que Julien prit envers les cités : preuve que le problème était financier et lié pour une part essentielle à la politique fiscale des empereurs. Autre indice fort révélateur : pendant les quarante-neuf ans de règne de Constantin et de ses fils, on ne peut recenser que quatre constructions de bâtiments nouveaux.

L'indice moyen d'activité pour le règne de Constantin est de 8,5, soit le tiers de celui du règne de Dioclétien (26). Certes, si nous possédions les dédicaces des édifices reconstruits à Carthage et à Cirta, cet indice serait un peu plus élevé[97]. Mais sur l'ensemble des cités africaines, le total des chantiers est faible, pour vingt-cinq ans de paix et de stabilité politique. Le « bienfait du Prince », pompeusement exalté à Carthage, à Cirta et à Utique, permettait des opérations importantes, mais ponctuelles. Ailleurs, l'activité des chantiers était déterminée par la conjoncture économique et par la plus ou moins grande rigueur de la fiscalité.

Le vide le plus frappant est en Numidie : deux restaurations sont connues, en tout et pour tout, pour les cinquante années allant de 312 à 361, l'une et l'autre à Mascula sous Constantin et Licinius ; ces chantiers furent d'ailleurs financés par une générosité impériale[98]. Nous avons déjà dit que la restauration de Cirta n'avait guère laissé de traces épigraphiques. On a là un cas précis où la non-conservation des édifices fausse quelque peu la statistique. Mais on doit constater une remarquable absence d'activité dans les autres cités, notamment dans une ville comme Cuicul, systématiquement fouillée et ayant fourni une abondante moisson épigraphique. La Numidie traversa-t-elle une crise sous Constantin et ses fils ? Aucune révolte ou invasion de tribu berbère n'est connue. En revanche, un fait révolutionnaire se déroula dans cette région, la grande

---

97. Aucun chantier n'est attesté avec précision à Cirta ; à Carthage on ne connaît qu'une construction de thermes (*C.*, 24582 ; notice, n. 12) et la restauration du temple de Cybèle (*C.*, 24521 ; notice, n. 13) qui n'était certainement pas due au *beneficium principis*, mais plutôt au zèle païen du proconsul Proculus.

98. *C.*, 2241 (notice *Mascula* – N. –, n. 4) et *C.*, 17681 (notice, n. 5) Sur ces deux textes, les noms impériaux sont au nominatif : c'est l'indice d'un *beneficium principis*. Il semble que ces actes impériaux de bienfaisance avaient pour but de pallier quelque peu le marasme général. Notons aussi que sur les cinq chantiers connus en Byzacène entre 312 et 361, la construction du nymphée d'Henchir el Left (*A.E.*, 1949, 49) est peut-être extra-municipale.

révolte des circoncellions. Examinons en quelques aspects, avant de décider s'il y eut corrélation avec le marasme des chantiers urbains, signe de difficultés économiques.

Les circoncellions ont suscité un très grand intérêt chez les historiens modernes qui ont scruté de près les passages d'Optat de Milev et de saint Augustin où ils sont mentionnés ; il en est résulté des théories contradictoires. Il n'est pas de notre propos de traiter à fond cette question, mais de chercher dans quelle mesure l'action de ces révoltés a pu interférer sur l'histoire des cités[99].

Le problème essentiel est le suivant : Optat et Augustin donnent deux images des circoncellions. D'une part, ils constituent l'aile extrémiste du donatisme ; ce sont des groupes de pieux et fanatiques errants d'origine rurale, qui interviennent avec violence, en Numidie et dans la région d'Hippone, dans le conflit entre les deux églises[100]. Les évêques donatistes s'en méfient parfois, mais ils les utilisent dans les cas graves. Ainsi, ils apparaissent pour la première fois en 320 quand le *dux* Ursacius voulut procéder à la confiscation, sur l'ordre de Constantin, des églises donatistes de Numidie : des vagabonds accoururent et empêchèrent par la force l'opération[101]. Sous l'épiscopat de saint Augustin, les circoncellions se livrèrent à des violences graves sur la personne de clercs catholiques, surtout ceux qui étaient des transfuges du donatisme[102]. On les vit, entre 388 et 398, fournir des hommes de main au farouche évêque donatiste Optat de Thamugadi[103]. En bref, ils furent le fer de lance de la résistance donatiste à l'offensive qu'Aurelius de Carthage et Augustin avaient lancée pour ramener bon gré mal gré les schismatiques à l'unité. Leur fruste dévotion était axée sur le culte des martyrs, ceux d'avant Constantin auxquels ils ajoutaient les martyrs de la secte donatiste. L'exaltation du sacrifice de soi les poussa à une étrange aberration. Il y eut chez eux des épidémies de suicides collectifs, par divers moyens dont le principal était de se jeter dans des précipices, du haut de montagnes ; ils pensaient devenir ainsi des martyrs[104].

---

99. J'exposerai plus en détail le point de vue esquissé ici dans une étude en préparation. Pour la bibliographie, on pourra se reporter au livre de W. H. C. Frend, *The Donatist Church*, Oxford, 1952, p. 339-350, et à celui d'E. Tengström, *Donatisten und Katholiken*, Göteborg, 1964, p. 193-200 ; voir surtout celle des cinq volumes de l'édition des traités anti-donatistes de saint Augustin, dans la *Bibliothèque Augustinienne* (Paris, 1963-1965), en particulier, dans le volume I, p. 128-130.

100. Cette manière de définir les circoncellions, comme le faisaient Optat et Augustin, par le fanatisme et le banditisme, est encore celle de P. Monceaux, *Hist. litt. de l'Afr. chrét.*, t. 4 (1912), p. 31-32 ; 36 ; 179-185 : pour lui (*loc. cit.*, p. 185), ce sont « des coquins et des énergumènes ». Personne ne peut, aujourd'hui, se contenter de cette explication.

101. *Sermo de passione Donati* (écrit donatiste), *P.L.*, 8, 752-758.

102. Voir P. Monceaux, *Hist. litt. de l'Afr. Chrét.*, t. 4, p. 62-63 ; 72-73.

103. Voir notice *Thamugadi* – N. –, n. 107-112.

104. Optat de Milev, III, 4 ; Augustin, *Contra Gaudentium*, I, 28-29 ; *Epist.*, 185, II, 12 ; 204, 1. 2. Voir *infra*, chap. iv, p. 238-242,

Cependant, un passage d'Optat et un de saint Augustin donnent des circoncellions une autre image que celle d'une confrérie de vagabonds fanatiques et brutaux, limitant leur action au conflit religieux. Optat[105] relate que les évêques donatistes écrivirent au comte d'Afrique Taurinus, en fonction entre 340 et 345, pour lui demander de ramener à la raison par la force les circoncellions qu'ils ne contrôlaient plus. Le comte envoya des soldats sur les marchés ruraux (*nundinae*) où ils avaient coutume de se rendre, et un grand nombre furent massacrés. Plus tard, en 347, l'empereur Constant envoya deux légats, Paulus et Macarius, pour enquêter sur le schisme africain. Les légats voulurent user de la force contre les donatistes qui firent appel aux circoncellions. De nouveau, le sang coula ; des évêques donatistes avaient recruté des circoncellions sur les marchés où ils se retrouvaient et leurs troupes avaient opposé une résistance désespérée aux tentatives de coercition religieuse des envoyés de l'empereur. Pour Optat, cette démarche était d'autant plus scandaleuse que, durant ces mêmes années, les circoncellions avaient terrorisé les campagnes numides, sous le commandement des « chefs des saints » Axido et Fasir. Leurs exactions n'avaient aucun rapport avec le conflit religieux ; ils s'attaquaient aux gens riches, leur tendaient des embuscades sur les routes. Leurs victimes favorites éaient les détenteurs de reconnaissances de dettes, qu'ils empêchaient de percevoir les remboursements. Ils envoyaient aux créanciers des lettres leur enjoignant de renoncer à exiger le paiement de ce qui leur était dû ; s'ils refusaient, une bande de circoncellions venait les attaquer, les frapper, souvent les tuer. Dans une lettre, Augustin ajoute quelques précisions[106] : ils obligeaient des maîtres à affranchir les esclaves qui avaient demandé leur protection. Les maisons de gens qui les avaient offensés étaient détruites ou incendiées. Des personnes nobles furent sauvagement frappées par eux ou « enchaînées à une meule et contraintes à coups de fouet de la faire tourner, comme des bêtes ». Augustin évoque aussi le problème des dettes que les créanciers devaient annuler sous leur menace.

Optat écrivait vers 366 ; les événements qu'il raconte appartenaient au passé. Ils s'étaient déroulés, dit-il, avant l'édit d'union c'est-à-dire l'ordre de fusion des deux églises émis par Constant en 347. Fait notable, tout le récit d'Optat sur la jacquerie est au passé ; il n'évoquait pas des faits contemporains. Qu'en est-il pour Augustin ? Si ce dernier décrivait des faits dont il était témoin, cela impliquerait qu'une recrudescence de la jacquerie aurait eu lieu de son temps. Son récit se trouve dans la lettre 185, adressée en 417 au futur comte d'Afrique Bonifatius, alors tribun militaire et chargé de liquider les séquelles du donatisme, définitivement condamné en 411. Augustin fait à son correspondant un historique du conflit depuis ses débuts et un exposé des thèses théologiques en présence. Tous les thèmes de la polémique catholique y figurent.

---

105. Optat de Milev, III, 4, *C.S.E.L.*, 26, p. 81.
106. Augustin, *Epistula* 185, iv, 14, *C.S.E.L.*, 57, p. 13-14.

Le récit de la jacquerie des circoncellions, dont les évêques donatistes furent un moment les complices au moins involontaires, prenait place, bien entendu, dans cet arsenal traditionnel. Là aussi, le récit est au passé : il ne s'agit nullement d'événements contemporains d'Augustin et de Bonifatius. On ne peut suivre les auteurs modernes qui ont affirmé que la révolte sociale avait recommencé au début du ve siècle[107]. En effet, nous possédons une masse considérable de documents relatifs au conflit des deux églises entre 393 et 423 : les œuvres d'Augustin, ses lettres en particulier, qui évoquent les faits presque au jour le jour, les actes des conciles africains, les actes de la conférence de Carthage en 411[108]. Augustin intenta une série de procès à des donatistes, en rapport avec des violences des circoncellions ; il s'agissait toujours de voies de fait exercées sur la personne de clercs catholiques. Si les propriétaires fonciers de la région d'Hippone, parfois fidèles et correspondants d'Augustin, avaient subi des agressions ou avaient vu leurs biens volés ou détruits par des donatistes, c'eût été, dans la polémique, un argument de premier plan[109]. Qu'on pense à l'utilisation continuelle, par les catho-

---

107. W. H. C. Frend (*The Donatist Church*, p. 172-177) ne fait pas de distinctions entre les périodes. J.-P. Brisson (*Autonomisme et christianisme dans l'Afrique romaine de Septime Sévère à l'invasion vandale*, Paris, 1958, p. 329-331) affirme qu'entre 380 et 400, comme avant 347, les circoncellions eurent une action révolutionnaire de type social et que les événements décrits par Augustin dans la lettre 185 étaient contemporains : la loi d'union avant laquelle les troubles avaient lieu serait celle d'Honorius. Nous ne pouvons pas suivre cette interprétation, car, nous l'avons vu, le chapitre IV de la lettre 185 fait partie d'un récit des origines du schisme, et Augustin s'y montre très tributaire du texte d'Optat, dont il reprend même certaines expressions. Certes, Augustin relate à propos des faits de son temps quelques agressions à caractère social : ainsi, dans la lettre 108 (*C.S.E.L.*, 34, 2, p. 632), il évoque des circoncellions qui aidaient des colons ou des esclaves fugitifs à attaquer leurs maîtres (*possessores*). Dans la lettre 185 (VII, 30, *C.S.E.L.*, 57, p. 28), Augustin fait allusion à des agressions nocturnes contre des maisons et à des incendies, mais le contexte est la résistance désespérée des circoncellions à la liquidation du schisme après l'édit de 412. Les rares faits contemporains de ce type qu'il mentionne ne font nullement partie d'une action générale et concertée : il n'y a pas eu de jacquerie au temps de son épiscopat.

108. P. Monceaux a donné une analyse exhaustive de cette documentation pour les œuvres de saint Augustin (*Hist. litt. de l'Afr. chrét.*, t. 7, p. 76-292) et pour les dossiers judiciaires (*ibidem*, t. 4, p. 286-309).

109. On pourrait objecter que les attaques contre les propriétaires fonciers ne concernaient pas Augustin : c'était aux victimes de porter plainte. Mais il ne faut pas oublier que l'Église était propriétaire de domaines ; surtout, la correspondance d'Augustin nous fait connaître un très grand nombre d'épisodes du conflit et met en scène de nombreux personnages. Jamais il n'est question d'une révolte sociale. Ceci a été bien mis en valeur dans la dernière grande synthèse sur le sujet, le livre d'Emin Tengström, *Donatisten und Katholiken* (1964). Soucieux de corriger l'insistance unilatérale sur la dimension sociale et nationaliste du donatisme qui était le fait de ses prédécesseurs, W. H. C. Frend et J.-P. Brisson, E. Tengström a tendance à minimiser la dimension sociale de l'action des circoncellions. Sur ce livre, voir le compte-rendu nuancé de Peter Brown, *J.R.S.*, 55, 1965, p. 281-283, repris dans *Religion and Society in the age of saint Augustin*, Londres, 1972, p. 335-338, et celui de P. A. Février, *Toujours le donatisme. A quand l'Afrique ?* dans *Rivista di Storia e letteratura religiosa*, 1966, 2, p. 228-240.

liques, des exactions commises par Optat de Timgad (exactions, au demeurant, sans caractère social particulier). Rien de tel pour les circoncellions : les faits mentionnés sont leur participation, à coup sûr violente, à la guerre de religion qui déchirait l'Afrique. La jacquerie n'était plus qu'un vieux souvenir, un grief traditionnel qu'on utilisait toujours contre les donatistes, mais qui se rapportait à des faits d'un passé déjà lointain.

Ainsi, nous devons constater que la révolte rurale se déroula dans une période et une région bien définies : les années 340, en Numidie. Mais si elle eut une place limitée dans le temps et l'espace, elle n'en fut pas moins grave et violente. Charles Saumagne a montré naguère de façon très probante que les circoncellions formaient au départ une catégorie juridique précise, un *ordo* d'ouvriers agricoles itinérants qui allaient offrir leurs services saisonniers dans les exploitations agricoles de Numidie[110]. A deux reprises, Optat de Milev évoque les marchés ruraux (*nundinae*) où se rassemblaient les circoncellions. Il montre l'évêque donatiste de Bagaï allant les y recruter pour combattre les légats impériaux en 347 : bien entendu, ils s'y rendaient d'ordinaire pour être embauchés comme ouvriers agricoles[111]. Leur condition vagabonde et leur structure de groupe organisé les rendaient beaucoup plus aptes à une révolte que les paysans sédentaires, les colons isolés sur un domaine. La révolte avait des causes précises et était axée sur le problème des dettes. Nous sommes dans un univers rural : les débiteurs étaient des paysans, les créanciers des propriétaires fonciers. Le processus d'endettement impliquait des hypothèques sur les terres des débiteurs, et un risque de disparition de la petite et moyenne propriété. La cause de cette crise pourrait avoir été simple : une série d'années sèches, toujours catastrophique en Afrique du Nord, surtout pour les petits agriculteurs qui ne disposent d'aucune réserve. Rome au IVe siècle, était tributaire de l'annone d'Afrique. Nos sources n'y évoquent pas de famines durant les années 340, alors qu'on en connaît une en 360 ou 361. Il est vrai que nos connaissances reposent, avant 353, sur le *Chronographe* de

---

On doit reconnaître, avec Tengström, le caractère exceptionnel des allusions d'Augustin à des agressions de type social contemporaines. Toutefois, contrairement à cet auteur, je pense qu'il y eut véritablement une jacquerie au temps de Constant.

110. Ch. SAUMAGNE, *Ouvriers agricoles ou rôdeurs de celliers ? Les circoncellions d'Afrique*, dans *Ann. Hist. écon. et soc.*, VI, 1934, p. 351-364. Les circoncellions sont mentionnés comme un *ordo* officiel dans l'édit d'union émis par Honorius le 30 janvier 412 (*C. Th.*, XVI, 5, 52), qui dose les amendes encourues par les donatistes récalcitrants selon la place de chacun dans la hiérarchie officielle des ordres. Les circoncellions ne pouvaient donc être, comme le disait Monceaux « un ramassis de loqueteux, de mécontents et d'aventuriers de tout genre ». Tengström reprend l'opinion de Saumagne en limitant, assez curieusement, la fonction des circoncellions à celle de gauleurs d'olives.

111. OPTAT, III, 4 : « ... per omnes nundinas misit, circumcelliones agonisticos nuncupans ad praedictum locum ut concurrerent inuitauit. »

354[111bis], source fort sèche et limitée, incomparablement moins précise que les œuvres d'Ammien Marcellin et de Symmaque qui nous renseignent sur les périodes suivantes. Ajoutons que la priorité absolue donnée au service de l'annone pouvait fort bien entraîner, en cas de mauvaises récoltes, une grave disette en Afrique alors que le ravitaillement de l'*Urbs* n'était pas vraiment perturbé. On ne peut donc considérer l'absence de documents romains sur une disette durant ces années comme une preuve *a silentio* de l'absence de problèmes de ce type en Afrique.

D'autre part, nous savons que la fiscalité impériale devenait de plus en plus lourde et qu'aucune remise d'impôt n'était accordée si, par suite des circonstances, les récoltes étaient inférieures à celles qui étaient escomptées lors de l'indiction. Villes et campagnes souffraient de cette crise agraire qui est, à coup sûr, l'une des causes essentielles de l'absence totale de chantiers urbains connus en Numidie sous les fils de Constantin. Pour les petits exploitants, l'issue risquait d'être la perte de leurs terres hypothéquées et leur réduction à la situation de colons. Pour les ouvriers agricoles, l'absence d'embauche signifiait la perte de toute ressource et la famine. On comprend qu'ils aient été le fer de lance de la révolte, le donatisme leur ayant fourni un embryon d'idéologie, une justification morale de leur lutte contre l'ordre établi[112].

Comme toutes les jacqueries, celle-ci fut noyée dans le sang. Les donatistes firent des martyrs des victimes des deux répressions des années 340-347 et « le temps de Paul et de Macaire » demeura dans le souvenir du petit peuple comme celui d'une épreuve sanglante et héroïque. C'est, semble-t-il, dans les années suivantes que se répandit l'épidémie des suicides collectifs ; cet épisode sauvage et démentiel donne la mesure du traumatisme reçu, consécutif à l'excès de misère, à l'exaltation religieuse et à l'horreur de la répression.

Au temps de saint Augustin, un demi-siècle avait passé depuis ces épisodes tragiques. Il y avait toujours des circoncellions ; ils étaient toujours frustes, brutaux et fanatiques, mais leur champ d'action était beaucoup plus limité que celui de leurs prédécesseurs du temps de Constant : ils se contentaient de défendre par la violence l'église donatiste menacée et ils avaient oublié les dimensions sociales du combat de leurs ancêtres.

Ainsi, la Numidie fut profondément secouée par cette jacquerie entre 340 et 350 ; elle fut affectée gravement par la cause économique de la révolte, une crise agraire dont villes et campagnes pâtirent. L'absence

111 bis. Éd. Mommsen, *Chronica Minora*, I, *M.G.H.*, *a.a.*, 9, p. 65-69. Sur ces questions, se reporter à A. CHASTAGNOL, *La préfecture urbaine à Rome sous le Bas-Empire*, Paris, 1960, p. 11-17 ; 162 ; 267-268 ; 316-318.

112. Sans que cette contestation politique et sociale ait été un élément constitutif permanent de l'église schismatique.

de chantiers durant quarante ans montre que le mal fut durable, même s'il atteignit son paroxysme dans les années 340[112bis].

Nous avons cependant constaté que la situation de la province proconsulaire, qui ne paraît pas avoir été touchée par l'insurrection, fut médiocre. Certes, il est tout à fait probable que la crise agraire, même si elle toucha plus particulièrement la Numidie, concerna toute l'Afrique du Nord. Il semble bien pourtant qu'un élément d'origine humaine entrait par ailleurs en compte : la fiscalité. Il faut, bien sûr, faire la part du préjugé systématiquement défavorable de Zosime envers Constantin ; mais on ne peut récuser totalement la page dramatique où cet historien décrit l'oppression fiscale du premier empereur chrétien et la manière dont les villes furent les principales victimes de l'institution de l'impôt du chrysargyre, qui pesait sur les marchands[113]. Surtout, nous l'avons vu, c'est sous le règne de Constantin ou de ses fils que furent confisqués au profit du trésor impérial les biens fonciers des cités, les biens des temples qui, le plus souvent, fournissaient des revenus aux municipalités, ainsi que les *uectigalia publica*, les taxes diverses perçues par les villes[114]. On le sait, les cités parvinrent, dans les faits, à conserver une fraction de ces revenus que Constance II fixa, pour les taxes, à un quart[115]. Mais il n'est pas douteux que les cités virent leurs revenus gravement amputés, au moment même où la pression fiscale accrue laissait aux particuliers peu d'argent disponible pour des actes d'évergétisme. Treize faits d'évergétisme monumental sont connus sous Dioclétien, entre 286 et 305. Un seul peut être noté sous Constantin et ses fils, pour un laps de temps beaucoup plus long. Encore s'agit-il d'un cas très particulier : le gouverneur de Tripolitaine Flavius Victor Calpurnius offrit des spectacles à Lepcis Magna et fit restaurer des monuments ; l'inscription de dédicace de la statue qu'on lui dressa lui rend grâce pour ses bienfaits « qui surpassaient ceux qu'on pouvait attendre d'un citoyen de la cité[116] ». Nul doute que ce gouverneur n'ait accompli des actes d'évergétisme sur ses propres deniers. De même, on a vu Constantin lui-même payer des constructions publiques à Carthage, à Cirta, à Utique, à Mascula. Mais on ne connaît, durant ces quarante-neuf années, aucun évergète

---

112 bis. Pierre Salama et Jean-Pierre Callu vont prochainement publier une étude qui fournit une nouvelle pièce au dossier et montre la gravité des faits advenus en Afrique durant cette période ; il s'agit de l'édition d'une série de trésors monétaires enfouis durant les années 340, tant en Maurétanie qu'en Numidie.

113. ZOSIME, II, 38 : « Il épuisa les villes par ces contributions... La richesse des villes s'étant dissipée peu à peu, elles se vidèrent de la plupart de leurs habitants ». L'exagération est manifeste, mais le témoignage des inscriptions africaines montre que la crise décrite fût réelle. Sur ce texte, *cf.* A. CHASTAGNOL, *Zosime, II, 38 et l'Histoire Auguste*, dans *Bonner Historia Augusta Colloquium*, 1964-1965, Bonn, 1966, p. 43-78.

114. *Cf. supra*, p. 67-72.

115. *Supra*, p. 70-71 et n. 46.

116. *I.R.T.*, 569 = *C.*, 22672 = *I.L.S.*, 9408 ; notice *Lepcis Magna* – T. –, n. 18.

parmi les dignitaires municipaux[117]. Ce fait est très significatif de la crise économique et financière que traversèrent alors les villes d'Afrique, pour une large part à cause des exigences du fisc impérial. Certes, ce marasme n'atteignit pas l'étiage auquel on était descendu aux pires années du iiie siècle, comme au temps de Valérien et de la grande peste. On a vu que Constantin, en 334, ordonnait au préfet du prétoire Félix de veiller à ce que de nombreux architectes fussent formés dans les provinces africaines où leur effectif était insuffisant ; cette décision impériale avait assurément été prise à la suite de rapports précis émanant des autorités locales et elle prouve que l'activité bâtisseuse était loin d'être nulle[118]. Cependant, tout un faisceau de documents montre la gravité de la crise. Il est extrêmement éclairant de situer dans ce contexte la grande jacquerie des circoncellions[119].

Le règne de Julien et le renversement de la conjoncture.

Proclamé Auguste par ses soldats à Lutèce vers février 360, Julien ne fut reconnu en Afrique qu'à la mort de Constance II, en novembre 361[120]. Il mourut le 26 juin 363 ; son règne, dans cette partie de l'Empire, dura donc en tout vingt mois. Or, pas moins de neuf inscriptions africaines commémorent des chantiers à des monuments publics urbains durant ce court laps de temps (plus une durant le règne éphémère de Jovien), soit un indice d'activité sept fois supérieur à celui des vingt-quatre années précédentes, pour lesquelles vingt-deux chantiers seulement sont recensés.

On connaît la politique favorable aux cités que Julien mena ; il leur rendit, nous l'avons vu, leurs biens fonciers et leurs taxes locales[121] ; il rappela dans les curies les clercs chrétiens que Constantin avait dis-

---

117. A deux exceptions près, mais l'une est des plus modestes : l'offrande d'une statue à Madaure vers 333 par deux flamines perpétuels (*I. L. Alg.*, I, 4011 = 2162 ; notice *Madauros* – P. –, n. 23). L'autre acte d'évergétisme est très douteux, vu l'état fragmentaire de l'inscription : Nonius Marcellus, qu'il faut sans doute assimiler au lexicographe de ce nom, présida à une restauration de la *platea uetus* de Thubursicu Numidarum entre 323 et 333 ; il est possible qu'il ait participé de ses deniers à l'opération (*I.L. Alg.*, I, 1273 = *I.L.S.*, 2943 ; notice *Thubursicu Numidarum* – P. –, n. 7).

118. *Supra*, p. 66 et n. 33.

119. Nous ne consacrons pas de commentaire distinct aux statistiques du temps des fils de Constantin : les indices d'activité sont, en effet, très comparables à ceux du règne de leur père. L'étiage (6, 5) fût atteint entre 337 et 350 : on était revenu à peu près à la situation du temps de Probus et de Carus (5, 5). Sous Constance II seul Auguste, on constate une timide remontée (indice : 8,5) : la situation agricole était probablement meilleure et, comme nous le verrons, il semble que cet empereur a, au moins à la fin de sa vie, relâché quelque peu la pression fiscale.

120. Le notaire Gaudentius garda l'Afrique dans l'obédience de Constance après l'usurpation de Julien en 360 ; il paya ensuite de sa vie sa fidélité (AMMIEN MARCELLIN, XV, 3, 8 ; XVI, 8, 3).

121. *Supra*, p. 67-68 ; 71.

pensés des charges municipales[122] ; il décida que les curies pourraient faire entrer dans leur sein des plébéiens riches et imposer des *munera* financiers aux étrangers résidants[123]. En octobre 362, Julien accorda aux Africains la remise totale des arriérés d'impôt, sauf pour ceux qui étaient payés en or et en argent ; il allégea l'or coronaire que les décurions verseient lors de l'avènement d'un empereur et il dispensa les décurions du paiement du chrysargyre[124]. A coup sûr, ces mesures furent les bienvenues dans les cités qui virent leurs finances assainies et leurs décurions soulagés d'une partie du fardeau fiscal. L'album municipal de Timgad date du temps de Julien : y figurent, à la suite des membres effectifs de la curie, les clercs et les fonctionnaires (*officiales*) qui semblent avoir été astreints au moins à payer les *munera* financiers. La rédaction de cet album est consécutive aux lois de Julien qui élargissaient le recrutement des curies et leur fournissaient de nouvelles ressources[125].

Ces mesures expliquent-elles le brutal essor des travaux publics dont témoignent les inscriptions africaines ? On ne peut qu'être surpris devant la rapidité du changement de conjoncture. En effet, la loi de Julien restituant aux cités leurs revenus fut émise à Constantinople le 13 mars 362. Compte-tenu des délais de transmission et des difficultés que ne pouvait manquer de susciter dans l'administration une modification si radicale, on ne peut penser que les cités aient perçu les premiers revenus restitués avant la fin de cette année 362. Or, Julien est mort avant la fin du premier semestre de 363. De plus, une opération de travaux publics, surtout s'il s'agissait d'une construction, demandait du temps. Il faudrait penser que, dès l'avènement de l'empereur, les autorités provinciales avaient reçu la consigne de soulager le fardeau fiscal des cités et que le *Code Théodosien* n'a conservé que la forme législative générale de la mesure, élaborée plus tard.

Il est hors de question de nier les conséquences bénéfiques des décisions de Julien pour les finances des cités et leur politique de construction ; toutefois, la rapidité de leurs effets incite à se demander si cette renaissance n'était pas déjà en germe à la fin du règne de Constance II. Les inscriptions confirment cette hypothèse. Nous possédons douze mentions de chantiers urbains sous Constance seul Auguste (350-361) ; pour neuf d'entre elles, le texte mentionne Julien César ou un dignitaire impérial en fonction

---

122. *C. Th.*, XII, 1, 50 ; JULIEN, Lettre 54, aux Byzacéniens, éd. Bidez, t. 1, 2, p. 66.

123. *C. Th.*, XII, 1, 52.

124. Remise des dettes fiscales : *C. Th.*, XI, 28, 1, du 26 octobre 362 (Seeck ; document adressé au vicaire d'Afrique Avitianus). Exemption du chrysargyre : *C. Th.*, XII, 1, 50. Allègement de l'or coronaire connu par un papyrus du Fayoum (Grenfell, Hunt, Hogarth, *Fayum towns*, n. 20, p. 116 ; *cf.* W. SESTON, *Julien et l'aurum coronarium*, dans *R.E.A.*, 1943, p. 49).

125. Notice *Thamugadi* – N. –, annexe et n. 64-100. Sur les rapports de l'album avec la politique de Julien, voir A. CHASTAGNOL, *L'album municipal de Timgad*, Bonn, 1978, p. 33-38 (sur la datation, *cf.* p. 40-48).

à la fin du règne[126]. Les trois quarts de ces douze chantiers furent donc mis en œuvre entre novembre 355 et novembre 361, ce qui donne pour ces six ans un indice d'activité de 12,5, le plus fort depuis l'abdication de Dioclétien. Sans doute la crise agraire qui avait secoué l'Afrique dans les années 340 était-elle alors complètement jugulée. La pression fiscale fut très probablement allégée ; en ce qui concerne les cités africaines, nous en avons un indice sûr : la décision prise par Constance II en 358 et notifiée au vicaire d'Afrique de ristourner aux cités un quart du revenu de leurs taxes locales confisquées, en vue du financement des constructions publiques[127]. Peut-être une mesure semblable, dont nous n'avons pas gardé de traces, fut-elle prise pour les revenus des biens fonciers municipaux. Julien a ainsi recueilli les fruits d'une politique plus libérale antérieure et qu'il a amplifiée. Une inscription de Spolète qualifie Constance II et Julien César de « restaurateurs des villes » (*urbium restitutores*)[127bis]. Il semble bien qu'il ne s'agissait pas d'une formule vide et que le renversement de la conjoncture commença dès les années 355-361. Ainsi s'explique la rapidité du renouveau des chantiers municipaux sous le règne de Julien.

Des inscriptions du temps de Julien confirment cette perspective : ainsi, à Cirta, une basilique *Constantiana* fut inaugurée Julien étant Auguste. Ce nom fut évidemment donné à l'édifice en l'honneur de Constance II, sous le règne de qui les travaux avaient été entrepris[128]. A Thubursicu Numidarum, le nouveau forum fut reconstruit, des portiques furent édifiés et des statues transférées d'un endroit en ruines, peut-être la *platea uetus*, pourtant restaurée sous Constantin. Plusieurs inscriptions évoquent ces travaux ; l'une d'elles date de la fin du règne de Constance II et constitue la dédicace d'une porte monumentale élevée à cette époque. D'autres sont datées du règne de Julien et évoquent notamment la dédicace d'une colonnade (donc d'un portique) et de statues par les soins du légat de Numidie Proconsulaire Atilius Theodotus, qui semble avoir dirigé de près ces travaux[129]. Cet important chantier fut donc mené

---

126. *I.L. Alg.*, I, 251 = *C.* 17518 = 5344 (*Calama* – P. – ; n. 6) ; *I.R.T.*, 562 et 656 (*Lepcis Magna* – T. – ; n. 19 et 20) ; *C.*27571 (*Sicca Veneria* – P. – ; n. 8 ; *I.L. Alg.*, I, 1034 = *C.* 4646 (*Thagura* – P. – ; n. 5) ; *I.L. Alg.*, I, 3052 = *C.*, 16505 = 1860 (*Theveste* – P. – ; n. 8 – deux édifices –) ; *I.L. Afr.*, 273, a et b (*Thuburbo Maius* – P. – ; n. 11) ; *I.L.Alg.*, I, 1275 (*Thubursicu Numidarum* – P. –, n. 8). L'inscription *A.E.*, 1944, 51, trouvée à Mactar, date de la même période, mais nous ne l'avons pas retenue pour nos statistiques : elle commémore l'édification d'un monument du culte impérial avec les matériaux pris aux ruines d'un temple païen (notice *Mactar* – B. –, n. 20).

127. *C. Th.*, IV, 13, 5. Voir *supra*, p. 70-71 et n. 46.

127 bis. *C.*, XI, 4781 = *I.L.S.*, 739 (*Reparatores orbis adque urbium restitutores...*).

128. *I.L. Alg.*, II, 624 = *C.*, 7037 ; notice *Cirta* – N. – n. 9.

129. Une inscription évoque les travaux réalisés sous Constance (*supra*, n. 126) et six les travaux réalisés sous Julien (*I.L. Alg.*, I, 1229 ; 1247 = *I.L.S.*, 9357 ; *I.L. Alg.*, I, 1274 ; 1276 ; 1285 ; 1286. Notice *Thubursicu Numidarum* – P. –, n. 8-14).

à bien en partie sous Constance II et en partie sous Julien. On a souvent dit que la politique municipale de l'« Apostat », comme sa politique religieuse, était irréaliste et fut sans lendemain. La longue prospérité que connurent, sous la dynastie valentinienne, les cités africaines montre que cette politique eut des suites, même si tous les avantages qu'elle accorda aux cités ne furent pas maintenus. Nous pouvons, de plus, affirmer que le mouvement qu'il accéléra avait commencé depuis quelques années quand il remplaça légalement Constance II.

La prospérité des villes africaines sous Valentinien I^(er) (364-375).

Le règne de Jovien fut trop court (sept mois) pour avoir une signification particulière. Il ne marqua certainement aucune rupture, puisque l'essor constaté sous Julien continua sous Valentinien. Un monument fut cependant dédié sous Jovien à Thagura (Numidie Proconsulaire)[130].

Entre 42 et 46 chantiers de construction ou de restauration d'édifices publics municipaux sont mentionnés par les inscriptions dans les villes africaines durant les onze ans et neuf mois de règne de Valentinien I^(er). Ceci correspond à un indice moyen d'activité de 41, soit un record qui dépasse même celui des années 286-293. En fait, ces travaux furent surtout concentrés durant les trois années et demi qui précédèrent la proclamation de Gratien comme Auguste (février 364-août 367). 28 chantiers sont datables de ce court laps de temps, ce qui donne l'indice d'activité exceptionnel de 66,5. Nous devons donc constater que le renversement de la conjoncture qui commença à la fin du règne de Constance, fut durable. Les années 375-383 sont caractérisées par un ralentissement : de 14 à 18 chantiers sont connus. Toutefois, nous le verrons, les années suivantes furent marquées par une nette reprise ; l'essor de la période 364-367 ne fut pas un feu de paille mais, comme sous Dioclétien, nous constatons qu'après une période intense de travaux rendus urgents par une longue stagnation, vient un temps d'activité plus modérée, ce qui est dans l'ordre des choses.

Le gouvernement impérial ne pouvait se permettre de maintenir telles quelles les généreuses mesures fiscales prises par Julien en faveur des cités. Il est probable que Valentinien I^(er) et Valens ont rapidement abrogé la décision de leur rendre la totalité de leurs revenus fonciers et du produit des taxes locales. Toutefois, nous l'avons vu, ces empereurs se montrèrent nettement plus larges que ne l'avait été Constantin. La décision de ristourner aux cités un tiers de leurs anciens revenus fonciers pour financer les travaux publics ne fut prise qu'en 374[131], mais elle fut probablement le résultat de la recherche empirique d'une solution

---

130. *I.L. Alg.*, I, 1035 = *C.*, 4647 = *I.L.S.*, 756 ; notice *Thagura* - P. -, n. 6.

131. Voir *supra*, p. 68 et n. 38.

satisfaisante pour les deux parties[132]. La loi de 374 ne doit pas être
considérée comme une brimade pour les cités, car, nous le verrons, les
chantiers furent nombreux dans les années suivantes, au moins jusqu'en
383. La modération fiscale de Valentinien Ier, exaltée par Ammien
Marcellin[133], est assurément la principale explication de cet essor des
travaux publics. Il faut aussi tenir compte d'une prospérité économique,
de bons revenus agricoles, d'un accroissement du volume des produits
exportés. Toutefois, nos sources ne nous permettent pas d'appréhender
cet état de choses, que l'on peut simplement induire du grand nombre
des travaux publics. Rappelons simplement que l'auteur de l'*Expositio
totius mundi*, qui écrivait sous Constance II, affirme que l'Afrique « fournit
presqu'à elle seule à tous les peuples l'huile dont ils ont besoin[134] ».
Un essor de ces exportations traditionnelles d'huile dans la seconde
moitié du IVe siècle, pourrait être une cause essentielle de la prospérité.

Pourtant, l'Afrique subit de dures épreuves sous Valentinien Ier.
Dès 363, la Tripolitaine fut ravagée par les nomades Austuriens ; de
nombreuses personnes furent tuées ou capturées, beaucoup d'arbres
furent détruits dans les campagnes. Seule Sabratha fut prise et incendiée,
mais les territoires de Lepcis et d'Oea eurent aussi à souffrir. Le comte
d'Afrique, Romanus, refusa de secourir les Tripolitains qui furent accusés
de faux témoignage devant l'empereur et subirent des vexations de la
part des autorités[135]. Ammien a longuement exposé les malheurs de
cette province, qui avait été la seule de toute l'Afrique à avoir, au témoignage des inscriptions, une activité notable de constructions urbaines

---

132. *Supra*, p. 68 et n. 37.

133. Ammien Marcellin, XXX, 8, 1. Nous ne retenons pas, pour expliquer
le grand nombre des chantiers urbains à cette époque, l'hypothèse soutenue récemment par A. Beschaouch (*A propos de découvertes épigraphiques dans le pays de
Carthage*, dans *C.R.A.I.*, 1975, p. 101-111). Cet historien a supposé qu'un séisme
d'une gravité exceptionnelle avait ravagé une grande partie du bassin méditerranéen. En fait, Ammien Marcellin (XXVI, 10, 15-17) relate simplement un
séisme en Messénie suivi d'un raz-de-marée à Alexandrie, en 365. Une catastrophe
à une échelle continentale, fort improbable géologiquement, eût évidemment
été évoquée par les écrivains du temps (voir notice *Abbir Maius* – P. –, n. 10).
Plus convaincante m'apparaît l'argumentation de B. H. Warmington (*The north-
african Provinces from Diocletian to the Vandal Conquest*, Cambridge, 1954, p. 52-
54) selon qui une cause essentielle de l'amélioration de la condition des curiales
sous Valentinien Ier fut le fait qu'ils furent exemptés de la charge de percepteurs des
impôts (*susceptores*) par des lois datées de 364 et 365 (*C. Th.*, VIII, 3, 1 et XII, 6, 6).
Les percepteurs furent pris désormais parmi les fonctionnaires, jusqu'en 383, date
à laquelle cette charge revint aux curiales (*C. Th.*, XI, 7, 12). Toutefois, ce point
est, selon nous, secondaire, les faits essentiels étant les mesures fiscales et la conjoncture économique.

134. *Expositio totius mundi*, LXI, éd. Rougé, *S.C.*, 124, p. 200. Sur la datation,
cf. ibidem, p. 9-26.

135. Ammien Marcellin, XXVIII, 6, 1-30. Voir notice *Lepcis Magna* – T. –,
n. 83-108, et notice *Sabratha* – T. –, n. 8 et 12.

sous Constantin et ses fils[136]. Dans les Maurétanies, la révolte du prince berbère Firmus, entre 371 et 375, entraîna un soulèvement général des tribus non-romanisées de la Césarienne. La ville de Caesarea fut prise et ravagée[137]. Il semblerait donc à première vue qu'il existe une contradiction entre la documentation épigraphique, attestant une remarquable prospérité, et les récits d'Ammien, témoins d'épieuves d'une gravité exceptionnelle. Il n'en est rien. Aucune des quarante-six inscriptions mentionnant des chantiers urbains sous Valentinien Ier n'a été découverte en Tripolitaine ni dans les Maurétanies ; elles proviennent toutes de Proconsulaire, de Byzacène et de Numidie. Pour la Tripolitaine, la majorité des documents vient d'une seule ville, Lepcis Magna, qui a fourni un matériel épigraphique très considérable ; l'absence de textes pour la période considérée est donc significative. Certes, pour les Maurétanies, on n'a qu'un petit nombre d'inscriptions pour tout le Bas-Empire : le coefficient de crédibilité des statistiques est donc réduit. Ceci posé, on doit constater qu'il n'y a aucune contradiction entre Ammien et le témoignage des inscriptions. Ces dernières nous montrent que les graves événements exposés par l'historien ne touchèrent pas le cœur de l'Afrique romaine. On voit bien, en l'occurrence, comme la situation pouvait varier d'une région à l'autre et combien toute généralisation est imprudente. Mais nous retrouvons ici, pour les régions périphériques touchées par les invasions ou les rébellions, cette coïncidence déjà notée entre les variations de la statistique des chantiers urbains et la situation politique et militaire. De fait, les causes fiscales et économiques de la prospérité jouaient autant pour la Tripolitaine et les Maurétanies que pour les autres provinces africaines ; ce sont les guerres qui maintinrent ces régions à l'écart du renouveau attesté ailleurs.

En Numidie, l'activité bâtisseuse fut très grande entre 364 et 367 : seize chantiers y furent alors menés à bien, le plus souvent sous l'impulsion de Publilius Caeionius Caecina Albinus[138]. Ce gouverneur manifesta dans sa province une activité comparable à celle dont avait fait preuve, en Proconsulaire sous Dioclétien, Aurelius Aristobulus. Certaines inscriptions montrent chez les habitants des cités de Numidie un enthousiasme déclaré pour l'immense œuvre de reconstruction à laquelle ils assistaient et participaient. A Mascula, la restauration des thermes d'été fut saluée ainsi : « Au temps de l'âge d'or, instauré partout, de nos Seigneurs

---

136. Huit chantiers sont connus par les inscriptions à Lepcis et à Sabratha, entre 312 et 361, aucun entre 361 et 375.

137. AMMIEN MARCELLIN, XXIX, 5. Voir notice *Caesarea* – M. C. – n. 16-27. T. Kotula a donné récemment une importante mise au point sur ces événements (*Firmus, fils de Nubel, était-il usurpateur ou roi des Maures* ? dans *Acta Antiqua* (Budapest), 18, 1970, p. 137-146).

138. Le nom d'Albinus figure sur les 13 dédicaces de travaux suivantes : Cirta, 10 et 11 ; Cuicul 15, 16 et 20 ; Lambèse, 13, 14 et 15 ; Macomades, 5 ; Mascula 6 et 8 ; Thamugadi, 13 ; Hr. El Abiod, 1 (numéros renvoyant aux notes des notices du tome II). Albinus dédia aussi des greniers de l'annone de Rome à Rusicade (*I.L. Alg.*, II, 379 = *I.L.S.*, 5910), mais il ne s'agissait pas d'un bâtiment municipal.

Valentinien et Valens perpétuels Augustes, ce qui était dans un état désespéré retrouve la stabilité, ce qui était abandonné est rénové, une beauté nouvelle supprime la laideur des ruines[139] ».

On ne peut parler, pour un texte de ce genre, de formule stéréotypée exprimant un thème général de propagande politique. Si la formule avait été imposée par les bureaux du gouverneur, on l'eût retrouvée dans l'une ou l'autre des treize inscriptions connues évoquant l'activité bâtisseuse du consulaire Albinus. Ce texte a été, de toute évidence, composé sur place par un lettré, vraisemblablement un grammairien de Mascula. On peut donc penser que cette inscription exprime avec sincérité le sentiment d'euphorie qui saisit les Romano-Africains devant le renouveau de leurs villes et en particulier la reconstruction d'édifices publics qui, comme les thermes, servaient au bien-être de tous[140].

Les travaux de construction constituaient un peu plus du quart des chantiers (contre un tiers au temps de Dioclétien). On a vu que la législation impériale donnait une priorité absolue à la restauration du patrimoine ancien sur l'édification de bâtiments neufs. Soixante ans s'étaient écoulés depuis l'abdication de Dioclétien, soit dix ans de plus qu'entre la fin des Sévères et l'avènement de ce dernier. Une campagne intense de restauration avait été menée entre 286 et 305, rendue nécessaire par l'incurie du temps de la grande crise. Un laps de temps comparable à la durée de cette dernière s'était écoulé ; il était normal qu'une nouvelle campagne de remise en état des bâtiments publics soit menée.

L'obligation légale, fréquemment rappelée aux gouverneurs à partir du règne de Valentinien Ier, de restaurer les édifices anciens ou de terminer les édifices commencés avant d'entreprendre toute construction nouvelle, fut, au vu des inscriptions africaines, bien appliquée. De fait, les douze constructions connues sous Valentinien Ier se répartissent ainsi : cinq furent financées par des évergètes privés[141] ; les restrictions à l'édification de nouveaux monuments ne concernaient pas ce cas, la législation rappelant seulement le vieux précepte obligeant l'évergète à achever l'édifice promis ou entrepris[142].

---

139. *A.E.*, 1911, 217 = *Rec. de Const.*, 44, 1910, p. 306 ; notice *Mascula* – N. – n. 6 et 7.

140. On peut comparer ce texte avec la formule aussi caractéristique qui décrit, à Mactar, et à Mididi, la renaissance du temps de Dioclétien (*supra*, p. 86-87 et n. 77) ; une autre formule de ce type, datée des années 379-383, figure sur une inscription de Lambèse (*infra*, p. 107-108 et n. 157-158). Peter Brown a souligné combien le texte de Mascula était caractéristique de l'optimisme qui a régné en Afrique durant ces années de prospérité (*La vie de saint Augustin*, trad. franç., Paris, 1971, p. 23).

141. *I.L. Alg.*, II, 1, 596 = *C.*, 7015 = *I.L.S.*, 5555 (*Cirta*, n. 13) ; *C.*, 20156 = *I.L.S.*, 5536 (*Cuicul* – N. –, n. 16) ; *C.*, 8324 = *I.L.S.*, 5535 (*Cuicul*, n. 23) ; *C.*, 4767 = 18701 = *I.L.S.*, 5571 (*Macomades* – N. –, n. 5) ; *C.*, 11329 = 234 + *A.E.*, 1958, 158 (*Sufetula* – B. –, n. 10).

142. *C. Th.*, XV, 1, 28.

— A Thugga, on édifia l'atrium des thermes Liciniens, mais l'inscription de dédicace précise que cet atrium avait été jadis commencé puis abandonné, de sorte qu'il s'agissait, juridiquement, de l'achèvement d'un chantier[143] ;

— à Biracsaccar (Proconsulaire), on dédia un nouvel édifice, mais il est précisé que les frais furent supportés par l'ensemble des citoyens (*sumptu ciuium*) ; cette souscription exceptionnelle permettait probablement de demeurer dans le cadre de la loi[144] ;

— à Cuicul, où un évergète fit bâtir à ses frais deux édifices, deux autres constructions furent menées à bien ; mais pour l'une d'elles, une basilique civile, l'inscription de dédicace précise qu'elle fut élevée à la place de ruines que l'on déblaya (celles d'un temple de Frugifer) : l'opération pouvait donc être assimilée à une restauration[145].

Restent donc seulement quatre constructions ; pour deux d'entre elles[146], l'état fragmentaire de l'inscription ne permet pas d'affirmer s'il y eut ou non un acte d'évergétisme. On constate donc que la priorité fut donnée, comme le voulait l'empereur, à l'entretien du patrimoine monumental existant, mais qu'on se préoccupa aussi de l'enrichir, en général dans le cadre de la loi comprise avec souplesse.

Neuf chantiers ont été financés par des évergètes (cinq constructions, une restauration, quatre travaux indéterminés)[147] ; d'autres actes d'évergétisme étaient probablement évoqués sur certaines inscriptions fragmentaires où la mention du moyen de financement a disparu. A Macomades, un arc fut élevé par un flamine perpétuel « pour l'honneur du flaminat », preuve que l'évergétisme monumental *ob honorem* n'avait pas disparu[148]. A Cuicul, le clarissime Rutilius Saturninus offrit une basilique *pro editione muneris debiti*, donc à la place de jeux de l'amphithéâtre[149]. Si l'on suppose la disparition de mentions d'évergètes sur quelques inscriptions fragmentaires, on constate, nous l'avons vu, qu'un quart environ des chantiers eut ce mode de financement. Quoi qu'on ait dit, ce type de munificence demeurait donc une des causes importantes

---

143. *I. L. Tun.*, 1500, complétant *I.L. Afr.*, 573, a et b. (*Thugga* – P. –, n. 12).

144. *C.*, 23849 (*Biracsaccar* – P. –, n. 2).

145. *A.E.*, 1946, 107 (*Cuicul* – N. –, n. 15).

146. *A.E.*, 1911, 110 + *A.E.*, 1946, 112 (*Cuicul* – N. –, n. 20) ; *C.*, 2242 (*Mascula* – N. –, n. 8)

147. Constructions : *supra*, n. 141. Restauration : *C.*, 16400 (*Mustis* – P. –, Henchir Haouïa –, n. 8). Travaux indéterminés : *C.*, 781 (*Apisa Maius* – P. –, n. 4) ; *C.*, 14341 = 25444 (*Res publica Bihensis Bilt* --- P., Henchir Béhia, n. 2) ; *I. L. Alg.*, I, 255 = *C.*, 5336 (*Calama* – P. –, n. 7).

148. *C.*, 4767 = 18701 = *I.L.S.*, 5571 ; notice *Macomades* – N. –, n. 5.

149. *C.*, 8324 = *I.L.S.* 5535, notice *Cuicul* – N. –, n. 23. (entre 367 et 372). Il avait déjà offert la *basilica uestiaria* (marché aux étoffes) entre 364 et 367 (*C*, 20156 = *I.L.S.*, 5536 ; notice *Cuicul*, n. 16). La réapparition de l'évergétisme sous Valentinien 1er montre que les particuliers, comme les cités, bénéficiaient de la conjoncture favorable.

de l'enrichissement et de l'entretien du patrimoine monumental des
cités africaines.

*L'époque de Gratien et de Théodose Ier : le maintien de la prospérité
(375-395).*

On peut situer de quarante-cinq à cinquante chantiers durant la
période de dix-neuf ans qui sépare la mort de Valentinien Ier (17 novembre 375) et celle de Théodose (17 janvier 395), soit un indice moyen
d'activité de 23, contre 41 sous Valentinien Ier. Il y eut donc un ralentissement de l'activité. Toutefois, ce ne fut sensible qu'à partir de 383. Durant
les huit premières années après la mort de Valentinien Ier, on peut
compter de vingt-neuf à trente-quatre chantiers, soit un indice d'activité
de 31 à 36,5[150]. Pour les onze années suivantes, on en connaît de seize
à dix-neuf, soit un indice de 12,5 à 14,5. On constate donc une diminution
progressive du nombre des constructions et restaurations entre 375 et
395. Ce déclin était seulement relatif : n'oublions pas que, durant les
quarante-neuf années de règne de Constantin et de ses fils, l'indice
moyen d'activité ne fut que de 8. De toute manière, la grande campagne
de restaurations menée sous Valentinien Ier avait porté ses fruits et il
n'était pas besoin de la renouveler de sitôt. La politique fiscale des
empereurs à l'égard des cités ne paraît pas avoir changé. La paix régnait
alors dans l'Afrique romaine ; la seule question qui agitait les esprits
était le schisme donatiste, mais la tolérance instaurée par Julien et
maintenue par Valentinien avait permis à cette église de vivre des jours
paisibles et de faire de nombreux adeptes ; elle avait, du coup, beaucoup
perdu de son agressivité du temps de Constant et tendait à devenir,
selon l'expression d'un historien contemporain, « l'église établie de
Numidie[151] ». Divers édits impériaux furent émis contre la secte, mais
ils semblent n'avoir guère eu d'application avant les dernières années
du règne de Théodose. De toute évidence, la crise qui affectait alors
gravement certaines régions de l'Empire, comme les Balkans ou la Gaule,
épargnait l'Afrique. En 397, Honorius évoquait dans un rescrit au proconsul Probinus « ces villes à la situation magnifique, riches du nombre
souhaité de curiales[152] ». Nul doute que cet état de choses était considéré
comme fort enviable dans le monde romain d'Occident durant les dernières années du IVe siècle.

De quatre à sept constructions d'édifices nouveaux sont connues, soit
un chantier sur dix au maximum, au lieu d'un sur quatre sous Valentinien Ier : sur ce plan, le ralentissement de l'activité est très sensible. Il

---

150. Ces huit années virent même une activité nettement supérieure aux huit
précédentes, dont l'indice n'est que de 14 à 18.

151. Peter BROWN, *La vie de saint Augustin*, trad. franç., p. 267.

152. *C. Th.*, XII, 5, 3. Sur ce texte, voir chapitre I, *supra*, p. 30-31.

est surprenant que quatre de ces nouveaux monuments soient des arcs, constructions inutiles par excellence mais indices de l'importance que l'on continuait d'attacher au décor urbain[153].

Le rôle des évergètes demeure notable : huit chantiers furent financés par leur munificence, dont sept restaurations[154]. A Thugga, un ancien curateur restaura l'adduction d'eau et un nymphée entouré de portiques « pour l'honneur du flaminat » ; il restaura aussi un bâtiment indéterminé « pour l'honneur du duumvirat » ; il est significatif de constater l'existence si tardive, à Thugga, de cette *munificentia ob honorem*[155]. A Uchi Maius, c'est également un flamine perpétuel qui finança une restauration. L'inscription le dit « fortifié par l'honneur ancestral » ; entendons que ses ascendants avaient déjà reçu des dignités municipales et montré leur reconnaissance par des actes d'évergétisme ; mais le flamine du temps de Théodose affirmait qu'il avait dépassé la générosité de ses ancêtres[156].

Le texte le plus remarquable a été trouvé à Lambèse. Il commémore la restauration de la curie et de l'adduction d'eau aux frais de l'ancien duumvir et curateur L. Silicius Rufus, entre 379 et 383. L'inscription s'ouvre par une formule proche de celle qui fut gravée à Mascula sous Valentinien Ier et Valens[157]. Elle évoque « non seulement les édifices tombés en ruine et qui sont restaurés, mais aussi les nouveaux bâtiments construits pour le bonheur de tous » à « l'âge d'or » des empereurs régnants. L'évergète avait offert la reconstruction de la curie « que nos ancêtres ont appelée à juste titre le temple de l'*ordo*[158] » et qui s'écroulait à cause de l'incurie des générations précédentes ; de même, la restauration de l'adduction d'eau avait permis de remédier à un tarissement des fontaines. Cette inscription montre qu'on avait toujours conscience, au temps de Gratien, de l'importance des travaux publics effectués dans les cités d'Afrique. Surtout elle est un important témoignage sur la persistance de l'ancien esprit municipal. Il s'exprime par l'exaltation

---

153. Arcs construits au Henchir et Abiod (*municipium ---lense* – N. –, *A.E.*, 1909, 223 + *A.E.*, 1933, 159 ; notice, n. 2) ; à Ghardimaou (– P. –, *C.*, 14728 ; notice, n. 1) ; au Henchir el Goussa (– N. –, *C.*, 17616 = 10702 ; notice, n. 3) ; à Thibilis (– N. –, *I.L. Alg.*, II, 2, 4677 ; notice, n. 22). Le cinquième édifice construit est une basilique civile à Vaga (– P. –, *C.*, 14398 = *C.*, 1219 + *I.L. Tun.*, 1226 ; notice, n. 10).

154. *C.*, 2216 = 17611 (*Chéria* – N. –, n. 1) ; *C.*, 14728 (*Ghardimaou* – P. –, n. 1) ; *C.*, 18328 = *I.L.S.*, 5520 (*Lambaesis* - N. –, n. 17) ; *C.*, 20266 = 8393 (*Satafis* – M.S. –, n. 3) ; *C.*, 26568 + *I.L. Afr.*, 533 (*Thugga* - P. –, n. 13 ; *C.*, 26569 (*Thugga*, n. 14) ; *C.*, 14346 = *I.L.S.*, 5556 (*Hr. Tout el Kaya* – P. –, n. 1).

155. *C.*, 26568 + *I.L. Afr.*, 533 (notice *Thugga* – P. –, n. 13).

156. *C.*, 15453 + 26267 (notice *Uchi Maius* – P. –, n. 9) : ... *auito honore suffultus, hac liberalitate potiore...*

157. *C.*, 18328 = *I.L.S.*, 5520 ; notice *Lambaesis* – N. –, n. 17. Sur l'inscription parallèle de Mascula, voir *supra*, n. 139 et 140.

158. *Loc. cit.*, : ... *curia igitur ordinis, quam maiores nostri merito templum eiusdem ordinis uocitari uoluerunt...*

de son symbole, la curie « temple de l'*ordo* », par la description enthousiaste de la beauté et du confort urbains retrouvés, par l'évocation du
prestige qui s'attache toujours à l'évergétisme des dignitaires. Nul doute
qu'au spectacle de l'incontestable renaissance de leurs villes dans la
seconde moitié du ive siècle, les Romano-Africains aient mal perçu la
gravité des menaces qui pesaient sur cette prospérité.

Le déclin définitif sous Honorius et Valentinien III.

La chancellerie d'Honorius, nous l'avons vu, se félicitait encore dans
un rescrit daté de 397 de la prospérité des villes africaines[159]. Pourtant,
la statistique des travaux publics connus montre un très net déclin.
Pour les vingt-huit ans et demi du règne d'Honorius après la mort de
Théodose (395-423), on compte de 16 à 18 chantiers, dont de 13 à 15 dans
la seule Proconsulaire, les trois autres étant en Numidie. Le taux de
construction est inférieur à tous ceux que nous avons établis depuis 276,
la crise des années 305-312 mise à part. L'Afrique connut alors de graves
désordres qui purent avoir une incidence sur ce déclin. La révolte du
comte d'Afrique Gildon en 397 entraîna une guerre ; Stilichon envoya
contre le révolté son frère Mascezel, de même que Théodose l'Ancien
avait utilisé Gildon contre leur autre frère Firmus. En 398, une bataille
eut lieu, quelque part entre Theveste et Ammaedara ; Gildon fut battu
et capturé peu après à Thabraca. Il mourut en prison[160]. Des tribus
berbères s'étaient jointes à lui mais il ne suscita pourtant pas la révolte
presque générale des peuples de Maurétanie qu'avait réussi à allumer
son frère Firmus. Il reçut cependant l'appui de certains donatistes, tel
le farouche évêque de Thamugadi Optat, qui fut arrêté et mis à mort
après la défaite du révolté. L'absence totale de témoignages épigraphiques
sur la vie municipale à Timgad à partir des années 370 est probablement
en rapport avec ces événements ; cette ville fut, jusque dans les années
420, la citadelle du schisme et l'évêque donatiste semble y avoir dirigé
la vie locale et la résistance victorieuse contre les mesures impériales.

C'est une véritable guerre religieuse qui se déchaîna, spécialement en
Numidie, quand sous l'impulsion des évêques Aurelius de Carthage et
Augustin d'Hippone, l'église catholique lança une offensive résolue pour
ramener les donatistes à l'unité en faisant appliquer les décisions impériales et en en suscitant de nouvelles. La conférence de Carthage en 411
vit le triomphe de la cause catholique. Les donatistes répondirent par la
violence et les circoncellions réapparurent, en limitant le plus souvent

---

159. *Cf. supra*, p. 30-31 et 106.

160. Comte d'Afrique depuis 386, il favorisa les donatistes et empêcha l'application
contre eux des mesures impériales. Il rompit, au début de sa révolte, avec l'Empire
d'Occident et plaça l'Afrique dans l'allégeance de Constantinople. Récit des événements et analyse des sources dans E. Stein, *Histoire du Bas-Empire*, trad. franç.,
Paris, 1959, t. I, p. 231-233 et 542-543.

leur action aux voies de fait contre les clercs catholiques. Après 411, l'église schismatique connut un rapide déclin. Aurelius et Augustin avaient gagné la partie, mais au prix de troubles et de ressentiments qui avaient beaucoup perturbé la vie de l'Afrique romaine[161].

Ces troubles, pourtant, ne furent pas la cause principale du déclin des chantiers urbains. Il faut chercher celle-ci dans la crise catastrophique que traversait alors le monde romain, le déferlement des invasions, en particulier en Gaule et dans les Balkans. Le sac de Rome par Alaric inaugura une série de convulsions qui aboutirent à la disparition de l'Empire d'Occident. L'Afrique, jusqu'au débarquement des Vandales en 429, demeura un îlot de paix et donc de prospérité relative, une terre d'asile pour les réfugiés romains lors de l'invasion d'Alaric[162]. Cependant, elle ne pouvait pas ne pas ressentir le contre-coup des événements européens. Tout particulièrement, l'exportation des produits agricoles, l'huile surtout, qui constituait une source essentielle de revenus, fut à coup sûr gravement perturbée. Comment, dans ce contexte, expliquer la remontée du nombre des chantiers en Proconsulaire dans la période 408-423 ? Alors qu'on recense dans cette province de quatre à six chantiers de 395 à 408, on en connaît dix durant les quatorze années suivantes, soit une moyenne annuelle légèrement supérieure. Si on refuse de ne faire intervenir que le hasard des découvertes, on peut mettre cette interruption momentanée du déclin en rapport avec la rémission que connut l'Occident quand se stabilisa la grande vague des invasions, à partir de 410, rémission qu'interrompit Genséric en envahissant l'Afrique à partir de 429.

Le plus surprenant demeure qu'on se soit encore préoccupé d'entretenir et même d'enrichir le patrimoine monumental des villes africaines durant ces années terribles. Ainsi, entre 395 et 408, un évergète fit restaurer à fond les thermes d'hiver de Thuburbo Maius[163]. A Tichilla (Proconsulaire) en 413-414, les décurions et le peuple firent une souscription (*conlatio*) pour restaurer les thermes et d'autres édifices publics[164]. A Membressa, entre 412 et 414, les thermes furent ornés de statues, on refit les bassins et leurs mosaïques[165]. Pas moins de trois inscriptions mentionnent des travaux publics à Cirta entre 395 et 423[166]. A Madaure, on répara le

---

161. Sur ces événements, voir P. Monceaux, *Hist. litt. de l'Afr. chrét.*, t. 4, p. 52-97 ; 353-425 et S. Lancel, dans *Actes de la conférence de Carthage en 411, S.C.*, 194, Paris, 1972, t. 1, Introduction, p. 9-287. Sur l'initiative de l'offensive prise par les évêques catholiques, voir Peter Brown, *La vie de saint Augustin*, p. 267-274 ; cet auteur (p. 271) estime que les violences des donatistes « n'atteignaient au paroxysme que pour répondre à l'emploi de la force par les catholiques ».

162. Augustin, *De civ. Dei*, I, 32, 21, *C.C.*, 47, p. 32 ; *Epist.*, 124-126 ; *Vie de sainte Mélanie*, 19-21, éd. Gorce, *S.C.*, 90, p. 163-173.

163. *I.L. Afr.*, 276 ; notice *Thuburbo Maius* – P. –, n. 14. Cet évergète, Salvianus, était un aristocrate de Carthage.

164. *I.L. Afr.*, 492 ; notice *Tichilla* – P. –, n. 5.

165. *C.*, 25837 ; notice *Membressa* – P. –, n. 3.

166. *I.L. Alg.*, II, 1, 653 = *C.*, 7068 ; notice *Cirta* – N. –, n. 17. *I. L. Alg.*, II, 1, 599 = *C.*, 7017 ; notice, n. 18. *I.L. Alg.*, II, 1, 600 = *C.*, 7018 ; notice, n. 19.

forum et les édifices qui le bordaient ainsi que le proscenium du théâtre, le tout aux frais d'un curateur évergète, en 399-400[167]. Encore à Madaure, en 407-408, une salle des grands thermes fut reconstruite, toujours aux frais d'un curateur évergète[168].

Il semble donc bien qu'on chercha à tout prix à maintenir la vie urbaine et municipale en Afrique, malgré la baisse des revenus consécutive aux invasions en Europe. On sauvegarda les plaisirs de la ville et certains aristocrates locaux gardèrent le goût de la munificence. Le maintien, même réduit, de cette forme de vie et d'activité est le meilleur témoignage sur la situation privilégiée de l'Afrique jusqu'en 429. La seule construction en rapport avec la menace barbare est, en 425, celle des remparts de Carthage, qui devaient se révéler bien inefficaces en 439[169].

L'impression de prospérité durable s'accroît à la lecture des diatribes des Pères de l'Église contre les spectacles. A Carthage, en 409, saint Augustin prêcha contre une série de spectacles qui se déroulaient à l'amphithéâtre, au théâtre et au cirque[170]. Il évoqua les *editores* qui offraient des chasses dans l'amphithéâtre et devaient parfois, pour faire face à la dépense, vendre des domaines ruraux[171]. En 399, Honorius avait rappelé au proconsul d'Afrique Apollodore que les *uoluptates*, c'est-à-dire les spectacles, n'étaient pas concernées par l'interdiction du paganisme[172].

Nous savons par le témoignage de l'évêque Quotvultdeus qu'en 439, alors que Genséric tenait presque toute l'Afrique, la population de Carthage s'entassait toujours dans les lieux de spectacle[173]. Il semble que, jusqu'au bout, les Romano-Africains voulurent nier la menace de l'invasion germanique et vivre comme auparavant. Il est permis de penser que l'argent ainsi gaspillé eût été mieux utilisé à préparer la défense commune. Mais nous devons aussi constater que cette permanence de la vie urbaine traditionnelle supposait, dans le premier tiers du ve siècle, un maintien de la prospérité économique, c'est-à-dire des revenus de la terre. Nous avons étudié plus haut la constitution émise en 422 par la chancellerie d'Honorius et donnant des statistiques sur la répartition des terres cultivées et des friches sur les domaines impériaux de Proconsulaire et de Byzacène. Nous avons noté que, contraire-

---

167. *I.L. Alg.*, I, 2107 ; notice *Madauros* – P. –, n. 14.

168. *I.L. Alg.*, I, 2108 ; notice *Madauros* – P. –, n. 15.

169. La construction de ces remparts n'est connue que grâce aux sources littéraires, en particulier la *Chronica Gallica* a. 452, *M.G.H.*, *a.a.*, 9, p. 658 ; notice *Karthago*, n. 24.

170. AUGUSTIN, *En. in ps.* 80 ; 102 ; 103 (1-4) ; 146 ; 147. Sur ces textes et leur datation, grâce aux travaux d'A.-M. La Bonnardière, voir notice *Karthago*, n. 133-144.

171. *En. in ps.* 80, 7 : « Plangunt plerique editores, uendentes uillas suas. »

172. *C. Th.*, XVI, 10, 17 = *C. Just.*, 1, 11, 4.

173. QUODVULTDEUS, *Sermo de tempore barbarico*, I, 1, *P.L.* 40, 700.

ment à l'avis de beaucoup de commentateurs, ce document ne témoigne pas d'une décadence agricule particulière[174]; l'Afrique, à la veille de l'invasion vandale n'était nullement un pays ruiné. Certes, nous constatons un effondrement des chantiers urbains dans l'ultime période, sous Valentinien III, entre 423 et 439. Mais, pour tout le premier tiers du ve siècle, il faudrait, si l'on veut avoir une idée exacte de l'activité des chantiers urbains, ajouter les églises chrétiennes qui se multiplièrent alors et prirent des dimensions de plus en plus considérables. Bien sûr, nous sommes ici en dehors de la sphère municipale, les églises étant bâties aux frais de la communauté chrétienne et non de la cité ; mais les ressources avaient la même provenance, c'est-à-dire, pour l'essentiel, les rentes du sol. De plus, les riches offraient des édifices du culte chrétien, comme ils avaient offert des temples et des monuments municipaux. A Carthage, en 409, saint Augustin suggérait aux évergètes qui offraient des sommes considérables pour les spectacles de remettre plutôt cet argent à l'évêque, pour des constructions d'églises[175]. L'évergétisme prenait de nouvelles formes, qui, pour être extra-municipales, n'en contribuaient pas moins à la parure des villes. Nul doute que ceci ne fut une cause de la diminution du nombre des chantiers municipaux ; mais l'importance et le nombre de cet autre type de constructions montre que les revenus n'avaient pas subi, malgré les malheurs du reste de l'Occident, de baisse catastrophique.

Mais, entre le débarquement en Tingitane en mai 429 et la prise de Carthage en octobre 439, progressa à travers l'Afrique romaine un ennemi résolu qui devait laisser son nom à la destruction des monuments du passé. Comparés à cette dramatique agression, les aléas de l'histoire urbaine africaine durant les 150 années précédentes peuvent paraître des faits d'importance médiocre. Un des mérites de Christian Courtois est d'avoir montré une permanence, dans le royaume vandale, de la vie urbaine et d'une relative richesse. C'est la renaissance économique et urbaine qu'avait connue l'Afrique depuis le règne de Dioclétien qui permit cette survie partielle, par-delà la catastrophe.

---

174. *C. Th.*, XI, 28, 13. *Cf. supra*, chap. I, p. 31-33.
175. *En. in ps.* 102, 12-13. Sur ces problèmes, voir *infra*, chap. VIII, p. 382-385.

APPENDICE

Références des 236 inscriptions datées mentionnant des chantiers publics
municipaux

(les numéros suivant les noms des villes renvoient aux notes des notices sur les
cités rassemblées dans le tome II).

ÉDIFICES PUBLICS CONSTRUITS OU RESTAURÉS SOUS LES RÈGNES DE
PROBUS, CARUS, CARIN ET NUMÉRIEN (276-285)

Total : 6

Byzacène : 3
— Construction : Capsa, 8 (*C.*, 100 = 11228).
— Restauration simple : Pupput, 4 (deux édifices ; *C.*, 24095 = *I.L.S.*,
5361).

Numidie : 3.
— Constructions : Cuicul, 13 (*B.C.T.H.*, 1911, p. 110) — Verecunda, 4
(*C.*, 4221 = *I.L.S.*, 609 et *C.*, 4222).
— Restauration importante : Lambaesis, 9 (*C.*, 2661 = *I.L.S.*, 5788).

Proconsulaire, Tripolitaine, Maurétanies Sitifienne et Césarienne : Néant.

ÉDIFICES PUBLICS CONSTRUITS OU RESTAURÉS SOUS DIOCLÉTIEN DE 285
A FÉVRIER 293

Total : 31 ou 32.

Afrique Proconsulaire : 13.
— Constructions : Thubursicu Numidarum, 5 (*I.L.Alg.*, I, 1241) —
Thugga, 6 (*C.*, 15507 + 26574 a + *I.L.Afr.*, 513).
— Restaurations importantes : Bulla Regia, 6 (deux édifices ; *C.*, 25520) —
Calama, 5 (*I.L.Alg.*, I, 179 = *C.*, 5290 = *I.L.S.*, 5477).
— Restaurations simples : Madauros, 6 (*I.L.Alg.*, I, 2048) — Naraggara,
4 (*I.L.Alg.*, I, 1187 = *C.*, 10766 = 16812) — Thagura, 3 (*I.L.Alg.*, I,
1032 = *C.*, 4645) — Thubursicu Numidarum, 6 (*I.L.Alg.*, I, 1241).
— Travaux indéterminés : Aunobaris, 2 (*C.*, 15564 = 27397) — Karthago,
22 a (*C.*, 24559 a) — Cit--- (*Sidi Ahmed el Hachemi*), 1 (*C.*, 27816) — Madauros, 7 (*A.E.*, 1933, 60).

Byzacène : 9.
— Constructions : Segermes, 2 (*C.*, 906 = 11167 = 23062) — Thala, 5
(*C.*, 23291) — Thala, 6 (*C.*, 501).
— Restauration importante : Mididi, 3 (*C.*, 11774).
— Restauration simple : Mactaris, 16 (*C.*, 624 + 23413 + *A.E.*, 1946, 119).

— Travaux indéterminés : Thugga Therebentina, 2 (*C.*, 11768) — Ciuitas A--- (*Ksar Mdoudja*), 2 (deux édifices ; *C.*, 23657 et 23658) — *Ksar el Hammam*, 1 (*I.L.Afr.*, 90).

Tripolitaine : Néant.

Numidie : 8 ou 9.
— Constructions : Ad Maiores, 6 (*C.*, 2480 et 2481 + 17970) — Thibilis, 20 (peut appartenir à la période suivante ; *I.L.Alg.*, II, 2, 4656 = *C.*, 18901).
— Restaurations simples : Lambaesis, 10 (*C.*, 2660 = *I.L.S.*, 5787) — *Hr. Tamarit*, 2 (Kolbe, *Statthalter*, p. 30) — Thamugadi, 11 (deux édifices ; Kolbe, *Statthalter*, p. 40) — Verecunda, 5 (*C.*, 4224).
— Travaux indéterminés : Cedia, 2 (*C.*, 10727 = 17655) — Lambaesis, 12 (*A.E.*, 1917-1918, 30).

Maurétanie Sitifienne : Néant.

Maurétanie Césarienne : 1.
— Construction (reconstruction après faits de guerre) : Auzia, 9 (*C.*, 9041 = *I.L.S.*, 627).

ÉDIFICES PUBLICS CONSTRUITS OU RESTAURÉS SOUS DIOCLÉTIEN A L'ÉPOQUE TÉTRARCHIQUE (DE MARS 293 A AVRIL 305)

Total : 29 ou 30.

Afrique Proconsulaire : 18.
— Constructions : Agbia, 4 (*C.*, 1550 = 15552 — *El Lèhs*, 1 (*C.*, 16457) — *Dj. Skrira*, 1 (*C.*, 25895) — Thignica, 4 (*C.*, 1411 = 14910 + *I.L.Tun.*, 1308) — Thugga, 7 (*C.*, 26566) ; 8 (*C.*, 26562 + *I.L.Afr.*, 531) ; 11 (*C.*, 15516 et 15517).
— Restaurations simples : Ammaedara, 5 (*C.*, 309 = 11532) ; 6 (*I.L.Tun.*, 461) — Karthago, 9 (*I.L.Afr.*, 365) — Castellum Ma....rensium, 1 (*C.*, 17327) — Thabraca, 8 (*C.*, 17329) — Theveste, 7 (*I.L.Alg.*, I, 3051 = *C.*, 1862) — Thugga, 9 (*C.*, 26472) — Vaga, 9 (*C.*, 14401 + *I.L.Afr.*, 441).
— Travaux indéterminés : Sabzia, 2 (*C.*, 23124) — Thubursicu Bure, 5 (*C.*, 15258 = 25995 + *I.L.Tun.*, 1334) — Thugga, 10 (*C.*, 1489).

Byzacène : 3.
— Constructions : Mididi, 5 (*C.*, 608 = 11772 = *I.L.S.*, 637) — Sufetula, 8 (*C.*, 232 = 11326) — Thysdrus, 10 (datation hypothétique ; *C.*, 51).

Tripolitaine : Néant.

Numidie : 5 ou 6.
— Constructions : Macomades, 3 (*C.*, 4764 = 18698 = *I.L.S.*, 644) — Thibilis, 20 (peut appartenir à la période précédente ; *I.L.Alg.*, II, 2, 4656 = *C.*, 18901).
— Restaurations simples : Cuicul, 14 (*A.E.*, 1920, 15) ; Thamugadi, 12 (*B.C.T.H.*, 1907, p. 274).
— Travaux indéterminés : Casae, 4 (*C.*, 4324) — Macomades, 4 (*C.*, 4766 = 18700).

Maurétanie Sitifienne : 1.
— Construction : Sitifis, 7 (*A.E.*, 1928, 39).

Maurétanie Césarienne : 2.
— Restauration importante : Rapidum, 3 (*C.*, 20836 = *I.L.S.*, 638).
— Restauration simple : Albulae, 1 (*C.*, 21665).

Nous ne possédons aucune mention de chantier municipal entre l'abdication de Dioclétien et de Maximien (1er mai 305) et la victoire de Constantin sur Maxence (28 octobre 312).

ÉDIFICES PUBLICS CONSTRUITS OU RESTAURÉS SOUS CONSTANTIN, DE LA VICTOIRE SUR MAXENCE A LA RUPTURE AVEC LICINIUS (312-324)

Total : 9 ou 10.

Afrique Proconsulaire : 6.
— Construction : Karthago, 12 (*C.*, 24582).
— Restauration importante : Belalis Maior, 9 (A. Mahjoubi, *Recherches d'histoire et d'archéologie à Henchir el Faouar : la cité des Belalitani Maiores*, Tunis, 1978, p. 168).
— Travaux indéterminés : Agbia, 5 (*C.*, 27415) — Karthago, 22 b (*C.*, 24562) — Lares, 5 (*C.*, 1781) — Vallis, 7 (*C.*, 1277 = *I.L.S.*, 6809).

Byzacène : 1.
— Restauration simple : Cillium, 5 (*C.*, 210 = *I.L.S.*, 5570).

Tripolitaine : Néant.

Numidie : 2.
— Restaurations simples : Mascula, 4 (*C.*, 2241) et 5 (*A.E.*, 1911, 217).

Maurétanie Sitifienne : 1 (?)
— Restauration simple : Igilgili, 3 (peut appartenir à la période suivante ; *C.*, 8370 = 20211).

Maurétanie Césarienne : Néant.

ÉDIFICES PUBLICS CONSTRUITS OU RESTAURÉS SOUS CONSTANTIN APRÈS LA RUPTURE AVEC LICINIUS (324-337)

Total : 15 ou 16.

Afrique Proconsulaire : 10.
— Construction : Thignica, 5 (*C.*, 1408).
— Restaurations importantes : Belalis Maior, 7 (deux édifices ; *C.*, 14436 = *I.L.S.*, 5518) — Karthago, 10 (deux édifices ; *C.*, 12524) — Thubursicu Numidarum, 7 (*I.L.Alg.*, I, 1273 = *C.*, 4878 = *I.L.S.*, 2943).
— Restaurations simples : Karthago, 13 (*C.*, 24521) — Thagura, 4 (*I.L.Alg.*, I, 1033 = *C.*, 28065).

— Travaux indéterminés : Thubursicu Bure, 6 (*C.*, 15269) — Utique, 13 (*C.*, 1179).

Byzacène : 3.
— Construction : *Hr. El Left*, 1 (*A.E.*, 1949, 49 ; ce chantier peut ne pas être municipal).
— Restauration simple : Thysdrus, 14 (*C.*, 22853).
— Travaux indéterminés : Chusira, 4 (*C.*, 699 = 12123).

Tripolitaine : 2.
— Restaurations simples : Lepcis Magna, 15 (*I.R.T.*, 468) ; 16 (*I.R.T,*. 467).

Numidie : Néant.

Maurétanie Sitifienne : 1 (?)
— Restauration simple : Igilgili, 3 (peut appartenir à la période précédente ; *C.*, 8370 = 20211).

Maurétanie Césarienne : Néant.

ÉDIFICES PUBLICS CONSTRUITS OU RESTAURÉS SOUS LES FILS DE CONSTANTIN AVANT LA MORT DE CONSTANT (337-350)

Total : 10.

Afrique Proconsulaire : 5.
— Restauration importante : *Hr. Haouli*, 1 (*I.L.Tun.*, 622).
— Restaurations simples : Avitta Bibba, 5 (*C.*, 12272) — Zattara, 3 (*I.L.Alg.*, I, 534 = *C.*, 5178 = 17268).
— Travaux indéterminés : Karthago, 14 (*I.L.Tun.*, 1093) — Sicca Veneria 21 (castellum de *Hr. Sidi Merzoug* ; *C.*, 15723).

Byzacène : Néant.

Tripolitaine : 4.
— Restaurations simples : Lepcis Magna, 17 (*I.R.T.*, 470) ; 18 (*I.R.T.*, 569 = *C.*, 22672 = *I.L.S.*, 9408) — Sabratha, 9 (*I.R.T.*, 59) ; 10 (*I.R.T.*, 7).

Numidie et Maurétanie Sitifienne : Néant.

Maurétanie Césarienne : 1.
— Construction : Altava, 40 (*A.E.*, 1935, 86 = Marcillet, 67).

ÉDIFICES PUBLICS CONSTRUITS OU RESTAURÉS SOUS LE RÈGNE DE CONSTANCE II, DE 350 A 361

Total : 12.

Afrique Proconsulaire : 8.
— Restauration importante : Thubursicu Numidarum, 8 (355-361 ; *I.L.Alg.*, I, 1275).

— Restaurations simples : Theveste, 8 (355-361 ; deux édifices ; *I.L.Alg.*, I, 3052 = *C.*, 1860 = 16505) — Thuburbo Maius, 11 (355-361 ; *I.L.Afr.*, 273 a et b).
— Travaux indéterminés : Calama, 6 (355-361 ; *I.L.Alg.*, I, 255 = *C.*, 5336) — Mustis, 5 (*I.L.Tun.*, 1557) — Sicca Veneria, 8 (355-361 ; *C.*, 27571) — Thagura, 5 (355-361 ; *I.L.Alg.*, I, 1034 = *C.*, 4646).

Byzacène : 1.
— Restauration importante : Sufetula, 9 (*C.*, 242 = 11334 + *I.L.Afr.*, 116).

Tripolitaine : 2.
— Restaurations simples : Lepcis Magna, 19 (355-361 ; *I.R.T.*, 562) ; 20 (355-361 ; *I.R.T.*, 565).

Numidie et Maurétanie Sitifienne : Néant.

Maurétanie Césarienne : 1.
— Restauration importante : *Mouzaïa* (Elephantaria ?), 4 (*C.*, 9282).

ÉDIFICES PUBLICS CONSTRUITS OU RESTAURÉS SOUS LES RÈGNES DE JULIEN ET DE JOVIEN (361-364)

Total : 10.

Afrique Proconsulaire : 7.
— Restaurations importantes : Madauros, 8 (*I.L.Alg.*, I, 2100) — Thubursicu Numidarum, 11, 12 et 13 (trois inscriptions pour une seule opération ; *I.L.Alg.*, I, 1285 ; 1229 ; 1247 = *I.L.S.*, 9357).
— Restaurations simples : Ammaedara, 8 (*C.*, 310) — Bulla Regia, 7 (*C.*, 25521) — Karthago (?), 15 (*A.E.*, 1955, 55) — Thubursicu Numidarum, 9 (*I.L.Alg.*, I, 1276).
— Travaux indéterminés : Thagura, 6 (le seul ouvrage daté du règne de Jovien ; *I.L.Alg.*, I, 1035 = *C.*, 4647 = *I.L.S.*, 756).

Byzacène et Tripolitaine : Néant.

Numidie : 1.
— Construction : Cirta, 9 (*I.L.Alg.*, II, 1, 624 = *C.*, 7037).

Maurétanie Sitifienne : 2.
— Restaurations simples : Satafis, 2 (*C.*, 20267 + *Rec. de Const.*, 1908, p. 280-281) — Sitifis, 8 (*C.*, 8482).

Maurétanie Césarienne : Néant.

ÉDIFICES PUBLICS CONSTRUITS OU RESTAURÉS SOUS LE RÈGNE DE VALENTINIEN Ier ET DE VALENS, AVANT L'AVÈNEMENT DE GRATIEN (364-367)

Total : 28.

Afrique Proconsulaire : 10.
— Restauration importante : Madauros, 9 (*I.L.Alg.*, I, 2101).

— Restaurations simples : Calama, 8 (*I.L.Alg.*, I, 256 = *C.*, 5335 =
I.L.S., 5730) — Madauros, 10 (*I.L.Alg.*, I, 2102) — Mustis, 6 (*I.L.Tun.*,
1538 b) et 7 (*I.L.Tun.*, 1542 = *C.*, 15581).
— Travaux indéterminés : Apisa Maius, 4 (*C.*, 781) — Aradi, 2 (*C.*, 23863)
— Respublica Bihensis Bilt---, 2 (*Hr. Baïa ou Béhia* ; *C.*, 14341 = 25444)
— Calama, 7 (*I.L.Alg.*, I, 255 = *C.*, 5336) — Lares, 6 (*C.*, 1782 = 16320).

Byzacène : 2.
— Construction : Sufetula, 10 (*C.*, 234 = 11329 + *A.E.*, 1958, 158).
— Restauration importante : Taparura, 1 (*C.*, 22830).

Tripolitaine : Néant.

Numidie : 16.
— Constructions : Cuicul, 15 (*A.E.*, 1946, 107) ; 16 (*C.*, 20156 = *I.L.S.*,
5536) ; 20 (*A.E.*, 1911, 110 + *A.E.*, 1946, 112) — Macomades, 5 (*C.*, 4767
= 18701 = *I.L.S.*, 5571) — Mascula, 8 (*C.*, 2242).
— Restaurations importantes : *Hr El Abiod*, 1 (*A.E.*, 1909, 222) —
Lambaesis, 13 (*C.*, 2656) ; 16 (*C.*, 2722 = *I.L.S.*, 5358) — Mascula, 6
(*A.E.*, 1911, 217).
— Restaurations simples : Cirta, 12 (*I.L.Alg.*, II, 1, 595) — Lambaesis,
14 (*C.*, 2735 = 18229) ; 15 (*A.E.*, 1917-1918, 58) — Mascula, 9 (*Rec. de
Const.*, 1898, pp. 380-381) — Thamugadi, 13 (*C.*, 2388 = *I.L.S.*, 5554).
— Travaux indéterminés : Cirta, 10 (*I.L.Alg.*, II, 1, 541 = *C.*, 6975) ;
11 (*I.L.Alg.*, II, 1, 618 = *C.*, 19502).

Maurétanies Sitifienne et Césarienne : Néant.

ÉDIFICES PUBLICS CONSTRUITS OU RESTAURÉS SOUS LE RÈGNE DE VALEN-
TINIEN Ier, DE VALENS ET DE GRATIEN (367-375)

Total : Entre 14 et 18.

Afrique Proconsulaire : 10 ou 11.
— Constructions : Aradi, 5 (*A.E.*, 1955, 52) — Biracsaccar, 2 (*C.*, 23849) —
Thabarbusis, 5 (ou restauration importante ; *I.L.Alg.*, I, 472 = *C.*,
5339 + 17489) — Thugga, 12 (peut appartenir à la période suivante ;
I.L.Afr., 573 + *I.L.Tun.*, 1500).
— Restaurations importantes : Abbir Maius, 4 (*C.R.A.I.*, 1975, pp. 104-
105). — Thabarbusis, 5 (ou construction ; *I.L. Alg.*, I, 472 = *C.*, 5339 +
17489).
— Restaurations simples : Cit--- (*Sidi Ahmed El Hachemi*), 2 (deux
édifices ; *C.*, 27817 = *I.L.S.*, 5557) — Mustis, 8 (au *Hr. Bou Haouïa* ;
C., 16400).
— Travaux indéterminés : Karthago, 16 (*C.*, 12537) — Thuburbo Maius,
12 (*I.L.Afr.*, 274) — Thubursicu Bure, 7 (*C.*, 1447).

Byzacène : 1 ou 2.
— Travaux indéterminés : *Hr. Bou Chebib*, 1 (*A.E.*, 1966, 518) — Sufetula,
12 (peut appartenir à la période suivante ; *I.L.Afr.*, 133).

Tripolitaine : Néant.

118   CONSTRUCTIONS, RESTAURATIONS

Numidie : De 3 à 5.
— Constructions : Cirta, 13 (*I.L.Alg.*, II, 1, 596 = *C.*, 7015 = *I.L.S.*, 5555)
— Cuicul, 23 (*C.*, 8324 = *I.L.S.*, 5535).
— Restauration simple : Cuicul, 25 (*C.*, 10896 = 20157).
— Travaux indéterminés : Cirta, 26 a (peut appartenir à la période
suivante ; *I.L.Alg.*, II, 1, 597 = *C.*, 7016) — Mascula, 16 (peut appartenir
à la période suivante ; *C.*, 2244).

Maurétanies Sitifienne et Césarienne : Néant.

ÉDIFICES PUBLICS CONSTRUITS OU RESTAURÉS ENTRE 375 ET 383 (RÈGNE
DE GRATIEN, EN CORÉGENCE AVEC VALENS ET VALENTINIEN II, PUIS
THÉODOSE)

Total : De 29 à 34.

Afrique Proconsulaire : 19 ou 20.
— Constructions : *Ghardimaou*, 1 (*C.*, 14728) — *Thugga*, 12 (peut appar-
tenir à la période antérieure ; *I.L.Afr.*, 573 + *I.L.Tun.*, 1500) — *Vaga*,
10 (ou restauration importante ; *C.*, 1219 = 14398 + *I.L.Tun.*, 1226).
— Restaurations importantes : Madauros, 12 (*I.L.Alg.*, I, 2103) — *Hr.
Tout El Kaya*, 1 (*C.*, 14346 = *I.L.S.*, 5556) — Vaga, 10 (ou construction ;
C., 1219 = *C.*, 14398 + *I.L. Tun.*, 1226).
— Restaurations simples : Karthago, 18 (*C.*, 24588 et 24589) — Simitthus,
5 (*C.*, 26630) — Thuburbo Maius, 13 (*I.L.Afr.*, 275) — Thugga, 13
(*C.*, 26568 + *I.L.Afr.*, 533) ; 14 (*C.*, 26569) — Tubernuc, 5 (*C.*, 948).
— Travaux indéterminés : Abitinae, 8 (*C.*, 25845) — Res publica Biha
Bilt --- (*Hr. Baïa ou Béhia*), 3 (*C.*, 25545) — Calama, 9 (*I.L. Alg.*, I, 257 =
C., 17519 = 5423 + 5425 + 5427) ; 10 (*I.L. Alg.*, I, 259 = *C.*, 5345 =
17518) ; 11 (*I.L. Alg.*, I, 260 + 261) — Karthago, 19 (*C.*, 12531) et 22 e
(*C.*, 25564) — Madauros, 11 (*I.L. Alg.*, I, 2104 + *B.C.T.H.*, 1925, p. 29) —
Theveste, 11 (*I.L. Alg.*, 3053 = *C.*, 16540).

Byzacène : 1 (?)
— Travaux indéterminés : Sufetula, 12 (peut appartenir à la période
antérieure ; *I.L.Afr.*, 133).

Tripolitaine : 1.
— Restauration importante : Sabratha, 12 (*I.R.T.*, 103).

Numidie : De 8 à 10.
— Constructions : *Hr. El Goussa*, 3 (*C.*, 10702 = 17616) — Thibilis, 22
(deux édifices ; *I.L.Alg.*, II, 2, 4677).
— Restaurations importantes : Lambaesis, 17 (deux ensembles d'édi-
fices ; *C.*, 18328 = *I.L.S.*, 5520).
— Restauration simple : Mascula, 10 (*C.*, 2243).
— Travaux indéterminés : Cirta, 26 a (peut appartenir à la période
antérieure ; *I.L.Alg.*, II, 1, 597 = *C.*, 7016) — *Chéria*, 1 (*C.*, 2216 = 17611)
— Mascula, 11 (*B.C.T.H.*, 1901, p. 309) ; 16 (peut appartenir à la période
antérieure ; *C.*, 2244).

Maurétanie Sitifienne : 1.
— Restauration simple : Satafis, 3 (*C.*, 8393 = 20266).

Maurétanie Césarienne : 1 (?)
— Restauration simple : Caesarea, 12 (peut appartenir à la période
suivante ; *C.*, 9542 = 20990).

ÉDIFICES PUBLICS CONSTRUITS OU RESTAURÉS SOUS LE RÈGNE DE THÉODOSE
APRÈS LA MORT DE GRATIEN (383-395)

Total : De 16 à 19.

Afrique Proconsulaire : De 9 à 11.
— Restaurations simples : Furc... (*Hr. Ben Hassen*) 1 (*C.*, 24044) ; 2
(*I.L.Tun.*, 821) — Karthago, 20 (*A.E.*, 1949, 28) — Dj. *Moraba*, 2
(*C.*, 23968 + 23969) — Thignica, 7 (deux édifices ; *C.*, 1412 = 15204) —
Uchi Maius, 9 et 10 (*C.*, 15453 + 26267).
— Travaux indéterminés : Apisa Maius, 5 (*C.*, 782) — Belalis Maior, 10
(A. MAHJOUBI, *Recherches d'histoire et d'archéologie à Henchir el Faouar* :
la cité des Belatani Maiores, Tunis, 1978, p. 174 ; peut appartenir à la
période suivante) — Furnos Maius, 5 (*I.L. Tun.*, 619) — Theveste, 13
(peut appartenir à la période suivante ; *I.L. Alg.*, I, 3055 = *C.*, 27849).

Byzacène : 1.
— Travaux indéterminés : Abthugni, 4 (*C.*, 928 = 11205).

Tripolitaine : Néant.

Numidie : 5.
— Construction : *Hr. El Abiod*, 2 (*A.E.*, 1900, 223).
— Restauration simple : Cirta, 14 (*I.L. Alg.*, II, 1, 619 = *C.*, 7034 +
I.L. Alg., II, 1, 620).
— Travaux indéterminés : Cirta 15 (*I.L.Alg.*, II, 1, 621 = *C.*, 7035 ;
16 (*I.L.Alg.*, II, 1, 622 = *C.*, 19506) — Cuicul, 26 (*A.E.*, 1913, 23).

Maurétanie Sitifienne : 1.
— Restauration simple : Sitifis, 9 (*C.*, 8480 = *I.L.S.*, 5596).

Maurétanie Césarienne : 1.
— Restauration simple : Caesarea, 12 (peut appartenir à la période
antérieure ; *C.*, 9542 = 20990).

ÉDIFICES PUBLICS CONSTRUITS OU RESTAURÉS SOUS LE RÈGNE D'ARCADIUS
ET D'HONORIUS APRÈS LA MORT DE THÉODOSE (395-408)

Total : De 6 à 8.

Afrique Proconsulaire : De 4 à 6.
— Restaurations importantes : Madauros 14 (deux édifices ; *I.L.Alg.*, I,
2107) — Thuburbo Maius, 14 (*I.L.Afr.*, 276).
— Restauration simple : Madauros, 15 (*I.L.Alg.*, I, 2108).
— Travaux indéterminés : Belalis Maior, 10 (peut appartenir à la période
antérieure ; Mahjoubi, *op. cit.*). — Theveste, 13 (peut appartenir à la
période antérieure ; *I.L.Alg.*, I, 3055 = *C.*, 27849).

Byzacène et Tripolitaine : Néant.

Numidie : 2.
— Restaurations simples : Cirta, 17 (*I.L.Alg.*, II, 1, 653 = *C.*, 7068) ;
18 (*I.L.Alg.*, II, 1, 599 = *C.*, 7017).

Maurétanies Sitifienne et Césarienne : Néant.

ÉDIFICES PUBLICS CONSTRUITS OU RESTAURÉS SOUS LE RÈGNE D'HONORIUS
ET DE THÉODOSE II (408-423)

Total : 10.

Afrique Proconsulaire : 9.
— Construction : Uzali Sar, 8 (*C.*, 1204 = 14331).
— Restauration importante : Calama, 12 (*I.L.Alg.*, I, 263 = *C.*, 5341).
— Restauration simple : Bisica Lucana, 6 (*C.*, 1358) — Casula, 1 (*C.*,
24104) — Tichilla, 5 (*I.L.Afr.*, 492 = *C.*, 25864) — Vallis, 8 (deux
édifices ; *I.L.Tun.*, 1279 = *C.*, 1283 = 14775).
— Travaux indéterminés : Membressa, 3 (*C.*, 25837) — Seressi, 3 (*C.*,
23098 + *I.L.Tun.*, 636).

Byzacène et Tripolitaine : Néant.

Numidie : 1.
— Restauration simple : Cirta, 19 (*I.L.Alg.*, II, 1, 600 = *C.*, 7018).

Maurétanies Sitifienne et Césarienne : Néant.

ÉDIFICES PUBLICS CONSTRUITS OU RESTAURÉS SOUS LE RÈGNE DE THÉO-
DOSE II ET DE VALENTINIEN III, DE 423 A 439

Deux chantiers sont connus, l'un et l'autre en Afrique Proconsulaire.
— Construction : Karthago, 24 (remparts ; *Chronica Gallica a.* 452,
M.G.H., *a.a.*, 9, p. 658).
— Travaux indéterminés : Thaca, 5 (à *Aïn El Ansarine*, dans le *Dj.
Zaghouan* ; *C.*, 24069).

CHAPITRE III

Les institutions municipales

Nous nous proposons d'examiner en premier lieu le cadre institutionnel des cités africaines au Bas-Empire, leur statut juridique, les autorités qui les régissaient, les dignités que revêtaient leurs notables. Nous étudierons donc dans le chapitre suivant le fonctionnement concret de l'organisme municipal.

I — LES STATUTS MUNICIPAUX

L'évolution de leur statut juridique constitue un élément essentiel de l'histoire des cités dans l'empire romain jusqu'au IIIe siècle. On a souvent décrit ce processus d'intégration qui amenait progressivement une cité pérégrine au statut de commune romaine, par l'octroi du rang de municipe : municipe de droit latin mineur ou, à partir d'Hadrien, de droit latin majeur, municipe de citoyens romains, dont l'existence, récemment contestée, semble cependant établie[1]. Le couronnement de

---

1. C'est surtout en Afrique que la documentation épigraphique rend ces études possibles. Le problème a été traité par les éditeurs du tome VIII du *C.I.L.*, par J. Toutain (*Les cités romaines de Tunisie*, Paris, 1895), par T.R.S. Broughton (*The romanization of Africa Proconsularis*, Baltimore, 1929). La question a été renouvelée par les études récentes de H.-G. Pflaum (*La romanisation de l'ancien territoire de la Carthage punique à la lumière des découvertes épigraphiques récentes*, dans *Antiquités Africaines*, 4, 1970, p. 75-118) et de J. Gascou (*La politique municipale de l'empire romain en Afrique Proconsulaire de Trajan à Septime Sévère*, Rome, 1972). L'existence des municipes de citoyens romains hors d'Italie avait été niée par Ch. Saumagne (*Le droit latin et les cités romaines sous l'Empire. Essais critiques*, Paris, 1965) ; cette théorie a été critiquée (à juste titre à notre avis) par J. Gascou (*Municipia ciuium Romanorum*, dans *Latomus*, 30, 1971, p. 133-141) et J. Desanges (*Le statut*

122   *LES INSTITUTIONS MUNICIPALES*

ce cursus était la promotion au rang de colonie honoraire qui assimilait les citoyens de la commune provinciale à ceux de l'*Urbs* et l'obligeait à renoncer à ce qui restait de son droit propre pour adopter intégralement le droit romain.

Bien entendu, la *Constitution Antoninienne* de Caracalla vida ces promotions d'un de leurs principaux avantages : la généralisation de la citoyenneté romaine valait désormais pour les citoyens de toutes les cités, quel que fût leur statut[2]. Pourtant, le gouvernement impérial continua à accorder à des cités, à coup sûr sur leur demande, les statuts de municipe et de colonie. En Afrique, nous pouvons connaître une série de communes qui furent promues du règne de Sévère Alexandre à celui de Gallien (222-268). Sévère Alexandre accorda le rang de colonie honoraire à Uchi Maius et celui de municipe à Giufi[3]. Rucuma (Proconsulaire) devint municipe sous Gordien III, Abbir Cella (Proconsulaire) et Lemellef (future M.S.), sous Philippe l'Arabe[4]. A l'époque de Gallien, qui semble marquer, pour les cités africaines, un certain renouveau au milieu de la grande crise, le statut colonial fut donné à Thugga et à Thubursicu Bure, le rang de municipe à Uzappa (future Byzacène) et, semble-t-il, à Chidibbia (Proconsulaire)[5].

On peut se demander quel intérêt avaient alors ces cités à obtenir des promotions désormais vidées de leur principal intérêt. La solution est, très vraisemblablement, donnée par la *Table de Banasa*. On y voit un noble maure et sa famille recevoir de Marc Aurèle la citoyenneté romaine *saluo iure gentis*, étant sauf le droit du peuple. De même, la promotion des individus à la citoyenneté romaine à la suite de la *Constitution Antoninienne* ne modifiait pas le droit public des collectivités, qu'elles fussent des *populi* ou des *ciuitates*[6]. L'idée que la promotion au rang de

---

des municipes d'après les données africaines, dans *Rev. Hist. de Droit fr. et étr.* 1972, p. 363-373).

2. Sur le nivellement juridique et la perte des caractères spécifiques à chaque cité par suite de l'édit de Caracalla, voir les remarques de W. SESTON et M. EUZENNAT, *La citoyenneté romaine au temps de Marc-Aurèle et de Commode d'après la « Tabula Banasitana »*, dans *C.R.A.I.*, 1961, p. 320.

3. Uchi Maius – P. – : *C.*, 15450 ; 15455 ; 26275 ; 26282 ; notice, n. 2. Giufi – P. – : *C.*, 23995 ; notice, n. 2.

4. Rucuma : *I.L. Tun.*, 1197 ; notice, n. 1. Abbir Cella – P. – : *C.*, 814. Lemellef est *castellum* sous Gordien III (*C.*, 20602) et municipe sous Philippe (*C.*, 8809).

5. Thugga – P. – : *C.*, 1487 = 15506 ; *C.*, 26582 ; notice, n. 4. Thubursicu Bure – P. – : *C.*, 1437 = 15254 ; notice, n. 3. Uzappa – B. – : *A.E.*, 1969-1970, 646 ; notice, n. 3-4. Sur ces promotions du temps de Gallien, voir A. BESCHAOUCH, *Uzappa et le proconsul d'Afrique Sex. Cocceius Anicius Faustus Paulinus*, dans *M.E.F.R.*, 1969, p. 195-218. L'hypothèse d'une promotion de Chidibbia – P. – au rang de municipe sous Gallien a été formulée par H.-G. PFLAUM, *Romanisation*, p. 93 d'après *C.*, 1336. Pour le cas de Thibilis – N. –, voir *infra*, p. 124-125. Liste des municipes et colonies dans l'index général, à la fin du tome II.

6. W. SESTON et M. EUZENNAT, *Un dossier de la chancellerie romaine : la « Tabula Banasitana »*, étude de diplomatique, dans *C.R.A.I.*, 1971, p. 468-490 ; *cf.* l'étude des mêmes auteurs citée *supra*, n. 2.

commune romaine signifiait la fin d'une sujétion, l'assimilation au vainqueur, demeurait vivante même quand eurent disparus les avantages personnels ou fiscaux liés au nouveau statut. On dressait sur le forum de la ville des « symboles de la liberté », statues de Marsyas ou de la Louve romaine[7] ; même après Caracalla, cet état d'esprit demeurait et la disparition des institutions traditionnelles était un sacrifice allègrement supporté, au prix de l'honneur de devenir une communauté gérée à l'image de Rome. On ne trouve plus de sufètes ni d'*undecemprimi* dans les cités africaines après Caracalla : c'est la fin d'une longue survivance des institutions de droit public punique[8]. En théorie, les municipes pouvaient conserver leur droit propre ; Hadrien l'avait rappelé aux habitants d'Utique[9]. En fait, les inscriptions africaines montrent que, partout où le statut de municipe fut accordé, on prit aussitôt les institutions romaines et les duumvirs se substituèrent aux sufètes[10].

On assiste donc, au cours du Haut-Empire, à un nivellement progressif des statuts municipaux. Une à une, les cités pérégrines disparaissaient en Occident ; le mouvement s'accéléra notablement en Proconsulaire sous Septime Sévère et Caracalla. Dès la deuxième moitié du second siècle, Aulu Gelle avouait mal voir la différence concrète entre un municipe (de citoyens romains) et une colonie[11]. Sous Septime Sévère, la promotion au rang de municipe de nombreuses cités de l'ancien territoire de la Carthage punique (la *pertica*) priva la *colonia Iulia Karthago* de la juridiction qu'elle exerçait sur ce territoire par l'intermédiaire des *pagi* et *conuentus* de citoyens romains rattachés à la métropole et dispersés dans les villes et bourgades de l'intérieur[12]. Un processus semblable eut lieu plus tard pour la confédération cirtéenne. Une administration municipale unique dirigeait les quatre colonies de Cirta, Rusicade, Milev et Chullu, ainsi que les *pagi* et *castella* « attribués[13] ». Cette confédération existait encore en 251, au témoignage d'une inscription du *castellum*

---

7. Voir P. Veyne, *Le Marsyas colonial et l'indépendance des cités*, dans *Rev. de Philol.*, 1961, p. 86-98 ; G. Picard, *Les places publiques et le statut municipal de Mactar*, dans *C.R.A.I.*, 1953, p. 80-82. Le souvenir de la signification de ces symboles n'était pas totalement oublié au Bas-Empire, comme le montre la restauration, à Cillium en Byzacène, au temps de Constantin, de sculptures de ce type qualifiées d'*ornamenta libertatis* ... et *uetera ciuitatis insignia* (*C.*, 210 = *I.L.S.*, 5570 ; notice, n. 6 ; voir *infra*, p. 130 et n. 48).

8. Voir C. Poinssot, *Carte des « ciuitates » à sufètes*, dans *Karthago*, X, 1959, p. 93-129, et H.-G. Pflaum, *Romanisation*, p. 85-93.

9. Aulu-Gelle, *Nuits Attiques*, XVI, 13.

10. La seule exception connue est Lepcis Magna, qui était dirigée par des sufètes jusqu'à son élévation au rang colonial par Trajan (*I.R.T.*, 412 ; 353) ; or, sur deux inscriptions antérieures, on peut lire le titre de municipe (*I.R.T.*, 342 et 346 ; notice *Lepcis Magna* – T. –, n. 10-11).

11. Aulu-Gelle, *Nuits Attiques*, XVI, 13.

12. Voir J. Gascou, *Politique municipale*, p. 226-230.

13. Il n'y avait qu'une seule *res publica* pour les quatre colonies (*respubl(ica) IIII col(oniarum) Cirt(ensium)* ; *I.L. Alg.*, II, 1, 564 et 565). Voir P. Veyne, « *Contributio* », *Bénévent, Capoue, Cirta*, dans *Latomus*, 18, 1959, p. 568-592.

de Tiddis[14]. Au moment de la persécution de Dioclétien en 303, elle a disparu ; nous voyons des curateurs différents diriger les confiscations de biens des églises à Cirta, Rusicade, Thibilis, Tigisis[15]. Ainsi, non seulement des colonies « contribuées » comme Rusicade, mais des *pagi* comme Thibilis et Tigisis, avaient accédé à l'autonomie municipale. C'est donc dans le courant de la seconde moitié du IIIe siècle qu'eut lieu le démantèlement de la confédération cirtéenne. Une inscription de Milev évoque cet événement ; il s'agit de l'épitaphe de Commodus, qui fut magistrat de la confédération, puis, après son démantèlement, le premier triumvir et flamine perpétuel de Milev, sa patrie[16]. On constate le maintien de la fonction de triumvir, traditionnelle dans la confédération, mais on ne sait, faute de documents, si elle subsistait au IVe siècle. L'inscription de Milev évoque « la rupture de l'association d'avec les Cirtéens » (*soluta contributione a Cirtensibus*)[17]. Ce texte n'est pas daté ; on aurait pu penser que la date de la dissolution se situait sous le règne de Dioclétien car une décision aussi importante, ramenant au droit commun toute la partie septentrionale de la Numidie, cadrait bien avec l'ampleur des réformes de cet empereur.

Stéphane Gsell et Hans-Georg Pflaum ont pensé que le *pagus* de Thibilis était devenu municipe sous Dioclétien[18]. En effet, la plus récente des inscriptions de la grotte du Taya, où les autorités de Thibilis célébraient annuellement un sacrifice offert au dieu local Bacax, porte la date consulaire correspondant à l'an 284 : le texte évoque toujours deux *magistri*[19]. Or, un milliaire portant les noms de Dioclétien et de Maximien fut élevé par la *r(es) p(ublica) m(unicipii) Thibilitanorum*[20]. D'où l'hypothèse d'une création du municipe à cette époque, due peut-être à un démantèlement contemporain de la confédération cirtéenne. Une nouvelle découverte remet tout en cause : Pierre Salama a trouvé un milliaire portant le nom de Claude II le Gothique (268-270), dédié par le *municip(ium)*

---

14. *I.L. Alg.*, II, 1, 3596.

15. Sur les documents relatant la procédure de persécution, voir *infra*, p. 191-193 et 218-220 ainsi qu'aux notices *Cirta*, n. 37-46 ; *Rusicade*, n. 6 ; *Thibilis*, n. 40 (il s'agit de l'église d'Aquae Thibilitanæ, mais nous pensons que cette agglomération dépendait de Thibilis ; notice, n. 38-39) ; *Tigisis*, n. 8, 10, 11.

16. *C.*, 8210 = *I.L.S.*, 6864 ; notice *Milev*, n. 3.

17. La préposition *a* doit ici s'entendre en son sens primitif d'éloignement et non au sens instrumental.

18. S. GSELL, *Khemissa, Mdaourouch, Announa*, fasc. III, *Announa*, Alger-Paris, 1918, p. 22-23 ; H.-G. PFLAUM, *Inscriptions Latines de l'Algérie*, t. II, 2, Alger, 1976, p. 435 (à propos de l'inscription 4656). Sur l'histoire municipale de Thibilis, voir notre notice, n. 4-19.

19. *I.L. Alg.*, II, 2, 4558 ; cependant des duumvirs sont mentionnés en 275 (*I.L. Alg.*, II, 2, 4552) et peut-être en 268 (*I.L. Alg.*, II, 2, 4548). Sur ce problème, voir notice, n. 12-14.

20. *C.*, 22276. Cf. *I.L. Alg.*, II, 2, 4669 ; notice, n. 16-18,

Thib(ilitanorum)[21]. Ainsi, aucune certitude n'est permise quant à la date du morcellement de la confédération. On peut proposer deux hypothèses : l'événement aurait pu avoir lieu sous le règne de Gallien (260-268), qui accorda plusieurs promotions de statut à des villes africaines, dont peut-être Thibilis ; ou bien, indépendamment de l'érection de ce municipe, le démantèlement général aurait bien fait partie des grandes réformes administratives de Dioclétien[22].

La survivance d'institutions pérégrines au IVe siècle : le cas d'Altava.

Certains historiens ont induit du fait que le titre de municipe n'était connu, pour certaines cités, que par des textes du ive siècle, une promotion au Bas-Empire. En fait, il s'agit toujours de communes à l'histoire municipale mal établie et qui peuvent fort bien avoir été promues au iiie siècle, voire plus tôt[23]. Ceci dit, il est certain que des petites cités n'ont jamais bénéficié d'une décision impériale en faisant officiellement des communes romaines. On peut l'affirmer pour la petite ville de Thabarbusis, près de Calama. Une inscription du iiie siècle évoque le *populus Thabarbusitanus* ; une dédicace fut faite au *genius ciuitatis* ; une inscription datée de 374 qualifie la commune de *res publica*[24]. Il y a là un faisceau de présomptions permettant de penser que le statut de municipe ne fut jamais accordé.

Certes, on trouve assez souvent le titre de *ciuitas*, caractéristique sous le Haut-Empire d'une cité pérégrine. Mais, pour le Bas-Empire,

---

21. Milliaire découvert en 1969 au deuxième mille, sur la route de Thibilis à Calama, au lieu dit Aïn Amara ; cette inscription doit paraître dans P. SALAMA, *Corpus des inscriptions routières de la Numidie du nord*, n° 12. Le texte figure dans notre notice, n. 15. Je dois à l'amitié de Pierre Salama d'avoir pu faire état dès maintenant de ce document.

22. Sur les promotions dues à Gallien, voir *infra*, n. 5. Remarquons que ce ne fut qu'à partir du règne de Dioclétien que Thibilis fut dotée des monuments publics caractéristiques d'une commune romaine (*cf.* S. GSELL, *op. cit.*, p. 50 et 70-72 ; notice, n. 20-25).

23. Ainsi E. Kornemann, dans son article *Municipium* (*P. W.*, XVI, 1, 1933, col. 608) mentionne des villes dont le statut de municipe n'est connu que par des textes du ive siècle et suppose qu'un certain nombre ont été promues à cette époque. Or il s'agit des cités dont on ignore le statut auparavant : on ne peut donc rien prouver (voir les remarques critiques de T. KOTULA, *Snobisme municipal ou prospérité relative ? Recherches sur le statut des villes nord-africaines sous le Bas-Empire romain*, dans *Antiquités Africaines*, 8, 1974, p. 113, n. 5). On a proposé de restituer sur un fragment d'inscription de Mididi (Byzacène ; *C.*, 11775 + *indices*, p. 275 et 278) [colon]ia Va[lenti]niniana ; Mididi aurait ainsi reçu le statut de colonie de Valentinien 1er ou de Valentinien II. Mais la restitution est trop hypothétique pour qu'on puisse en faire état.

24. *Populus Thabarbusitanus* : *A.E.*, 1960, 214 ; *genius ciuitatis* : *I.L. Alg.*, I, 469 = *C.*, 17510 ; *res publica* : *I.L. Alg.*, I, 472 = *C.*, 5339 + 17489 (notice *Thabarbusis* - P. -, n. 5) ; *cf.* S. LANCEL, « *Populus Thabarbusitanus* » et les « *gymnasia* » de *Quintus Flavius Lappiacus*, dans *Libyca*, 1958, p. 143-151.

on ne peut suivre les historiens qui ont affirmé que les communes ainsi qualifiées étaient restées pérégrines. De fait, on trouve le mot *ciuitas* sur des inscriptions du IVe siècle concernant des colonies romaines : c'est le cas à Lepcis Magna, à Theveste, à Timgad[25]. Dans les textes littéraires et juridiques, le mot *ciuitas* servait à désigner toute espèce de commune. Ce terme ne peut donc, au Bas-Empire, donner aucune certitude sur le statut municipal d'une ville.

Les vieilles magistratures puniques auxquelles les Africains étaient restés longtemps attachés, le sufétat, l'undécemprimat, avaient disparu partout[26]. On peut, cependant, noter quelques survivances. A Lepcis Magna reparurent au IVe siècle des titres traduits du punique, qui n'apparaissaient plus depuis la promotion au rang de colonie sous Trajan. Des dignitaires locaux du Bas-Empire sont qualifiés sur les inscriptions d'*amator patriae, amator ciuium*. Il ne s'agissait pas seulement d'une des nombreuses appellations louangeuses par lesquelles on désignait les évergètes, mais de titres officiels d'origine punique, comme l'a montré G. Levi della Vida. L'un des dignitaires ainsi honorés porte également le titre de *praefectus omnium sacrorum*. Ce sacerdoce, qui n'était plus attesté sur les inscriptions lepcitaines depuis le Ier siècle, correspond aussi à une institution punique[27].

A coup sûr, les institutions municipales de Lepcis étaient romaines depuis le temps de Trajan. Cependant, des traces des traditions antérieures avaient subsisté ; c'est l'un des exemples les plus significatifs de ce conservatisme des cités africaines dont nous avons relevé maint exemple.

A l'extrémité opposée de l'Afrique romaine, dans l'ouest de la Maurétanie Césarienne, on trouve une cité qui avait conservé au IVe siècle des institutions très originales : Altava. Cette cité n'apparaît qu'à l'époque sévérienne ; auparavant, la région n'était même pas incluse dans les frontières de l'Empire. Au IIIe siècle, les institutions furent indubitablement pérégrines[28] ; à la tête de la ville se trouvait un *prior princeps*

<hr>

25. Lepcis Magna : *I.R.T.*, 468 (notice, n. 15) ; *I.R.T.*, 565 (notice, n. 20) ; *I.R.T.*, 480 (notice, n. 52) ; *I.R.T.*, 529 (notice, n. 53). Theveste : *I.L. Alg.*, I, 3051 = *C.*, 1862 (notice, n. 7). Timgad : *A.E.*, 1913, 25 = *I.L.C.C.V.*, 387 (notice, n. 40). On verra (*infra*, p. 130, n. 48) comment, à Cillium, on a employé le terme *ciuitas* dans une inscription qui rappelait justement la restauration des sculptures commémorant l'accès au rang de colonie.

26. *Cf. supra*, p. 123 et n. 8.

27. *I.R.T.*, 567 (notice, n. 62 ; *amator patriae ac ciuium suorum, praefectus omnium sacrorum*) ; *I.R.T.*, 568 (notice, n. 62 ; *praefectus omnium sacrorum*) ; on peut peut-être restituer *praefectus omnium sacrorum* sur *I.R.T.*, 608 (n. 72). Sur ces titres et leurs prototypes puniques, voir G. Levi della Vida, *Africa Italiana*, VI, 1935, p. 105 ; *Rend. Accad. Linc.*, (8), IV, 1949, p. 405. A Sabratha, en 378, on loua le gouverneur Flavius Vivius Benedictus, qui avait relevé la ville après les incursions des Austuriens, de son *amor patriae* (*I.R.T.*, 55 ; notice, n. 9). A Maxula (Proconsulaire), le proconsul L. Aelius Dionysius (296-301) fut qualifié d'*amator ordinis* (*C.*, 12459 ; notice, n. 3).

28. Sur l'histoire d'Altava, voir notre notice. *Prior princeps ciuitatis* : *A.E.*, 1933, 57 ; J. Marcillet Jaubert, *Les inscriptions d'Altava*, Aix, 1968, n° 317 ; notice,

ciuitatis. Deux dignitaires portent le titre punique d'*amator patriae*. Un *prior princeps* et un autre dignitaire portent le titre de *rex sacrorum* ; le second est assisté d'un préfet[29]. Or, on a constaté la présence à Lepcis Magna, sous Auguste et au IVe siècle, d'un préfet des « choses sacrées » dont le titre est la traduction latine d'un équivalent punique. Bien entendu, le titre de *rex sacrorum* n'a aucun rapport avec le sacerdoce romain archaïque de ce nom ; il s'agit de la traduction d'un titre sacerdotal préromain. Le *princeps* était assisté d'un conseil restreint de *decemprimi*[30]. Il ne peut s'agir des *decemprimi curiales* qu'on trouve aussi bien en Orient qu'en Occident dans les cités au IVe siècle et qui étaient chargés de responsabilités particulières, car ce titre n'existait pas encore au IIIe siècle ; il s'agit donc ici d'une institution locale originale.

Ces traditions pérégrines subsistèrent à Altava au IVe siècle. Une épitaphe datée de l'année 329 fait connaître un *princeps, uir prior ordinis*[31]. Cependant, en 335, apparaît une dignité plus habituelle : un *dispunctor* est mentionné sur une épitaphe et c'est ainsi qu'était désigné en Maurétanie le *curator rei publicae*. Un autre *dispunctor* est connu en 349-350[32] ; Altava n'échappa donc pas totalement au nivellement institutionnel qui caractérise les cités de l'Empire, surtout à partir du IIIe siècle. Pourtant, des institutions originales subsistaient toujours ; rien ne permet d'affirmer que la fonction de *princeps* disparut après 329. Les inscriptions du IVe siècle mentionnent deux catégories, les *primores* et les *secundiones*. Les premiers appartenaient à coup sûr à la frange supérieure et correspondaient peut-être aux *decemprimi* du IIIe siècle. Les *secundiones* sont au deuxième plan et correspondaient peut-être aux membres de l'*ordo* autres que les *primores*[33].

Il est singulier que les historiens qui ont étudié les inscriptions d'Altava n'aient pas vu que les institutions particulières de la cité impliquaient le maintien du statut pérégrin[34]. Une dédicace en l'honneur d'Honorius

---

n. 6. *Amator patriae* : *Ibidem* ; *C.*, 21724 = Marcillet, no 15 ; notice, n. 7. *Rex sacrorum* : *A.E.*, 1933, 57 = Marcillet, no 317 ; notice, n. 6 ; *C.*, 21724 = Marcillet, no 15 ; notice, n. 7. *Praefectus (sacrorum)* : *Ibidem*.

29. *Prior princeps ciuitatis, rex sacrorum, amator patriae* : *A.E.*, 1933, 57 = Marcillet, 317 (notice, n. 6 ; date : 220-230). *Rex sacrorum, amator patriae*, préfet du *rex sacrorum* : *C.*, 21724 = Marcillet, 15 (notice, n. 7 ; date : 257). *Prior ciuitatis* : *A.E.*, 1957, 67 = Marcillet, no 273 (notice, n. 17 ; date : fin du IIIe siècle). *Princeps, uir prior ordinis* : *A.E.*, 1969-1970, 736 (notice, n. 30 ; date : 329).

30. Le *prior ciuitatis* mentionné sur l'inscription *A.E.*, 1957, 67 = Marcillet, no 273 (fin IIIe siècle) est dit *ex decemprimis*.

31. Voir *supra*, n. 29.

32. *C.*, 9840 = *I.L.C.V.*, 581 = Marcillet, 46 (notice, n. 38 ; date : 335). *A.E.*, 1935, 86 = Marcillet, 67 (notice, n. 40 ; date : 349-350).

33. *Primores* : *A.E.*, 1935, 86 = Marcillet, 67 (notice, n. 40). *Secundiones* : Marcillet, 29 et 83 (notice, n. 41 ; *cf.* n. 42 et 43).

34. Ainsi P. POUTHIER, *L'évolution municipale d'Altava aux IIIe et IVe siècles*, dans *M.E.F.R.*, 1956, p. 205-245, et J. Marcillet-Jaubert, dans son édition des inscriptions d'Altava, ouvrage par ailleurs remarquable.

et de Théodose II a été faite par la *ciuitas* d'Altava et l'on peut penser
que ce terme est, ici, employé en son sens précis de cité pérégrine[35].
Certes, la présence des gentilices sur les inscriptions montre que les
habitants d'Altava possédaient la citoyenneté romaine[36], mais ils l'avaient
reçue *saluo iure ciuitatis* ; le statut romain des individus ne préjugeait
nullement de celui de la collectivité, dont le droit pouvait fort bien demeurer pérégrin. Il semble bien qu'on puisse conclure que ce droit, ces institutions, étaient berbères, et que nous ayons là un cas unique en Afrique
de maintien, dans un cadre urbain et municipal, de traditions ancestrales
jusqu'à l'époque tardive.

Une inscription datable du Bas-Empire évoque un autre *princeps*
de cité : à Quiza, en Maurétanie Césarienne, dans la région de Mosta-
ganem, le curateur et *dispunctor* C. Julius Honoratus, patron de la province est dit *princeps patriae suae*[37]. Or Quiza, au témoignage d'une
inscription, était administrée par des duumvirs dès l'année 128[38]. L'*Itinéraire d'Antonin* désigne la ville comme municipe. Plus qu'un reste explicite
d'institutions pérégrines, le titre de *princeps* serait, à Quiza, une appellation honorifique évoquant le souvenir d'une fonction disparue.

Au total, les survivances d'institutions pérégrines au Bas-Empire
sont donc très limitées, le cas d'Altava mis à part. Si, comme c'est très
probable, certaines petites cités de Proconsulaire n'accédèrent jamais au
statut de municipe, elles ne cherchèrent pas à sauvegarder des institutions particulières.

La signification des titres de municipe et de colonie au Bas-Empire.

Les historiens des villes du monde romain sous le Haut-Empire atta-
chent une importance capitale aux statuts municipaux et à leur évolution ;
c'est là un indice fondamental de la romanisation juridique, de la politique
plus ou moins favorable des empereurs à l'égard des provinciaux, du
plus ou moins grand désir de ces derniers de se fondre dans la romanité
au prix de la perte de leur originalité propre. Au Bas-Empire, ces statuts
ont bien moins d'importance. La généralisation de la citoyenneté romaine,
le nivellement des institutions urbaines en Occident, à peu d'exceptions
près, firent perdre aux titres de municipe et de colonie tout contenu
concret. La législation impériale parle toujours des cités (*ciuitates*) et
ne distingue jamais entre commune pérégrine, municipe et colonie.
A ces deux derniers titres ne correspondait donc plus aucun privilège,
fiscal ou juridique.

---

35. *A.E.*, 1935, 86 = Marcillet, 67 (notice, n. 40).

36. J. MARCILLET-JAUBERT, *op. cit.*, p. 231-233. L'index onomastique montre
même la grande rareté des noms uniques.

37. *C.*, 9699 ; notice *Quiza* – M.C. –, n. 5 et 6.

38. *C.*, 9697.

Pourtant, les villes africaines ont gardé, au Bas-Empire, l'usage de mentionner sur les inscriptions ces titres sans signification objective. Dans une étude récente sur ce sujet, T. Kotula a recensé les documents postérieurs aux Sévères donnant ces titres à des cités d'Afrique[93] : 62 cités sont qualifiées de colonies, 82 de municipes[40]. Dans la présente étude, nous avons recensé 58 colonies, 97 municipes, 2 *castella*, 9 communes qualifiées de *ciuitates* ou de *res publicae* sans qu'on puisse affirmer, sauf pour Altava, qu'elles avaient gardé le statut pérégrin. Pour 41 communes, les documents ne donnent aucune indication quant au statut[41]. On le voit, les municipes et les colonies sont de très loin les plus nombreux. On a remarqué que les *Itinéraires* (*Itinéraire d'Antonin, Table de Peutinger, Cosmographie* de l'anonyme de Ravenne) n'indiquent ces titres que pour des villes africaines ; pour les autres parties de l'Empire, les rédacteurs de ces documents ne mentionnent jamais le rang juridique des villes[42].

Tadeusz Kotula explique ce maintien des titres traditionnels par la prospérité économique des villes[43]. La fierté locale les poussait à se faire gloire de statuts qui, en théorie, les assimilaient à Rome : « Elles sont comme de petites reproductions et des images du peuple romain » (*populi romani... quasi effigies paruae simulacraque*), disait Aulu-Gelle des colonies[44]. Ce sentiment était au Bas-Empire une bonne expression de patriotisme municipal, comme l'adjectif *splendidissimus* qui qualifiait régulièrement, sur les inscriptions, la cité ou l'*ordo*, même dans de petites

---

39. T. KOTULA, *Snobisme municipal ou prospérité relative ? Recherches sur le statut des villes nord-africaines sous le Bas-Empire romain*, dans *Antiquités Africaines*, 8, 1974, p. 111-131.

40. Notre méthode différait de celle de T. Kotula en ce sens que nous n'avons pas étudié les cités connues seulement par une mention des itinéraires ou par des inscriptions antérieures à Dioclétien. En revanche nous avons recensé des municipes et des colonies dont le statut n'est connu que par des inscriptions antérieures à 235 mais pour lesquelles nous possédons des documents d'histoire municipale datant du Bas-Empire. Il convient d'ajouter à la liste de T. Kotula les cités suivantes, découvertes récemment en Proconsulaire : le municipe d'Abbir Maius (*C.R.A.I.*, 1975, p. 101-111 ; *Bull. Soc. Nat. des Ant. de Fr.*, 1974, p. 119) ; la colonie de Belalis Maior (*C.* 14436 = *I.L.S.*, 5518 ; toponyme connu par *A.E.*, 1960, 80) ; le municipe d'Ureu (*C.R.A.I.*, 1974, p. 225) ; le municipe d'Uzali Sar (*C.*, 25377 ; toponyme connu par l'inscription publiée par L. Maurin et J. Peyras, *Cahiers de Tun.*, 19, 1971, p. 40-41) ; le *municipium Thadduritanum* (*Cahiers de Tunisie*, 25, 1977, p. 10). Deux cités (Thugga et Thubursicu Bure) sont mentionnées deux fois par T. Kotula : elles sont passées au iiie siècle du rang de municipe à celui de colonie. Compte-rendu de toutes ces données, on obtient, en combinant notre recension et celle de T. Kotula, un total de 68 colonies et de 98 municipes.

41. Soit, au total, 207 communes. On en trouvera la liste dans l'index général du présent ouvrage, à la fin du tome II. Cette statistique comprend les communes très mal connues regroupées à la fin des chapitres du tome II consacrés aux provinces, sous la rubrique *Inscriptions trouvées en divers endroits*.

42. T. KOTULA, *op. cit.*, p. 113, citant J. W. KUBITSCHEK, *Karten*, dans *P. W.*, X, 2, (1919), col. 2115.

43. *Op. cit.*, p. 117-119.

44. AULU-GELLE, *Nuits Attiques*, XVI, 13.

bourgades. A Sicca Veneria, on trouve sur une dédicace à Constance II le vieux titre de *colonia Iulia Veneria Cirta Noua Sicca*[45]. A Mustis, une dédicace au même empereur est faite par le *municipium Iulium Aurelium Mustitanum*[46]. A Timgad, la table de patronat d'Aelius Julianus a été présentée par la *colonia Marciana Traiana Thamugadensium*[47]. Dans ces trois cas, le maintien de ces désignations montrait l'antiquité de la ville, l'ancienneté de son statut de commune romaine. C'est la preuve qu'on gardait, en Afrique au Bas-Empire, le souvenir de ces honneurs passés et que c'était un élément du patriotisme municipal. A Cillium, en Byzacène, on restaura sous Constantin un arc de triomphe élevé sous le Haut-Empire à l'occasion de la promotion de la commune au rang de colonie honoraire. Cet arc était orné de sculptures, aujourd'hui disparues, que l'inscription de dédicace appelle les *insignia coloniae* : probablement les faisceaux et la chaise curule, ou la figure de la louve et des jumeaux. L'inscription du temps de Constantin évoquait la remise en état des *ornamenta libertatis... et uetera ciuitatis insignia*[48]. On le voit, la signification de ces symboles n'était pas oubliée par les dirigeants de la cité, bien que le nivellement des statuts municipaux eût fait disparaître les privilèges auxquels ils correspondaient.

Il est légitime de voir dans cette attitude, avec T. Kotula, la fierté d'affirmer une prospérité maintenue[49]. Mais nous avons là également un indice très caractéristique de ce conservatisme institutionnel que nous avons maintes fois décelé dans les cités africaines et qui les poussait à maintenir au ive siècle beaucoup de formes désuètes. Comme nous le verrons plus avant, le souci du *mos maiorum* fut poussé très loin en Afrique, où l'on peut observer, au Bas-Empire, un véritable musée des anciennes institutions municipales romaines.

La multiplicité des bourgades dotées de l'autonomie municipale et se parant toujours, au Bas-Empire, du titre de municipe, voire de celui de colonie, constituait assurément une particularité de l'Afrique. Dans

45. *C.*, 16258 (notice *Sicca Veneria* – P. –, n. 16).

46. *A.E.*, 1968, 601 = *Karthago*, 14, 1968, p. 209 (notice *Mustis*, n. 11). L'éditeur, A. Beschaouch, note justement que la mention de ces surnoms permettait d'opposer Mustis, municipe julien, aux municipes et colonies honoraires récents du voisinage.

47. *A.E.*, 1913, 25 = *B.C.T.H.*, 1912, p. LXIII (+ 1913, p. 173) = *I.L.C.V.*, 387 (notice *Thamugadi* – N. –, n. 30). Autre archaïsme : les citoyens de Timgad sont appelés sur ce texte *coloni coloni(a)e*.

48. *C.*, 210 = *I.L.S.*, 5570 ; notice *Cillium* – B. –, n. 5. On remarquera cependant l'impropriété du mot *ciuitas*, dans ce contexte ; son emploi montre que le sens juridique réel de ces reliques du passé, auxquelles on restait attaché, avait été perdu de vue.

49. Sur ce maintien de la prospérité, voir chapitre i, *supra*, p. 29-36. Je suis totalement d'accord sur ce point essentiel avec T. Kotula. Toutefois, l'explication ne me semble pas suffisante. Certes, cet orgueil municipal suppose, pour n'être pas absurde, une prospérité économique ; mais il ne semble pas avoir pris cette forme dans d'autres régions du monde romain où les villes étaient demeurées prospères à l'époque tardive. Autre chose entrait donc en ligne de compte, un attachement obstiné aux formes du passé.

le *Code Théodosien*, le terme *colonia* n'apparaît pas. Le mot *municipium* figure deux fois, mais dans un contexte qui implique une évolution du sens. On lit, dans une loi de 361 : *In qualibet ciuitate, in quolibet uico, castello, municipio* ; dans une loi de 405 : *Per omnes autem ciuitates, municipia, uicos, castella*[49bis]. Dans ces textes, on le voit, *municipium* signifie petite ville, intermédiaire entre la *ciuitas* et le village (*uicus ou castellum*). On retrouve cette acception dans un document peu connu. Au milieu du ve siècle, le pape saint Léon le Grand écrivit aux évêques de Maurétanie Césarienne une lettre courroucée, dénonçant de graves abus perpétrés dans les églises de cette province, que Genséric avait restituée à l'Empire en 442[50]. L'un des abus évoqués était, en fait, une tradition fondamentale de l'église africaine : au lieu de confier les petites communautés des bourgs et des campagnes à de simples prêtres, les Africains multipliaient les sièges épiscopaux dans des *castella*, des villages (*uiculi*), des domaines privés (*possessiones*) et dans « des municipes obscurs et isolés » (*uel obscuris et solitariis municipiis*[51]). Nul doute que cette ironie, à l'égard de ces multiples bourgades africaines aux noms bizarres pour une oreille latine et qui se paraient toujours du vieux titre de municipe, avait cours aussi bien chez les autorités impériales que dans la chancellerie pontificale. Mais, s'il pouvait paraître dérisoire à certains, le maintien de ce vieux nom symbolisait la permanence tardive, dans cette région de l'Empire, de l'esprit municipal et la fidélité à la tradition romaine. Il s'agit d'un fait de l'histoire des mentalités, non de l'histoire du droit et des institutions. Nous pouvons penser que ces municipes africains, comme les colonies, étaient régis selon le droit romain commun et n'avaient pas conservé de loi municipale particulière[52]. Sous les Sévères,

---

49bis. *C. Th.*, XVI, 2, 16 (361) ; XI, 20, 3 (405 — Seeck). O. Gradenwitz (*Heidelberger Index zum Theodosianus*, Berlin, 1929) signale une troisième référence (*C. Th.*, VIII, 4, 8), mais c'est une erreur : on lit en fait *municipum*, soit le génitif pluriel de *municeps*. *Colonia* ne figure pas dans l'index de Gradenwitz.

50. Léon le Grand, lettre 12, aux évêques africains de la province de Maurétanie Césarienne, *P.L.*, 54, 645-656. Sur ce texte, voir C. LEPELLEY, *Saint Léon le Grand et l'église maurétanienne : primauté romaine et autonomie africaine au Ve siècle*, dans *Les Cahiers de Tunisie*, 15, 1967, p. 189-204 (*Mélanges offerts à Charles Saumagne*).

51. *Ibidem*, X, *P.L.*, 54, 654 : « ... inter omnia uolumus canonum statuta seruari, ut non in quibuslibet locis neque in quibuscumque castellis, et ubi ante non fuerant, episcopi consecrentur ... ; episcopalia autem gubernacula non nisi maioribus populis et frequentioribus ciuitatibus opporteat praesidere ne, quod sanctorum patrum diuinitus inspirata decreta uetuerunt, uiculis et possessionibus uel obscuris et solitariis municipiis tribuatur sacerdotale fastigium... » Il convient de remarquer que la multiplicité des cités et, en conséquence, des sièges épiscopaux, caractérisait aussi l'Italie centrale. De plus, c'était en Proconsulaire et non en Césarienne qu'on trouvait les multiples « municipes obscurs » auxquels il est fait allusion dans ce texte.

52. C'est l'opinion d'A. H. M. Jones (*The Later Roman Empire*, t. 2, p. 721-722), au moins pour l'Occident : une certaine variété d'institutions et de magistratures subsistait en Orient. Deux constitutions de Dioclétien ordonnent encore aux gouverneurs provinciaux de respecter les lois particulières des cités (*C. Just.*, X, 30, 6 et XI, 30, 4).

le juriste Ulpien évoquait, à propos de la confection de l'album, la possibilité d'une « cessation de la loi », entendons d'une abrogation de la loi municipale particulière au profit du droit public romain commun[53]. Nul doute qu'à l'aube du Bas-Empire, mis à part des cas exceptionnels comme celui d'Altava, cette « cessation » n'ait été généralisée pour toutes les communes, quel que fût leur statut théorique. Cependant, nous le verrons, quelques différences et quelques particularités subsistaient parfois, une certaine souplesse se maintenait dans les coutumes municipales. Mais ceci ne correspondait pas à des constitutions propres à chaque cité.

Les castella.

Les bourgades et villages dépendant des cités étaient appelés *uici, pagi* ou *castella*. L'institution du *pagus* était complexe sous le Haut-Empire ; elle désignait fondamentalement un territoire rural. Dans la *pertica* de Carthage existaient des *pagi* de citoyens romains rattachés à la métropole et installés sur le territoire d'une cité pérégrine. Des *pagi* dépendaient aussi de Cirta et le terme semble avoir servi à désigner des agglomérations[54]. Nous avons vu que le *pagus* de Thilibis était devenu municipe dans la seconde moitié du IIIe siècle. Les *pagi* de la région de Carthage avaient disparu dès le premier tiers du IIIe siècle. La documentation du Bas-Empire ne contient pas d'allusions à cette vieille institution ; on ne saurait, pour autant, induire qu'elle avait totalement disparu.

Les *uici* étaient des villages dépourvus de toute autonomie municipale. Notre documentation épigraphique à leur sujet se limite à une inscription, trouvée à quatre kilomètres à l'ouest des ruines de Sicilibba (Proconsulaire). Elle mentionne un *uicus Bobius*, de toute évidence simple hameau dépendant de la cité. Un flamine perpétuel s'y vit dresser une statue en 383 sur décision de l'*ordo* pour y avoir accompli des actes d'évergétisme. Bien entendu, il s'agissait de l'*ordo* et d'un flamine de Sicilibba, et non du *uicus*[55].

Notre documentation est un peu plus riche pour les *castella*. On peut affirmer que les bourgades et petites villes qui ne possédaient pas le statut municipal de plein exercice portaient le titre de *castellum*[55bis].

---

53. *Digeste*, L. 3, 1.

54. Sur les *pagi* africains, se reporter à G. PICARD, *Le « pagus »* dans *l'Afrique romaine*, dans *Karthago*, 15, 1969-1970, p. 3-12.

55. *A.E.*, 1957, 72 ; notice *Sicilibba* - P. –, n. 7.

55bis. Ceci ressort d'un canon du concile de Carthage de 403 : les évêques décidèrent de faire convoquer dans chaque lieu l'évêque donatiste par les autorités, les magistrats (c'est-à-dire les duumvirs) dans les cités, les *seniores* dans les autres lieux ; or, les *seniores* étaient responsables de l'administration locale dans les *castella*.

Particulièrement remarquable est le cas de *castellum* de Biracsaccar, en Proconsulaire. Cette bourgade de la plaine du Fahs, à huit kilomètres au sud de Bisica, était au témoignage d'une inscription une cité pérégrine administrée par des sufètes, sous le règne d'Antonin le Pieux[56]. Une autre inscription nous apprend qu'en 374, la commune s'appelait *castellum Biracsaccarensium* et était administrée par un curateur et un *ordo*[57] ; le texte est fort explicite, ces autorités ne sont pas celles d'une cité voisine mais bien celles du *castellum*[58]. Il se peut que certaines petites cités qui n'accédèrent jamais au statut de municipe aient été désignées officiellement ainsi au Bas-Empire, tout en gardant leur autonomie. A coûp sûr, il n'en était pas de même pour tous les *castella*. Ainsi, en Kroumirie à Aïn Tella, s'élevait le *castellum Ma.....rensium* ; cette communauté était administrée par un *magister* ou *magistratus* assisté d'un conseil de *seniores*, au temps de la Tétrarchie[59]. Ce sont les institutions traditionnelles des bourgades attribuées à une cité mais jouissant, pour leurs affaires locales, d'une certaine autonomie, sous le contrôle des magistrats de la ville[60]. Saint Augustin évoque à plusieurs reprises un *castellum* nommé Fussala. Il était, dit-il, situé à l'extrémité du territoire d'Hippone ; il s'agissait d'un village dont les habitants ne parlaient que le punique[61]. De toute évidence, ce *castellum* dépendait des autorités d'Hippone et ne possédait qu'une autonomie partielle. Le territoire d'Hippone était vaste, et d'autres *castella* devaient s'y trouver : il est probable que d'autres lieux-dits mentionnés par Augustin aient eu ce statut[62].

Nous constatons donc que les villages dépendant des cités avaient normalement ce statut, s'ils étaient dotés d'une personnalité juridique de collectivité locale (« ... in singulis quibusque ciuitatibus uel locis per magistratus uel seniores locorum conueniant ». *Reg. eccles. Carthag. excerpta*, canon 91, éd. Munier, C.C., 149, p. 210).

56. C., 23876.

57. C., 23849 ; notice *Castellum Biracsaccarensium* – P. –, n. 2.

58. L'inscription C., 23849 précise *cur(ator) r(ei) p(ublicae) castelli Biracsaccarensium*. Ce *castellum* possédait donc, en fait, l'autonomie municipale. M. Euzennat (*Castellum Tingensium*, dans B.C.T.H., n.s., 7, 1971, p. 235) note que c'est le seul cas connu d'une *ciuitas* devenue *castellum*. Toutefois, on ne peut retenir l'explication qu'il donne de cette transformation, à la suite du T.R.S. Broughton (*The Romanization of Africa Proconsularis*, p. 218) à savoir, l'insécurité de l'époque ; cette partie de la Proconsulaire fut parfaitement paisible tout le IVe siècle. De même que le terme français bourg, le mot *castellum* ne désignait pas particulièrement, au Bas-Empire, une place fortifiée.

59. C., 17327 ; notice *Castellum Ma.....rensium* – P. –, n. 1.

60. On ignore à quelle cité était attribué ce *castellum* (Thabraca ?).

61. Augustin, lettre 209, C.S.E.L., 57, p. 348-349 ; notice *Hippo Regius* – P. –, n. 42-43.

62. Notice *Hippo Regius*, n. 44. Liste de ces lieux-dits, dans GSELL, *Atl. arch. de l'Alg.*, f. 9, Bône, commentaire, p. 11. Une inscription du Bas-Empire a été trouvée dans un *castellum* de Sicca, au lieu-dit Henchir Sidi Merzoug (C., 15723) ; on ne sait si le curateur et l'*ordo* mentionnés par ce texte sont ceux de Sicca ou ceux du *castellum* promu à l'autonomie municipale (notice *Sicca Veneria* – P. –, n. 21).

Notre documentation est muette sur l'histoire des *castella* de Cirta au Bas-Empire. Une couronne de bourgs dépendants entourait la vieille colonie ; sept sont connus pour le Haut-Empire[63] et l'un d'eux, le *castellum Tidditanorum*, a fait l'objet de fouilles systématiques qui ont permis la mise à jour de nombreuses inscriptions[64]. En 251, d'importants travaux y furent exécutés et des thermes furent restaurés[65]. Aucune inscription connue n'évoque la vie municipale postérieure. Pourtant, le site était toujours habité : de nombreuses monnaies du IVe siècle ont été retrouvées, ainsi qu'une petite église chrétienne ; des remparts furent élevés à l'époque byzantine[66]. Mais nous ne pouvons savoir si les autorités de Constantine avaient conservé un droit de regard sur les affaires de Tiddis ou si ce *castellum* avait accédé à l'autonomie municipale lors du démantèlement de la confédération cirtéenne[67]. Nous pouvons affirmer que les trois colonies contribuées de Rusicade, Chullu et Milev, ainsi que les villes de Tigisis et de Thibilis, devinrent alors des communes autonomes. Mais en fut-il de même des *castella* de la région de Cirta ? Dans l'affirmative, la confédération cirtéenne aurait eu le même sort que la *pertica* de Carthage sous les Sévères et se serait morcelée en de nombreuses cités autonomes au territoire limité, comme dans le reste de l'Afrique romaine[68].

Les collectivités non municipales.

Si l'on met à part les éventuelles enclaves dans les territoires municipaux constituées par les domaines impériaux, on peut considérer que ces territoires étaient contigus et couvraient toute l'étendue du pays en Proconsulaire et, en Numidie, au nord de l'Aurès et des Nemencha. En Byzacène, on constate un vide important dans les steppes qui s'étendent à l'est de Sbeitla et de Gafsa, la région côtière mise à part : il est fort possible que cette zone ait été laissée à des semi-nomades sur lesquels nos sources sont muettes. La région du *limes*, tant en Tripolitaine qu'en Byzacène et en Numidie, était certainement confiée à l'administration

---

63. Six *castella* sont situés à l'ouest de Cirta ; ce sont, du sud au nord, les *castella Subzuaritanum, Arsacalitanum, Phuensium, Mastarense, Elephantium, Tidditanorum* ; le *castellum Celtianum* est situé au nord.

64. Les fouilles furent menées par André Berthier, de 1941 à 1959. Elles sont présentées dans sa petite monographie *Tiddis, antique castellum Tidditanorum*, Alger, 1951. Compléments dans *Libyca*, 7, 1959, p. 294-300 et 8, 1960, p. 89-97 (par J. Lassus). Inscriptions éditées par H.-G. Pflaum, *I.L. Alg.*, II, 1, n° 3570 à 4177.

65. *I.L. Alg.*, II, 1, 3596.

66. A. Berthier, *Tiddis, op. cit.*, p. 29 ; 47 ; 49-50 ; 55.

67. Cf. *supra* p. 123-125 et n. 13-22.

68. Autre problème demeuré obscur : quel fut au Bas-Empire le statut des *castella* de la plaine de Sétif qui furent implantés au IIIe siècle ? (cf. P. A. Février *Aux origines de l'occupation romaine dans les hautes plaines de Sétif* dans *Cahiers de Tunisie* 15, 1967 = *Mélanges offerts à Charles Saumagne*, p. 51-64).

militaire, à part quelques communes comme Ad Maiores (Besseriani), Thabudeos (Thouda) ou Vescera (Biskra). Dans son *Catalogue des tribus africaines de l'Antiquité classique*. J. Desanges ne mentionne aucune source du Bas-Empire évoquant des tribus dans ces régions[69], si l'on met à part les Austuriens, nomades sahariens qui envahirent la Tripolitaine dans les années 360[70]. Nul doute qu'un grand nombre de *populi* s'étaient sédentarisés et municipalisés. Les *Cinithi*, alliés de Tacfarinas au temps de Tibère, avaient été intégrés dans la cité de Gigthis (Tripolitaine)[71] ; les Nattabutes, aux confins de la Numidie et de la Proconsulaire, étaient passés au iiie siècle au statut de municipe (peut-être à la faveur du démantèlement de la confédération cirtéenne)[72]. Le peuple des *Thabarbusitani*, dans la région de Calama, se créa un centre urbain au iiie siècle et apparaît en 374 comme une *res publica* administrée par un curateur, qui préside à l'édification d'un portique[73]. Le peuple des *Niciues*, connu de Pline et de Ptolémée, se sédentarisa et édifia une ville, Nicivibus, au nord des monts de Batna ; on y dédia un édifice public dans la première moitié du ive siècle[74]. L'exemple le plus remarquable est celui des Musulames, puissante tribu et principal élément de la révolte de Tacfarinas. Sous Trajan, leur territoire allait presque de Madaure à Théveste et, vers l'est, jusqu'aux territoires d'Ammaedara et Thala. On n'en a plus aucune mention à partir du ive siècle ; ils avaient été, de toute évidence, intégrés dans les cités de la région[75].

On a souvent parlé du cantonnement des tribus, de leur refoulement vers les contrées inhospitalières du Sud. Il semblerait plutôt qu'on procéda,

---

69. J. DESANGES, *Catalogue...*, Dakar, 1962, p. 73-143.

70. AMMIEN MARCELLIN, XXVIII, 6, 1-15.

71. *C.*, 22729 = *I.L.S.*, 9394 ; *cf. C.*, 22737 ; notice *Gigthis* – T. –, n. 2-5 et 9.

72. Voir notice *Municipium Nattabutum* – N. –. Sur une inscription datée de 209 (*C.*, 4826) certains ont restitué *g(ens) Nattabutum*, d'autres *c(iuitas) Nattabutum*. Pline l'Ancien (*N.H.*, V, 30) et Ptolémée (IV, 3, 6) mentionnent les Nattabutes en tant que *populus*. La première mention du statut de municipe se trouve sur une dédicace à Valens (*A.E.*, 1895, 82 ; notice, n. 1).

73. Voir notice *Thabarbusis* – P. –. La mention du *populus* se trouve sur l'inscription *A.E.*, 1960, 214. La *res publica* autonome apparaît sur *I.L. Alg.*, I, 472 = *C.*, 5339 + 17489. *Cf.* S. LANCEL, « *Populus Thabarbusitanus* », dans *Libyca*, 6, 1958, p. 143-151.

74. Le peuple des *Niciues* est connu par Pline (*N.H.*, V, 30) et par Ptolémée (IV, 3, 24). Inscription du Bas-Empire impliquant la présence d'une cité et d'un centre urbain : *C.*, 4469 + 18631 ; notice *Nicivibus* – N. –, n. 4 ; *cf.* S. LANCEL, « *Suburbures* » et « *Nicibes* » : *une inscription de Tigisis*, dans *Libyca*, 3, 1955, p. 289-298 (notamment, p. 298, sur la sédentarisation et la municipalisation). On peut ajouter le cas de la *gens Seueriana*, mentionnée sur une inscription trouvée à 28 kilomètres au sud-est de Carthage, dans la région de Thimida Regia (*C.*, 883 = *I.L.S.*, 6816). Selon H.-G. PFLAUM (*Romanisation*, p. 95 et 105-106) cette *gens* obtint le statut municipal sous les Sévères.

75. Sur les Musulames, voir R. HANSLIK, *Musulamii*, dans *P.W.*, XVI, 1, col. 926-928 ; S. GSELL, *I.L. Alg.* I, p. 267 ; J. DESANGES, *Catalogue*, p. 117-121. On ne trouve aucune mention épigraphique des Musulames passé le Haut-Empire. Cependant, ils sont encore mentionnés sur la *Table de Peutinger* (iiie siècle).

au cours des trois premiers siècles de l'Empire, à une lente sédentarisation dont le couronnement fut l'intégration de ces peuples dans le système municipal[76]. Sans doute, un certain nombre de réfractaires à ce style de vie partirent pour le Sud[77] ou continuèrent à nomadiser dans la région non urbanisée de la Byzacène mais, à mon sens, ce fut une minorité.

Comme nous l'avons vu dans un précédent chapitre[78], la situation était radicalement différente dans les Maurétanies, si l'on excepte la Sitifienne, prolongement géographique de la Numidie vers l'ouest[79]. Les cités étaient concentrées sur la côte, dans la vallée de Chélif, le long du *limes*. Les tribus des montagnes n'entraient nullement dans le cadre municipal et restaient réfractaires à la romanisation, comme C. Courtois l'a souligné, tout en étendant abusivement cette constatation à la partie orientale de l'Afrique du Nord[80]. Dans ces régions, les cités formaient donc des enclaves de romanité dans un monde différent.

Les sources, et tout d'abord le récit de la révolte de Firmus donné par Ammien Marcellin, montrent qu'il existait toujours au Bas-Empire, à l'intérieur des frontières de l'Empire, des tribus africaines considérées comme barbares et vivant selon leurs coutumes propres, sous l'autorité de chefs traditionnels, qualifiés de roitelets ou de princes (*reguli ; principes*)[81].

Ces collectivités possédaient un territoire distinct de ceux qui relevaient des cités. Leur droit coutumier était, bien entendu, pérégrin et nullement romain. La généralisation de la citoyenneté romaine au iiie siècle n'avait pas changé leur statut ou leur mode de vie, non plus que le nivellement institutionnel et juridique qui caractérise les cités et les provinces de l'Empire à partir de l'époque sévérienne.

---

76. Sur ce problème voir, au chapitre i, *supra*, p. 45, les critiques que je formule, à la suite d'historiens récents, à la thèse formulée jadis par Gsell d'un cantonnement et d'un refoulement systématique des tribus vers le Sahara sous les Sévères (*La Tripolitaine et la Sahara au IIIe siècle de notre ère*, dans *Mém. Ac. Ins. et Bel. Let.*, 43, 1926, p. 149-166).

77. Augustin évoque de façon très concrète ces nomades irréductibles, dans l'*Enarratio* sur le psaume 148, § 10, (*C.C.*, 40, p. 2173) : « Ici, dit-il, il pleut presque toute l'année et toute l'année donne des récoltes... Mais prends un Gétule et installe-le parmi ces arbres pleins de charme : il voudra fuir, et retourner dans sa Gétulie déserte ». (« Adprehende inde Getulum, pone inter istas arbores amoenas ; fugere hinc uult, et redire ad nudam Getuliam »).

78. *Supra*, chapitre i, p. 49-55.

79. Voir *supra*, n. 68. L'importante tribu des Suburbures était implantée sous Trajan à l'ouest de la Numidie, entre Cuicul et Zaraï, donc à la limite des plaines de Sétif. Une série de bornes limita son territoire. Des bornes plus tardives qualifient la communauté des Suburbures de *res publica* (*C.*, 8270 et 10335 ; *B.C.T.H.*, 1917, p. 342-343 — époque sévérienne — ; *B.C.T.H.*, 1895 — année 310 —). Sur la sédentarisation et, peut-être, la municipalisation de cette *gens*, voir P. A. Février, article cité *supra*, n. 68, p. 59-60, et S. Lancel, article cité *supra*, n. 74, p. 296-298.

80. *Cf. supra*, chap. i, p. 49-57.

81. AMMIEN MARCELLIN, XXIX, 5, 2 : « Nubel, uelut regulus per nationes Mauricas potentissimus. » Mention d'un *princeps* des *Mazices, ibidem*, XXIX, 5, 24.

Pourtant, ces gens faisaient partie de l'Empire. Ils étaient soumis à l'autorité des gouverneurs provinciaux et contrôlés par l'armée romaine. Leurs rapports avec le fisc restent obscurs. En cas de troubles, de révolte en particulier, les chefs coutumiers se voyaient suspendus et l'autorité romaine nommait des préfets à pouvoirs civils et militaires qui exerçaient sur un ou plusieurs peuples une administration directe[82]. Les inscriptions permettent d'en connaître une douzaine pour le Haut-Empire ; ce sont des officiers, pris dans une unité stationnée dans la région. Cette procédure existait toujours au Bas-Empire : Ammien montre Théodose l'Ancien instituer des préfets à la loyauté assurée à la tête des tribus touchées par la révolte de Firmus[83]. Cependant, le contexte semble impliquer que ces préfets n'étaient plus comme autrefois des officiers romains, mais des Maures fidèles[84]. Une allusion encore plus explicite se trouve dans une lettre de saint Augustin à Hésychius de Salone, écrite en 418. Augustin évoquait les nombreux peuples barbares de l'Afrique et il signalait que « depuis quelques années, certains d'entre eux, pacifiés, avaient été reçus dans les frontières romaines, de sorte qu'ils ne possédaient plus de rois mais que des préfets avaient été institués, pour les régir, par l'empire romain[85] ». La préfecture de tribu correspondait à une très antique institution romaine : c'était celle que décrit Tite-Live à propos de Capoue et des autres cités campaniennes qui s'étaient ralliées à Hannibal pendant la seconde guerre punique. Après leur capitulation en 211, un *praefectus Capuam Cumas* fut envoyé chaque année de Rome pour exercer, dans ces cités, la juridiction des magistrats, conseils et assemblées populaires supprimés[86]. La même procédure continuait d'être appliquée en Afrique au Bas-Empire, à l'égard des communautés pérégrines que constituaient les *gentes*, quand elles s'étaient révoltées ou venaient d'être soumises[87].

---

82. Sur cette institution, voir C. Lepelley, *La préfecture de tribu dans l'Afrique du Bas-Empire*, dans *Mélanges William Seston*, Paris, 1974, p. 285-295, et Ph. Leveau, *L'aile II des Thraces, la tribu de Mazices et les* praefecti gentis *en Afrique du Nord*, dans *Antiquités Africaines*, 7, 1973, p. 153-192 (recension des *praefecti*, p. 175-183).

83. Ammien Marcellin, XXIX, 5, 35 : « Hisque direptis et interfectis qui resistebant, uel in deditionem acceptis, regionum maxima parte uastata, gentibus per quas transibat dux consultissimus apposuit fidei compertae praefectos. »

84. De fait, Ammien mentionne un préfet des *Mazices*, Fericius, qui se rallia à la révolte de Firmus et que Théodose fit mettre à mort (Ammien, XXIX, 5, 21 et 24).

85. Augustin, *Epistula* 119, XII, *C.S.E.L.*, 57, p. 284 : « Pauci tamen anni sunt, ex quo quidam eorum rarissimi atque paucissimi, qui pacati romanis finibus adhaerent, ita ut non habeant reges suos sed super eos praefecti a romano constituantur imperio. »

86. Tite-Live, XXVI, 16, 9-10. Sur cette permanence institutionnelle, voir notre article cité *supra*, n. 82, p. 285-287 et 294.

87. L'investiture de ces préfets (par le gouverneur provincial, probablement) est évoquée par l'érudit Servius Honoratus, qui écrivait à la fin du IVe siècle, dans son commentaire sur l'*Enéide* (IV, 242) : « Praefecti gentium Maurorum cum fiunt

Certes, les tribus gardaient leur droit pérégrin ; elles se régissaient selon leurs usages propres, tant en ce qui concernait la direction de la collectivité que les coutumes civiles régissant la famille, les héritages, les systèmes de propriété. Nous pensons, cependant, pouvoir affirmer que les individus n'avaient pas été exclus de la généralisation de la citoyenneté romaine au temps de Caracalla. En effet, une constitution d'Honorius, adressée le 22 juillet 405 à Diotimus, proconsul d'Afrique, décrit la procédure suivante : « Dans les causes qui viennent en appel, nous voulons que l'ancienne coutume soit observée en ajoutant ceci : quand un appel sera interjeté par des *gentiles* ou par leurs préfets, il sera soumis selon la règle à l'examen sacré, c'est-à-dire que le proconsul en connaîtra[88] ». Le droit d'appel au magistrat romain, puis au tribunal impérial, était l'un des droits imprescriptibles du citoyen romain[89]. Depuis Constantin, ce droit était exercé à la place de l'empereur (*uice sacra*) par un certain nombre de *iudices sacrarum cognitionum* : les préfets du prétoire, le préfet de la Ville, les vicaires des diocèses. Les proconsuls d'Afrique et d'Asie étaient à la fois, dans leur province, juges ordinaires et juges d'appel. En Afrique, le proconsul l'emporta vite en la matière sur le vicaire. Dès 315, le droit de recevoir les appels à la place de l'empereur lui avait été reconnu par Constantin. Des inscriptions romaines précisent que le proconsul d'Afrique L. Aradius Valerius Proculus (en fonction vers 326-333) était « juge des causes sacrées dans les provinces Proconsulaire, de Numidie, Byzacène et Tripolitaine, de même qu'en Maurétanie Sitifienne et Césarienne[90] ». Le présent texte ne visait donc pas d'éventuelles *gentes* subsistant dans quelque partie reculée de la Proconsulaire, mais des tribus des autres provinces, y compris la Maurétanie Césarienne[90bis]. Quoi qu'il en soit, la loi d'Honorius atteste formelle-

---

uirgam accipiunt et gestant. » Ce bâton de commandement symbolisait l'autorité que leur déléguait l'état romain.

88. *C. Th.*, XI, 30, 62 : « In negotiis quae ex appelatione descendunt, ueterem consuetudinem uolumus custodiri, illud addentes ut, si a gentilibus uel a praefectis eorum fuisset interposita prouocatio, sacrum sollemniter, hoc est proconsularis cognitionis, praestoletur examen. »

89. Il s'agit du *ius prouocationis*, qui est explicitement mentionné dans ce texte.

90. Confirmation du droit du proconsul à juger en appel : *C. Th.*, XI, 30, 3 et XI, 36, 3 de 315. La juridiction de L. Aradius Valerius Proculus hors de Proconsulaire est attestée par les inscriptions suivantes : *C.*, VI, 1690 = *I.L.S.*, 1240 ; *C.*, VI, 1691. Une inscription de Carthage (*C.*, 24521) le dit *agens iudicio sacro per prouincias africanas* (notice *Karthago*, n. 13). Son cas était, cependant, quelque peu particulier car, au témoignage des deux inscriptions romaines, il fit fonction, durant son proconsulat, de préfet du prétoire.

90bis. Il semble que le dispositif précis de cette loi est d'attribuer au proconsul, au détriment du vicaire, la juridiction d'appel pour les procès émanant des *gentes* ; c'est la *uetus consuetudo*, l'usage ancien ; le proconsul l'emporte en honneur sur le vicaire, sa juridiction est donc plus prestigieuse (*sollemniter* signifie à la fois solennellement et selon la tradition). Sur cette juridiction du proconsul dans le diocèse d'Afrique hors de la province d'*Africa*, très diminuée depuis Dioclétien, un témoignage explicite est donné par une loi d'Honorius (*C. Th.* VIII, 10, 4, émise en 412 et ordonnant au proconsul Eucharius d'expulser « des provinces ment le droit, pour les membres des *gentes*, de faire appel des sentences prononcées par un gouverneur de province juge ordinaire : ils étaient donc citoyens romains. Bien entendu, sauf le cas précis du droit d'appel, les prérogatives de cette citoyenneté étaient pour eux plus des virtualités que des réalités. La Table de Banasa permet de résoudre la contradiction entre cette citoyenneté romaine et le maintien du statut pérégrin de la tribu : le *princeps* des *Zegrenses* de Tingitane et sa famille reçurent la citoyenneté romaine de Marc Aurèle *saluo iure gentis*. Il en fut de même après l'édit de Caracalla ; le statut des individus ne préjugeait en rien de celui de la collectivité. Ceci explique l'octroi des rangs de municipe et de colonie après Caracalla, le maintien des institutions pérégrines à Altava au IVe siècle, ainsi que le statut des *gentes* maures au Bas-Empire[91].

On doit constater l'absence d'une politique de romanisation de ces peuples de Maurétanie, comparable à celle dont bénéficièrent auparavant de nombreuses *gentes* de la partie orientale de l'Afrique romaine. Passé le règne de Dioclétien, on ne connaît aucun exemple de création de villes nouvelles en Afrique, non seulement à l'Est, où la grande densité de l'urbanisation rendait cette progression inutile, mais aussi dans les Maurétanies où existaient de nombreux peuples vivant en dehors du système municipal. Nous sommes très souvent amenés à constater le maintien de la vie urbaine et municipale dans l'Afrique du Bas-Empire et même une progression de la romanisation dans les villes et leur territoire. Mais nous devons aussi constater l'arrêt, au IVe siècle, de la dynamique de l'urbanisation et de la municipalisation et, en conséquence, du processus de la romanisation qui en dépendait, notamment là où cette romanisation était très lacunaire. Si les autorités impériales et locales réussirent à maintenir en Afrique au Bas-Empire l'héritage municipal romain, elles ne parvinrent pas à l'étendre en Maurétanie.

africaines » les *compulsores* fiscaux, à la suite d'un scandale non précisé. L'article 12 de la novelle XIII de Valentinien III (445) renvoya au préfet de la Ville les appels émanant des provinces africaines non occupées par les Vandales à cause de l'interruption de la fonction du *decreti antiquitus cognitoris*. Avec A. H. M. Jones (*Later Roman Empire*, t. 3, p. 135, n. 24) il convient de voir dans ce dernier le proconsul plutôt que le vicaire. Le proconsul d'Afrique, vu le prestige de sa fonction, semble donc avoir eu la mission de juger *uice sacra* les causes les plus importantes pour l'ensemble du diocèse. Cette juridiction hors de la Proconsulaire apparaît aussi dans le fait que le proconsul fut le destinataire de nombreuses lois qui, de toute évidence, ne concernaient pas que la Zeugitane.

91. Se reporter à l'étude, fondamentale sur cette question, donnée par W. SESTON et M. EUZENNAT, *La citoyenneté romaine au temps de Marc Aurèle et de Commode d'après la « Tabula Banasitana »*, dans *C.R.A.I.*, 1961, p. 317-324.

II — Le rôle du peuple de la cité dans la vie municipale

Une cité antique était constituée moins par son territoire ou la ville qui en était le chef-lieu que par son corps civique, ses citoyens, c'est-à-dire l'ensemble des individus adultes, de sexe masculin et non esclaves qui avaient la cité pour *origo* ; étaient exclus les résidents citoyens d'une autre cité (*incolae*)[92]. Dans une commune romaine, le peuple formait, avec l'*ordo* et les magistrats, l'un des trois éléments constitutifs de la *res publica*. Les décisions officielles étaient prises, au témoignage des inscriptions, par l'*ordo* et le *populus*, par un décret de l'ordre et les suffrages du peuple ; la formule *ordo et populus* correspondait donc, dans une cité, à la formule *Senatus populusque romanus* dans la capitale. L'organisation municipale romaine, cependant, ne fut jamais démocratique : seuls pouvaient être élus magistrats ceux qui possédaient une fortune suffisante pour payer les sommes honoraires et faire face aux dépenses évergétiques[93]. Toutefois, l'élection populaire permettait d'opérer un choix parmi les riches, même s'il se portait le plus souvent vers les évergètes les plus généreux. En dehors de l'élection annuelle des magistrats et dignitaires, la seule prérogative populaire que les inscriptions permettent d'appréhender est le vote de remerciements à des gouverneurs, des magistrats ou des bienfaiteurs, aboutissant en général à l'érection de statues[94].

C'est un lieu commun chez les historiens modernes que de dire que les prérogatives populaires s'amenuisèrent au cours du Haut-Empire pour disparaître au ive siècle. Dès le iiie siècle, nous trouvons des mentions de désignation des magistrats par l'*ordo*. Ainsi, le moissonneur de Mactar, dont on s'accorde aujourd'hui à dater la célèbre épitaphe des environs

---

92. Sur le statut des *incolae*, voir l'article d'A. Berger, *P.W.*, IX (1916), col. 1249.

93. Ce point est bien mis en valeur dans l'ouvrage de Paul Veyne, *Le pain et le cirque* (Paris, 1976, p. 251-258) De fait, quand les jurisconsultes de l'époque sévérienne posèrent le principe que nul ne pouvait devenir magistrat s'il n'était décurion (Paul, *Digeste*, L, 2, 7, 2), ils traduisaient dans le droit une situation de fait, liée au système évergétique qui impliquait que seuls les riches pouvaient accéder aux honneurs municipaux. Bien des auteurs n'ont pas vu ce problème et ont supposé l'existence d'une démocratie dans les cités du Haut-Empire : ainsi Liebenam, *Städteverwaltung in römischen Kaiserreich*, Leipzig, 1900, p. 268-296 ; *id.*, article *Duoviri*, dans *P.W.*, V, 2 (1905), col. 1838, et, plus récemment, T. Kotula, *Les curies municipales en Afrique romaine*, Wroclaw, 1968, p. 137-140.

94. Une inscription de Bulla Regia (*A.E.*, 1962, 184) qu'il ne faut pas dater, vu la mention de la filiation et de la tribu, après le milieu du iiie siècle, commémore l'érection de la statue d'un évergète à la suite des suffrages de tout le peuple, d'un décret de l'*ordo* et d'une décision du curateur (... *uniuersus populus sinceris suffragiis suis et ordo splendidissimus grauissimo iudicio, decernente Burrenio Felice c(larissimo) u(iro) cur(atore) rei p(ublicae) n(ostrae)*...). Ces suffrages populaires s'exprimaient très probablement, dès le Haut-Empire, par de simples acclamations dans les lieux de spectacle.

de 270, affirme avoir été choisi par l'*ordo* pour siéger dans la curie (*ordinis in templo delectus ab ordine sedi*)[95]. A Thibilis, en Numidie, sous Dioclétien et Maximien Herculius, le duumvir Marcellinus offrit une statue d'Hercule « à cause de l'honneur du duumvirat que l'*ordo* lui a spontanément conféré[96] ». Un indice de la fin de la prérogative électorale du peuple est la disparition des curies. Ces fractions du peuple de la cité jouaient un rôle dans la vie religieuse et bénéficiaient des distributions évergétiques. Chaque curie avait sa personnalité, possédait des chefs (*seniores*, *magistri*), ses patrons. La fonction essentielle était l'élection des magistrats : était élu celui qui avait recueilli la majorité dans le plus grand nombre de curies[97]. L'expression *populus in curias contributus*, qui figure sur une inscription de Thubursicu Numidarum, désignait les comices électoraux[98].

Or, les deux derniers témoignages épigraphiques sur les curies africaines datent du temps de Dioclétien. Ces deux inscriptions ont été retrouvées en Byzacène ; l'une évoque un banquet public offert par toutes les curies de Mididi le jour de la dédicace d'édifices publics nouvellement bâtis (entre 290 et 293)[99]. La seconde, trouvée à Thysdrus, est la dédicace d'une statue offerte à un évergète par l'ensemble des curies (entre 286 et 305)[100]. C'est ensuite le silence des inscriptions sur cette vieille institution. La conclusion qui semble s'imposer est que les curies disparurent. Elles avaient perdu leur principale attribution au IIIᵉ siècle ; elles subsistèrent comme une relique du passé à la fin du siècle et il n'en fut plus question ensuite. Leur mort exprimerait l'élimination définitive du peuple de toute participation à la vie municipale. C'est la conclusion de T. Kotula, dans l'importante étude qu'il a consacrée aux curies[101].

Pourtant, d'autres sources incitent à nuancer fortement cette vision de l'évolution. Tout d'abord, au début du Vᵉ siècle, saint Augustin a évoqué les curies municipales. Dans son commentaire du psaume 75, il compare les douze tribus d'Israël à des curies[102]. Surtout, dans le commentaire du psaume 121, il précise : « Il existe aussi, en effet, ou il existait autrefois dans ces cités des curies du peuple, et une seule cité

---

95. *C.*, 11824 = *I.L.S.*, 7457 ; notice, n. 8-12. Sur la datation, voir notice, n. 11-12.

96. *I.L. Alg.*, II, 2, 4636 = *B.C.T.H.*, 1906, p. CCLXIII ; notice, n. 19 (*ob honorem du(u)muiratus ultro ab ordin(e) suo in [se] conlat[um]*). Dès l'époque de Marc Aurèle, la législation impériale considérait la désignation des magistrats par l'*ordo* comme un fait acquis (*Dig.*, 50, 2, 72, 2).

97. Sur cette institution, se reporter à l'ouvrage de T. Kotula, *Les curies municipales en Afrique romaine*, Wroclaw, 1968.

98. *I.L. Alg.*, I, 1295. Notons que l'expression est en partie restituée.

99. *C.*, 11774 ; notice *Mididi – B. –*, n. 3 ([*p*]*restantibus curialibus uniuersis*).

100. *C.*, 22852 ; notice *Thysdrus – B. –*, n. 13 (*uniuersae curiae posuerunt*).

101. *Op. cit.*, p. 137-140.

102. Augustin, *Enarratio in ps.* 75, *C.C.*, 39, p. 1036 : « ... tribus dicuntur tamquam curiae et congregationes distinctae populorum. »

possède beaucoup de curies, comme Rome a trente-cinq curies[103] ». Ce passage est clair : les curies avaient disparu de certaines cités (*erant aliquando*) et elles subsistaient encore au début du ve siècle dans certaines autres. Cette diversité se retrouve ailleurs : nous trouvons mention de duumvirs quinquennaux en certains endroits au ive siècle ; dans d'autres cités, comme à Timgad, ils avaient disparu[104]. Retenons que le conservatisme municipal africain amena la survie des curies dans certains endroits, même si leur rôle, notamment en matière électorale, était devenu inexistant.

Deux constitutions transmises par le *Code Théodosien* nous obligent à constater que le peuple avait conservé des possibilités d'intervention dans les élections municipales. L'une émane de Constantin et date selon Seeck de l'année 325 ; elle concerne la désignation des magistrats. L'autre, due à Honorius, date de 411 et évoque la désignation des *exactores*, décurions chargés de la perception des arriérés d'impôt.

La loi de Constantin était adressée au comte d'Afrique C. Annius Tiberianus. En voici le texte :

« Que ces magistrats qui, conformément aux devoirs de leur charge à venir dans l'année, doivent procéder aux nominations en vue du remplacement des duumvirs, agissent conscients du risque encouru et, bien qu'en Afrique, selon la coutume, la nomination se pratique également d'après les suffrages du peuple, qu'ils s'efforcent et donnent leurs soins dans toute la mesure du possible pour que ceux qui sont nommés remplissent les conditions. En effet, l'équité exige que, si ceux qui sont nommés ne remplissent pas les conditions, ceux qui en sont responsables en subissent les conséquences[105] ».

---

103. Augustin, *En. in ps.* 121, 7, *C.C.*, 40, p. 1807 : « Nam proprie si dixerimus curias non intelliguntur, nisi curiae quae sunt in ciuitatibus singulis singulae, unde curiales et decuriones uocantur, id est quod sint in curia uel decuria ; et nostis quia tales curias singulas habeant ciuitate. Sunt autem uel erant aliquando in istis quoque ciuitatibus curias etiam populorum, et una ciuitas multas curias habet, sicut Roma tringinta quinque curias habet populi. » Le début de ce passage montre clairement que les auditeurs d'Augustin ignoraient ce qu'étaient les curies du peuple, bien que l'institution subsistât dans quelques endroits : pour eux, le mot *curia* signifiait seulement ordre des décurions.

104. Sur les quinquennaux au Bas-Empire, voir *infra*, p. 158.

105. *C.Th.*, XII, 5, 1 : « Ii magistratus, qui sufficiendis duumuiris in futurum anni officium nominationes inpertiunt, periculi sui contemplatione prouideant, ut quamuis populi quoque suffragiis nominatio in Africa ex consuetudine celebretur, tamen ipsi nitantur pariter ac laborent, quemadmodum possint ii qui nominati fuerint, idonei repperiri. Nam aequitatis ratio persuadet, nisi idonei fuerint nominati, ipsos, quorum est periculum, adtineri. » Dans une communication orale, M. William Seston m'a fait remarquer que le sens littéral de *sufficiendis duumuiris in futurum anni officium* était selon lui : « en vue du remplacement des duumvirs pour leur charge future de l'année... » Il s'agirait donc, non de l'élection des magistrats de l'année suivante, mais de celle de suppléants désignés en cours d'année, à la manière des consuls suffects à Rome, dont le nom vient justement du verbe *sufficere*. Le but de cette suppléance serait de partager les charges financières du duumvirat entre plusieurs personnes. Cette interprétation est d'un grand intérêt mais elle se

Le contexte juridique de ce document est le suivant : les duumvirs doivent procéder, le moment venu, au choix de leurs successeurs. Ils effectuent la *nominatio* c'est-à-dire, au Bas-Empire, la désignation, et non plus seulement, comme à l'époque classique, la présentation aux suffrages des électeurs : les *suffragia* du peuple précédaient donc cette *nominatio*, de même, à coup sûr, que l'élection par l'*ordo decurionum*. Il est notable qu'aucune intervention du curateur n'est ici prévue ; la prérogative exclusive du magistrat dans la *nominatio* est sauvegardée[106]. Le but que Constantin vise dans cette loi de 325 est de tenter d'éviter que soient désignés des duumvirs non solvables qui ne pourraient ni faire face aux *munera* financiers inhérents à leur fonction, ni offrir les garanties de responsabilité de leur gestion sur leurs deniers. Constantin rappelait que le magistrat qui aurait procédé à la nomination d'un duumvir insolvable en porterait la responsabilité sur sa propre fortune. Tout ceci n'était pas nouveau : on trouve de nombreuses prescriptions de ce type dans le *Digeste*[107]. En revanche, la mention de la difficulté particulière suscitée en Afrique par l'intervention des suffrages du peuple est d'un immense intérêt. Constantin constate que cette procédure résulte d'une coutume particulière à l'Afrique (*consuetudo*) ; entendons que l'ancien usage s'était conservé dans cette région alors qu'il avait disparu ailleurs. L'empereur ne demande pas de renoncer à cette intervention populaire ; il recommande simplement au comte de veiller à ce que les suffrages du peuple ne puissent pas conduire les magistrats responsables de la nomination à désigner des candidats populaires mais ne remplissant pas les conditions requises.

Doit-on induire de ce texte la persistance d'une élection par le peuple dans les cités africaines, malgré la décadence des curies municipales et les mentions épigraphiques de magistrats désignés par l'*ordo* dès le IIIᵉ siècle ? Dans son commentaire de cette loi, Godefroy avait imaginé une explication ingénieuse : l'élection *a populo* aurait connu une renaissance à partir de Constantin, à l'imitation des élections épiscopales dans les églises chrétiennes[108]. Cette conception n'est pas admissible, car le texte évoque la *consuetudo*, la coutume, ce qui eût été impropre en cas

heurte à une grave difficulté : elle postule une institution inconnue ailleurs. Remarquons également que le verbe *sufficere* peut fort bien signifier le remplacement annuel ordinaire. On traduirait alors littéralement : « Ces magistrats qui, conformément à leur office futur de l'année, répartissent les nominations en vue du remplacement des duumvirs... ». Contrairement à J. Gascou (*Politique municipale*, p.57), je ne suis donc pas pleinement convaincu par l'interprétation de M. W. Seston, qui suppose l'existence de duumvirs suffects, qu'aucun texte connu ne mentionne. Notons que J. Gascou, dans la traduction qu'il propose, oublie le mot *officium* et fait de *futurum* un substantif, ce qui en l'occurrence, n'est pas acceptable.

106. Sur les prérogatives conservées par les duumvirs en Afrique au IVᵉ siècle, voir *infra*, p. 158-163.

107. Citons PAPINIEN, *Lib. II quaestionum, Digeste*, L, 1, 13 : « ... peractis omnibus periculum adgnoscat qui non idoneum nominauit... »

108. J. GODEFROY, *Codex Theodosianus cum perpetuis commentariis*, Lyon, 1665, éd. Ritter, Leipzig, 1740, p. 563.

de renaissance récente. D'autre part, la persistance du paganisme fut longue, en particulier dans l'aristocratie municipale, et un tel mimétisme eût été inconcevable. Tout aussi inadéquates apparaissent les considérations de J. Declareuil expliquant cette survivance par « les tendances démocratiques de la race berbère[109] ».

Des textes juridiques plus tardifs évoquent des nominations de magistrats par l'*ordo*, sans aucune allusion à cette intervention du peuple. Ainsi Gratien fixa, en 381, le quorum de décurions nécessaire pour procéder aux nominations ; cette loi était adressée au vicaire d'Afrique et évoquait les *nominationes a singulis quibus ordinibus*[110]. Le même quorum (les deux tiers des décurions inscrits sur l'album) fut confirmé par Honorius en 395 dans un rescrit au proconsul d'Afrique[111]. On pourrait donc penser qu'au temps de Constantin, l'élection par le peuple subsistait, au moins dans certaines cités, mais qu'elle disparut ensuite[112]. Pourtant, l'intervention du peuple est mentionnée dans un document encore plus tardif, une constitution d'Honorius adressée au proconsul d'Afrique Eucharius en 412 et relative à la désignation des *exactores* :

« Des personnes zélées et remplissant les conditions requises devront être désignées comme *exactores* à la date voulue, à Carthage, dans le *secretarium*, en présence du peuple. Si le peuple formule à leur encontre une accusation quelconque, il sera équitable d'en choisir d'autres, de sorte que si, à la suite d'une enquête rigoureuse, ils étaient convaincus de concussion avec des propriétaires fonciers, ils fussent soumis sur le

---

109. J. DECLAREUIL, *Quelques problèmes d'histoire des institutions municipales au temps de l'empire romain*, dans *Rev. Hist. de droit fr. et étr.*, 31, 1907, p. 472. Declareuil dit, plus justement, que les suffrages du peuple en Afrique au temps de Constantin, devaient consister en acclamations et tumultes plutôt qu'en des élections régulières (*ibidem*, p. 465-467). C'est aussi l'opinion de T. Kotula (*Curies municipales*, p. 95-98 et 134-135). Toutefois, Kotula me semble avoir une vue quelque peu trop limitative de cette influence de l'opinion publique, au contraire de J. Roman (*Notes sur l'organisation municipale de l'Afrique romaine*, 1, *Les cités*, dans *Annales de la Faculté de droit d'Aix*, IV, 1910, p. 96) qui croyait, de manière certainement très abusive, au maintien de l'élection par les curies (c'était aussi l'opinion de J. TOUTAIN, *Les cités romaines de Tunisie*, Paris, 1895, p. 352-354, et d'E. ALBERTINI, *Bul. Soc. Nat. Ant. Fr.*, 1933, p. 111). Y. Debbasch (« *Colonia Iulia Karthago* ». *La vie et les institutions municipales de la Carthage romaine*, dans *R.H.D.*, 4e série, 31, 1953, p. 340-342) prend *nominatio* au sens classique de présentation aux suffrages et fait de *suffragiis* un datif, ce que conteste à juste titre J. Gascou (*Politique municipale*, p. 56-57).

110. *C. Th.*, XII, 1, 84.

111. *C. Th.*, XII, 1, 142.

112. Nous avons relevé *supra* (n. 95 et 96) des mentions épigraphiques de nominations de magistrats à la suite d'une décision de l'*ordo*, datables de la seconde moitié du IIIe siècle. Nul doute que sous Constantin, le rôle de la curie était décisif en la matière mais, en certaines occasions, les *suffragia* du peuple pouvaient infléchir le choix. Ce n'est pas ce problème qu'envisageaient les lois de Gratien et d'Honorius ; on ne saurait donc dire en toute certitude que les *suffragia* avaient disparu partout au temps de ces empereurs.

champ au risque du châtiment capital et qu'ils dussent payer, sur leur patrimoine, le quadruple des sommes volées[113] ».

Ce texte montre l'importance de la fonction d'*exactor*, confiée aux décurions ; on constate que ce *munus*, considéré souvent comme l'un des plus lourds et coûteux, permettait, dans les faits, des profits illicites et pouvait être recherché[114]. Or on voit de nouveau, ici, le peuple intervenir ; il est admis dans la salle du palais proconsulaire (*secretarium*) où a lieu la désignation, il peut formuler des accusations et exclure les candidats de la curie. Un sermon de saint Augustin prononcé à Carthage en 401 confirme cette immixtion des contribuables dans le choix des percepteurs. Un décurion païen, Faustinus, briguait la fonction d'*exactor*. Il demanda le baptême, mais le peuple protesta, et affirma que cette conversion prétendue n'avait pour but que de faciliter sa nomination[115]. On le voit, le poids de l'opinion publique était capital sur ce point ; il pouvait inciter les décurions à désigner des personnes honnêtes et sûres.

C'est aussi la signification qu'il faut donner à la loi émise par Constantin en 325. Plutôt que par un vote formel des curies, les suffrages du peuple devaient s'exprimer par des acclamations rituelles, lors d'une assemblée tenue probablement dans un lieu de spectacle. Certes, la désignation des magistrats et autres dignitaires municipaux revenait à la curie ; les « nominations » étaient prononcées par les magistrats sortant de charge. Toutefois, le rituel de l'acclamation impliquait que les candidats désignés ne fussent pas impopulaires ; dans le cas contraire, pouvaient se développer une agitation et des troubles qu'il valait mieux éviter[116].

---

113. *C. Th.*, XI, 7, 20 : « Constituto certo tempore publice aput Karthaginem in secretario, admisso populo, exactorum ordinabuntur idoneae strenuaeque personae. De quibus, si popularis accusatio ulla processerit, in eorum locum alios par erit destinari, ita ut seuera indagatione, si in concussione possessorum deprehensi fuerint, ilico et capitali periculo subiaceant et direptorum quadrupli poena ex eorum patrimonio eruatur. »
Quodvultdeus, évêque de Carthage lors de l'invasion vandale, donne un autre exemple d'intervention populaire à Carthage : le peuple, réuni sur le forum, entendait la lecture des noms des anciens proconsuls : il acclamait les bons et huait les mauvais. Il s'agissait donc d'une sorte de ratification populaire des jugements portés par le conseil provincial (*Gloria sanctorum*, appendice au *Livre des promesses et des prédictions de Dieu*, éd. R. Braun, *S.C.*, 102, p. 664-666 ; notice *Karthago*, n. 121).

114, Sur ce problème, voir chapitre IV, *infra*, p. 213-216.

115. AUGUSTIN, *Sermo* « Morin » 1, in *Miscellanea Agostiniana, I, Sermones post Maurinos reperti*, p. 591-593 = *P.L.S.*, II, 657-660. Sur ce texte, voir notice *Karthago*, n. 117-121. Faustinus voulait une dignité qu'Augustin qualifiait du terme vague de *maioratus* ; la nature de la fonction est donnée, selon nous, par la suite du texte : Augustin développe une métaphore selon laquelle le véritable *exactor*, celui qui viendra nous demander des comptes, c'est le Christ.

116. Je me rallie donc à l'opinion de J. Declareuil et de T. Kotula (travaux cités *supra*, n. 97 et 109). Il faut pourtant constater que la loi de Constantin, émise certainement à propos de faits précis, prévoit le cas où les *suffragia* du peuple forceraient

Un document non africain donne un exemple d'acclamations populaires, le papyrus de l'assemblée d'Oxyrhynque[117]. Il s'agit de la minute d'une assemblée populaire tenue sous Dioclétien à l'occasion, semble-t-il, de la désignation d'un dignitaire municipal. Les acclamations sont, de toute évidence, rituelles : «L'empire romain pour les siècles ! Nos Seigneurs les Augustes ! Vive le gouverneur ! Vive le *rationalis* ! Vive le président (*hégémôn*) ! Vive notre glorieuse cité ! Vive Dioscoros, le premier citoyen !» Le peuple proposait au président un honneur qu'il hésitait à accepter. Il finit par s'incliner et on en référa à la boulè (l'*ordo*). La séance se termina sur de nouvelles acclamations : « Bonheur à tous ceux qui aiment la cité ! Nos Seigneurs les Augustes pour toujours ! ». Il est possible, suggère A. H. M. Jones, que le peuple ait demandé au «président» d'accepter la curatelle de la cité, ce qui ne pouvait se faire que par un décret de l'*ordo* et une nomination par le gouverneur[118]. Il n'est pas question de transposer purement et simplement en Afrique une procédure attestée en Égypte. Le document d'Oxyrhynque montre, en tout cas, que l'intervention du peuple dans la vie municipale n'avait pas disparu dans toutes les régions de l'Empire, comme l'ont affirmé imprudemment bien des historiens modernes. Les suffrages du peuple des cités africaines évoqués dans la constitution de Constantin devaient, très probablement, être fort comparables à ce qui se passait à Oxyrhynque sous Dioclétien.

Nous possédons cependant un texte africain qui nous permet de nous représenter ces assemblées et ces élections, au prix d'une transposition. Il s'agit des *Acta*, conservés dans la correspondance de saint Augustin, de la réunion du peuple de l'église d'Hippone au cours de laquelle Augustin proposa l'élection du prêtre Éraclius comme son successeur désigné. Le parallèle est net avec l'assemblée d'Oxyrhynque, ce qui manifeste une parenté notable entre l'institution ecclésiastique et l'institution municipale ; bien entendu, c'est l'Église qui a subi l'influence de la cité, et non l'inverse, comme le pensait naïvement Godefroy. L'assemblée d'Hippone eut lieu en 426. Augustin exposa qu'il désirait l'élection d'un prêtre qui, sans recevoir l'épiscopat, ce qui eût violé les canons, serait son successeur futur et, d'ores et déjà, allègerait sa tâche. Il proposa à l'élection populaire le prêtre Éraclius. Les acclamations du peuple

---

la main à l'*ordo* et aux duumvirs et imposeraient la nomination de personnes ne remplissant pas les conditions requises, juridiques et financières (*non idonei*), ce qui va plus loin que l'élimination de personnes impopulaires. Il est permis de penser que des cas de ce type étaient fort rares. E. Albertini a justement observé que la loi de Constantin impliquait la présence de plusieurs candidats au duumvirat et la nécessité de les départager, ce qui constitue un indice très net de prospérité et de vitalité municipales (*La prospérité de l'Afrique au IVe siècle d'après deux lois du code Théodosien*, dans *Bull. Soc. Nat. Ant. Fr.*, 1933, p. 111).

117. U. WILCKEN, *Chrestomathie*, Berlin, 1912, p. 45.

118. A. H. M. JONES, *The Later Roman Empire*, t. 2, p. 722-723. Je cite l'opinion de Jones sur la désignation du curateur sous toute réserve, car il n'est pas certain qu'une désignation de fait par la curie précédait, dès le temps de Dioclétien, la nomination impériale du *curator rei publicae* (voir *infra*, p. 186-188).

ont été fidèlement notées, avec leur nombre, par le sténographe : « Longue vie à Augustin ! C'est digne et juste ! Il le mérite bien, il est bien digne ! Nous rendons grâce à ton jugement ! Qu'il en soit ainsi, qu'il en soit ainsi ! Toujours digne, toujours méritant ! Exauce-nous Christ, protège Éraclius ! C'est toi notre père, c'est toi notre évêque[119] ».

A coup sûr, les magistrats d'Hippone entendaient des acclamations semblables quand ils étaient désignés et qu'ils étaient populaires. Dans les deux cas, la désignation n'émanait pas, à l'origine, du peuple. L'évêque était choisi par ses pairs, par les prêtres, les *seniores laici* ; les dignitaires municipaux étaient choisis en fait par un groupe de notables : le curateur et les magistrats en exercice, les *principales* et les flamines perpétuels[120]. Toutefois, dans les deux cas, le rôle du peuple n'était pas totalement de pure forme, car l'obligation des suffrages par acclamation dissuadait inévitablement les électeurs réels de proposer des personnalités auxquelles le peuple était hostile.

Si l'on excluait ces indésirables, un conflit ouvert entre les notables et le peuple devait être rare : tous étaient d'accord pour désigner des hommes riches, les premiers pour réserver les honneurs aux gens de leur caste, le second pour bénéficier de l'évergétisme des élus[121].

De nombreuses inscriptions ainsi que des allusions de saint Augustin témoignent du maintien de la pratique évergétique en Afrique au Bas-Empire, en particulier pour l'offrande de spectacles publics[122]. Ce fait est intimement lié au poids du peuple dans la vie municipale. Quand un « homme du siècle », dit saint Augustin, demande aux hommes de vains honneurs, il leur offre des jeux coûteux[123]. Le prestige de Romanianus

---

119. Parmi les lettres de saint Augustin, *Epist.* 213 (*Acta ecclesiastica*), *C.S.E.L.*, 57, p. 372-379. Ce procès-verbal est rédigé exactement selon les formes des *acta* civils, y compris la mention de la date consulaire au début. Comme sur les *acta* de la séance du Sénat au cours de laquelle le *Code Théodosien* reçut l'approbation (438 ; *C. Th.*, éd. Mommsen-Meyer, t. I, 2, p. 1-4) le nombre des acclamations de l'assemblée est soigneusement noté. A Hippone, en 426, la formule *Exaudi Christe, Eraclium consuerua* fut prononcée quatre-vingts fois ! Un bon exemple d'intervention violente et abusive du peuple est fourni par l'épisode du tumulte suscité dans l'église d'Hippone pour faire ordonner prêtre malgré lui Pinien (Valerius Pinianus), mari de Mélanie le Jeune, en 410 (Augustin, *Epist.* 125 et 126, *C.S.E.L.*, 44, p. 3-18 ; *cf.* chapitre VIII, *infra*, p. 385-388). Il est tout à fait probable que des faits de ce genre advenaient parfois dans la vie municipale.

120. Sur ce point, voir chapitre IV, *infra*, p. 201-205.

121. Ce qui devait, avons-nous vu, rendre très rares les choix de *non idonei*, évoqués par Constantin dans sa loi de 325. Ce rescrit avait, de toute évidence, été suscité par un ou plusieurs cas où les *suffragia* du peuple, c'est-à-dire ses clameurs dans un lieu public (théâtre, amphithéâtre) avaient eu assez de poids pour pousser la curie et les magistrats à désigner des *non idonei*. Il s'agissait donc de ce que des inscriptions du Haut-Empire appellent la *postulatio populi*, qui n'était pas seulement l'acclamation de personnes désignées au préalable par les notables.

122. Sur cette question, voir chapitre VI, *infra*, p. 298-318.

123. AUGUSTIN, *Sermo* 32, 20, *C.C.*, 41, p. 407 : « Quaerit honores ab hominibus uanos ; ut autem adipiscatur, exhibet illis ludicra nequitiae... »

à Thagaste et dans les villes voisines, au temps de la jeunesse d'Augustin, était lié aux spectacles et aux banquets publics qu'il offrait et qui lui valurent tous les honneurs municipaux et provinciaux[124]. De même on voit, à Lepcis Magna au IVe siècle, que des statues furent érigées à des dignitaires municipaux par suite d'un décret de l'*ordo* et des suffrages du peuple, pour les remercier d'avoir offert des jeux dans l'amphithéâtre[125]. La recherche de la popularité était donc toujours une condition nécessaire à une brillante carrière locale. Pour l'obtenir, les prodigalités évergétiques demeuraient nécessaires, ce qui montre bien le poids de l'opinion publique sur la vie municipale.

Une mosaïque récemment publiée, trouvée à Smirat dans le Sahel de Sousse, montre une chasse aux panthères dans l'amphithéâtre. On peut la dater peu avant le milieu du IIIe siècle[126]. Des inscriptions donnent le texte d'un dialogue entre la foule, le porte-parole des chasseurs professionnels et un évergète (*munerarius*) nommé Magerius. La foule l'incite à payer : « Sur le modèle des questeurs, tu donneras un *munus* à tes frais ! A tes frais tu donneras un *munus*, ce sera ton jour à toi ! » Quand il a payé, les acclamations redoublent : « C'est cela être riche, c'est cela être puissant ! ». Ces pratiques se maintinrent durant toute la période ; elles créaient une solidarité urbaine englobant les diverses classes sociales. Certes, seuls les plus riches accédaient aux dignités et responsabilités municipales, mais le soutien populaire demeurait nécessaire, même après la disparition des élections par les curies.

Dans cette perspective les mentions, assez nombreuses sur les inscriptions, des interventions du peuple apparaissent moins formelles qu'on a pu le croire. Certes, l'expression *ordo et populus* sur les dédicaces de statues n'a pas grande signification. Mais en est-il de même pour la mention du vœu de tous les citoyens (*uoto omnium ciuium*) au *municipium Aurelium Commodianum* (Henchir Bou Cha, Proconsulaire) pour la dédicace de la statue de l'évergète Herrenianus[127] ? De même pour les *uota p(ublica)* ou *uota p(opuli)* mentionnés à Biia, en Byzacène[128] ? Ces vœux s'exprimaient par les acclamations du peuple rassemblé dans les lieux du spectacle. Les suffrages du peuple sont mentionnés à Lepcis Magna sur dix-sept dédicaces de statues de patrons et de bienfaiteurs datables du Bas-Empire. Cette insistance est notable. Elle semble correspondre à un souci du maintien de la tradition sous toutes ses formes qui caractérise la

---

124. AUGUSTIN, *Contra Academicos*, 1, 2, éd. Jolivet, *B.A.*, 14, p. 16-19. Sur ce texte, voir *infra*, chap. VI, p. 298-299 ; notice *Thagaste* – P. –, n. 23-32.

125. *I.R.T.*, 567 (première moitié du IVe siècle ; notice *Lepcis Magna* – T. –, n. 62) ; *I.R.T.*, 564 (même époque ; notice, n. 67) ; *I.R.T.*, 595 = *C.*, 14 = 22673 (même époque ; notice, n. 68).

126. A. BESCHAOUCH, *La mosaïque de chasse découverte à Smirat en Tunisie*, dans *C.R.A.I.*, 1966, p. 134-157. L'inscription est reproduite dans *A.E.*, 1967, 549. L'éditeur propose comme date la quatrième décennie du IIIe siècle.

127. *C.*, 23964 = 828 ; notice, n. 2.

128. *C.*, 11184 = 914 + 916 + 917 ; notice, n. 5.

grande cité de Tripolitaine au IVe siècle[129]. Parfois, le peuple est qualifié de *quietissimus*, très paisible[130] ; on soulignait ainsi que son intervention s'était faite sans nul tumulte et qu'elle ne mettait nullement en cause la primauté, très nette dans cette cité, des grandes familles aristocratiques[131]. Si ces inscriptions témoignent de l'importance des manifestations de l'opinion publique, elles en montrent donc aussi les limites.

Nous verrons dans le chapitre suivant que la plèbe urbaine avait aussi une autre fonction, humble mais nécessaire : les *munera sordida* par lesquels étaient assurés le nettoyage des rues, l'entretien des thermes, les patrouilles de surveillance, voire des travaux de construction. Cependant, ce type de réquisitions ne suffisait pas à assurer les divers services municipaux ; un petit personnel permanent, libre ou esclave, y était aussi employé[132]. En ce qui concerne la direction de la cité, le maintien d'une influence du peuple est caractéristique de ce conservatisme des cités africaines au Bas-Empire, que nous sommes amené à constater à chaque rubrique de ce chapitre[133].

III — LES MAGISTRATS ET DIGNITAIRES TRADITIONNELS

Dans son étude sur la vie municipale à Antioche d'après Libanius, Paul Petit constate la disparition des magistratures traditionnelles[134]. Le mot archonte désignait en fait, chez Libanius, des fonctionnaires impériaux. Le curateur avait assumé les fonctions de direction des anciens magistrats supérieurs : gestion administrative et financière, maintien de l'ordre public, justice de première instance, instruction de causes plus importantes. Les responsabilités plus modestes étaient assumées par les bouleutes à tour de rôle, à titre de *munus* : les magistratures avaient donc été démantelées. Cette évolution eut lieu, selon P. Petit, dès le IIIe

---

129. Sur ce traditionalisme lepcitain, voir notice, n. 120-122.

130. *I.R.T.*, 564 (notice, n. 67) : *sufragio quietissimi populi et decreto splendidissimi ordinis*. Idem, *I.R.T.*, 578 (notice, n. 70).

131. Sur l'inscription *I.R.T.*, 565 (notice, n. 20), datable des années 350-360, on lit : *ordo... cum populo... decretis et sufragiis concinnentibus conlocauit*. La formule est caractéristique d'une volonté de marquer l'accord entre le peuple et les dirigeants. Sur les grandes familles qui dominaient la vie de Lepcis au IVe siècle, voir notice, n. 123.

132. Sur les *munera sordida* et le petit personnel municipal, voir chapitre IV, *infra*, p. 208 ; 224-228.

133. Paul Veyne a bien montré ce poids du peuple dans la vie municipale antique, notamment à propos de ce qu'il nomme les « charivaris », les manifestations tumultueuses d'approbation ou de réprobation, dont il fallait bien tenir compte (*Le pain et le crique*, Paris, 1976, p. 221 ; 290).

134. P. PETIT, *Libanios et la vie municipale à Antioche au IVe siècle*, Paris, 1955, p. 71-76.

siècle, car Libanius, malgré son conservatisme, ne l'évoque pas et ne regrette nulle part la disparition de fonctions qui avaient symbolisé l'autonomie et le prestige des cités[135].

En Afrique, on ne constate rien de comparable, et les titres de duumvir, édile et questeur ont subsisté jusqu'à la conquête vandale[136]. A Timgad au temps de Julien, l'album municipal mentionne les duumvirs en exercice juste après le curateur ; deux édiles et un questeur prennent place après la liste des prêtres municipaux et avant celle des *duumuiralicii*. Ces derniers sont suivis des *aedilicii* et des *quaestoricii*[137]. L'album de Timgad fut donc rédigé selon les principes qui avaient présidé à la confection de celui de Canusium à l'époque sévérienne, si l'on exepte la mention des flamines perpétuels, pontifes et augures à la suite des duumvirs[138].

Les duumvirs.

Sur les lois du Bas-Empire mentionnant le duumvirat[139], trois concernent l'Afrique. Nous avons déjà étudié la loi de Constantin, datée de 325, qui évoquait l'usage propre à cette région de faire intervenir les suffrages du peuple dans l'élection des duumvirs et prescrivant de ne désigner que des candidats aptes financièrement[140]. Une autre loi de Constantin, datée de 337, et adressée au conseil de la province d'Afrique, dispense les

---

135. *Ibidem*, p. 76. Pour P. Petit, le logiste (curateur) avait, lui aussi, des attributions réduites au temps de Libanius (*ibid.*, p. 76-78).

136. Le dernier *duumuiralicius* africain datable mentionné par nos documents est Curma, en fonction au *municipium Thulliense*, près d'Hippone, à l'extrême fin du IVe ou au début du Ve siècle (AUGUSTIN, *De cura pro mortuis gerenda*, XI, 15, *C.S.E.L.*, 41, p. 644 ; notice *Thullio* – P. –, n. 2). Une loi de 412 mentionne encore les duumvirs africains (*infra*, n. 142).

137. Album municipal de Timgad, col. 1, 2 et 3 ; *cf.* notice *Thamugadi* – N. –, n. 77-81. Sur les raisons possibles de l'omission du second questeur, voir notice, *loc. cit.*

138. L'album de Canusium (Canosa di Puglia ; *C.*, IX, 338 = *I.L.S.*, 6121) fut gravé en 223. Il correspond exactement aux normes définies par Ulpien (*De albo scribendo*, *Dig.* L, 3, 2) prescrivant d'inscrire, après les titulaires des dignités impériales, les anciens magistrats en commençant, dans chaque catégorie, par le plus ancien, les quinquennaux en fonction étant par ailleurs cités en tête. Les titulaires de prêtrises ne sont donc pas mentionnés à Canusium. Dans une loi adressée au proconsul d'Afrique Ennoius en 395 (*C. Th.*, XII, 1, 142), Honorius évoque les décurions inscrits sur l'album municipal (*omnes qui albo curiae continentur*) ; c'est la preuve que la rédaction de l'album de Timgad ne fut nullement un fait exceptionnel et que l'usage d'établir ces listes était général dans les cités africaines encore à la fin du IVe siècle. Mais ils devaient, le plus souvent, être écrits uniquement sur des matériaux périssables, d'où leur disparition. Sur l'album municipal de Timgad, se reporter au livre d'André Chastagnol (Bonn, 1978).

139. D'après O. GRANDENWITZ, *Heidelberger Index zum Theodosianus*, Berlin, 1929, on trouve dans le *Code Théodosien* trois exemples du mot *duumuiralis*, quatre du mot *duumuiratus*. Mais, le plus souvent, les duumvirs sont désignés par le mot *magistratus*, dont on rencontre de nombreux exemples. Sur cette fonction au Bas-Empire, voir W. LIEBENAM, art. *Duoviri*, dans *P.W.*, V, 2 (1905), § Duoviri in der spätern Kaiserzeit, col. 1838-1841.

140. *C. Th.*, XII, 5, 1 ; voir *supra*, p. 142-143 et n. 105.

sacerdotales, les flamines perpétuels et les *duumuirales* de certains *munera* inférieurs[141]. Enfin, une loi d'Honorius, datée de 412 et adressée au proconsul d'Afrique Eucharius, interdit aux duumvirs d'exercer « la puissance de leurs faisceaux » (*postestatem fascium*) hors des limites de leur cité[142]. Ce rescrit avait été assurément suscité par des abus précis : des duumvirs africains étaient indûment intervenus dans des affaires hors de leur compétence. Selon toute probabilité, ils avaient émis des jugements ou instruit des procès à propos de faits qui s'étaient déroulés sur le territoire d'autres cités. Ceci implique qu'ils possédaient toujours, en 412, des prérogatives judiciaires ou administratives que le rescrit d'Honorius qualifie de *potestas* et distingue donc nettement d'un *munus*. Or des historiens, tel André Piganiol, ont dit que les magistratures municipales telles qu'elles figurent, inchangées depuis le Haut-Empire, sur l'album de Timgad, n'étaient « plus que des liturgies coûteuses, des *munera*, et que tout ce bel édifice était irréel[143] ». Les titres de magistrats, le duumvirat en particulier, n'auraient donc été que des appellations honorifiques permettant la classification hiérarchique des curiales, conférées à des personnes remplissant les conditions d'ancienneté requises et ayant payé les *munera* financiers correspondants. Quant aux anciennes prérogatives administratives et judiciaires des magistrats, elles auraient été partagées entre le curateur, puis le défenseur, et l'ensemble des décurions. S'il est impossible de parler, pour l'Afrique, de disparition des magistratures traditionnelles, comme Paul Petit le fait pour Antioche, on constaterait pourtant dans cette région de l'Empire un processus semblable, le curateur s'étant réservé, sous le contrôle du gouverneur provincial, toutes les fonctions d'autorité. Du coup, la fonction de duumvir ne serait plus qu'un honneur coûteux, aussi vide de tout pouvoir réel que le consulat ou l'édilité à Rome sous l'Empire.

Pourquoi, dans ces conditions, la loi émise par Honorius en 412 évoque-t-elle la *potestas* des duumvirs et en interdit-elle un usage abusif ? Le problème est difficile et mérite une étude précise.

Les documents africains nous font connaître cinquante et un duumvirs du Bas-Empire, plus les quinze *duumuiralicii* mentionnés sur l'album municipal de Timgad. Sans doute sont-ils nettement moins nombreux que les curateurs et les flamines perpétuels connus. Toutefois, nous le verrons, une étude de leur fonction n'est pas impossible.

---

141. *C. Th.*, XII, 5, 2.

142. *C. Th.*, XII, 1, 174 : « Duumuirum inpune non liceat extollere potestatem fascium extra metas propriae ciuitatis. »

143. A. PIGNANIOL, *L'empire chrétien*, Paris, 1947, p. 356. O. Seeck avait déjà exprimé cette opinion, allant jusqu'à dire que, dès le second siècle, le rôle des duumvirs n'était plus que d'offrir et de présider des jeux (*Geschichte des Untergangs des antiken Welt*, Berlin, 1897, t. 2, p. 533). Liebenam (article cité *supra*, n. 139), tout en affirmant les prérogatives des magistrats très diminuées, est nettement plus nuancé ; de même J. DECLAREUIL, *Quelques problèmes d'histoire des institutions municipales au temps de l'empire romain*, dans *Rev. Hist. de Droit*, 21, 1907, p. 629-642,

TABLEAU CHRONOLOGIQUE

1	Seconde moitié ou fin du IIIe s.	Aurelius Flavius	Vina – P. –, n. 7
2	275-276	P. Numisius Primus	Membressa – P. –, n. 1
3	276-282	C. Lurius Felix	Tichilla – P. –, n. 3
4	Fin du IIIe ou début du IVe s.	Aemilius Arrianus Caecilianus	Lepcis Mag – T. –, n. 7
5	Fin du IIIe ou début du IVe s.	L. Volusius Gallus	Lepcis Mag – T. –, n. 7
6	Après 251 (sous Dioclétien ?)	- - - Commodus	Milev – N. –, n. 3
7	286-293	- - -	Cedia – N. –, n. 2
8	286-293	C. Statulenius Vitalis Aquilinus	Thamugad – N. –, n. 1
9	286-305	- - ius Marcellinus	Thibilis – N. –, n. 1
10	293-305	Atius Crescens	Ala Miliari – M.C. –, n
11 et 12	299	C. Julius Gaitas junior ; L. Seius Felix	Albulae – M.C. –, n
13	303	Alfius Caecilianus	Abthugni – B. –, n. 1
14 et 15	314	- - - Gallienus ; - - - Fuscius	Abthugni – B. –, n. 3
16	314	Aurelius Didymus Speretius	Karthago – P. –, n. 5

ᵗicius	*aedilis, q(aestor) curator r. p.*	chevalier romain, décurion de Carthage	*A.E.*, 1961, 200
ralicius	*aedilicius,* évergète		*C.*, 25836 = *I.L.S.*, 8926
q(uin)[q(uenna-	évergète		*C.*, 14891
ᵗicius	pontife		*I.R.T.*, 579
ᵗis	pontife, flamine perpétuel	chevalier romain	*I.R.T.*, 579
nnalis (au temps confédération) ; après sa dissolu-	flamine perpétuel, évergète		*C.*, 8210 = *I.L.S.*, 6864
			C., 10727 = 17655
uum]uiratus sui iserat	augure évergète	chevalier romain	Kolbe, *Statthalter*, p. 40
rem du(u)muira-	évergète	chevalier romain	*I.L. Alg.*, II, 2, 4636
no]rem IIui(ra-	évergète		*A.E.*, 1936, 64
uirat[u] irs éponymes)			*C.* 21665
ᴿ présidant aux ᴏns judiciaires ᴇs chrétiens	Édile		*C.S.E.L.*, 26, p. 197-204
irs ayant des ᴀs judiciaires			*C.S.E.L.*, 26, p. 197-198
ᴿ présidant le ᴵ *in iure*	Prêtre de Jupiter Très Bon et Très Grand		*C.S.E.L.*, 26, p. 198-200

17	315	Quintus Sisenna	Karthago – P. –, n. 6
18	312-337	Crepereius - - -	Lares – P. –, n. 5
19	avant 320	Q. Clodius Clodianus	Auzia – M.C. –, n
20 et 21	321	Insteius Renatus ; Apollonius Gallentius	Municipiu Chullitanu – B. –, n. 4
22 et 23	321	Q. Valerius Marcellus ; C. Hortensius Concilius	Thaenae – B. –, n. 8
24	340-350	L. Aemilius Caelestinus	Sabratha – T. –, n. 9
25 et 26	361-363	Sessius Cresconius ; Papirius Vitalis	Thamugad – N. –, n. 7
27	364-367	- - -	Lambaesis – N. –, n. 1
28	364-367	Valerius - - -ianus	Lambaesis – N. –, n. 1
29	367-383	- - -	Mascula – N. –, n. 1
30	vers 370-380	Cornelius Romanianus	Thagaste – P. –, n. 2
31	376-377	- - -	Calama – P. –, n. 9
32	375-383	L. Silicius Rufus	Lambaesis – N. –, n. 1
33	379-383	Napotius Felix Antonianus	Thugga – P. –, n. 1

r ayant des fonc- diciaires			*C.S.E.L.*, 26, p. 198
uin)[*q*(*ennalis*)]			*C.*, 1781
s *honoribus per-* (a donc reçu le rat)	Patron, *dispunctor* (= *curator r.p.*)		*C.*, 9020 = *I.L.S.*, 4456
; dirigent une de			*C.*, VI, 1684
us curiam ... (présidence de)			*C.*, VI, 1685 = *I.L.S.*, 6111 a
quinquenn]*alis* ; nt dans des tra- iblics	flamine perpétuel		*I.R.T.*, 55
	25 : augure 26 : flamine perpétuel		*C.*, 2403 = *I.L.S.*, 6122 (album municipal, col. I, l. 20-22)
intervient dans aux publics			*C.*, 2656
alicius ; inter- *urante*) dans des publics			*A.E.*, 1917-1918, 58
nn[*alis*] (restitu- bable)			*C.*, 2244
ous les honneurs aux, donc le rat	patron ; très certaine- ment flamine perpétuel et *curator r.p.* ; évergète	patron des cités voi- sines ; très probablement prêtre provincial et *ho-* *noratus* clarissime	Augustin, *Contra Acade-* *micos*, II, 2 (3)
ir]*alic*[*ius*]			*I.L. Alg.*, I, 257 = *C.*, 5423 + 5425 + 5427 = 17519
alici[*us*]	*curator r.p.*, évergète		*C.*, 18328 = *I.L.S.*, 5520
em duou[*iratus*]	flamine perpétuel, *curator r.p.*, évergète		*C.*, 26569

34 et 35	393	C. Vib- - - ; - - - Candidus	Thignica – P. –, n. 7
36	403	- - -	Karthago – P. –, n. 1(
37	fin IVe ou début Ve s.	- - - Curma	Thullio – P. –, n. 2

DUUMVIRS DU BAS

38	Pas après le milieu du IVe s., vu le titre de *uir egregius*	L. Flavius Felix Gabinianus	Karthago – P. –, n. 4(
39 et 40	Avant Constantin, vu le titre *d'e- ques romanus*	- - - ; P. Julius Polli[us ?]	Madauros – P. –, n. 2
41 et 42	*idem*	L. Scribon[ius Nata ?]lis ; M. Julius Pacatus [V]ic[torianus ?]	Madauros – P. –, n. 2
43 et 44	Pas avant Constantin (formule chrétienne)	Manilius Faustinianus ; Manilius Fortunatianus (fils du précédent)	Tepelte – P. –, n. 4
45	avant Constantin	Lusius Fortunatianus	Thisiduo – P. –, n. 3
46	1re moitié du IVe s. (vu les sacerdoces)	T. Flavius Vibianus	Lepcis Ma – T. –, n. (
47	*idem*	T. Flavius Frontinus Heraclius	Lepcis M – T. –, n. (
48	*idem*	M. Flavius Vibianus junior, fils du précédent	Lepcis Ma – T. –, n. (
49	IVe siècle	M. Vibius Anianus Geminus	Lepcis Ma – T. –, n. '
50	1re moité du IVe s.	C. Aurelius Felicianus D[a]masius	Sabratha – T. –, n. ;
51	1re moitié du IVe s.	M. Cornelius Crispinus	Auzia – M.C. –,)

ri	flamines perpétuels		C., 1412 = 15204
atus, responsable a publica, très ement duumvir			Augustin, Ad donatistas post coll., I ; P.L., 43, 651
ralicius	décurion (curialis pauper, vix illius loci duumuiralicius et simpliciter rusticanus)		Augustin, De cura p. mortuis ger., XI, 15, C.S.E.L., 41, p. 644.

TABLES AVEC PRÉCISION

cius	flamine perpétuel	uir egregius, curator r. p. d'Abitinae	C., 1165
Iuir	flamines perpétuels	40 : chevalier romain	I.L. Alg., I, 2141
signatus ; signatus	flamines perpétuels	41 : chevalier romain	I.L. Alg., I, 2141
licius ; licius	aedilicii, uiri honesti		C., 12260 b et c
	édile évergète (aedilis et munerarius ; duouir et munerarius) ; agens uices curatorum r. p.		C., 1270
uir	Principalis, pontife, flamine perpétuel, curator r. p., évergète	Perfectissime, prêtre provincial de Tripolitaine, prêtre des Laurentes de Lavinium et de Cybèle	I.R.T., 567 et 568
uir	Principalis, augure évergète	Perfectissime, prêtre des Laurentes de Lavinium	I.R.T., 564
uir	Principalis, pontife, évergète		I.R.T., 595 = C., 14 = 22673
ir	Pontife, flamine perpétuel, évergète	Perfectissime, prêtre provincial de Tripolitaine	I.R.T., 578
uennalis)	flamine perpétuel, prêtre d'Hercule, curator r. p.		I.R.T., 104
honoribus per- (a donc reçu le cat)			C., 9021 = I.L.S., 4457

Le premier enseignement de cette liste est qu'elle montre la présence de duumvirs dans les diverses provinces africaines durant toute la période. Quatre portent le titre de quinquennal ; pour deux autres, ce titre peut être probablement restitué[144]. Le quinquennalat semble avoir progressivement disparu au IVe siècle. Pourtant, une constitution de Constantin datée de 321 l'évoque encore comme une magistrature supérieure[145] ; une autre, adressée en 336 à Gregorius, préfet du prétoire ayant juridiction sur l'Afrique, mentionne les *quinquennales* parmi les dignitaires supérieurs, avec les *honorati*, les duumvirs, les flamines et les prêtres provinciaux[146]. Il n'est donc pas surprenant que nous trouvions ce titre sur plusieurs inscriptions. Mais il n'y en a aucune mention sur l'album de Timgad, qui fut donc rédigé sous la direction et la responsabilité du curateur. Il y a lieu de penser qu'il en était de même dans les autres cités et que le quinquennalat avait perdu sa raison d'être. Il subsista cependant dans certains endroits, comme une distinction honorifique. Sa faible importance apparaît si l'on considère le cas du lepcitain M. Vibius Anianus Geminus, *signo* Amelius, perfectissime, *sacerdotalis* de Tripolitaine et évergète. Cet aristocrate fut deux fois duumvir de Lepcis Magna ; si le quinquennalat avait encore existé dans cette cité, nul doute que Geminus l'eût reçu, au moins lors de son second duumvirat. Ce ne fut pas le cas[147].

Des inscriptions montrent des duumvirs responsables de travaux publics. Parfois, cette *cura* leur fut attribuée après leur magistrature, quand ils étaient *duumuiralicii* et souvent flamines perpétuels[148] ; elle n'était donc pas une prérogative propre au duumvirat. Les honneurs impliquaient le paiement de *munera* financiers ; il n'est donc pas surprenant que des duumvirs aient pratiqué l'évergétisme. On constate le maintien durant le Bas-Empire de la formule *ob honorem duumuiratus* qualifiant un acte de munificence. Encore entre 379 et 383, à Thugga, le duumvir

---

144. Le plus récent (n° 24) était en fonction à Sabratha entre 340 et 350 (*I.R.T.*, 55). Le n° 29, en fonction à Mascula entre 367 et 383, est plus douteux, car la restitution de l'inscription (*C.*, 2244) est hypothétique (*cf.* notice *Mascula* – Num. – n. 16).

145. *C. Th.*, XIII, 3, 1 = *C. Just.*, X, 52, 6.

146. *C. Th.*, IV, 6, 3 = *C. Just.*, V, 27, 1. Ce texte interdit toute mésalliance aux *honestiores* ainsi définis : « Senatores seu perfectissimos uel quos in ciuitatibus duumuiralitas uel quinquennalitas uel flamonii uel sacerdotii prouinciae ornamenta condecorant. » Une allusion, à la fin du document, à une affaire judiciaire se déroulant à Carthage, montre que cette loi concernait tout particulièrement l'Afrique (de même que la formule finale : « Lecta XII k. Aug. Carthagine, Nepotiano et Facundo conss. »).

147. *I.R.T.*, 578, notice *Lepcis Magna*, – T. – n. 70 (n° 49 sur la liste). Aucun des aristocrates lepcitains qui gérèrent le duumvirat au IVe siècle et furent de généreux évergètes n'est qualifié de quinquennal (liste, n° 4, 5, 46-49), alors que ce titre subsistait en Tripolitaine à Sabratha (liste, n° 24 et 50). Ce fait montre que l'uniformité des institutions municipales n'était pas totale dans les diverses villes.

148. Ainsi, à Lambèse entre 364 et 376 (*A.E.*, 1917-1918, 58 ; notice n. 15, liste n° 28), ou à Calama, entre 376 et 377 (*I.L. Alg.*, I, 257 ; notice, n. 9, liste n° 31).

L. Napotius Felix offrit à ses concitoyens la restauration d'un édifice et donna un banquet public le jour de la dédicace[149].

Le duumvirat semble avoir été un honneur inférieur au flaminat perpétuel. Sur l'album de Timgad, si les duumvirs en exercice sont mentionnés immédiatement après le curateur, les *duumuiralicii* sont placés à la suite des prêtres municipaux. Surtout, on constate que le second duumvir en exercice n'est pas encore flamine, mais simplement augure. Il n'y avait pas, semble-t-il, de règle précise pour l'ordre dans lequel on gérait ces deux honneurs, mais, au témoignage des inscriptions, le flaminat semble avoir eu un prestige supérieur[150].

Les textes épigraphiques sont d'un faible secours si l'on veut chercher à savoir si le duumvirat était autre chose qu'un titre honorifique ; ceci est vrai aussi pour le Haut-Empire, où pourtant les magistrats ne sont pas éclipsés par le curateur comme sur la plupart des inscriptions postérieures. Cependant, sur deux des six tables de patronat offertes en 321 par des villes de Byzacène au gouverneur Aradius Valerius Proculus, on trouve une indication précise. L'ambassade envoyée auprès du gouverneur par le *municipium Chullitanum* était présidée par les duumvirs en exercice[151], alors que le curateur dirigeait l'ambassade adressée par Zama Regia[152]. Sur la tablette offerte par Thaenae, la composition de l'ambassade n'est pas précisée, mais il est dit que la désignation du patron et des *legati* fut faite par les membres de l'*ordo*, sous la présidence des duumvirs[153]. On voit donc que des derniers n'avaient pas été partout supplantés, sous Constantin, par le curateur, dans les fonctions hono-

---

149. La formule se trouve à Thamugadi sous Dioclétien et Maximien (KOLBE, *Statthalter Numidiens*, p. 40 ; notice, n. 11 ; liste, n° 8) ; à Ala Miliaria (Maurétanie Césarienne) entre 293 et 305 (*A.E.*, 1936, 64 ; notice, n. 2 ; liste, n° 10) à Thugga entre 379 et 383 (*C.*, 26569 ; notice, n. 14 ; liste, n° 33).

150. En plus de l'ordre suivi sur l'album de Timgad, nous avons une autre preuve de la place supérieure du flaminat dans la hiérarchie municipale. L'habitude, sur les inscriptions qui ne donnent pas un *cursus* complet, est de ne mentionner que le titre le plus prestigieux ; or, nous ne connaissons que 51 duumvirs ou *duumuiralicii* (sans compter la liste de Timgad) et 112 flamines perpétuels (outre les 36 de l'album de Timgad) sont attestés pour notre période. Ce dernier titre avait donc certainement la préséance.

151. *C.*, VI, 1684 ; notice *mun. Chullitanum* – B. –, n. 4, liste n. 20 et 21. L'ambassade était gratuite, c'est-à-dire aux frais des *legati*, à titre de *munus* ; elle comprenait, outre les duumvirs, les deux édiles et six flamines perpétuels.

152. *C.*, VI, 1686 = *I.L.S.*, 6111, C ; notice *Zama Regia*, n. 11. Comme la précédente, cette ambassade comprenait dix personnes, portant toutes les titres de *uir egregius* et de flamine perpétuel ; on y trouve un édile et un édile désigné, preuve que le titre envié de flamine perpétuel pouvait être obtenu avant le duumvirat et même avant l'édilité, de même qu'un honneur impérial comme l'égrégiat, très dévalué il est vrai à cette époque (voir chap. v, *infra*, p. 265).

153. *C.*, VI, 1685 = *I.L.S.*, 6111, a ; notice *Thaenae*, n. 8, liste, n° 22 et 23. La présidence de la curie est indiquée par la formule *agentibus curiam Q. Valerio Marullo et C. Hortensio Concilio duouiris*. Cette formule est, semble-t-il, incorrecte ; le rédacteur a confondu l'expression *curam agere* avec *agere cum curia*.

rifiques de présidence des cérémonies publiques, tout particulièrement celle des séances de la curie[154].

Cette présidence avait une importance spéciale lors de la séance annuelle de *nominatio* des nouveaux magistrats[155]. La désignation par la curie et, en Afrique, les suffrages du peuple, ne suffisaient pas pour « créer », selon l'expression traditionnelle en droit public romain, les magistrats : c'était la passation des pouvoirs par leur prédécesseur qui leur conférait la *potestas*. Nous l'avons vu, ceci valait toujours dans les cités africaines du Bas-Empire et Constantin avait rappelé, en 325, que les duumvirs de la province Proconsulaire devaient procéder à la désignation de leurs successeurs et étaient responsables sur leurs deniers de leur gestion et du paiement des charges financières liées a l'honneur qui leur était conféré[156].

La *nominatio* annuelle concernait aussi les décurions astreints aux divers *munera*, notamment les charges importantes de la perception des impôts, assurées par les *susceptores* et les *exactores*. Si la responsabilité civile et financière (*periculum nominationis*) avait incombé aux duumvirs en exercice pour l'ensemble de ces fonctions, leur charge eût été écrasante et, loin d'être un honneur vide, le duumvirat eût été toujours la fonction essentielle de la vie municipale. En fait ces nominations, au témoignage de la législation, était le fait des *principales*[157] et les duumvirs, vraisemblablement, se contentaient d'introniser leurs successeurs et les édiles de l'année à venir, c'est-à-dire les dignitaires revêtus de la *potestas*.

Bien entendu, certains *nominati* se dérobaient, à cause de la lourdeur des charges financières qu'ils devaient acquitter. La législation impériale avait donc prévu une jurisprudence pour l'examen des requêtes (*quaerimoniae*) de ceux qui estimaient pouvoir solliciter une exemption du gouverneur provincial ; aux termes d'une loi de Constantin, les magistrats et les percepteurs avaient trois mois pour faire appel après leur nomination[158]. Constance II réduisit ce délai à deux mois[159]. A plusieurs reprises, les empereurs intervinrent pour rappeler que les magistratures et honneurs devaient être conférés selon l'ordre traditionnel[160] ; en 372, Valentinien Ier interdit de conférer d'emblée et par passe-droit le duumvirat[161]. De même, les lois impériales prescrivaient de tenir compte de la situation financière des intéressés, de manière à ce que les honneurs les

---

154. Une nouvelle fois, on constate l'existence d'usages différents d'une cité à l'autre et donc d'une certaine souplesse des institutions.

155. Sur ce point, voir *supra*, p. 143.

156. *C. Th.*, XII, 5, 1 ; *cf. supra*, p. 142-145 et n. 105.

157. *C. Th.*, XI, 16, 4 ; *cf. infra*, chapitre IV, p. 202-203.

158. *C. Th.*, XII, 1, 8 (323).

159. *C. Th.*, XI, 30, 19 (339).

160. *C. Th.*, XII, 1, 4 (317) ; XII, 1, 65 (365) ; XII, 1, 71 (370).

161. *C. Th.*, XII, 1, 77 : « *Nec uero a duumuiratu uel a sacerdotio incipiat, sed seruato ordine omnium officiorum sustineat...* »

plus coûteux fussent assurés par les décurions les plus riches[162]. Ceci impliquait que tous les curiales n'accédaient pas au duumvirat et au flaminat.

Nous verrons dans le chapitre suivant que l'autorité municipale avait conservé, au Bas-Empire, des prérogatives en matière judiciaire beaucoup plus importantes que ne l'ont cru les historiens modernes[163]. De fait, la législation impériale montre que ceux qu'on appelait autrefois les *duumuiri iure dicundo* conservaient le rôle de juges municipaux qu'ils possédaient sous le Haut-Empire. Ainsi, Constance II leur reconnaissait en 339 le droit de statuer lors des contestations en matière d'héritage et de possession des biens[164]. Il est probable que seuls les duumvirs avaient le droit de prononcer des sentences dans les petits procès pour lesquels le tribunal municipal était compétent. De fait, le droit de trancher en justice, la *iuris dictio*, impliquait la *potestas* du magistrat dont le curateur était, en principe, dépourvu. C'est à cette *potestas fascium* qu'Honorius faisait allusion en 412, quand il ordonnait aux duumvirs africains de ne pas l'exercer hors des limites de leur cité[165]. Pourtant, depuis le règne de Valentinien Ier, les *defensores* avaient reçu le droit de juger certains procès ; cette fonction semble avoir eu peu d'importance dans les cités africaines et avoir, en conséquence, peu concurrencé la juridiction des duumvirs, encore vivace, nous le voyons, au début du ve siècle[166]. Il convient pourtant de n'en pas exagérer l'importance. Pour l'essentiel, nous le verrons, les prérogatives judiciaires de l'autorité municipale n'étaient pas de statuer en première instance sur de petits litiges ou de menus délits, mais d'instruire sur place les procès plus importants, destinés à être jugés par le gouverneur provincial[167]. Or les lois spécifiaient que ces enquêtes pouvaient être menées par le curateur, et plus tard le *defensor*, les *principales*, aussi bien que par les magistrats[168]. Les documents sur l'intervention de l'autorité municipale dans la persécution des chrétiens de 303 à 305 montrent que, le plus souvent, la procédure fut dirigée par le curateur, qui disposait donc des pouvoirs de police. Ce fut le cas à Cirta, à Thibiuca, à Tigisis, à Rusicade[169]. A Abthugni,

---

162. *C. Th.*, XII, 1, 140 = XII, 1, 148 = *C. Just.*, X, 32, 46 (399-Seeck).

163. Sur ce point, voir chapitre iv, p. 216-222 et n. 104-133.

164. *C. Just.*, III, 6, 9, 9.

165. *C. Th.*, XII, 1, 174 (*cf. supra*, p. 151 et n. 142).

166. Des pouvoirs judiciaires et policiers furent reconnus aux *defensores* par Valentinien Ier, dès leur création, (*C. Th.*, I, 29, 2, de 365). Sur cette institution, et la faible place qu'elle semble avoir tenue en Afrique, voir *infra*, p. 193-194 et n. 257-266.

167. Nous étudions ce problème important dans le chapitre suivant, à propos du fonctionnement global de l'organisme municipal (*infra*, p. 218-222).

168. En 405, Honorius rendait les *principales* et les *defensores* responsables de la répression du donatisme (*C. Th.*, XVI, 6, 4, *in fine*), sans évoquer les prérogatives en la matière du curateur et des magistrats, ce qui semble impliquer d'une diminution des prérogatives de ces deux dignités.

169. Voir *infra*, p. 191-192 et n. 249-253.

cependant, les opérations de perquisition et de confiscation dans l'église en 303 furent dirigées par le duumvir Alfius Caecilianus : le curateur, mentionné dans les documents, resta en retrait[170]. La loi était donc imprécise, au temps de Dioclétien, sur les attributions respectives des deux institutions. Toujours à Abthugni, en 314, c'est un duumvir qui transmit aux acteurs des événements de 303 l'ordre du vicaire d'Afrique de se rendre à Carthage pour témoigner au procès de l'évêque Félix[171]. Dans cette dernière ville, une audience préliminaire eut lieu, présidée par un duumvir, pour faire l'instruction du procès qui devait être jugé par le proconsul[172]. A l'audience présidée par ce dernier, un autre duumvir de Carthage intervint ; il servait donc d'assesseur[173]. On voit donc, à la lumière du document exceptionnel que sont les *Acta purgationis Felicis*, que les duumvirs africains conservaient des prérogatives judiciaires fort importantes au temps de Constantin[174].

La législation et les documents chrétiens africains nous font connaître une autre fonction importante, la confection des actes officiels. Une loi de Valentinien Ier datée de l'année 366 précise que les curateurs et magistrats « ont le pouvoir de faire les *acta*[175] ». Ces documents, nous le verrons,

---

170. *Acta purgationis Felicis*, *C.S.E.L.*, 26, p. 199 ; notice *Abthugni* – B. –, n. 15-17. Le curateur en fonction en 303, Claudius Saturninus, est mentionné par Optat de Milev (I, 27) et par la lettre de Constantin au proconsul Probianus, qui le compte parmi les témoins convoqués pour le procès de Félix d'Abthugni en 314-315 (document cité par Augustin, *Epist.* 88, *C.S.E.L.*, 34, 2, p. 410). Il accompagna le duumvir en 303 dans un voyage d'affaires qui leur permit de voir la procédure de persécution à Zama Regia et à Furnos Maius (*Acta*, p. 201 ; notice, n. 15), mais il demeura à l'écart dans les opérations de perquisition et son témoignage ne semble pas avoir eu d'importance au procès de 314-315. Il est très probable que le rôle majeur du duumvir était lié à sa forte personnalité ; malgré sa modeste situation sociale et sa médiocre instruction, Alfius Caecilianus était énergique et habile ; il sut épargner à ses concitoyens la persécution violente (*cf.* notice *Abthugni*, n. 49-52, et surtout chapitre VII, *infra*, p. 338-343).

171. *Acta purgationis Felicis*, *C.S.E.L.*, 26, p. 197 ; notice *Abthugni*, n. 25.

172. *Ibidem*, p. 198, notice *Karthago*, n. 55 : « ... in iure apud Aurelium Didymum Speretium sacerdotem Iouis Optimi Maximi duumuirum splendidae coloniae Carthaginiensium. » Cette audience *in iure* précédait, aux fins d'instruction, l'audience suivie de la sentence, présidée par le proconsul ; sur cette procédure, voir chapitre IV, *infra*, p. 219-221.

173. *Acta, loc. cit.*, p. 198 ; notice *Karthago*, n. 62 (intervention du duumvir Quintus Sisenna).

174. Ce texte montre aussi le prestige gardé par la fonction ; le proconsul dit à l'ancien duumvir d'Abthugni Alfius Caecilianus « qu'il importe de croire en sa parole, puisqu'il a géré le duumvirat dans sa patrie » (*Acta, loc. cit.*, p. 203, l. 32-33 ; notice *Abthugni*, n. 47).

175. *C. Th.*, V, 15, 20 : « apud curatores uel magistratus aut quicumque in locis fuerit qui conficiendorum actorum habeat potestatem... » On le voit, sur ce point aussi, la loi restait souple quant aux prérogatives respectives des diverses autorités municipales et laissait aux cités une certaine liberté dans leur organisation institutionnelle. Au Ve siècle, des lois confièrent au *defensor* la possibilité d'enregistrer les *acta*, en concurrence avec le curateur et les magistrats : ainsi *C. Th.*, XI, 8, 3 (409 ; loi occidentale), qui évoque ces trois responsables possibles.

étaient aussi bien des textes d'administration municipale (décisions des autorités, procès-verbaux des délibérations de la curie) que des enregistrements de plaintes ou d'interrogatoires judiciaires. Ils étaient aussi l'équivalent de nos actes notariés[176]. Vu le conservatisme institutionnel des cités africaines, il est probable que les duumvirs conservèrent pour une large part cette responsabilité, en concurrence avec le curateur puis, au ve siècle, avec le *defensor*. Saint Augustin déposa à plusieurs reprises des plaintes contre des donatistes dans les *acta* d'Hippone[177]. Au début de son épiscopat, il se heurta à une fin de non-recevoir de la part du responsable, un *honoratus* clarissime nommé Eusebius. Le clarissimat dispensant des fonctions municipales, il apparaît donc qu'Eusebius était le curateur, fonction assez souvent assumée par des *honorati*, au moins dans les villes importantes[178]. En 403, ce furent les *magistratus* qui furent chargés de convoquer les évêques donatistes pour leur faire prendre connaissance d'une invitation à une conférence avec leurs collègues catholiques[179]. Pour les autres plaintes qu'il déposa, Augustin ne précise pas le titre du responsable municipal qui rédigea les *acta* et enregistra l'affaire.

Il est possible que les duumvirs africains virent leur rôle judiciaire, encore grand au temps de Constantin, amoindri dans les années suivantes au profit du curateur. On ne saurait l'affirmer, faute de documents explicites ; mais il apparaît assez nettement qu'ils n'étaient plus que de simples adjoints du *curator rei publicae*, devenu en quelque sorte le maire de la cité. On peut penser qu'ils conservèrent jusqu'au bout la présidence de la curie, le droit et la responsabilité de la *nominatio* des magistrats désignés pour l'année suivante, la *iuris dictio* pour les petits procès à laquelle Honorius faisait allusion en 412 quand il évoquait leur *potestas fascium*. Pour l'instruction des procès importants, la confection des *acta*, les pouvoirs de police et d'administration générale, il est probable qu'ils furent simplement les auxiliaires et les suppléants éventuels du curateur. Toutefois, on ne peut mettre cet amoindrissement de leur fonction en rapport avec une perte de l'autonomie des cités, comme le faisait Liebenam, puisque le curateur était, désormais, désigné en fait par la curie dont il faisait partie et n'était plus, si ce n'est par une fiction juridique, le représentant du pouvoir central[180].

---

176. Sur les *acta publica* et leur fonction, voir chapitre iv, *infra*, p. 223-224.

177. Voir notice *Hippo Regius* – P. –, n. 30-39.

178. Augustin, *Epist.* 34 et 35, *C.S.E.L.*, 34, 1, p. 23-31 ; notice *Hippo Regius*, n. 30-35.

179. *Concilia Africae*, éd. Munier, *C.C.*, 149, p. 210 (*Reg. eccl. Carthag. excerpta*, canon 91) : « ... in singulis ciuitatibus uel locis per magistratus uel seniores locorum conueniant. » Les évêques du concile de 403 considéraient donc que les responsables normaux des *acta* dans les cités étaient les magistrats, c'est-à-dire les duumvirs, et dans les villages (*castella*), les *seniores*.

180. Voir *infra*. Sur les prérogatives concurrentes du *defensor*, à partir des dernières années du ive siècle, voir *infra*, p. 193-194.

Les édiles et les questeurs.

La questure et l'édilité municipales ne sont pas évoquées dans les documents juridiques du Bas-Empire[181]. Les documents africains montrent pourtant leur survivance. Ainsi, deux édiles et un questeur figurent sur l'album municipal de Timgad, de même que des *aedilicii* et des *quaestoricii*. Sans mentionner ces magistratures inférieures, les lois impériales ordonnant de conférer les *munera* et les honneurs municipaux selon l'ordre, et non en commençant par le duumvirat, font allusion implicitement à ces fonctions, au moins pour les régions, telle l'Afrique, où elles subsistaient[182].

En plus de l'album de Timgad, nous possédons trois mentions épigraphiques de questeurs datables du Bas-Empire[183] ; les inscriptions nous font connaître dix édiles, un édile désigné et quatre *aedilicii*[184]. Les *Acta purgationis* de l'évêque Félix d'Abthugni évoquent un homme nommé Augentius, qui avait été le collègue dans l'édilité du duumvir de 303, Alfius Caecilianus[185]. Ammien Marcellin mentionne un édile nommé Nicasius qui fut tué par les barbares Austuriens lors de leur second raid sur la Tripolitaine (vers 364) ; cet édile était originaire de Lepcis ou d'Oea[186].

L'édilité impliquait le paiement d'une somme honoraire ; en témoigne une inscription de Thala (Byzacène) évoquant la construction d'une

---

181. Les mots *aedilis* et *aedilitas* ne figurent pas dans le *Heidelberger Index zum Theodosianus* de Gradenwitz, ce qui implique que la magistrature sénatoriale de ce nom avait disparu. Le mot *quaestor* figure dans le code, mais uniquement pour désigner les questeurs sénatoriaux ou les questeurs du Sacré Palais.

182. Lois cités *supra*, p. 160 et n. 160-161.

183. *A.E.*, 1961, 200 (Vina – P. –, notice, n. 7) ; *C.*, 9069 (Auzia, – M.C. –, notice, nº 14 : mention d'un personnage *quaesturam r(ei) p(ublicae) agens* sur une funéraire datée de l'année 320) ; *B.C.T.H.*, 1907, p. 278 (Thamugadi – N. – notice, n. 37 : funéraire d'un questeur, datable probablement du Bas-Empire). Sur les hypothèses permettant d'expliquer la présence d'un seul questeur au lieu de deux sur l'album municipal de Timgad, voir notice *Thamugadi*, paragraphe *L'album municipal — Fonctions, titres et catégories.*

184. *C.*, 12145 (Aggar, – B. –, notice, n. 7) ; date indéterminée du Bas-Empire : édile responsable de travaux publics) ; — *C.*, 21655 (Albulae, – M.C. –, notice, n. 1 : mention de deux édiles, en 299) ; — *C.*, VI, 1684 (Municipium Chullitanum, – B. –, notice, n. 4 : mention de deux édiles dans une *legatio*, en 321) ; — *C.*, 25836 (*Membressa*, – P. –, notice, n. 1 : *duumuiralicius et aedilicius* évergète en 275-276) ; — *C.*, 23291 (Thala, – B. –, notice, n. 5 : édile évergète *ob honorem*, en 287) ; — *A.E.*, 1906, 26 (Thamugadi, – N. –, notice, n. 16 : édile évergète, probablement au Bas-Empire) ; — *C.*, 12260 (Tepelte, – P. –, notice, n. 4 : funéraire de deux *aedilicii* ; ivᵉ siècle) ; — *C.*, 1270 (Thisiduo, – Proc. –, notice, n. 3 : mention d'un édile, fin iiiᵉ siècle ou ivᵉ siècle) ; — *I.L. Afr.*, 276 (Thuburbo Maius, – P. –, notice, n. 14 : mention d'un *aedilicius* évergète, entre 395 et 408. La date tardive de ce document montre que l'édilité n'avait pas disparu à la fin de la période considérée) ; — *A.E.*, 196, 200 (Vina, – P. –, notice, n. 7 : mention d'un édile ; seconde moitié du ivᵉ siècle) ; — *C.*, VI, 1686 = *I.L.S.*, 6111, c (Zama Regia, – B. – ; notice, n. 11 : mention d'un édile et d'un édile désigné dans une *legatio* en 322). Il convient d'ajouter les deux édiles et les 17 *aedilicii* de l'album municipal de Timgad.

185. *Acta purgationis Felicis*, *C.S.E.L.*, 26, p. 199, l. 20 ; p. 203, 1, 26.

186. AMMIEN MARCELLIN, XXVIII, 6, 10.

place publique en 287 aux frais d'un évergète, *ob honorem aedilitatis*[187]. Le seul document évoquant une fonction administrative concrète est une inscription d'Aggar (Byzacène) qui montre un édile chargé de la responsabilité d'une restauration de bâtiment[188].

J. Declareuil suppose que la questure et l'édilité n'étaient plus, au Bas-Empire, que des titres honorifiques impliquant le paiement de *munera* financiers, sans aucune prérogative particulière[189]. C'est certain pour la questure, car les fonctions de secrétariat et de comptabilité étaient assurées par les *officiales* municipaux[190]. En ce qui concerne les édiles, il est possible qu'ils aient conservé une certaine responsabilité dans la police des rues et la surveillance des marchés. En effet, ils pouvaient, dans ce cadre, infliger des amendes ou des châtiments corporels, ce qui impliquait la *potestas fascium* dont étaient dépourvus de simples décurions chargés d'un *munus* personnel[191]. Au procès de Félix d'Abthugni, le duumvir Alfius Caecilianus évoqua le temps où il avait « administré l'édilité[192] », formule qui conviendrait mal à un honneur sans responsabilités effectives. Quoi qu'il en soit, les magistratures inférieures ne jouaient assurément qu'un rôle fort limité dans la vie municipale, mais leur maintien est un indice caractéristique du conservatisme institutionnel des cités africaines.

Les sacerdoces municipaux.

Les documents africains mentionnent très souvent les sacerdoces officiels dont les dignitaires municipaux étaient revêtus. On connaît pour le Bas-Empire 17 pontifes, dont quatre sur l'album de Timgad, 12 augures, dont quatre sur l'album, et pas moins de 148 flamines perpétuels, dont 36 sur l'album[193]. Cette dernière fonction est donc celle qui

---

187. *C.*, 23291 ; notice, n. 5.

188. *C.*, 12145 ; notice, n. 7. Comme nous l'avons remarqué à propos des duumvirs, la *cura* de travaux publics n'était pas liée à une fonction particulière. Il semble toutefois que l'édilité était le rang minimal pour pouvoir assumer ce *munus*.

189. J. DECLAREUIL, *Quelques problèmes d'histoire des institutions municipales au temps de l'empire romain*, dans *Rev. Hist. de Droit*, 31, 1907, p. 632-633.

190. Sur le rôle des fonctionnaires et du petit personnel au service des cités, voir chapitre IV, *infra*, p. 224-228.

191. De même, les policiers ou secrétaires (*exceptores*) ne pouvaient être que des exécutants. Il est normal que les sources soient muettes sur les attributions aussi modestes, mais on peut supposer avec vraisemblance que, dans ce conservatoire de traditions municipales romaines qu'était l'Afrique du Bas-Empire, la célèbre description de l'édile assurant la police du marché donnée par Apulée (*Métamorphoses*, I, 24-25) demeurait valable.

192. *Acta purgationis Felicis, loc. cit.*, p. 199, 1, 20-21 : « ... cum quo aedilitatem administraui. »

193. Une recension complète des flamines africains a été faite par Maria Silvia BASSIGNANO, *Il flaminato nelle provincie romane dell'Africa*, Rome, 1974. Cet ouvrage donne une liste de flamines et un recueil d'inscriptions classées par cité, mais il

est le plus souvent indiquée, avec la curatelle de cité (151 curateurs connus). Sur l'album de Timgad, les flamines perpétuels figurent juste après le curateur et les duumvirs en fonction, avant les pontifes, les augures, les édiles et l'unique questeur ; les *duumviralicii* ne sont indiqués qu'ensuite. Cette place montre l'importance de ces sacerdoces dans le cursus des honneurs municipaux. La fréquence exceptionnelle de la mention du flaminat montre qu'il s'agissait d'un honneur supérieur. Cependant, aucune règle n'obligeait à gérer le duumvirat avant le flaminat[194] : sur l'album de Timgad, l'un des duumvirs est déjà flamine perpétuel, l'autre simplement augure. Parmi les duumvirs mentionnés sur les inscriptions, une minorité porte le titre de flamine, alors que ce sacerdoce est mentionné pour la plupart des curateurs issus de la curie locale. Le plus souvent, donc, l'ordre des honneurs supérieurs était le suivant : d'abord le duumvirat, ensuite le flaminat, enfin la curatelle.

Les derniers augures et pontifes connus exercèrent leur sacerdoce sous Valentinien Ier, entre 364 et 367[195]. Nous connaissons des flamines perpétuels pour l'ensemble de la période et jusqu'à l'époque vandale, de même que des prêtres provinciaux[196]. Certains étaient chrétiens, au témoignage des inscriptions qui évoquent leur sacerdoce théoriquement païen ; nous étudierons plus loin la signification de cette juxtaposition, de prime abord déconcertante, pour l'histoire religieuse des cités[197]. Disons dès maintenant que ces prêtrises avaient perdu l'essentiel de leur sens religieux initial, pour devenir de simples honneurs, assortis du paiement de *munera* financiers. Le flaminat était la prêtrise municipale de Rome et d'Auguste ; il est probable qu'on nommait annuellement un ou deux flamines qui, leur fonction achevée, portaient le titre viager de *flamen perpetuus*[198]. Contrairement aux augures et aux pontifes, ils

---

ne comporte aucune synthèse ni aucune étude de l'évolution de l'institution. Voir l'important compte rendu de H.-G. Pflaum, *Les flamines de l'Afrique romaine*, dans *Atheneum*, n. s., 54, 1976, p. 152-163 (*L'Afr. rom.*, p. 393-404).

194. L'ambassade envoyée en 322 par la cité de Zama Regia à son patron Aradius Valerius Proculus comprenait dix flamines perpétuels dont un édile et un édile désigné, et aucun duumvir (*C.*, VI, 1686 = *I.L.S.*, 6111, c). De toute évidence, cette ambassade comprenait les notables les plus prestigieux de la cité : tous sont *uiri egregii*. On voit que des membres éminents de la curie pouvaient accéder tôt au flaminat, en dépit des lois impériales ordonnant de respecter un strict *cursus*.

195. *I.L. Alg.*, I, 256 = *C.*, 5335 = *I.L.S.*, 5730 ; *I.L. Alg.*, I, 254 = *C.*, 5337 (double mention d'un curateur augure à Calama ; notice, n. 8 et 21) ; — *C.*, 1636 (mention d'un curateur pontife à Sicca Veneria ; notice, n. 17).

196. Avant l'invasion vandale, citons un curateur flamine perpétuel entre 408 et 423 à Vallis (Proc. ; *I.L. Tun.*, 1279 ; notice, n. 8). Pour la période postérieure, voir l'étude d'A. Chastagnol et N. Duval, *Les survivances du culte impérial dans l'Afrique du Nord à l'époque vandale*, dans *Mélanges William Seston*, Paris, 1974, p. 88-118. Le dernier flamine perpétuel africain est connu par les *Tablettes Albertini* ; il vivait sous le règne de Gunthamund, en 493-496.

197. Sur ce problème, voir *infra*, chapitre VII, p. 362-369.

198. Huit flamines annuels sont connus (liste dans H.-G. Pflaum, *op. cit. supra*, n. 193, p. 154, *Afr. rom.*, p. 395). Sur cette liste, la datation de l'inscription de

avaient encore un rôle effectif au Bas-Empire, celui de présider des hommages publics à la majesté impériale, vestiges du culte impérial, à l'époque chrétienne[199]. L'absence de mentions d'augures et de pontifes sur les inscriptions après 367 peut faire penser, mais sans nulle certitude, que l'influence chrétienne fit disparaître ces vieux titres dans le dernier tiers du IVe siècle, alors que le flaminat municipal et le sacerdoce provincial étaient sauvés par leur lien avec le culte impérial et leur importance comme titres honorifiques.

La mention, sur les inscriptions, d'actes d'évergétisme exécutés « pour l'honneur du flaminat » (*ob honorem flamonii*) montre la lourdeur des charges financières qui pesaient sur les décurions promus à cette dignité. Ainsi à Uzappa (Byzacène), un notable fit restaurer à ses frais un édifice public « à cause de l'honneur du flaminat perpétuel », au IVe siècle, postérieurement à 337[200]. A Macomades (Numidie), entre 364 et 367, un flamine fit édifier un arc pour remercier ses concitoyens de sa nomination[201]. A Thugga, en 376-377, un autre fit restaurer l'aqueduc et un nymphée[202]. Il est probable que ces inscriptions commémoraient des actes d'évergétisme particulièrement notables et dépassant nettement par leur montant la somme honoraire habituelle ; mais nous avons là de bons témoignages sur l'importance accordée à cette dignité. Sur l'album de Timgad, le groupe des flamines perpétuels paraît constituer, avec les *honorati*, l'élite de la cité et, probablement, l'élément dirigeant[203].

Thala, *C.*, 23280, au temps de Dioclétien (d'après R. Cagnat et P. Gauckler, *Les monuments historiques de la Tunisie, les temples païens*, Paris, 1898, p. 33), de même que celle d'*A.E.*, 1911, 22 (Guicul), des années 364-367, me semble fragile. L'*honos flamonii annui* est évoqué sur une inscription du Haut-Empire trouvée à Theveste (*I.L. Alg.*, I, 3068 = *C.*, 1888 = *I.L.S.*, 6838). Trente-six flamines sont mentionnés sur l'album de Timgad. Comme ce titre était, le plus souvent, donné en fin de carrière municipale, donc à des hommes déjà mûrs, la nomination d'un seul flamine annuel impliquerait une longévité peu probable à l'époque chez un bon nombre de dignitaires de Timgad. Il est donc vraisemblable qu'au moins certaines années, on nommait deux flamines.

199. Voir *infra*, chapitre VII, p. 365-367.

200. *C.*, 11932, notice, n. 7. On lit sur l'inscription la mention de trois Augustes et d'un consulaire de Byzacène.

201. *C.*, 4767 = 18701 = *I.L.S.*, 5571 ; notice, n. 5.

202. *C.*, 26568 + *I. L. Afr.*, 533 ; notice, n. 13.

203. C'est l'opinion d'A. Chastagnol (*L'album municipal de Timgad*, chap. III). Les *exactores* étaient choisis parmi eux (album, col. 1, l. 33 et 34 ; cf. Chastagnol, p. 30). A. Chastagnol pense que les *principales* et les *decemprimi*, que l'album ne mentionne pas, étaient les flamines perpétuels figurant en tête de liste (*op. cit.*, p. 30).

IV — LE *CURATOR REI PUBLICAE*[204]

Nous avons pu recenser 151 *curatores rei publicae* (certains ou probables) dans les cités africaines entre 280 et 439. L'importance de ce nombre montre sans conteste que ce dignitaire éclipsait les autres sur les inscriptions et reléguait au second plan les duumvirs. Ainsi le curateur Octavius Sosinianus est mentionné sur l'album municipal de Timgad avant tous les autres dignitaires non *honorati*. Les plus anciens curateurs apparurent en Italie sous Trajan. Il s'agissait de personnalités en principe étrangères à la cité, souvent des sénateurs ou des chevaliers[205]. L'empereur leur déléguait pour un temps une autorité administrative qui semble avoir surtout consisté à remettre en ordre les finances municipales. L'intervention de ces *curatores dati ab imperatore* a donc semblé aux historiens modernes une atteinte au principe de l'autonomie des cités. Il n'est pas de notre propos d'examiner la valeur de cette opinion pour le Haut-Empire. Le premier curateur africain datable était en fonction à Sufetula en 196[206]. L'institution apparut donc tardivement dans cette partie de l'Empire. On n'en connaît que neuf datables avec certitude avant le milieu du IIIe siècle. Vu le grand nombre des inscriptions africaines des époques antonine et sévérienne, cette rareté ne peut provenir du hasard des découvertes[207].

A partir de Dioclétien, nous constatons la présente de curateurs dans toutes les cités. Comme nous le verrons, leur compétence n'était plus d'ordre purement financier, mais s'étendait à la plupart des aspects de la vie municipale. Or, ils étaient toujours considérés non comme des magistrats mais comme des délégués de l'empereur ; une loi de Constantin émise en 331 évoquait les *litterae* et *codicilli* impériaux qui leur conféraient

---

204. L'étude classique sur le sujet demeure celle de W. Liebenam, *Curator rei publicae*, dans *Philologus*, 56, 1897, p. 290-335, préférable à l'article d'E. Kornemann, *P.W.*, IV, 1774-1813. Sur les curateurs africains, il existe une bonne étude de Christian Lucas, *Notes on the « curatores rei publicae » of Roman Africa*, dans *J.R.S.*, 30, 1940, p. 56-74.

205. En Afrique, ils furent parfois des décurions de Carthage, indice du prestige de l'aristocratie de la métropole ; voir notre notice *Karthago*, n. 42-45. Au Bas-Empire, on en connaît trois (Vina – P. –, seconde moitié du IIIe siècle, *A.E.*, 1961, 200 ; liste, *infra*, n° 37 ; Abbir Maius – P. –, 368-370, *C.R.A.I.*, 1975, p. 104 ; liste n° 87 ; Abitinae – P. –, IVe s., *C.*, 1165 ; liste, *infra*, n° 67).

206. *I.L.Afr.*, 130 et 131.

207. Ch. Lucas (*op. cit.*, p. 57) recense onze curateurs qu'on peut dater avec certitude avant 280 ; pour l'un d'eux, c'est une erreur : l'inscription d'Ad Maiores, *C.*, 2480 et 2481 + 17970, évoque un tremblement de terre qui eut lieu en 267, mais le curateur qui présida à la reconstruction d'un arc était en fonction en 286 ou 287 (voir notice *Ad Maiores*, – N. –, n. 6). On ne peut dater, avec certitude ou quelque probabilité, plus d'une trentaine de curateurs avant la fin du règne de Gallien.

leur fonction[208]. Des historiens modernes ont donc induit de la généralisation de leur présence et de l'extension de leurs compétences une mainmise de l'autorité impériale sur la vie locale : des délégués du pouvoir central avaient confisqué les pouvoirs des magistrats des cités. En fait, nous le verrons, les curateurs furent de plus en plus, au ${IV}^e$ siècle, absorbés par les curies et choisis dans leur sein. Leur caractère de représentants de l'empereur s'estompa donc de plus en plus[209].

La documentation juridique est, malheureusement, très limitée. Un *titulus* du *Code Théodosien* était consacré aux *curatores ciuitatum*, mais il n'a pas été conservé par les manuscrits[210]. Nous ne possédons donc pas de document général où les attributions des curateurs seraient énumérées, mais seulement une série d'allusions, éparses dans la législation. La documentation africaine, épigraphique et littéraire, est donc d'un grand secours, car elle permet de connaître un grand nombre de curateurs (151 pour la période) et elle donne une idée relativement précise de certaines de leurs prérogatives et de leurs responsabilités. Elle offre aussi la possibilité de voir l'évolution de leur recrutement.

---

208. *C. Th.*, XII, 1, 20 ; voir *infra*, p. 187 et n. 224.
209. Voir *infra*, p. 187-188.
210. *C. Th.*, I, 30. Seul le titre (*De curatoribus ciuitatum*) a été conservé.

TABLEAU CHRONOLOGIQUE
DES *CURATORES REI PUBLICAE* AFRICAINS DU BAS-EMPIRE

a) *Curateurs datables avec précision entre 280 et 305*

1	280	Turius Verna	Capsa – B. –, n. 8 (et Tacape – B. –)		*C.*, 100 = 11228
2	280	Tullius Maximus	Cuicul – N. –, n. 13	chevalier romain, flamine perpétuel	*B.C.T.H.*, 1911 , p. 110
3	282	Caelius Severus *signo* Thoracius	Pupput – B. –, n. 4	clarissime, consulaire, patricien, patron et évergète	*C.*, 24095 = *I.L.S.*, 5361
4	276-282	Julius Italicus	Thugga – P. –, n. 14 bis	clarissime, probablement *XVuir sacris faciundis* en 305	*C.*, 26560 = *I.L.S.*, 8927 ; cf *C.*, VI, 497 + 30779 = *I.L.S.*, 4145
5	Vers 276-282	Aelius Rufus	Lambaesis – N. –, n. 9	*uir egregius*, flamine perpétuel	*C.*, 2661 = *I.L.S.*, 5788
6	283	C. Valerius Gallianus Honoratianus	Karthago – P. –, n. 25	Clarissime	*C.* 12522 = *I.L.S.*, 600
7	283	C. Macrinius Sossianus	Calama – P. –, n. 18	clarissime et consulaire, futur légat de Numidie du proconsul Aristobulus (290-294)	*I.L. Alg.* I, 247 = *C.* 5339 = 17486
8	286-287	Cocceius Donatianus	Ad Maiores – N. –, n. 6	chevalier romain	*C.*, 2480 et 2481 + 17970
9	290	Flavius - -ric - -	Auzia – M.C. –, n. 9	*dispunctor*	*C.*, 9041 = *I.L.S.*, 627
10	290-293	Julius Rusticianus	Calama – P. –, n. 5	*ciuis et curator*	*I.L. Alg.*, I, 179 = *C.*, 5290 = *I.L.S.*, 5477

11	290-293	Aemilius Lucinus	Lambaesis – N. –, n. 10	augure	*C.*, 2660 = *I.L.S.*, 5787
12	290-293	---	Verecunda – N. –, n. 5	flamine perpétuel	*C.*, 4224
13	286-293	L. Munatius Sabinus	Bulla Regia – P. –, n. 6	clarissime	*C.*, 25520
14	286-293	C. Umbrius Tertullus (probablement identique à ---rius Tertullus de Madauros, *infra*, n° 135)	Thubursicu Numidarum – P. –, n. 17, 18	*egregius uir*	*I.L.Alg.* I, 1228 = *I.L.S.*, 9357 + *A.E.*, 1940, 18 et *A.E.*, 1957, 34
15	286-293	---	Segermes – B. –, n. 2		*C.*, 906 = 11167 = 23062
16a	290-294	P. Rupilius Pisionianus	Mactaris – B. –, n. 16	*egregius uir*	*C.*, 624 + 23413 + *A.E.*, 1946, 119
= 16b	290-294	P. Rupilius Pisonianus	Mididi – B. –, n. 3	*egregius uir*	*C.*, 11774
17	294	Co------ianus	Mididi – B. –, n. 5		*C.*, 608 = 11772 = *I.L.S.*, 637
18	Vers 295	M. Rutilius Felix Felicianus	Cuicul – N. –, n. 14	chevalier romain, pontife	*A.E.*, 1920, 15
19	295-296	Egnatius Tuccianus	Thugga – P. –, n. 7	clarissime ; curatelle probable	*C.*, 26566 et 26567 + *I.L.* *Afr.*, 532
20	299	C. Julius Fortunatus	Albulae – M.C. –, n. 14	*curator ac dispunctor*	*C.*, 21665
21	303	---- Magnilianus (peut-être parent du n° 33)	Thibiuca – P. –, n. 4-10	Rôle judiciaire dans la persécution des chrétiens	*Passio s. Felicis*, *P.L.* 8, 686-687
22	303	Claudius Saturninus	Abthugni – B. –, n. 21 et 32	*idem*	*C.S.E.L.*, 26, p. 199 ; *C.S.E.L.* 34,2 p. 410

23	303	Munatius Felix	Cirta – N. –, n. 36-37	*idem* ; flamine perpétuel	*C.S.E.L.*, 26, p. 186-188
24	303	--- Valentianus	Rusicade – N. –, n. 6	*idem*	Augustin, *Contra Cresconium*, III, 27, 30 (*B.A.*, 31, p. 324-326)
25	303	--- Pollus	Thibilis – N. –, n. 40	*idem* (à Aquae Thibilitanae)	*ibidem*
26	303	- - -	Tigisis – N. –, n. 8	*idem*	*ibidem*
27	303-305	Julius Lambesius	Thamugadi – N. –, n. 12		*B.C.T.H.*, 1907, p. 274
28	293-305	- - -	Sabzia – P. –, n. 2	flamine perpétuel	*C.*, 23124
29	293-305	[Octa]vius Stratonianus	Thugga – P. –, n. 9	clarissime	*C.*, 26472
30	293-305 (datation probable)	Aurelius Honoratus Quietianus	Thubursicu Bure – P. –, n. 10	chevalier romain	*C.*, 25 998

b) *Curateurs datables sans précision de la 2ᵉ moitié du IIIᵉ siècle ou du début du IVᵉ siècle*

31		Flavius Pollio Flavianus	Ammaedara – P. –, n. 10ᵇⁱˢ	clarissime et consulaire	*C.*, 11536
32		L. Suanius Victor Vitellianus	Calama – P. –, n. 24ᵇⁱˢ	clarissime, consulaire, patron	*I.L.Alg.*, I, 283 = *C.*, 5356 = 17494
33		Q. Vetulenius Urbanus Herrenianus, *signo* Magnilianus (peut-être parent du n° 21)	M u n i c i p i u m Aurelium Commodianum - - - (*Hʳ Bou Cha*) – P. –, n. 2	flamine perpétuel, évergète	*C.*, 828 = 23964 et 23965
34a		Agrius Celsinianus	Bulla Regia – P. –, n. 12	clarissime et consulaire	*C.*, 25523

= 34b		[Agrius] Celsinianus	Thuburbo Minus − P. −, n. 5	Clarissime et consulaire	*I.L.Afr.*, 414
35		Betitius Pius Maximillianus	Karthago − P. − n. 32	clarissime et consulaire	*C.*, IX, 1121
36		Lusius Fortunatianus	Thisiduo − P. −, n. 3	édile, duumvir, évergète (*munerarius) agens uices curatorum rei publicae*	*C.*, 1270
37		Aurelius Flavius	Vina − P. −, n. 7	chevalier romain, décurion, édile, *duumuiralicius*, questeur, décurion de Carthage	*A.E.*, 1961, 200
38		--- --darnianus	Chusira − B. −, n. 3	chevalier romain, flamine perpétuel	*C.* 704 = 12199
39		[An ?]nius Rufinus	Thysdrus − B. −, n. 10	clarissime ; *qui Thysdrum ex indulgentia principis curat*	*C.*, 51
40		L. Domitius Justus Aemilianus, *signo* Consentius	Lepcis Magna − T. − n. 76	Chevalier romain, *uir perfectissimus*, évergète probable, citoyen de Lepcis.	*I.R.T.*, 561
41		L. Volusius Bassus Cerealis, *signo* Curnius	Lepcis Magna − T. −, n. 21 et 74	clarissime et consulaire, citoyen de Lepcis, ambassadeur municipal (*legatus*) et patron	*I.R.T.*, 543 et 544
42		M. Annius Sacerdos	Satafis − M.S. −, n. 4 et 5	Chevalier romain, *dispunctor*, patron et évergète	*C.*, 8396 = *I.L.S.*, 5728 ; *C.*, 20268

c) *Curateurs datables avec précision entre 305 et 361 (jusqu'à la mort de Constance II)*

43	peu a- vant 311	C. Julius Honorius	Sitifis − M.S. −, n. 24	flamine perpétuel, *curator bis, sacerdotalis*	*A.E.*, 1922, 23

44	314	Callidius Gratianus *junior*	Abthugni – B. –, n. 27		*C.S.E.L.*, 26, p. 29 et 197 ; *C.S.E.L.*, 34, 2, p. 410
45	315	Annaeus Saturninus	Semta – P. –, n. 3		*C.*, 23116 = *I.L.S.*, 8942
46	315-316	Aemilius Victor	Vallis – P. –, n. 7	*uir egregius*, flamine perpétuel	*C.*, 1277 = *I.L.S.*, 6809
47	317-318	- - -	Vaga – P. –, n. 11 (au Hr el Ghéria)		*C.*, 14453
48	peu a- vant 320	Q. Clodius Clodianus	Auzia – M.C. –, n. 12 et 14	*dispunctor, omnibus honoribus perfunctus*, patron	*C.*, 9020 = *I.L.S.*, 4456 ; *C.*, 9069
49	322	C. Mucius Brutianus Faustinus Antonianus	Zama Regia – B. –, n. 11	*uir egregius*, flamine perpétuel, augure	*C.*, VI, 1686 = *I.L.S.*, 6111c
50	314-324	Vettius Piso Severus	Karthago – P. –, n. 27	clarissime	*C.*, 1016 = 12465
51	324-326	Claudius Aurelius Generosus	Lepcis Magna – T. –, n. 16	*uir egregius*	*I.R.T.*, 467
52	324-326	- - - Leontius	Sabratha – T. –, n. 18	curatelle possible	*I.R.T.*, 101
53	326-333	L. Modius Valentio	Belalis Maior – P. –, n. 7	p r o b a b l e m e n t évergète	*C.*, 14436 = *I.L.S.*, 5518
54	Vers 325-330	M. Valerius Gypasius	Sicca Veneria – P. –, n. 15	clarissime	*C.*, 1633
55	avant 335	Valerius Restutus	Altava – M.C. –, n. 38	*dispunctor*	*C.*, 9840
56	312-337	C. Caelius Censorinus	Karthago – P. –, n. 33	clarissime, préteur candidat, consul, curateur de la voie Latina, curateur de Rhegium Julium (Reggio de	*C.*, X, 3732 = *I.L.S.*, 1216

				Calabre), curateur de Carthage, *comes* de Constantin, *exactor auri et argenti* en Sicile, Sardaigne et Corse, consulaire de Sicile, consulaire de Campanie	
57	312-337 (?)	Valerius Romanus	Sicca Veneria – P. –, n. 10	clarissime, patron	*C.*, 15881 = *I.L.S.*, 5505
58	312-337 (?)	- - -	Sicca Veneria – P. –, n. 20	clarissime et patron, probablement évergète	*C.*, 1651 = 15883
59	337-338	Imbrius Geminius Fausti[nus ?]	Avitta Bibba – P. –, n. 5	curatelle probable	*C.*, 12272
60	340	Statulenius Felix	Altava – M.C. –, n. 40	*dispunctor*	*A.E.*, 1935, 86
61	340-350	[Ta]nnonius Felix	Zattara – P. –, n. 3	flamine perpétuel	*I.L.Alg.* I, 534 = *C.*, 17268
62	340-350	C. Aurelius Statianus	*H*r *Haouli* (respublica - - - sinsensium) – P. –, n. 1		*I.L.Tun.*, 622
63	337-350 (?)	- - -	Sicca Veneria (au castellum du *H*r *Sidi Merzoug*) – P. –, n. 21	probablement patron	*C.*, 15723
64	312-350	- - -	Chusira – B. –, n. 2		*A.E.*, 1946, 45
65	357	Q. Licinius Aurintius Victorinus (parent du n° 75)	Mactaris – B. –, n. 20		*A.E.*, 1955, 51
66	361	Annius Namptoiu	Thuburbo Maius – P. –, n. 11	flamine perpétuel, *iurisconsultus, magister studiorum*	*I.L.Afr.*, 273 a - et b

d) *Curateurs datables sans précision entre 305 et 361*

67	L. Flavius Felix Gabinianus	Abitinae − P. -, n. 11	*uir egregius*, flamine perpétuel *duumuiralicius* de Carthage, curateur d'Abitinae	*C.*, 1165
68	Fabius Caecilius Praetextatus	Thignica − P. −, n. 10	flamine perpétuel	*C.*, 1398 ; *C.*, 14909 ; *C.*, 15200
69	Frolius Caecilianus	? (pierre errante ; région de Tunis)		*C.*, 9997
70	- - - Severus	Sufetula − B. −, n. 15	*egregius uir*, flamine perpétuel, évergète	*A.E.*, 1954, 59
71	T. Flavius Vibianus	Lepcis Magna − T. −, n. 62	*uir perfectissimus*, flamine perpétuel, duumvir, *sacerdotalis* de Tripolitaine, *principalis*, titulaire de plusieurs sacerdoces, évergète	*I.R.T.*, 567 et 568
72	C. Aurelius Felicianus Damasius	Sabratha − T. −, n. 20	flamine perpétuel, *quinquennalis*, prêtre d'Hercule	*I.R.T.*, 102

e) *Curateurs datables avec précision entre 361 (Julien Auguste)*
et 379 (avènement de Théodose)

73	361-363	Basilius Cirrenianus Restitutus (parent des n° 80 et 90)	Calama − P. −, n. 20	*sacerdotalis* de la province d'Afrique	*I.L. Alg.*, I, 253 = *C.*, 5338 = 17488
74	361-363	- - - [Ma]rcianus	Madauros − P.-, n. 8	*ducenarius*	*I.L. Alg.*, I, 2100
75	361-363	Q. Licinius Faustus (parent du n° 65)	Mactaris − B.-, n. 23	flamine perpétuel	*C.*, 11805

76	361-363	Flavius Aquilinus	Thamugadi – N. –, n. 30 et 31	flamine perpétuel	*C.*, 2387 ; *A.E.*, 1949, 134
77	361-363	Octavius Sosinianus	Thamugadi – N. –, n. 77-97	flamine perpétuel	*C.*, 2403 = *I.L.S.*, 6122 (Album, col. I, l. 19)
78	364	Caecilius Pontilius Paulinus	Madauros – P. –, n. 9	flamine perpétuel, patron	*I.L. Alg.*, I, 2101
79	364	- - - [Ant ?]onianus	Mustis – P. –, n. 6	flamine perpétuel	*I . L . T u n .*, 1538 b
80	364-367	Q. Basilius Flaccianus (parent des n° 73 et 90)	Calama – P. –, n. 8 et 21	flamine perpétuel, augure	*I.L. Alg.*, I, 254 = *C.*, 5337 ; *I.L. Alg.*, I, 256 = *C.*, 5335 = *I.L.S.*, 5730
81	364-367	L. M - - - Respectus Lucilius	Mustis – P. –, n. 7 (au *H*r *Aïn Gueliane*)	flamine perpétuel	*I.L. Tun.*, 1542 = *C.*, 15581
82	364-367	Caecilius Patricius (? ; identification hypothétique d'après *A.E.*, 1946, 107)	Cuicul – N. –, n. 20	flamine perpétuel	*A.E.* 1911, 110 + 1946, 112
83	364-367	- - - Varianus	Lambaesis – N. –, n. 14	flamine perpétuel	*C.*, 2735 – 18229
84	364-367	- - -	Mascula – N.–, n. 9		*Rec. Const.*, 1898, p. 380-381
85	364-367	Aelius Julianus	Thamugadi – N. –, n. 13	curateur deux fois, flamine perpétuel; par la suite, patron et *praesidalis*	*C.*, 2388 = *I.L.S.*, 5554 ; *cf. A.E.*, 1913, 25 = *I.L.C.V.*, 387 + album, col. I, l. 36
86	366-367	- - -	Madauros – P. –, n. 10		*I.L. Alg.*, I, 2102

87	368-370	Flavianus Leontius	Abbir Maius – P. –, n. 4	*principalis* de Carthage	*C.R.A.I.*, 1975, p. 104
88	368-370	Fulvius Quodvultdeus	Aradi – P. –, n. 5		*A.E.*, 1955, 52
89	368-370	Julius - - -	Cit - - - (*Sidi Ahmed el Hachemi*) – P. –, n. 2		*C.*, 27817 = *I.L.S.*, 5557
90	373	Basilius Cirrenianus (fils (?) du n° 73 ; parent du n° 80)	Calama – P. –, n. 24	flamine perpétuel	*I.L. Al.*, I, 272 = *C.*, 5347
91	371-373	- - -	Mustis (au H^r *Bou Haouïa*) – P. –, n. 8	évergète	*C.*, 16400
92	374	- -	Biracsaccar – P. –, n. 2	*curator rei publicae castelli*	*C.*, 23849
93	374	L. - - - Honoratus	Thabarbusis – P. –, n. 5	flamine perpétuel (?)	*I.L. Alg.*, I, 472 = *C.*, 5339 + 17489
94	364-375	Valerius Marinus	Apisa Maius – P. –, n. 10		*C.*, 779
95	364-375	- - - (nom omis sur l'inscription)	Giufi – P. –, n. 4		*I.L. Tun.*, 752
96	364-375	Aemilius - - - Cassius Donatus	Sicca Veneria – P. –, n. 17	pontife	*C.*, 1636
97	364-375	Q. Julius Moderatus	Mactaris – B. –, n. 24 et 25	flamine perpétuel	*C.*, 11806 et 11807
98	avant 376	Napotius Felix Antonianus	Thugga – P. –, n. 13 et 14	duumvir, flamine perpétuel, évergète	*C.*, 26569 et *I.L. Afr.*, 533
99	376-377	- - -	Abitinae – P. –, n. 8		*C.*, 25845

100	376-377	[Gab ?]inius Be-[nig ?]nus	Thuburbo Maius – P. –, n. 13		I.L. Afr., 275
101	375-378	- - - Filippus	Thibilis – N. –, n. 22		I.L. Alg., II, 2, 4677
102	367-378	Vitrasius Restutus	Thagari Maius – P. –, n. 2	flamine perpétuel	C., 23973
103	vers 370-380	Cornelius Romanianus	Thagaste – P. –, n. 22-32	curatelle très probable ; a reçu tous les honneurs municipaux, par la suite, le patronat et, semble-t-il, le sacerdoce provincial ; évergète, et, probablement, *honoratus* clarissime dès avant 386	Augustin, C. Academicos, I, 2. Cf. I.L. Alg., I, 879

f) *Curateurs datés avec précision entre 379 (avènement de Théodose) et 439*

104	383	Julius Rusticus Vesper	Calama – P. –, n. 11		I.L.Alg., I, 260
105	379-383	L. Silicius Rufus (parent du n° 147)	Lambaesis – N. –, n. 17	*duouiralicius* et évergète	C., 18328 = I.L.S., 5520
106	379-383	- - -	Mascula – N. –, n. 10	flamine perpétuel	C., 2243
107	379-383	- - -	Mascula – N. –, n. 11		B.C.T.H., 1901, p. 309
108	379-383	Optatus Felix	Satafis – M.S. –, n. 3		C., 8393 = 20266
109	367-383	- - - dius Honoratianus	Thugga – P. –, n. 12	*curator bis*, flamine perpétuel	I.L.Tun., 1500
110	367-383	L. Popilius Honoratus	Mactaris – B. –, n. 26	flamine perpétuel	C., 11808
111	avant 392	-..- Innocentius	Furc-..- (*Hr. Ben Hassen*) – P. –, n. 1	*ex curatore*, flamine perpétuel	C., 24044

112	392	L. Tor- - - - -	Furc- - - (*H*ʳ *Ben Hassen*) – P. –, n. 1	flamine perpétuel	*C.*, 24044
113	383-392	Rutilius Ur[banus]	Cuicul – N. –, n. 26	curatelle probable	*A.E.*, 1913, 23
114	383-392	- - -	Sitifis – M.S. –, n. 9		*C.*, 8480 = *I.L.S.*, 5596
115	396	- - - Eusebius	Hippo Regius – P. –, n. 30-35	clarissime ; curatelle très probable	A u g u s t i n , *Epist.* 34 et 35, *C.S.E.L.*, 34, 2, p. 23-31
116	avant 400-401	Coelius Titianus	Neapolis – P. –, n. 5	*ex transuecturario et nauiculario, ex curatore,* évergète (*munerarius*)	*C.*, 969
117	399-400	- - -	Madauros – P. –, n. 14	flamine perpétuel, évergète	*I.L. Alg.,* I, 2107
118	400-401	- - - Publianus	Neapolis – P. –, n. 5	flamine perpétuel, *uir honestus*	*C.*, 969
119	407-408	Claudius Sisenna Germanianus	Madauros – P. –, n. 15 ; *cf.* n. 16	évergète	*I.L. Alg.,* I, 2108 ; cf. *I.L. Alg.*, I, 2110
120	408	- - - Valentinus	Calama – P. –, n. 12	*uir honestissimus*	*I.L. Alg.* I, 263 = *C.*, 5341
121	383-408	Flavius Calbinus	Pupput – B. –, n. 6	flamine perpétuel, *uir deuotus*	*I.L. Afr.*, 314
122	411	- - -	Karthago – P. –, n. 109	clarissime	*Actes de la conférence de Carthage*, I, 1
123	412-414	M. Aurelius Restitutus	Membressa – P. –, n. 3 et 5	*ex togato*	*C.*, 1297 et 25837
124	408-423	L. Geminius Januarius	Vallis – P. –, n. 8	flamine perpétuel, *uir honestus,* curatelle probable	*I.L. Tun.*, 1279 = *C.*, 1283 = 14775

125	425-439	- -ˑ-ˑ- sius	[Mau ?]ru-	Thaca (à *Aïn el Ansarine*) – P. –, n. 5	*curator bis, uir honestus*	*C.*, 24069
126	379-395 ou 402-439	- - -		*Téhent – Hᵣ el Chrib.* – P. –, n. 1		*C.*, 1215 = 25456

g) *Curateurs datables sans précision postérieurement à 361*

127a			[He]lvius Tertullus	Apisa Maius – P. –, n. 6	curateur trois fois, flamine perpétuel	*C.*, 23846
= 127 b			Helvius Tertullus	Thibica – P. –, n. 5	flamine perpétuel	*C.*, 768 = 12231
128	sous un seul empereur (361-364 ?)		- - - Avitius	Thaca – P., n. 4	curatelle probable	*C.*, 11195
129			- - - - i--nus	Vina – P. –, n. 6	flamine perpétuel	*C.*, 962 = 12440

h) *Curateurs du Bas-Empire de date indéterminée*

130			Geminius Dativus	Avitta Bibba – P. –, n. 8 ; *cf.* n. 9	*curator bis*, médecin	*C.*, 806 = 12269 ; *cf. C.*, 12279
131			Geminius Aurelius Victor	Bisica Lucana – P. –, n. 5	flamine perpétuel	*C.*, 12285
132			L. Calavius Germanianus	Bisica Lucana – P. –, n. 9	*curator bis*, flamine perpétuel, *ex togato*	*C.*, 12299 et 23879
133			- - - Donatus	Cit- - - (*Sidi Ahmed el Hachemi*) – P. –, n. 3		*C.*, 27818
134			- - -	Furc - - - (*Hᵣ Ben Hassen*) – P. –, n. 3	flamine perpétuel, *ciuis et curator*	*C.*, 24045

135	- - -rius Tertullus (= Umbrius Tertullus, *egregius uir*, curateur de Thubursicu Numidarum entre 286 et 293 – *supra*, n° 14 ?)	Madauros – P. –, n. 19	*proc[urator] c[entenarius]*	*A.E.*, 1936, 136
136	- - -	Madauros – P. –, n. 18	évergète	*B.C.T.H.*, mars 1931, p. XVI
137	Julius Saturus	Membressa – P. –, n. 7	curateur trois fois; flamine perpétuel	*C.*, 1298 = 25838
138	- - - ius Faustinianus	Sicca Veneria – P. –, n. 18	pontife	*C.*, 15878
139	C. - - - Optatianus	Thuburbo Maius – P. –, n. 15	flamine perpétuel	*I.L. Afr.*, 285
140	- - -	Thuburbo Maius – P. –, n. 16	*sacerdos almae [Karthaginis]*	*I.L. Afr.*, 286
141	C. Vasidius Pacatus	Thubursicu Numidarum – P. –, n. 15 bis	*uir perfectissimus*, flamine perpétuel, évergète	*I.L. Alg.*, I, 1299
142	L. Arrius Amabilianus	Thullio – P. –, n. 3	*curator bis*, flamine perpétuel	*I.L. Alg.*, I, 158
143	Silius Tertullus	Utica – P. –, n. 16	clarissime	*C.*, 1183 = *I.L.S.*, 5407
144	- - -	Sufetula – B. –, n. 13		*C.*, 11330
145	- - -	Thala – B. –, n. 7		*C.*, 23348
146	Pompeius - - -ius	Sabratha – T. –, n. 19	*uir perfectissimus*	*I.R.T.*, 102
147	Silicius Silicianus (parent du n° 105 – 379-383 –)	Lambaesis – N. –, n. 22	flamine perpétuel	*C.*, 2723

148	- - -	Mascula - N. -, n. 14		*C.*, 17684
149	L. Marius Ec[di- cius ?]	Satafis - M.S. -, n. 6		*C.*, 20269
150	- - -	Caesarea - M. C. -, n. 9	*curator et dispunc- tor*	*C.*, 9323
151	C. Julius Honora- tus	Quiza - M.C., n. 5	*dispunctor et cura- tor, princeps pa- triae suae,* **patron de la province**	*C.*, 9699

Cités où sont attestés des curateurs au Bas-Empire
(références aux numéros du tableau précédent)

PROCONSULAIRE

Abbir Maius : 87.
Abitinae : 67 ; 99.
Ammaedara : 31.
Apisa Maius : 94 ; 127 a.
Aradi : 88.
Aurelium Commodianum --- (munici-
   pium) : 33.
Avitta Bibba : 59 ; 130.
Belalis Maior : 53.
Biracsaccar : 92.
Bisica Lucana : 131 ; 132.
Bulla Regia : 13 ; 34 a.
Calama : 7 ; 10 ; 32 ; 73 ; 80 ; 90 ; 104 ;
   120.
Cit --- (*Sidi Ahmed el Hachemi*) : 89 ; 133.
Furc --- (*Hr. Ben Hassen*) : 111 ; 112 ;
   134.
Giufi : 95.
Hippo Regius : 115.
Karthago : 6 ; 35 ; 50 ; 56 ; 122.
Madauros : 74 ; 78 ; 86 ; 117 ; 119 ; 135 ;
   136.
Membressa : 123 ; 137.
Mustis : 79 ; 81 ; 91.
Neapolis : 116 ; 118.
Sabzia : 28.
Semta : 45.
Sicca Veneria : 54 ; 57 ; 58 ; 63 ; 96 ; 138.
Thabarbusis : 93.
Thaca : 125 ; 128.
Thagaste : 103.
Thagari Maius : 102.
Thibica : 127 b.
Thibiuca : 21.
Thignica : 68.
Thisiduo : 36.
Thuburbo Maius : 66 ; 100 ; 139 ; 140.
Thuburbo Minus : 34b.
Thubursicu Bure : 30.
Thubursicu Numidarum : 14 ; 141.
Thugga : 4 ; 19 ; 29 ; 98 ; 109.
Thullio : 142.
Utica : 143.
Vaga : 47.
Vallis : 46 ; 124.
Vina : 37 ; 129.
Zattara : 61.
Henchir Haouli : 62.
Téhent : 126.
? (pierre errante, région de Tunis) : 69.

BYZACÈNE

Abthugni : 22 ; 44.
Capsa : 1.
Chusira : 38 ; 64.
Mactaris : 16 a ; 65 ; 75 ; 97 ; 110.
Mididi : 16 b ; 17.
Pupput : 3 ; 121.
Segermes : 15.
Sufetula : 70 ; 144.
Tacape : 1.
Thala : 145.
Thysdrus : 39.
Zama Regia : 49.

TRIPOLITAINE

Lepcis Magna : 40 ; 41 ; 51 ; 71.
Sabratha : 52 ; 72 ; 146.

NUMIDIE

Cirta : 23.
Cuicul : 2 ; 18 ; 82 ; 113.
Lambaesis : 5 ; 11 ; 83 ; 105 ; 147.
Ad Maiores : 8.
Mascula : 84 ; 106 ; 107 ; 148.
Rusicade : 24.
Thamugadi : 27 ; 76 ; 77 ; 85.
Thibilis : 25 ; 101.
Tigisis : 26.
Verecunda : 12.

MAURÉTANIE SITIFIENNE

Satafis : 42 ; 108 ; 149.
Sitifis : 43 ; 114.

MAURÉTANIE CÉSARIENNE

Albulae : 20.
Altava : 55 ; 60.
Auzia : 9 ; 48.
Caesarea : 150.
Quiza : 151.

Cette longue liste implique en premier lieu la présence de curateurs dans toutes les cités africaines, durant l'ensemble de la période. L'institution était donc permanente et universelle, ce qui ne semble pas avoir été le cas à l'origine. Nous ne connaissons, on l'a dit, qu'un nombre limité de *curatores rei publicae* antérieurs au Bas-Empire. Or, à l'époque de Dioclétien, ces dignitaires apparaissent partout à la tête de l'organisme municipal. Les inscriptions de l'époque de la grande crise sont trop peu nombreuses pour permettre de savoir si cette généralisation date du début du règne de Dioclétien ou si elle fut antérieure. Nous constatons aussi que les inscriptions postérieures à la mort de Théodose montrent toujours les curateurs à la tête des cités africaines et n'indiquent pas une quelconque diminution de leurs prérogatives, à l'époque où la législation impériale donnait au défenseur un pouvoir supérieur au leur[211]. De Probus à Valentinien III, les documents africains les présentent comme les représentants qualifiés de l'autorité municipale, habilités à agir au nom de la cité. Le plus souvent, ils possédaient la responsabilité (*cura*) de la construction ou de la restauration des édifices publics. En l'absence du gouverneur, on les voit procéder à l'inauguration des ouvrages achevés. Ils dédient au nom de la cité les statues ou bases honorifiques impériales. Ils sont donc, selon les inscriptions, les chefs de la *res publica*. Si les duumvirs, nous l'avons vu, gardaient certaines prérogatives, ils apparaissent désormais en retrait ; c'est net sur l'album de Timgad, où le curateur figure avant les duumvirs qui semblent être, en conséquence, ses adjoints.

A coup sûr, leur fonction était au Bas-Empire annuelle, comme celle des magistrats traditionnels. En témoignent la mention, sur les inscriptions de curateurs pour la seconde ou la troisième fois[212] et, surtout, le fait que nous connaissons à Timgad trois curateurs pour une courte période, les années 362-366[213].

A part leur rang honorifique et leur responsabilité dans les travaux publics, les inscriptions nous apprennent peu de choses sur le rôle précis des curateurs dans les cités africaines[214]. En revanche, elles permettent

---

211. Sur le défenseur, voir *infra*, p. 193-194.

212. Deux curateurs pour la troisième fois sont mentionnés : à Apisa Maius (P. ; *C.*, 25856 ; liste, n° 127 a ; seconde moitié du IVe siècle ou plus tard) ; à Membressa (P. ; *C.*, 25838 ; liste, n° 137 ; Bas-Empire). Des curateurs pour la seconde fois sont connus à Sitifis (M.S. ; *A.E.*, 1922, 23, liste, n° 43 ; date : avant 311) ; à Thamugadi (N. ; *C.*, 2388 = *I.L.S.*, 5554, liste, n° 85 ; 364-367) ; à Thugga (P. ; *I.L. Tun.*, 1500, liste, n° 109 ; 367-383) ; à Thaca (Aïn el Ansarine, P. ; *C.*, 25456, liste, n° 125 ; 425-439) ; à Avitta Bibba (P. ; *C.* 12269, liste, n° 130 ; Bas-Empire) ; à Bisica Lucana (P. ; *C.*, 12299 et 23879, liste, n° 132 ; Bas-Empire) ; à Thullio (P. ; *I. L. Alg.*, I, 158 ; liste, n° 142 ; Bas-Empire).

213. D'après la chronologie proposée par A. Chastagnol : 362 : Curatelle de Flavius Aquilinus (liste, n° 76) — 363 : Curatelle d'Octavius Sosinianus (rédaction de l'album ; liste, n° 77) — 364 ou 365 : 1re curatelle d'Aelius Julianus (liste, n° 85) — 366 : 2e curatelle d'Aelius Julianus. *Cf.* notice *Thamugadi* – N. –, n. 97.

214. La table du patronat *C.*, VI, 1686 = *I.L.S.*, 6111, c (notice, n. 11) indique toutefois que le curateur de Zama Regia (B.), M. Brutianus Faustinus Antonianus,

d'avoir une vue précise de leur origine sociale. Ainsi, on constate une forte proportion de titulaires de dignités impériales au début de la période. Certes, certains étaient des *honorati* locaux : Tullius Maximus, chevalier romain, curateur de Cuicul en 280 (n° 2) appartenait à une famille d'aristocrates de la cité[215]. En revanche, Agrius Celsinianus, curateur de Bulla Regia et de Thuburbo Minus dans la seconde moitié du IIIe siècle, était un consulaire, membre d'une grande famille sénatoriale[216]. La petite ville de Pupput, en Byzacène, eut pour curateur en 282 Caelius Severus, consulaire et patricien[217]. Le curateur de Calama en 283, C. Macrinius Sossianus, devint en 290 le légat du proconsul d'Afrique Aurelius Aristobulus[218]. C. Caelius Censorinus, curateur de Carthage sous Constantin, fit une carrière sénatoriale et fut, par la suite, consulaire de Sicile, puis de Campanie[219]. Ces aristocrates, pour certains étrangers aux cités dont ils recevaient la curatelle, étaient donc l'équivalent exact de leurs prédécesseurs du Haut-Empire[219bis]. L'un d'eux, Annius Rufinus, curateur clarissime en fonction à Thysdrus dans la seconde moitié du IIIe siècle, est désigné sur une inscription comme « celui qui est curateur de Thysdrus par l'indulgence du Prince[220] ». Cette insistance sur la nomination impériale est caractéristique d'une époque où la conception primitive de la curatelle était conservée.

Pourtant, l'évolution de l'institution est déjà très nette dès avant Constantin[221]; sur trente et un curateurs datables entre 280 et 312, neuf

---

dirigea l'ambassade envoyée au nouveau patron de la cité, Aradius Valerius Proculus, en 322, alors que l'ambassade parallèle déléguée par le *municipium Chullitanum* (B.) était présidée par les duumvirs (*C.*, VI, 1684 ; notice, n. 4).

215. *B.C.T.H.*, 1911, p. 110 ; notice *Cuicul* (N.), n. 13 ; liste, n° 2 (curatelle probable). Pour les autres *Tullii* cuiculitains du Bas-Empire, voir notice, prosopographie, n° 1 et 6.

216. *C.*, 25523 (Bulla Regia – P. – ; notice, n. 12) ; *I. L. Afr.* 414 (Thuburbo Minus – P. – ; notice, n. 5). Sur ce personnage et sa famille, voir *P.I.R* 2, I, p. 46, A, n° 290 et p. 79, A, n° 464 ; *P.L.R.E.*, p. 191. Liste, n° 34, a et b.

217. *C.* 24095 = *I.L.S.*, 5361 ; notice, n. 4, liste, n° 3. Cf. *P.I.R.* 2, *C.*, 1024 et *P.L.R.E.*, p. 835. Il était aussi patron de la cité et généreux évergète.

218. *I.L. Alg.*, I, 247 = *C.*, 17486 = 5332 ; notice Calama (P.), n. 18 ; liste, n° 7. Cf. *P.L.R.E.*, p. 849. Il fut chargé de superviser les travaux publics en Numidie Pronconsulaire de 290 à 294 ; cette inscription montre qu'il avait des liens avec cette région avant sa légation.

219. *C.*, X, 3732 = *I.L.S.*, 1216 ; notice *Karthago*, n. 33 ; liste, n° 56. Cf. *P.L.R.E.*, p. 96.

219 bis. Au Haut-Empire, on constate la nomination de curateurs clarissimes ayant des liens étroits avec les cités administrées, à côté de curateurs qui semblent totalement étrangers aux communes qui leur sont confiées.

220. *C.*, 51 ; notice Thysdrus (B.), n. 10 ; liste, n° 39. Sur le problème de la datation de ce texte, qui ne peut être antérieur au milieu du IIIe siècle, voir notice, *loc. cit.*

221. On choisit tôt des curateurs parmi les décurions locaux : à Furnos Maius, en 220-226, le chevalier romain Q. Paccius Victor Candidianus est dit *curator rei publicae municipi sui Furnitani Minoris* (*C.*, 25808, c) ; toutefois, l'insistance sur cette origine locale montre qu'elle était alors inhabituelle.

portent des titres municipaux (duumvir, flamine perpétuel, augure, pontife). La proportion était assurément plus forte, car nous ne connaissons pas l'origine de onze curateurs. Parmi les autres, un certain nombre devaient être des *honorati* locaux, donc originaires de la curie.

Le règne de Constantin vit se multiplier les curateurs issus de la curie locale ; toutefois, on rencontre encore quelques clarissimes, à Carthage[222] mais aussi à Sicca Veneria[223]. Une loi de Constantin, émise en 331, interdit de confier la curatelle de cité à un décurion qui n'avait pas accompli toute la carrière municipale. Le recrutement dans la curie locale était donc considéré comme normal à cette époque[224]. Toutefois, contrairement à ce qui a été dit parfois, cette mesure n'excluait nullement le recrutement extérieur, comme on le voit par quelques inscriptions africaines[225].

Après la mort de Constantin, les clarissimes disparaissent de la liste des curateurs[226] ; le titre indiqué le plus souvent est celui de flamine perpétuel. On peut donc considérer que, désormais, la curatelle était intégrée dans la carrière municipale et qu'on la gérait après le duumvirat et le flaminat. Un duumvir sur deux devenait en conséquence curateur dans les années qui suivaient sa magistrature. Cette constatation permet de ramener à ses justes proportions le problème souvent posé du mode de désignation du *curator rei publicae* quand fut généralisé le recrutement dans la curie locale[227]. La loi de Constantin émise en 331 évoquait la

---

222. Vettius Piso Severus (314-324 ; list, n° 50) ; C. Caelius Censorinus (312-337 ; liste, n° 56, *cf. supra*, n. 219).

223. M. Valerius Gypasius (vers 325-330 ; liste, n° 54) ; peut-être Valerius Romanus (liste, n° 57) et l'anonyme n° 58 de la liste.

224. *C. Th.*, XII, 1, 20 : « Nullus decurionum ad procurationes uel curas ciuitatum accedat, nisi omnibus omnino muneribus satisfacerit patriae uel aetate uel meritis. Qui uero per suffragium ad hoc peruenerit administrare desiderans, non modo ab expedito officio repellatur, sed epistula quoque uel codicilli ab eo protinus auferantur et ad comitatum destinetur. » On ignore ce qu'était la *procuratio ciuitatum* à laquelle il était fait allusion. L'auteur de l'*interpretatio* qui suit la loi l'ignorait aussi, puisqu'il évoque l'*officium curatoris aut defensoris*, au prix d'un anachronisme, la fonction de défenseur n'ayant été instituée que par Valentinien Ier.

225. Il est, cependant, vraisemblable que les curateurs clarissimes du temps de Constantin soient antérieurs à cette loi. Notons qu'elle n'excluait pas, de toute manière, la nomination d'un décurion comme curateur d'une autre cité que la sienne. Ainsi, il est très probable qu'Helvius Tertullus, curateur d'Apisa Maius (P.) dans la seconde moitié du IVe siècle (*C.* 23846 ; notice, n. 6 ; liste, n° 127 a) a aussi géré la curatelle de la ville voisine de Thibica (*C.*, 12231 ; notice, n. 5 ; liste, n° 127, b). Mais il pouvait avoir une double citoyenneté, à moins qu'il ne se fût agi de deux parents homonymes.

226. Nous n'évoquons pas ici le cas des curateurs titulaires d'honneurs équestres. Ces titres sont utiles pour la datation des inscriptions, car on ne rencontre pas d'*honorati* qualifiés de chevaliers romains après Dioclétien, et les *egregii* disparaissent à une exception près (Valerius, *sacerdotalis* à Cirta, entre 364 et 367 ; *I.L. Alg.*, II, 591 = *C.*, 7014) après Constantin. Mais ces titres ne conféraient aucune immunité des charges municipales (sur ce problème, voir chapitre v, *infra*, p. 249-255).

227. J. Declareuil, dans son étude *Quelques problèmes d'histoire des institutions municipales au temps de l'empire romain* (édition en recueil, Paris, 1911, p. 272-

nomination par codicille impérial du dignitaire municipal appelé à la *cura ciuitatis*[228] ; il s'agissait donc toujours d'une fonction impériale. Toutefois, des historiens ont depuis longtemps émis l'hypothèse d'une désignation de fait par la curie, simplement entérinée au nom de l'empereur par le gouverneur provincial. Un passage de l'*Histoire Ecclésiastique* de Philostorge montre que cette confirmation était automatique ; pour montrer la stupidité du César Gallus (351-354), cet auteur dit qu'il n'était même pas capable de désigner un logiste[229]. En fait, nous venons de le constater, le choix était limité puisqu'un duumvir sur deux parvenait nécessairement à la curatelle. Il est permis de penser que la curie précisait lequel des deux candidats potentiels avait sa préférence. La curatelle n'étant ni un *munus* ni un *honor*, elle n'impliquait pas le paiement de sommes d'argent ; on peut donc considérer que le choix de la curie et du gouverneur se fondait sur des critères de capacité administrative.

Dans la seconde moitié du ɪᴠᵉ siècle, d'assez nombreux notables municipaux africains cherchèrent à entrer dans l'ordre sénatorial qui avait été considérablement élargi depuis Constantin. Des lois impériales multiples interdirent cette promotion à ceux qui n'avaient pas accompli toute la carrière municipale[230]. En théorie la curatelle, fonction impériale, n'entrait pas dans cette dernière. Or nous constatons qu'aucun curateur post-constantinien connu n'est clarissime avant 396. Ceci implique qu'il fallait gérer cette fonction avant de pouvoir devenir *honoratus*, et c'est un autre indice de l'intégration pure et simple de la curatelle dans le *cursus* municipal.

Il est donc clair qu'on ne peut retenir les considérations des historiens qui ont vu dans la généralisation de la curatelle des cités au Bas-Empire un aspect d'une centralisation bureaucratique annihilant l'autonomie municipale. Certes, les magistrats traditionnels étaient désormais subordonnés, pour la plupart de leurs fonctions, à un dignitaire qui était, en théorie, le délégué du pouvoir impérial. Mais en fait, l'organisme municipal avait réussi à absorber, au cours de la première moitié du ɪᴠᵉ siècle, cet élément extérieur[231].

En 396, Augustin entra en conflit avec un dignitaire municipal d'Hippone, Eusebius, qui était responsable des *acta publica*[232]. Ce personnage

---

276) critique fermement, pour des raisons juridiques, les historiens qui ont soutenu la thèse de l'élection par la curie ; mais il ne fait pas la distinction entre le droit et la pratique concrète.

228. *C. Th.*, XII, 1, 20 ; voir *supra*, n. 224.

229. PHILOSTORGE, *Histoire Ecclésiastique*, III, 28, *P. G.*, 65, col. 516.

230. Sur cette question, voir chapitre v, *infra*, p. 256-260.

231. Sur les échecs des velléités centralisatrices de l'état romain au Bas-Empire et la nécessité de s'en remettre toujours aux autorités municipales pour presque tous les aspects de l'administration, voir chapitre suivant, p. 231-235.

232. Augustin, *Epist.* 34 et 35, *C.S.E.L.*, 34, 2, p. 23-31. Sur cet épisode, voir notice *Hippo Regius* (P.), n. 30-35.

était un *honoratus* : il avait été, au témoignage d'Augustin, gratifié de la dignité clarissime. Nous pensons qu'il s'agissait du curateur[233]. Les actes de la conférence de Carthage en 411 mentionnent un clarissime curateur de la métropole[234]. Cette réapparition des sénateurs est probablement à mettre en liaison avec des lois contemporaines supprimant l'immunité des fonctions municipales pour les clarissimes *obnoxii curiae*[235].

Si des *honorati* clarissimes gérèrent alors la curatelle, au moins dans des grandes villes, c'est que cette fonction gardait du prestige en Afrique et était toujours confiée à des gens importants. Or, une loi fut émise en Orient par Arcadius en 415, interdisant aux curateurs d'enregistrer les donations dans les *acta publica* ; au niveau provincial, cette prérogative était réservée au gouverneur, au niveau municipal, aux magistrats ou, dans les villes qui n'en possédaient pas, au défenseur de la plèbe. En aucun cas les curateurs ne devaient s'en charger : cette responsabilité était trop grande pour leur caractère subalterne (*uilitas*)[236]. Ce document est étonnant à plus d'un titre. Il montre qu'en Orient, au début du ve siècle, les magistrats municipaux avaient acquis une primauté sur les logistes et que ces derniers avaient connu une décadence accélérée. On peut trouver une confirmation de ce point dans l'absence presque totale de référence au logiste d'Antioche et à son activité dans l'œuvre de Libanius[237].

Rien ne permet, dans la documentation africaine, de penser que les curateurs eurent le même sort dans cette partie de l'Empire. Nous l'avons constaté, ils continuèrent de figurer sur les inscriptions en tant que chefs de l'organisme municipal. Pour une large part, ceci tient au faible rôle que le défenseur semble avoir joué en Afrique, même durant le premier tiers du ve siècle[238]. Il convient aussi d'ajouter le conservatisme institutionnel des cités africaines, dont nous possédons maints exemples. La curatelle apparut en Italie sous Trajan, mais il fallut attendre l'extrême fin du second siècle pour la voir s'implanter en Afrique. Deux cents

---

233. Voir notice *Hippo Regius*, n. 33-35.

234. *Actes de la conférence de Carthage en 411*, éd. Lancel, t. II, S.C., 195, Paris, 1972, p. 558 (« ... Rufiniano, scriba uiri clarissimi curatoris celsae Karthaginis... »).

235. Sur cette question, voir chapitre v, *infra*, p. 259 ; 269. Il faut aussi tenir compte du fait que les *honorati* clarissimes étaient devenus de plus en plus nombreux tout au long de la période.

236. *C. Th.*, VIII, 12, 8 : « ... Gestorum confectionem... fieri oportebit... in prouinciis uero aput prouinciarum rectores uel, si praesto non fuerint, aput magistratus municipales uel, si ciuitas ea uel oppidum, in quo donatio celebretur, non habeat magistratus, aput defensorem plebis, in qualibet ciuitate fuerit repertus : curatores enim ciuitatum ab huiuscemodi negotio temperare debebunt, ne tanta res eorum concidat uilitate. » Le mot *uilitas* est très fort, et exprime crûment la perte de prestige de l'institution en Orient.

237. *Cf.* P. PETIT, *Libanius et la vie municipale à Antioche au IVe siècle ap. J.-C.*, Paris, 1955, p. 76-78.

238. Sur les *defensores* en Afrique, voir *infra*, p. 193-194.

ans plus tard, quand l'institution était en net déclin dans d'autres régions, elle demeurait vivace en Afrique, alors que le défenseur, ce nouveau venu, n'y avait encore que peu d'importance.

Curateurs évergètes.

Les curateurs n'étaient nullement tenus à des actes d'évergétisme, puisque leur charge n'était pas un honneur grevé de charges financières mais une fonction impériale. Treize inscriptions nous font cependant connaître des curateurs évergètes au Bas-Empire. En 282, le patricien et consulaire Caelius Severus, curateur et patron de Pupput (Byzacène) fit restaurer à ses frais un important ensemble de monuments, mais la générosité de ce grand seigneur était davantage liée au patronat qu'à la curatelle[239]. Ce n'est qu'à partir de 379 que l'on connaît d'autres curateurs faisant preuve de munificence. L'un d'eux, L. Silicius Rufinus, en fonction à Lambèse entre 379 et 383, fit montre d'une très grande générosité[240]. Dans certains cas, il s'agissait d'un évergétisme lié à l'honneur du duumvirat ou du flaminat : c'est précisé pour L. Napotius Felix, à Thugga entre 367 et 376[241]. De fait, même si le titre de *curator rei publicae* est indiqué sur l'inscription, il est fort possible que la promesse évergétique ait été faite à propos d'un honneur reçu précédemment et impliquant des charges financières. Cependant, à Mustis entre 371 et 373, un curateur « aida l'exécution d'un ouvrage par sa sollicitude et son argent » ; cette formule implique une générosité liée à la curatelle[242]. Il est permis de penser qu'il en fut ainsi en plusieurs cas, et c'est un indice de la persistance, en Afrique au Bas-Empire, d'un évergétisme spontané[243].

---

239. *C.*, 24095 = *I.L.S.*, 5361 ; notice, n. 4 ; liste, n° 3.

240. *C.*, 18328 ; notice, n. 17 ; liste, n° 105. Ce curateur avait été duumvir, et sa munificence était peut-être liée aux *honores* reçus et non à l'*officium* de la curatelle.

241. *C.*, 26568 + *I.L. Afr.*, 533 (*pro honore flamonii*) ; *C.*, 26569 (*in honorem duouiratus*) ; notice *Thugga* (P.), n. 13 et 14 ; liste, n° 98).

242. *C.*, 16400 (au Henchir Bou Aouïa ; notice *Mustis* (P.), n. 8 ; liste, n° 91) : ... *curator rei publicae opus et sollicitudine et sumtibus adi[uuit]*.

243. Autres curateurs évergètes : liste, n° 33 (*Mun. Aurelium Commodianum* – P. – ; fin IIIe ou début IVe s.) — n° 58 (Sicca Veneria – P. – ; avant 337 ?) — n° 42 (Satafis – M.S. – ; fin IIIe ou début IVe s.) — n° 117 (Madaure – P. – ; 399-400) — n° 112 (Calama – P. – ; 408) — n° 125 (Utica – P. – ; Bas-Empire) (Madaure – P. – ; Bas-Empire) — n° 137 (Membressa – P. – ; Bas-Empire) — n° 141 (Thubursicu Numidarum – P. – ; Bas-Empire). Il convient d'ajouter Romanianus, l'évergète de Thagaste, bienfaiteur de saint Augustin, qui accomplit une carrière municipale complète et fut donc certainement curateur (liste, n° 103 ; vers 370-380).

Les fonctions du curateur.

La surveillance de la gestion financière des cités n'était plus au Bas-Empire, et de loin, la seule prérogative des curateurs[244]. Les inscriptions, nous l'avons vu, montrent qu'ils avaient la responsabilité des travaux publics, fonction qui garde un lien avec les problèmes financiers. On peut penser qu'ils avaient la charge de l'entretien et du fonctionnement de l'ensemble des édifices municipaux. Des documents du ve siècle nous les montrent chargés, en même temps que les défenseurs, de l'approvisionnement des villes et de la surveillance des prix[245]. Il est probable qu'ils assumèrent ces responsabilités dès le ive siècle et que les édiles leur furent subordonnés, dans la mesure où ces magistrats avaient conservé leurs prérogatives. Administraient-ils le patrimoine des cités ? Une loi de Constantin de 314 évoque les *curatores kalendarii*, qui assumaient cette fonction sous le Haut-Empire[246]. La documentation africaine est muette sur ces derniers et on ne peut savoir si les *curatores rei publicae* se substituèrent à eux ou supervisèrent leur action[247].

En matière fiscale, leur action était limitée ; la curie dans son ensemble et, plus particulièrement, les *principales* ou *decemprimi* étaient responsables de la répartition des impôts et de la désignation des *susceptores* et *exactores*. Il en était de même pour la répartition des *munera*[248]. La prédominance très nette des curateurs sur les inscriptions municipales africaines ne doit donc pas induire à imaginer une organisation monarchique. Le curateur restait, en fait, sous la surveillance de la curie et du gouverneur ; de plus, la durée de sa fonction étant limitée à un an, il n'avait pas le loisir de mener une politique personnelle.

Les documents relatifs à la persécution des chrétiens à la fin du règne de Dioclétien montrent clairement que les curateurs étaient, dès cette

---

244. Cette fonction est rappelée par le titre donné aux curateurs en Maurétanie, selon une tradition locale : *dispunctor*, c'est-à-dire vérificateur des comptes. On connaît des *dispunctores* à Auzia (liste, n° 9 ; 290) à Albulae (liste, n° 20 ; 299) ; à Auzia (liste n° 48 ; avant 321) ; à Altava (liste, n° 55 ; avant 335) ; à Satafis (liste, n° 42 ; fin iiie ou début ive siècle) ; à Altava (liste, n° 60 ; 340) ; à Quiza (liste n° 151 ; Bas-Empire) ; à Caesarea (liste, n° 150 ; Bas-Empire). Ils sont qualifiés de *curator et dispunctor*, sauf pour les numéros 9, 48, 55, 60, 150 qui ne portent que le titre de *dispunctor*. On trouve des *dispunctores* hors d'Afrique, en Dalmatie (*C.*, III, 2026 = *I.L.S.*, 7162 ; *C.*, III, S., 8783 = *I.L.S.*, 7163).

245. *C. Just.*, X, 27 (Anastase, 494) ; cf. CASSIODORE, *Variae*, VII, 12, éd. Mommsen, *M.G.H.*, a.a., t. XII, p. 210.

246. *C. Th.*, XII, 11, 1 (314) (titulus *De curatoribus kalendarii et fideiussoribus eorum*). La seconde et dernière loi de ce *titulus*, due à Valentinien II (386), évoque les *kalendaria*, mais non leur responsable.

247. Au *Code Justinien* (XI, 33, 2), la loi de Constantin de 314 est reproduite, mais *curator kalendarii* est remplacé par *pater ciuitatis*, terme qui désigne en Orient, à partir du ve siècle, le *curator rei publicae*.

248. Sur ces questions, voir chapitre suivant, p. 201-205.

époque, responsables de l'ordre public et de la police. En 303 à Cirta, c'est le curateur et flamine perpétuel Munatius Felix qui procéda à la perquisition dans les locaux ecclésiastiques, assisté du petit personnel municipal, sans la présence d'un duumvir[249]. Le document qui relate cet épisode est un extrait des *acta publica* rédigés à cette occasion, sous la responsabilité du curateur. A Thibiuca, Magnilianus, *curator rei publicae*, procéda à l'interrogatoire de l'évêque Felix et, sur son refus de livrer les Écritures, le fit conduire enchaîné au tribunal du proconsul[250]. L'intervention de curateurs dans la persécution est aussi attestée à Rusicade et à Tigisis[251]. Ce n'est qu'à Abthugni, nous l'avons vu, que ces opérations furent menées par un duumvir[252].

Il résulte de ces documents que les curateurs pouvaient exercer, à la fin de la Tétrarchie, les pouvoirs de police et d'instruction des procès criminels dévolus aux duumvirs[253]. Ils étaient chargés de l'exécution sur place des ordres impériaux. Comme on le constate à Cirta en 303, ils pouvaient présider à la rédaction des documents officiels, les *acta publica*. En 323, une loi de Constantin leur reconnaissait le droit d'enregistrer officiellement les donations, en l'absence du gouverneur provincial[254]. Une loi d'Honorius, datée de 409, évoquait leur compétence en matière d'*acta publica*, en concurrence avec les magistrats municipaux et les défenseurs[255]. Certes, nous l'avons constaté, les duumvirs gardèrent, en Afrique au Bas-Empire, une part non négligeable de leurs anciennes prérogatives. Toutefois, le *cursus* municipal qui s'était établi au IVe siècle faisait recruter le curateur parmi les flamines perpétuels anciens duumvirs ; il était donc, par l'ancienneté et le rang hiérarchique, au dessus des autres autorités de la cité. Nul doute, en conséquence, que son poids n'ait été prédominant dans les fonctions qu'il partageait avec les duumvirs. On s'en rend compte à la lecture du procès-verbal de la convocation

---

249. Texte conservé dans le dossier du donatisme, *Gesta apud Zenophilum consularem*, éd. Ziwsa, *C.S.E.L.*, 26, p. 185-197. Sur ce document, voir notre notice *Cirta*, n. 36-51.

250. *Passio sancti Felicis episcopi Thibiacensis*, *P.L.*, 8, 686-687. *Cf.* notice *Thibiuca* (P.), n. 4-10.

251. AUGUSTIN, *Contra Cresconium*, III, 27 (30), éd. Finaert-Lamirand, *B.A.*, 31, p. 324-326 ; Augustin citait ici un extrait des actes du concile tenu à Cirta en 304.

252. Voir *supra*, p. 162 et n. 170.

253. Une loi d'Honorius datée de 409 (*C. Th.*, IX, 2, 5 = *C. Just.*, I, 55, 7) évoque ce pouvoir de police et prévoit la rédaction d'actes officiels par les autorités municipales pour les divers crimes ; les accusés devaient ensuite être remis au gouverneur, sans être retenus en prison sur place. Les autorités locales responsables étaient le défenseur, le curateur, les magistrats et tout l'*ordo* ; il n'y a donc pas de monopole particulier d'un dignitaire précis. Les documents africains montrent que, dans cette région, le curateur et les duumvirs se partageaient ces pouvoirs.

254. *C. Th.*, XI, 8, 3 (de 323 selon Seeck). On l'a vu, une loi orientale émise par Arcadius en 415 (*C. Th.*, VIII, 12, 8) leur retira cette prérogative, tout en l'accordant aux magistrats et défenseurs.

255. *C. Th.*, XI, 8, 3.

officielle des témoins du procès de Félix d'Abthugni, en 314. Ce fut le duumvir Gallienus qui donna aux témoins l'ordre officiel de se rendre à Carthage, mais il précisa : « Le curateur est présent ; c'est en sa présence que nous vous donnons cet ordre[256] ». Cette formule semble impliquer que le magistrat avait besoin de l'approbation du curateur et que ce dernier était le seul à disposer véritablement du pouvoir de contrainte.

V — LE DÉFENSEUR

Le *defensor ciuitatis* était à l'origine l'avocat qui plaidait au nom de la cité dans un procès. L'institution que créa Valentinien Ier en 368 était très différente : il s'agissait d'un *defensor plebis*, chargé de protéger les pauvres contre les puissants, surtout à propos de la répartition des impôts[257]. Par puissants, on entendait les propriétaires fonciers, les décurions, les hauts fonctionnaires. L'institution se répandit dans les diverses régions de l'Empire. Les défenseurs devaient être des fonctionnaires impériaux et non des décurions. Dès l'origine, le défenseur eut le droit de juger de petits procès. Encore en 385, Théodose évoquait en termes émouvants son rôle de protecteur des pauvres[258].

Cependant, l'institution évolua et s'intégra à l'organisme municipal. En 387, Théodose décida que le défenseur serait élu par les cités[259], mais il est difficile de savoir si le peuple fut associé à cette élection. En 409, Honorius restreignit le suffrage à un collège comprenant les *honorati*, les propriétaires fonciers, les décurions et le clergé[260]. Du coup, l'institution perdait son caractère initial. Les lois impériales du temps mentionnèrent le défenseur en tête des autorités municipales et lui attribuèrent les prérogatives administratives, fiscales, judiciaires et policières des magistrats et du curateur[261]. Une fois de plus, le pouvoir impérial avait échoué dans une tentative d'imposer aux cités une autorité qui n'émanait pas d'elles.

Les documents africains sont presque muets sur les *defensores*. Un fragment d'inscription trouvé à Oudna, l'antique Uthina, mentionne peut-être un *defensor* et ferait, selon Charles Saumagne, allusion à une

---

256. Dossier du donatisme, *Acta purgationis Felicis*, éd. Ziwsa, *C.S.E.L.*, 26, p. 197 : « Praesens est curator, sub cuius praesentiam uos conpellimus. »

257. *C. Th.*, I, 29, 1 ; 3 ; 4. Ces mesures furent prises en 368, selon O. SEECK, *Regesten*, p. 232 et 234. Sur cette institution, voir l'article d'O. SEECK, *Defensor civitatis*, dans *P.W.*, IV, 2367-2372.

258. *C. Just.*, I, 55, 8.

259. *C. Th.*, I, 29, 6 : « Hi potissimum constituantur defensores quos decretis elegerint ciuitates. »

260. *C. Just*, I, 55, 8.

261. Ainsi dans la loi *C. Th.*, VIII, 5, 59 (400).

remise d'impôts obtenue par son intervention[262]. Dans une loi contre les donatistes émise en 405, Honorius ordonnait aux *principales uel defensores ciuitatum* d'appliquer les mesures prescrites[263]. En revanche, dans une loi sur le même sujet émise en 409, ne sont évoqués que les magistrats et les curateurs[264]. On le voit, la documentation africaine sur cette institution est des plus réduites. Certes, l'argument *a silentio* n'est pas une preuve ; toutefois deux textes prouvent, à mon sens, que les défenseurs eurent peu de diffusion et d'importance dans les provinces africaines. Le premier est un canon du concile de Carthage de 401, par lequel les évêques demandaient aux empereurs « que des défenseurs soient désignés avec intervention des évêques, contre la puissance des riches, à cause de la misère des pauvres, dont les peines accablent sans cesse l'Église »[265]. Entendons que l'Église était perpétuellement sollicitée par des demandes d'intervention en faveur des humbles opprimés par les puissants ; les évêques rappelaient à l'autorité que cette charge de protection revenait, selon la loi, aux défenseurs, qui semblent donc avoir été fort rares en Afrique au début du Ve siècle. Ce canon conciliaire confirme donc le démoignage *a silentio* des inscriptions. Le second texte allant dans ce sens est le préambule des actes de la première séance de la conférence de Carthage en 411. On y trouve l'énumération des sténographes qui notaient les propos échangés et rédigeaient les *acta* officiels. On avait assurément choisi les praticiens les plus habiles, venus des services du proconsul, du vicaire, du légat ; l'un d'eux, Rufinianus, était le *scriba* du curateur clarissime de Carthage[266]. C'était donc ce dernier dignitaire qui bénéficiait des services d'un fonctionnaire particulièrement expérimenté, et non le défenseur. On peut en conclure que le curateur était toujours, en 411, le véritable maire de Carthage et qu'il n'avait pas été supplanté par le *defensor ciuitatis*.

Nous examinerons dans le chapitre suivant, consacré au fonctionnement de l'organisme municipal, le rôle de la curie, l'*ordo decurionum*. Cette assemblée était, en effet, le centre de tous les rouages de l'institution

---

262. *C.*, 24016. Une nouvelle lecture a été donnée par Ch. Saumagne et J. Ferron dans le *Bull. de la Soc. Nat. des Ant. de Fr.*, 1958, p. 60-61 (= *A.E.*, 1960, 132). On lit à la seconde ligne *defensor absoluit*. Charles Saumagne a donné de ce fragment une interprétation d'une grande ingéniosité et d'une grande fragilité. Pour lui, l'inscription est originaire de Carthage ; elle daterait d'environ 370. Il s'agirait d'une ordonnance impériale prescrivant aux provinciaux de remercier un défenseur qui leur avait obtenu des dégrèvements fiscaux. Dans la discussion qui a suivi la communication de Ch. Saumagne, H.-I. Marrou a fort justement fait remarquer que cette intervention impériale était très invraisemblable.

263. *C. Th.*, XVI, 6, 4.

264. *C. Th.*, XVI, 2, 31 (Seeck : 409).

265. *Reg. eccl. Carthag. excerpta*, éd. Munier, *C.C.*, 49, p. 202, canon 75 : « Ab imperatoribus uniuersis uisum est postulandum propter afflictionem pauperum, quorum molestiis sine intermissione fatigatur ecclesia, ut defensores eis aduersus potentias diuitum cum episcoporum prouisione delegentur. »

266. *Actes de la conférence de Carthage en 411*, éd. Lancel, t. II, *S.C.*, 195, Paris, 1972, p. 558.

municipale. C'est à son propos que nous évoquerons le rôle des *principales* et celui des *susceptores* et *exactores* du fisc.

Une constatation s'est imposée en permanence au long de cet examen des institutions des cités africaines à l'époque tardive : la fidélité têtue aux traditions, au *mos maiorum*, qui fait de l'Afrique du Bas-Empire un musée des usages municipaux de l'époque précédente. Ces traditions étaient parfois purement formelles ; ainsi les titres de municipe et de colonie ou les surnoms impériaux qui rappelaient l'histoire des villes, ou encore des titres comme duumvir quinquennal, augure, pontife et, pour une large part, édile et questeur. D'autres demeuraient vivaces ; ainsi, le maintien, dans une certaine mesure, d'interventions populaires, les prérogatives des duumvirs, le culte impérial assuré par les flamines perpétuels. La curatelle, fonction tard venue en Afrique, était elle aussi devenue traditionnelle et avait de ce fait résisté à l'érosion qu'elle connut ailleurs. Une cause fondamentale de ce conservatisme était le fait que les villes et la société municipale demeuraient prospères et qu'on n'éprouvait nul besoin de modifier des institutions qui fonctionnaient à peu près harmonieusement. Mais si l'on considère le maintien de titres archaïques, l'attachement à des aspects purement formels et quasiment rituels de la vie municipale, force est de faire entrer en ligne de compte une dimension psychologique, un traditionalisme fondé sur une sorte d'insularisme africain.

H.-G. Pflaum, dans une importante étude, a montré la lenteur de la romanisation des petites villes de la région de Carthage sous le Haut-Empire : des communautés pérégrines furent administrées par des sufètes ou des *undecemprimi* jusqu'à l'époque sévérienne[267]. D'autres historiens ont prouvé la persistance des traditions religieuses pré-romaines jusqu'au iiie siècle[268]. L'historien du Bas-Empire retrouve un semblable conservatisme ; ainsi le donatisme constitue un effort systématique pour maintenir vivante une forme archaïque de christianisme, l'église pré-constantinienne. Si les formes pré-romaines de la vie municipale se limitaient désormais à très peu de choses, on restait, en revanche, fidèles aux institutions du Haut-Empire qui, dans beaucoup de cités, n'avaient été adoptées qu'à la fin du iie ou au début du iiie siècle. Nous avons vu que cette fidélité se manifestait également dans l'entretien et l'enrichissement du cadre architectural urbain[269] et nous la retrouverons à propos du patriotisme local et de l'évergétisme[270]. Ainsi, une attitude qui avait pu exprimer sous le Haut-Empire une résistance à la romanisation, contribua à l'époque tardive au maintien des institutions romaines classiques.

---

267. Hans-Georg Pflaum, *Romanisation, Ant. Afr.*, 4, 1970, p. 75-117 ; *Scripta varia, l'Afrique romaine*, p. 300-117. Voir particulièrement p. 110-111, *Scripta varia*, p. 335-336. Sur cette question, voir aussi Marcel Bénabou, *La résistance africaine à la romanisation*, Paris, 1976, p. 416-425.
268. Tout particulièrement Marcel Leglay, *Saturne Africain, Histoire*, Paris, 1966.
269. *Supra*, chapitre ii, p. 62-66.
270. *Infra*, chapitre vi, p. 293-318. De même, nous analyserons dans le chapitre vii des documents très significatifs sur l'attachement des élites municipales africaines du Bas-Empire à l'ancienne religion civique (*infra*, p. 343-369).

CHAPITRE IV

Le fonctionnement de l'organisme municipal

I — COMPOSITION ET RÔLE DE LA CURIE

Si les sources africaines sont fort précises sur certains aspects, certaines activités de la *res publica* municipale au Bas-Empire, des points restent obscurs ; il en est ainsi du rôle spécifique de la curie, l'*ordo decurionum*. Dans son étude sur la vie municipale à Antioche d'après les écrits de Libanius, Paul Petit a montré que la curie en tant que corps constitué était l'institution municipale fondamentale. Elle délibérait sur tous les problèmes de quelque importance ; toutes les fonctions, charges ou responsabilités étaient réparties par son vote. Les magistrats et le curateur semblent avoir été dépouillés de leurs attributions par les bouleutes, agissant collectivement[1]. Nous avons constaté que ce dernier point ne vaut pas pour l'Afrique[2]. Toutefois, il est hors de doute que le conseil jouait aussi un rôle essentiel dans les cités de cette région. Malheureusement, sur ce point, notre documentation est très limitée. La principale source est, bien entendu, l'album de Timgad, mais s'il permet de connaître avec précision la composition de l'assemblée, il ne nous renseigne guère sur son fonctionnement.

En ce qui concerne le recrutement des décurions, la législation était fort claire : quiconque possédait le cens requis et appartenait à une famille de statut curial devenait obligatoirement membre de l'*ordo*. Une loi de Constantin, émise en 320, spécifie que les fils de décurions devaient être astreints, en Afrique Proconsulaire, aux charges municipales à partir

---

1. Paul PETIT, *Libanios et la vie municipale à Antioche au IVe siècle après J.-C.*, Paris, 1955, p. 71-78.
2. Voir *supra*, chapitre III, p. 149-150 et 189-190.

de dix-huit ans[3]. Libianius mentionne, à Antioche, les fils des bouleutes qui assistent sans intervenir aux séances de la curie ; ils correspondent aux *praetextati* de l'album de Canusium. Nul doute qu'ils n'aient existé dans les cités africaines, et c'est très certainement à cette catégorie qu'appartenaient les personnes mentionnées à la fin de l'album de Timgad, avant les clercs et les fonctionnaires[4].

Une fois entré dans la curie, on y restait jusqu'à sa mort, à moins d'obtenir les honneurs impériaux dispensant des fonctions municipales. Bien entendu, ceux qui avaient géré tous les *munera* et tous les *honores* pouvaient se contenter d'assister aux séances, en laissant les charges personnelles ou financières à leurs collègues plus jeunes[5].

Les conditions de cens étaient, à coup sûr, variables ; il fallait être beaucoup plus riche pour faire partie du sénat de Carthage que de l'*ordo* d'une petite ville de l'intérieur. Une loi de Constance II spécifie que quiconque possède 25 jugères de terres et en cultive autant sur les domaines impériaux devra être curiale, et qu'on pourra même désigner pour les curies des gens qui ne disposent pas de ce minimum[6]. Cinquante jugères correspondent à douze hectares et demi, ce qui est peu ; un tel cens ne pouvait valoir que pour de petites cités. Une novelle de Valentinien III fixa, en 439, le cens décurional à 300 sous d'or[7], ce qui équivalait, selon A.H.M. Jones, à la valeur d'une propriété de 150 jugères (38 hectares environ)[8]. Les personnes qui s'enrichissaient et achetaient des terres devaient être appelées à la curie, à condition qu'elles soient de

---

3. *C. Th.*, XII, 1, 7. Cette loi concerne l'Afrique Proconsulaire (« Filios decurionum qui decem et octo annorum aetate uegetantur, per prouinciam Karthaginem muneribus ciuicis adgregari praecipimus »). En 331, Constantin dénonça l'abus qui consistait à nommer décurions des enfants de sept ou huit ans (*C. Th.*, XII, 1, 19). Nous connaissons en Afrique un exemple de cet abus : une inscription de Lepcis Magna (*I.R.T.*, 595 = *C.*, 14 = 22673 ; notice, n. 68) évoque un fils de haut dignitaire municipal, T. Flavius Vibianus Junior, qui fut *principalis*, pontife et duumvir dès son enfance (*innocentissimus puer* ; *in paruulis annis*).

4. Sur le témoignage de Libanius, voir P. PETIT, *op. cit.*, p. 31-32. Une inscription funéraire d'Oppidum Novum (Maurétanie Césarienne ; *C.*, 9642) datable probablement du IIIe siècle, évoque un prétextat mort à 16 ans et 10 mois, au moment de son admission dans la curie. Sur la présence probable de prétextats sur l'album de Timgad, voir notre notice *Thamugadi* – N. –, n. 84.

5. Cette situation est suggérée par la formule *omnibus honoribus et muneribus functus*, trouvée sur les inscriptions (ainsi, à Auzia – Maur. Cés. – *C.*, 9020 = *I.L.S.*, 4456, notice, n. 12 et *C.*, 9021 = *I.L.S.*, 4457, notice, n. 13 ; la première inscription est datée de l'année 320). L'*otium* dont peuvent bénéficier les *principales* est évoqué par une loi de 371 (*C. Th.*, XII, 1, 75). Une loi émise en 411 par Honorius précise qu'en Gaule, on peut accéder au principalat après quinze années passées au service de l'administration municipale (*C. Th.*, XII, 1, 171 ; *cf. infra*, p. 202).

6. *C. Th.*, XII, 1, 33 (342). Sur la coexistence de gens riches et modestes dans la classe curiale, voir chapitre VI, *infra*, p. 318-325.

7. Novelle 3, § 4 (439).

8. A. H. M. JONES, *The Later Roman Empire*, Oxford, 1964, t. 2, p. 739.

naissance libre et légitime, et qu'elles s'adonnent à un métier honorable[9].

Les effectifs des curies variaient beaucoup. La boulè d'Antioche, selon Libanius, comptait 1200 membres, alors que la cité de Tymandus, en Pisidie, créée au Bas-Empire, ne possédait au départ que 50 décurions[10]. A Timgad, sous Julien, 168 décurions figurent sur l'album, mais il faut certainement défalquer de 18 à 29 *praetextati*[11].

Les décisions incombant à la curie dans son ensemble, mentionnées sur les inscriptions africaines, sont les suivantes :

— Des décrets ordonnant l'érection d'une statue d'un empereur, d'un gouverneur ou d'un bienfaiteur.

— Des décisions d'ouvrir des chantiers de construction ou de restauration d'édifices publics, aux frais de la cité[12].

---

9. En cas de vacance, la curie procède elle-même à la cooptation de ses nouveaux membres (*C. Th.*, XII, 1, 66, de 365). Toute union servile est interdite aux décurions (*C. Th.*, XII, 1, 6, de 319). Les plébéiens enrichis pourront être cooptés par les curies (*C. Th.*, XII, 1, 53, de 362 ; XII, 1, 96, de 383) ; ces cooptations ne sont pas obligatoires, mais les curies sont autorisées y procéder en cas de besoin. On voit que le caractère de noblesse héréditaire reste attaché à l'ordre des curiales et que le critère censitaire n'est pas déterminant à lui seul. Libanius ne mentionne que très peu d'*homines noui* à Antioche (P. Petit, *op. cit.*, p. 33).

10. Sur les effectifs de la boulè d'Antioche, *cf.* Libanius, *Or.*, XLVIII, 3. Les cités syriennes possédaient normalement 600 bouleutes (Libanius, *Or*, XLVIII, 3). L. Poinssot a écrit que la curie de Thuburbo Maius comptait 600 membres sous Commode (*B.C.T.H.*, 1917, p. 113) ; il se fonde sur une inscription fragmentaire (*I.L. Afr.*, 266) et son argumentation est fragile. Le nombre de cent décurions était de règle en Occident pour les colonies et municipes. On le trouve à Cures (*I.L.S.*, 5670), à Canusium (*I.L.S.*, 6121), à Veii (*I.L.S.*, 6579), ainsi qu'à Capoue selon Cicéron, *De lege agraria*, II, 96. On est fondé à penser que les cités occidentales avaient des *ordines* nettement moins nombreux que les cités orientales, sous le Bas-Empire comme sous le Haut-Empire. Tymandus est cependant, en Orient, mais la lettre impériale de fondation (*I.L.S.*, 6090) exprime le souhait que le nombre initial de 50 décurions soit rapidement dépassé.

11. Sur les effectifs de la curie de Timgad, voir notice *Thamugadi*, n. 92. Si l'on défalque les *praetextati* supposés, on obtient un effectif de 139 à 150 décurions, beaucoup plus proche de celui de Canusium que de ceux des pléthoriques boulès orientales. Personne aujourd'hui ne retient la théorie de J. Declareuil (*Quelque problèmes d'histoire des institutions municipales au temps de l'empire Romain*, Paris, 1911, p. 179 ; 295 ; 219 sq.) selon laquelle le mot curiale désignerait au Bas-Empire tous les assujettis aux *munera* municipaux et le mot décurion une catégorie plus étroite de membres effectifs de l'*ordo*. En fait, les deux mots sont synonymes dans les textes juridiques. P. Petit a définitivement ruiné cette théorie dans *Libanios*, p. 28-32. *Cf. C. Th.*, XVI, 5, 54, cité *infra*, p. 205, n. 50.

12. Cette prérogative est implicite, car les inscriptions ne mentionnent d'ordinaire que l'*instantia* du gouverneur, la *cura* exercée par le *curator rei publicae* ou un autre dignitaire, le cas échéant un acte d'évergétisme, et l'autorité qui procéda à la dédicace. Toutefois, des inscriptions évoquent le rôle de l'*ordo* à propos de l'opération de construction (*cum ordine fecit*) ou de la dédicace (*cum ordine dedicauit*). La formule très fréquente *pecunia publica* implique une décision de la curie. A mon sens, toute ouverture de chantier public suppose une délibération préalable de l'*ordo*.

— La constitution d'ambassades[13].

— La désignation de patrons[14].

— La participation à des dépenses communes par un acte collectif d'évergétisme (*collatio decurionum*)[15].

— Quelques inscriptions, enfin, évoquent la désignation des magistrats par l'*ordo*[16].

Les sources juridiques mentionnent une attribution fondamentale de la curie, la désignation de tous les titulaires d'une magistrature, d'un honneur ou d'un *munus*. Certes, nous avons vu que la *nominatio* d'un magistrat incombait aux duumvirs sortant de charge et que subsistait en Afrique une certaine intervention populaire[17]. Mais, de toute évidence, le vote de la curie était déterminant et la séance annuelle consacrée aux diverses nominations était assurément le principal événement de la vie municipale. Une loi de Constance II ordonnait qu'elle se déroulât le 1er mars[18]. Cet usage, était probablement plus ancien : à Zama Regia, l'ambassade déléguée auprès du patron Aradius Valerius Proculus fut nommée le 31 mars 321 ; or, elle comprenait un édile désigné, preuve que les élections avaient eu lieu auparavant, très vraisemblablement le 1er mars[19]. Une loi de Constantin, émise en 320, prévoyait un délai d'appel de deux mois pour les décurions qui pensaient être en droit de demander au gouverneur l'annulation de leur nomination[20]. La décision de ce dernier devait évidemment intervenir avant l'entrée en charge des

---

13. On voit la curie constituer une ambassade sur les tables de patronat offerte à Aradius Valerius Proculus par le *municipium Chullitanum* (B. ; *C.*, VI, 1684 ; notice, n. 4) ; par la *ciuitas Faustianensis* (B ; *C.*, VI, 1688 = *I.L.S.*, 6111, b ; notice, n. 3), et par Thaenae (B ; *C.*, VI, 1685 = *I.L.S.*, 6111, c ; notice, n. 8).

14. A Mididi (B.), non seulement l'*ordo* envoya une ambassade à Aradius Valerius Proculus, comme le suggère l'expression *agente ordine*, mais c'est l'*ordo* et non la cité ou le peuple entier qui entra dans la clientèle du patron (*C.*, VI, 1689 ; notice, n. 8). Dans les autres cités de Byzacène qui choisirent le même patron, il est certain que la décision fût prise par la curie et non par tous les *coloni* et les *municipes*, en dépit de la formule gravée sur les tablettes. Un autre exemple de désignation d'un patron par l'*ordo* est connu à Tipasa (M.C. ; *C.*, II, 2210 = *I.L.S.*, 6116 ; notice, n. 9). A Membressa (P.), en 377-378, un patron fût désigné par un double décret de l'*ordo* (*C.*, 1296 + 14798 ; notice, n. 9).

15. Ainsi à Tichilla (P. ; *I.L. Afr.*, 492, notice, n. 5), en 413-414.

16. Ainsi, à Thibilis (N.) sous Dioclétien (*I.L. Alg.* II, 2, 4636 ; notice ,n. 18 : ... *ob honorem du(u)muiratus ultro ab ordin[e] suo in [se] conlat[um]* ...).

17. Voir *supra*, chapitre iii, p. 142-144.

18. *C. Th.*, XII, 1, 28 : « Constitutionibus perspicue definitum est kalendis Martiis nominationes fieri, ut splendidorum honorum munerumque principia primo tempore procurentur. »

19. *C.*, VI, 1686 = *I.L.S.*, 6111, c ; notice Zama Regia – B. –, n. 11.

20. *C. Th.*, XI, 30, 10. *C. Th.*, XII, 1, 8, de 323, porte le délai à trois mois ; il est ramené à deux mois par *C. Th.*, XI, 30, 12, de 339, ce que répète *C. Th.*, XI, 30, 19, de 399. La loi de 339, due à Constance II, précise que le droit d'appel concerne aussi bien les décurions désignés pour le duumvirat ou un autre honneur que ceux qui sont chargés d'un *munus*.

magistrats et des autres responsables le premier janvier suivant. Cette date est attestée par trois inscriptions cirtéennes d'époque sévérienne, ainsi que par l'inscription d'Oppidum Novum (Maurétanie Césarienne) qui évoque l'entrée des prétextats à la curie aux calendes de janvier[21].

Une loi de Gratien, émise en 381, ordonne au vicaire d'Afrique de veiller à ce qu'un quorum d'au moins les deux-tiers des décurions fût réuni lors de la séance de nomination. Cette règle fut rappelée par Honorius au proconsul d'Afrique Ennoius en 395[22].

En plus de cette séance annuelle capitale, la curie était assurément amenée à se réunir fréquemment pour délibérer sur tous les problèmes de la vie locale. Nous ne pouvons pas dire, pour l'Afrique, quelle était la périodicité de ces séances. Deux textes de saint Augustin montrent que la curie était convoquée en cas d'événements importants. En 399 environ, à Sufes en Byzacène, des chrétiens furent massacrés pour avoir détruit une statue d'Hercule. La curie se réunit et approuva les païens meutriers[23]. Vers 408, à Calama, l'autorité municipale autorisa la célébration d'une fête païenne interdite. L'évêque Possidius vint à une séance de la curie pour protester, démarche qui déchaîna une émeute anti-chrétienne[24]. On le voit, c'est devant la curie en séance plénière qu'avait été déterminée, dans les deux cas, l'attitude à prendre vis-à-vis d'un problème religieux grave.

II — Un conseil restreint de dirigeants : les *PRINCIPALES*

La curie était une assemblée nombreuse. Un ordre hiérarchique existait en son sein, depuis les simples décurions (les *pedani* de l'album de Canusium) jusqu'aux *duumuiralicii* et aux flamines perpétuels. Il était normal que se constituât dans le conseil un groupe dirigeant, choisi parmi les dignitaires supérieurs. Ces notables assuraient la continuité de la gestion municipale, face au curateur, aux magistrats et aux responsables de *munera*, dont les fonctions étaient annuelles. Ils dirigeaient et orientaient

---

21. Cirta : *I.L. Alg.*, II, 1, 471 ; 663 ; 664. *Cf.* F. Jacques, « *Ampliatio et mora* » : *évergètes récalcitrants d'Afrique romaine*, dans *Antiquités Africaines*, 9, 1975, p. 176, n. 6. Oppidum Novum : *C.*, 9642 (cette inscription date probablement du iiie siècle). Je n'affirmerai pourtant pas que l'entrée en charge se passait dans toutes les cités le 1er janvier. La loi de Constance II *C. Th.*, XII, 1, 28 (*supra*, n. 18) demande que les élections aient lieu le 1er mars « de manière à ce que le début des splendides honneurs et charges ait lieu au plus vite », formule qui pourrait suggérer un délai moindre en certains lieux (le 1er juillet, comme jadis à Pompéï ? *Cf.* W. Liebenam, *Stadtverwaltung in Römischen Kaiserreiche*, Leipzig, 1900, p. 272-273).

22. Loi de Gratien : *C. Th.*, XII, 1, 84. Loi d'Honorius : *C. Th.*, XII, 1, 142.

23. Augustin, *Epist.* 50, *C.S.E.L.*, 34, 2, p. 143 ; *cf.* notice Sufes – B. –, n. 4-13.

24. Augustin, *Epist.* 91, *C.S.E.L.*, 34, 2, p. 432 ; *cf.* notice Calama – P. –, n. 28.

les débats de l'assemblée curiale[25]. Ils apparaissent fréquemment, sous des noms divers, dans les documents africains. On trouve ainsi des *primates*, des *proceres*, des *uiri primarii*. Dans ses *Confessions*, Augustin oppose la famille de son père, modeste décurion, à celle de son étudiant Alypius, qui appartenait aux *primates municipales*[26]. Les curiales ne constituaient nullement une classe sociale homogène ; il était donc inévitable que s'instaurât un clivage entre les plus riches et les autres, ceci d'autant que les gens modestes ne pouvaient pas parvenir aux honneurs supérieurs, grevés de lourdes charges financières[27]. Toutefois, les documents juridiques montrent que le groupe dirigeant des cités n'était pas seulement formé des plus riches flamines perpétuels, jouissant de l'autorité de fait que leur conféraient leur ancienneté dans la curie et leur fortune. Les lois mentionnent en effet une catégorie déterminée de dignitaires municipaux, inférieurs aux *honorati* mais supérieurs aux autres curiales, les *principales*. Le terme apparaît dans une constitution de Constantin datée de 317, qui les distingue de la masse des décurions[28]. Il semble qu'on soit passé d'une situation prééminente de fait à une dignité officielle, à une institution. Une loi de Valentinien Ier, datée de 371, spécifie que nul ne peut accéder *ad principalis honorem* sans avoir accompli auparavant toutes les charges municipales. Comme les prêtres provinciaux, ils pouvaient obtenir légalement le rang d'*ex comite* et jouir d'un loisir (*otium*) bien mérité[29]. Ils pouvaient abuser de leur influence ; une loi émise par Valens en 375 déplore que certains *principales* exercent un patronage indû sur des curiales qu'ils dispensent illégalement de *munera*[30]. Au début du Ve siècle, il apparaît clairement que la dignité de *principalis* était accordée par un vote de la curie : une loi d'Honorius, datée de 411 et concernant les Gaules, évoque cette élection, tout en spécifiant qu'on ne peut accéder à cet honneur avant quinze années passées au service de l'administration de la cité[31]. Ce dernier point est fort important, mais on ne peut dire si cette durée du service municipal peut être extrapolée dans le temps et l'espace.

Le repos dont les *principales* pouvaient bénéficier n'était pas absolu. De fait, la législation impériale leur confia des charges et des responsabilités. Dès le temps de Constantin, une loi fait allusion à leur rôle dans la

---

25. Conformément à la tradition romaine qui voulait qu'opinassent les premiers au Sénat ceux qui étaient inscrits en tête de l'album, et notamment le *princeps senatus*.

26. *Confessions*, VI, 7 : « ... Alypius ex eodem quo ego eram ortus municipio, parentibus primatibus municipalibus... »

27. Sur ces différences sociales, voir chapitre VI, *infra*, p. 318-325.

28. *C. Th.*, XII, 1, 5.

29. *C. Th.*, XII, 1, 75.

30. *C. Th.*, XII, 1, 79 = *C. Just*, XII, 5, 5.

31. *C. Th.*, XII, 1, 171.

répartition des *munera*[32]. Valentinien Ier ordonna en 365 que le proconsul d'Afrique leur confiât la collecte des vêtements pour les soldats[33]. La même année, une constitution les désigne comme « ceux de qui procède toute répartition » (des impôts et des charges)[34]. A la fin du IVe siècle, des lois les associent au pouvoir de maintien de l'ordre des magistrats, du curateur et du défenseur. Ainsi, une loi de Théodose émise en 383 leur confie, conjointement avec les gouverneurs, le soin de l'application des mesures contre les hérétiques[35].

Le document juridique qui montre le mieux leur rang éminent concerne l'Afrique. Il s'agit de l'édit d'union émis par Honorius le 30 janvier 412, qui frappait les donatistes obstinés d'amendes proportionnelles à leur rang dans la société ; les simples décurions devaient payer cinq livres d'or, les *principales* vingt livres, soit autant que les *honorati* clarissimes[36]. La chancellerie d'Honorius, en procédant à cette assimilation, devait penser à l'élite municipale de Carthage ou des grandes villes. Il est certain que les *principales* des nombreuses petites villes africaines étaient, le plus souvent, d'un niveau social et économique beaucoup plus modeste et que cette amende représentait pour eux une charge insupportable.

Les inscriptions africaines mentionnent un nombre limité de *principales* ; les dirigeants des cités préféraient, de toute évidence, faire figurer leur titre de flamine perpétuel. A Verecunda, en Numidie, des *principales* intervinrent dans la restauration d'un édifice entre 290 et 293 ; il s'agit d'une mention particulièrement précoce du titre, qui ne correspondait probablement pas à une institution de droit public à cette époque[37]. On en connaît trois à Carthage ; l'un était curateur d'Abbir Maius entre 368 et 370[38]. Le titre apparaît à Lepcis Magna sur trois des grandes dédicaces à des dignitaires évergètes que l'on peut dater de la première moitié

---

32. *C. Th.*, XI, 16, 4. Ce document précise que les *principales* n'ont pas le pouvoir de répartir les *munera extraordinaria*, ce qui implique qu'ils étaient responsables de la distribution des *munera* ordinaires.

33. *C. Th.*, VII, 6, 1. Cette charge était également confiée aux *honorati*.

34. *C. Th.*, VIII, 15, 5 (date proposée par Seeck) : « ... insuper principales a quibus distributionum omnium forma procedit... »

35. *C. Th.*, XVI, 5, 12.

36. *C. Th.*, XVI, 5, 52. Cette loi distingue les clarissimes, frappés d'une amende de vingt livres d'or, des sénateurs qui devront payer trente livres.

37. *C.*, 4224 ; notice, n. 5.

38. *C.R.A.I.*, 1975, p. 104 (notice *Abbir Maius* – P. –, n. 4 ; notice *Karthago*, n. 45) ; *C.*, 24590 (période indéterminée ; notice *Karthago*, n. 21). Tadeusz Kotula vient de proposer de voir un *principalis* en Gabinius Salvianus citoyen et *aedilicius* de Thuburbo Maius, qualifié sur l'inscription *I.L. Afr.*, 276 (notice *Thuburbo Maius* – P. –, n. 14 ; *cf.* notice *Karthago*, n. 46) de *P.A.K.* Plutôt que de développer, comme A. Merlin, en p(*atronus*) a(*lmae*) K(*arthaginis*), T. Kotula propose de restituer p(*rincipalis*) a(*lmae*) K(*arthaginis*), titre qu'on retrouve sur l'inscription d'Abbir Maius, *C.R.A.I.*, 1975, p. 104. Salvianus fût honoré sur le texte de Thuburbo Maius entre 395-408. L'article de T. Kotula doit paraître dans les *Hommages à Jean Lassus*, *Ant. Afr.*, 14, 1979 ; je me rallie à ses conclusions.

du IVe siècle[39]. Entre 383 et 392, des *principales* de Sitifis intervinrent pour faire restaurer les fours de l'annone publique[40]. On peut mentionner aussi un flamine perpétuel de Rusicade (Numidie) qualifié de *uir primarius*, expression probablement équivalente à *principalis*[41]. Enfin, une inscription d'Altava (Maurétanie Césarienne), datable de 349-350, mentionne des *primores*, qu'il est permis d'assimiler aux *principales*, mais sans certitude, vu le caractère très original des institutions de cette cité[41bis].

A coup sûr, cette maigre documentation épigraphique ne nous ferait pas soupçonner l'importance du rôle des *principales*, si nous n'avions pas le témoignage des textes juridiques. En outre trois mentions se trouvent chez saint Augustin. Il nous apprend que la curie païenne de Sufes promut au principalat l'un des tueurs de chrétiens, lors des événements datables de 399, ce qui montre que cette dignité était bien conférée par l'*ordo*[42]. Augustin recommanda un *principalis* d'Hippone à l'évêque Aurelius de Carthage[43], et un autre, membre de la curie de Cirta, au tribun et notaire Marcellinus[44].

Il serait arbitraire d'induire de la minceur de la documentation africaine que les *principales* ne jouaient, dans cette région, qu'un faible rôle. Là comme partout, les curies étaient, pour une large part, dominées par un nombre restreint de dignitaires. Nous avons vu que leur influence permettait d'assurer une unité et une continuité à la direction de la cité, ce que ne pouvaient faire le curateur et les duumvirs annuels. En Afrique comme ailleurs, les *principales* procédaient à la répartition des *munera*, préalablement au vote de la curie et à la nomination officielle par le curateur ou les duumvirs. Pourtant, nous l'avons constaté, les duumvirs et le curateur ont conservé dans cette partie de l'Empire une importance et des prérogatives considérables[45]. On peut donc légitimement penser que le rôle des *principales* fut plus limité que dans des régions où, par suite de l'effacement des responsables traditionnels, ils étaient, en fait, la seule instance, mise à part, la curie dans son ensemble. Le traditionalisme

---

39. *I.R.T.*, 564, notice, n. 67 ; *I.R.T.*, 567 et 568, notice, n. 62 ; *I.R.T.*, 595 et 652, notice, n. 68 et 69. T. Kotula a récemment donné une bonne étude de ces documents : *Les « uiri principales » dans les textes épigraphiques de Lepcis Magna*, dans *Arheoloski Vestnik*, 28, 1977 (Ljubljana), p. 436-445.

40. *C.*, 8480 = *I.L.S.*, 5596 ; notice, n. 9.

41. *I.L. Alg.*, II, 1, 33. La synonymie de *uir primarius* et de *uir principalis* est affirmée par J. Declareuil, qui pense en revanche que les termes de *proceres* ou de *primates* sont plus vagues et incluent tous les dignitaires supérieurs de la curie (*Rev. hist. de dr.*, 1907, p. 612-613, n. 5).

41 bis. *A.E.*, 1935, 86 = Marcillet, 67 ; notice *Altava* (M.C.), n. 40.

42. AUGUSTIN, *Epist.* 50, *C.S.E.L.*, 34, 2, p. 143. Sur l'interprétation de ce passage, voir notice *Sufes* (Byzacène), n. 7.

43. *Epist.* 41, *C.S.E.L.*, 34, 2, p. 83. Augustin évoque aussi un *primarius* d'Hippone (*filium meum Hipponiensium primarium Philocalum* ; *Epist.* 222, *C.S.E.L.*, 57, p. 446).

44. *Epist.* 138, *C.S.E.L.*, 44, p. 154.

45. *Cf.* chapitre III, *supra*, p. 159-163 ; 191-193.

institutionnel africain, maintes fois constaté, impliquait un essor modéré de cette nouvelle institution. On peut voir un indice de cette tendance dans le fait que la dignité du *principalis* n'est pas mentionnée sur l'album municipal de Timgad. Toutefois, le contrôle effectué par le collège des *principales* pouvait, le cas échéant, pallier un inconvénient majeur du système de recrutement des magistrats. Les duumvirs étaient choisis en fonction de critères de fortune, de rang social et d'ancienneté dans la curie, et non en raison de leur capacité administrative. Sans doute les décurions les plus stupides étaient-ils écartés des responsabilités supérieures mais, à coup sûr, bien des duumvirs étaient peu préparés à assumer leurs fonctions. Un duumvir sur deux devint curateur quand le recrutement local de ces dignitaires fut presque généralisé, c'est-à-dire à partir du règne de Constantin[46]. C'est dire que de nombreux curateurs devaient être peu experts en droit administratif. Si donc les responsables annuels se révélaient particulièrement incapables, les *principales* pouvaient veiller à ce que des décisions aberrantes ne fussent pas prises.

Trois lois émises en Occident entre 376 et 414 évoquent des *decemprimi curiales*, opposés aux *reliqui decuriones*[47]. Selon plusieurs historiens actuels, ce terme désignait les *principales*, plutôt que des héritiers des décaprotes du Haut-Empire[48]. On le constate pour Antioche au temps de Libanius[49]. Pour l'Afrique, cette assimilation s'impose à la lecture de la loi contre les donatistes émise par Honorius en 414 et réitérant les menaces d'amendes frappant les récalcitrants ; au lieu de distinguer parmi les décurions, comme en 412, les *principales* et les autres, ce texte oppose les *decemprimi curiales* et les *reliqui decuriones*, les premiers étant frappés d'une amende beaucoup plus forte[50]. Il semble donc que le collège des *principales* était formé de dix membres. A. Chastagnol pense que, sur l'album de Timgad, ils correspondent aux dix premiers flamines perpétuels[51]. Il est probable que les dix membres de l'ambassade envoyée par Zama Regia en 322 au patron Aradius Valerius Proculus étaient les *principales* ou *decemprimi* de la cité[52].

---

46. *Supra*, p. 187-188.

47. *C. Th.*, IX, 35, 2 (376) ; XVI, 2, 39 (408) ; XVI, 5, 54 (414).

48. C'est l'opinion d'A. H. M. JONES, *The Later Roman Empire*, t. 2, p. 731 ; cf. A. CHASTAGNOL, *L'album municipal de Timgad*, p. 30.

49. Voir P. PETIT, *Libanios*, p. 84-85. La différence fondamentale, selon lui, entre les décaprotes et les *principales* du Bas-Empire était que les premiers géraient une fonction temporaire et les seconds recevaient un honneur viager.

50. *C. Th.*, XVI, 5, 54 : « ... decem primi curiales quinquagenta libras argenti addicantur, reliqui decuriones X soluant libras argenti... » Ce passage est fort explicite quant à la synonymie, au Bas-Empire, de *curiales* et de *decuriones*.

51. A. CHASTAGNOL, *L'album municipal de Timgad*, p. 30.

52. Document cité *supra*, p. 200, n. 19.

III — Les *MUNERA* municipaux[53]

A l'origine, un *munus* est un don et, particulièrement, un acte évergétique. Ce sens demeure à l'époque tardive pour l'offrande de combats de gladiateurs et, plus généralement, pour les spectacles de l'amphithéâtre, en principe toujours aux frais d'un évergète (*editio muneris*). Dès l'époque classique, *munus* signifia aussi charge, obligation et c'est dans ce sens que le mot fut utilisé dans la langue juridique[54]. Les *munera ciuilia* ou *publica* étaient donc l'ensemble des obligations auxquelles étaient soumis les citoyens d'une cité, ce que les Grecs appelèrent les liturgies. On distinguait les charges financières (*munera patrimonialia*) et les prestations gratuites de services (*munera personalia*). Parmi ces dernières figuraient les *munera sordida*, pesant sur les *humiliores*, qui étaient des travaux manuels exécutés gratuitement, à titre de corvées.

Le système des *munera* était fondé sur le principe suivant : tout citoyen bénéficiait des avantages que sa cité mettait à sa disposition ; les équipements collectifs étaient fort développés dans une cité romaine ; leur entretien et leur gestion, ainsi que toute l'administration de la collectivité, constituaient une charge considérable à laquelle chaque membre de la communauté civique devait participer dans la mesure de ses moyens et conformément à son rang social. C'est l'étymologie que les anciens donnaient au mot *municeps*, celui qui prend part aux charges (de *munia* et *capere*).

Ces obligations furent strictement définies par la législation impériale et les ouvrages des jurisconsultes, tout particulièrement à l'époque sévérienne[55]. On classa avec précision les diverses catégories de *munera*, leurs modes de répartition, les conditions d'exemption. Pour une bonne part, il s'agissait de prestations exécutées par les cités pour le service de l'administration impériale : perception des impôts, gestion du service de la poste, recrutement de soldats, fournitures et denrées pour les besoins de l'armée etc...

Deux jurisconsultes orientaux ont donné des tableaux précis et détaillés des *munera publica* au Bas-Empire : Hermogénien, sous Dioclétien, et Arcadius Charisius, à la même époque ou sous Constantin[56]. Il s'agit

---

53. Sur cette question, nous possédons une étude exhaustive pour la période allant de 293 à 305, la thèse de doctorat en droit de Nicole CHARBONNEL, *Les « munera publica » au IIIᵉ siècle* (Université de Paris II, exemplaires polycopiés). Il faut souhaiter l'impression prochaine de cet ouvrage.

54. *Cf.* N. CHARBONNEL, *op. cit.*, p. 7-20.

55. Tous les grands jurisconsultes de cette époque ont traité longuement de ces problèmes, tout particulièrement Papinien, Callistrate, Paul et Ulpien.

56. On date l'œuvre d'Hermogénien soit du règne de Dioclétien, soit des années immédiatement postérieures (*P.L.R.E.*, p. 425-426 ; A. H. M. JONES, *The Later*

des obligations qui pesaient sur les décurions ; la liste en est impressionnante. Les *munera* personnels sont, pour l'essentiel, les suivants[57] :

a) *Charges liées à l'administration municipale* :

— la charge de rendre la justice (*munus iudicandi*) ;
— la curatelle de la construction ou de la restauration des édifices publics ;
— la curatelle de l'entretien des aqueducs ;
— la responsabilité de la voirie locale ;
— la responsabilité de l'approvisionnement des marchés de la ville ;
— la participation aux ambassades municipales ;
— l'organisation des jeux ;
— la curatelle des boulangeries de l'annone municipale ;
— la charge de veiller à ce que les propriétaires riverains entretiennent les voies ;
— la charge d'avocat, c'est-à-dire l'obligation, pour un avocat, de défendre gratuitement sa cité dans un procès éventuel ;
— la responsabilité de la surveillance des édifices publics ;
— la fonction de secrétaire (*scriba*) d'un magistrat ;
— la fonction d'archiviste (*tabularius*) ;
— la curatelle du chauffage des thermes ;
— la responsabilité de la tutelle des mineurs.

b) *charges liées à l'administration impériale* :

— la perception des impôts et des arriérés d'impôts ;
— la responsabilité de l'établissement du cens ;
— la fourniture de recrues ;
— la fourniture de chevaux, de vêtements, de denrées diverses et d'argent pour l'armée ;
— la responsabilité de la poste (*cursus publicus*) et de l'entretien de courriers ;
— la réception d'hôtes ;
— la responsabilité de l'entretien des routes.

Cette liste n'est pas limitative. Comme le remarque, dans son étude récente sur les *munera*, Nicole Charbonnel, il s'agit « d'une série de recettes pratiques d'administration transmises souvent par la coutume et complétées par les décisions impériales, constamment adaptées et renouvelées selon les besoins du moment dans un souci d'efficacité maximum ». On

Roman Empire, t. 3, p. 3, n. 1. Arcadius Charisius, *magister libellorum*, est l'auteur de trois traités insérés dans le *Digeste*. Pour la date, voir JONES, *Later Roman Empire*, *loc. cit.*

57. Cette liste est extraite du *Liber singularis de muneribus ciuilibus* d'Arcadius Charisius (*Digeste*, L, 4, 18) sauf pour quelques points mentionnés par Hermogénien, dans les *Libri Iuris Epitomarum*, *Digeste*, L, 4, 1 ; L., 5, 11 ; XXVII, 1, 41. On trouvera une analyse détaillée de ces documents, dans N. CHARBONNEL, *op cit.*, p. 461-465.

peut considérer que « toute prestation envers la collectivité publique, de quelque nature qu'elle soit et qu'elle suppose ou non un élément de libéralité, est assimilée à un *munus*[58] ». On comprend, en voyant l'ampleur et le nombre de ces obligations, les réticences des assujettis et la nécessité d'une législation coercitive pour assurer la bonne marche du système.

Nos sources sont moins disertes sur les *munera sordida* imposés aux petites gens. Les lois les mentionnent à propos des exemptions dont bénéficient tous les *honestiores*, les fonctionnaires impériaux, les clercs, les professeurs et membres des professions libérales[59]. Deux lois de Théodose les énumèrent[60] : il s'agit de journées de travail gratuit pour la construction ou l'entretien de bâtiments publics, pour l'entretien des routes et des ponts, du transport de denrées diverses, avec fourniture de chevaux et de chariots, du logement de fonctionnaires ou de soldats en déplacement. Il est possible que le nettoyage des rues des villes et le service des thermes furent, pour une part, assurés par des corvées de ce type. Une inscription de Bisica Lucana, datable du Bas-Empire, mentionne des travaux de restauration d'un monument public « grâce au travail de tout le peuple » (*totius populi labore*) : les plébéiens de la cité avaient fourni gratuitement des journées de travail, constituant un *munus sordidum*. De même, une inscription gravée sur deux bases placées à l'entrée des thermes du sud de Timgad évoque très explicitement les journées de travail gratuit fournies par le peuple : « A la concorde de l'*ordo* et du peuple, pour avoir relevé les finances de la cité par leurs mains et leurs richesses ». Entendons que la restauration des thermes fut menée à bien sans dépenses publiques, grâce au travail manuel gratuit (*manibus*) du peuple et grâce à une contribution spéciale des décurions[61].

Le travail administratif subalterne était partiellement assuré par des *munera*. Des décurions en début de carrière ou ne pouvant prétendre, vu la modestie de leur fortune, aux honneurs municipaux supérieurs, assuraient gratuitement les fonctions de secrétaire (*scriba*) et d'archiviste (*tabularius*)[62]. Pourtant, nous le verrons, un petit personnel permanent, libre ou esclave, était au service des cités africaines au Bas-Empire. Tout le travail n'était donc pas assuré par les *munera*, en particulier pour les onctions qui exigeaient une compétence technique[63].

---

58. N. Charbonnel, *op. cit.*, p. 382-383.

59. Sur ces immunités, *cf. e.g. C. Th.*, VI, 35, 4 ; XII, 5, 2.

60. *C. Th.*, XII, 16, 15 et 18 (382 et 390). Il s'agit de prestations en faveur de l'État.

61. Bisica Lucana (P.) : *C.*, 12285 ; notice, n. 5. Timgad : *C.* 2342 = *I.L.S.*, 6843 : *Concordiae populi et ordinis, quod sumtus rei p(ublicae) manibus copiisque releuauerint.* Vu le style et la graphie de cette inscription, je la date de l'époque tardive (contre Mommsen, *apud C.I.L.*, VIII, *l.c.*). Sur ce texte, voir notice *Thamugadi – N. –*, n. 16bis.

62. *Munus tabularii, archeotae, logographi* : Arcadius Charisius, *Dig.*, L, 4, 18, 10.

63. Voir *infra*, p. 225-228. Comme pour les travaux manuels accomplis à titre de *munus sordidum*, ces prestations étaient certainement temporaires et ne pouvaient remplacer un personnel administratif permanent.

Les *munera patrimonialia* consistaient, non en une prestation de service, mais dans le paiement d'une somme d'argent ou le versement de produits en nature. Il s'agissait donc d'impôts. Parmi les *munera* liés directement à la propriété foncière, on peut citer l'obligation pour les propriétaires d'entretenir les portions de route qui traversaient ou longeaient leurs terres[64], ou encore la fourniture gratuite d'une quantité donnée de produits alimentaires destinés à l'annone municipale, si les champs possédés étaient grevés de ce *munus*[65]. La gestion des magistratures et des sacerdoces municipaux obligeait les titulaires au versement de sommes « honoraires » ou à des dons évergétiques, qui pouvaient être des spectacles, des constructions ou restaurations d'édifices publics, la fourniture de bois pour le chauffage des thermes[66]. Certaines prestations étaient destinées aux services impériaux et non à la cité ; ainsi la fourniture de chevaux pour la poste ou celle de denrées diverses pour l'armée et les fonctionnaires d'État[67]. Il convient d'ajouter une charge financière lourde mais éventuelle, celle qu'impliquait la responsabilité personnelle des magistrats, curateurs de travaux publics ou percepteurs des impôts ; en cas de malfaçon, de mauvaise gestion, de recette fiscale insuffisante, ils devaient rembourser le préjudice sur leurs deniers[68]. Il importait donc de choisir pour ces fonctions des personnes suffisamment riches pour offrir des garanties. Il en était de même de leur *fideiussores*, désignés en même temps qu'eux, qui se portaient garants de leur gestion.

Ce système était en place à l'époque sévérienne ; il apparaissait dès lors défini par un arsenal considérable de lois et de pratiques de jurisprudence. Le IVe siècle ne lui apporta pas de modifications substantielles[69]. On insista davantage sur le lien imprescriptible de l'individu et de son *origo*, géographique et sociale et, en conséquence, sur les obligations qui pesaient sur les membres des familles décurionales, les *obnoxii curiae*. L'accroissement de la charge fiscale rendit plus lourdes les fonctions de percepteur bénévole ; une part plus grande des revenus étant prélevée par les impôts d'État, les *munera* financiers destinés aux cités grevèrent plus durement les fortunes des particuliers ; le doublement du nombre des provinces et la multiplication des fonctionnaires rendirent plus tâtillon le contrôle de la gestion des cités. Du coup, devinrent plus nombreuses les tentatives pour se dérober aux *munera* municipaux en obtenant

---

64. Arcadius Charisius, *Dig.*, L, 4, 18, 15.

65. *C. Th.*, XIV, 25, 1 (318 selon Seeck ; *cf.* notice *Karthago*, n. 67-69, et *infra*, p. 212).

66. Sur les inscriptions africaines mentionnant toujours au Bas-Empire des dons *ob honorem*, voir liste, *infra*, p. 315 (douze documents).

67. Arcadius Charisius, *Dig.*, L, 4, 18, 3 et 4.

68. Sur ce problème, voir *infra*, p. 213-215.

69. N. Charbonnel (*Les « munera publica » au IIIe siècle*, p. 21) remarque justement que c'est au IIIe siècle que « les *munera publica* ont acquis les caractères qu'ils conserveront, dans leurs lignes principales, à travers tout le Bas-Empire ».

plus ou moins légalement un titre ou une fonction conférant l'immunité ; une abondante législation tenta de réprimer cette désertion[70]. Mais il n'y eut pas de modification sur le fond, avant les invasions, dans les régions où le système municipal demeura en place.

Les documents africains du Bas-Empire n'apportent pas de lumière particulière sur cet aspect essentiel de la vie municipale, mais ils montrent un certain nombre de cas concrets d'exécution de *munera*.

Ainsi, un grand nombre d'inscriptions commémorant des constructions ou des restaurations d'édifices publics évoquent le dignitaire qui en avait la *cura*, le plus souvent le *curator rei publicae* ou bien un ou plusieurs flamines perpétuels. Cette charge consistait à traiter au nom de la cité avec les entrepreneurs, à surveiller les travaux et à assumer la responsabilité de l'opération sur ses deniers, en cas de malfaçon ou de prix excessif.

Les inscriptions et les textes patristiques évoquent fréquemment la pratique évergétique, à propos de la participation financière à des travaux publics et de l'offrande de spectacles. Dans plusieurs cas, le lien entre ces générosités et les honneurs municipaux est nettement indiqué. Nous possédons des inscriptions qui mentionnent des actes évergétiques pour l'honneur du duumvirat ou du flaminat perpétuel[71]. Plusieurs textes concernent la lourde charge du sacerdoce provincial annuel de l'Afrique Proconsulaire, dont le titulaire était tenu d'offrir des jeux à Carthage[72]. Dans un sermon, saint Augustin évoque très clairement l'obligation d'offrir des jeux à ses concitoyens pour quiconque voulait briguer les honneurs municipaux[73]. Ailleurs, il affirme que les *editores* des *munera* de décembre à Carthage devaient vendre des domaines ruraux pour faire face aux dépenses[74].

Nous avons étudié précédemment une loi émise en 325 par Constantin et mentionnant l'existence en Afrique d'élection de duumvirs par les suffrages populaires[75]. L'objet précis de cette constitution était d'obliger les duumvirs à désigner des successeurs *idonei*, remplissant les conditions requises, c'est-à-dire offrant les garanties financières nécessaires, et donc à résister le cas échéant à la volonté populaire. On voit nettement ici les charges financières qu'impliquait le duumvirat, charges inévitables

70. Sur ce problème, voir chapitre suivant.

71. *Cf. infra*, p. 315.

72. Une inscription trouvée à Rome (*C.*, VI, 1736 = *I.L.S.*, 1256 ; notice *Karthago*, n. 34) évoque l'érection, aux frais du conseil provincial, d'une statue du proconsul Julius Festus Hymetius (366-368) qui avait sû épargner la famine à la province. Ce texte remercie Hymetius d'avoir restauré le sacerdoce provincial qu'on redoutait auparavant et qu'on se disputait désormais. Hymetius avait, à coup sûr, diminué les charges financières liées à cet honneur.

73. AUGUSTIN, *Sermo* 32, 20, *C.C.*, 41, p. 407.

74. AUGUSTIN, *En. in ps.* 80, 7 ; *cf.* notice *Karthago*, n. 133-144. Nous examinons le dossier de l'évergétisme africain au Bas-Empire dans le chapitre VI (*infra*, p. 298-318).

75. *C. Th.*, XII, 5, 1 ; voir *supra*, chapitre III, n. 26.

(somme honoraire) ou éventuelles, par le jeu de la responsabilité du magistrat sur ses deniers.

Nos sources évoquent avec assez de précision le *munus* personnel de la *legatio*, c'est-à-dire la participation à une ambassade de la cité ou de la province auprès de l'empereur ou d'un patron. Sur quatre des six contrats de patronat conclus par des villes de Byzacène avec le gouverneur Q. Aradius Valerius Proculus, on trouve la mention d'une ambassade envoyée pour procéder à la remise de la table de patronat ; pour le *municipium Chullitanum*, il est précisé que l'ambassade fut gratuite, c'est-à-dire aux frais des *legati*[76].

Les inscriptions ne parlent pas des autres *munera*, car elles n'évoquent que des honneurs (magistratures supérieures, sacerdoces), des fonctions prestigieuses (ambassades) ou des actes d'évergétisme, source de gloire et de popularité. On ne faisait pas graver une inscription pour rappeler qu'on avait assuré la perception des impôts, tâche pourtant difficile et importante, ou qu'on avait fourni des chevaux pour la poste. On peut cependant glaner quelques allusions. Ainsi, tous les commentateurs sont aujourd'hui d'accord pour développer en *exactor* les lettres EXCT qui suivent les noms de deux flamines perpétuels, sur l'album municipal de Timgad ; ces deux dignitaires étaient donc chargés, l'année de la rédaction de la liste, d'assurer dans la cité la rentrée des arriérés d'impôts[77].

Toujours à Timgad, un fragment de texte, qui semble appartenir à l'inscription dite « *ordo salutationis* du consulaire Ulpius Mariscianus », expose les obligations de la curie à l'égard des prisonniers. Un magistrat responsable devait veiller à ce que les détenus fussent nourris aux frais de la cité et il recevait un inventaire des denrées perçues à cet effet[78]. Cette responsabilité des autorités municipales dans la garde et l'entretien des prisonniers attendant leur jugement est confirmée par une loi d'Honorius, datée de 409[79]. Ceci valait dès le temps de Dioclétien ; la *Passion de*

---

76. *C.*, VI, 1684 (*municipium Chullitanum* ; notice, n. 4) ; *C.*, VI, 1688 = *I.L.S.*, 6111ᵇ (*ciuitas Faustianensis* ; notice, n. 3) ; *C.*, VI, 1685 = *I.L.S.*, 6111ᵃ (Thaenae ; notice, n. 8) ; *C.*, VI, 1686 = *I.L.S.*, 6111ᶜ (Zama Regia ; notice, n. 11). Ammien Marcellin a évoqué les ambassadeurs venus exposer les malheurs des Tripolitains à Valentinien 1ᵉʳ en 365-367 (AMMIEN, XXVIII, 6 ; *cf.* notice Lepcis Magna – T. –, n. 83-105). Les Tripolitains déléguèrent au *comitatus* entre 383 et 388 L. Aemilius Quintus (*I.R.T.*, 588 – Lepcis, n. 75 – ; *I.R.T.*, 111 – Sabratha, n. 21 – ; *C.*, 27 = 11025 – Gigthis, n. 7 –). Un autre légat tripolitain du Bas-Empire est évoqué par *I.R.T.*, 544 (notice *Lepcis Magna*, n. 74). Nous avons relevé dans le *Code Théodosien* neuf allusions à des ambassades envoyées au *comitatus* impérial par des cités ou des conseils provinciaux africains (liste *infra*, chapitre v, p. 253-254, n. 26).

77. C'est l'avis de L. LESCHI, *Études d'épigraphie, d'archéologie et d'histoire africaines*, Paris, 1957, p. 247, repris récemment par A. CHASTAGNOL, *L'album municipal de Timgad*, p. 30.

78. *C.*, 17897. Sur ce document, voir notice *Thamugadi* – N. –, n. 60.

79. *C. Th.*, IX, 3, 7. Cette loi ordonne aux gouverneurs et aux curies (*ordines*) de bien traiter les prisonniers.

saint Félix, évêque de Thibiuca, montre un curateur ordonner à un décurion de conduire l'évêque enchaîné jusqu'au tribunal du proconsul d'Afrique, en 303. Ce décurion accomplissait un *munus* personnel[80].

Une loi de Constantin, datable de 318, fait connaître un *munus* patrimonial à Carthage : les propriétaires de certaines terres devaient fournir du blé, destiné au *frumentum carthaginiense*, l'annone municipale qui permettait des distributions gratuites ou des ventes à bas prix de nourriture à la plèbe. La loi précisait que les magistrats de la cité étaient dispensés de ce *munus* durant leur fonction et qu'ils devaient désigner des remplaçant[81].

Tout service rendu à la collectivité étant considéré, en droit, comme un *munus*, on peut donc considérer que les différents actes d'administration municipale décrits par nos documents entrent sous cette rubrique. Ainsi les fonctions judiciaires des magistrats et curateurs : Arcadius Charisius évoque le *munus iudicandi*[82]. Ceci amène à constater deux ambiguïtés. Tout d'abord, le duumvirat n'était pas un *munus*, mais un *honor* et la *iuris dictio* était liée à la *potestas fascium*. Le terme de *munus* était donc inadéquat, en droit classique, pour désigner la fonction judiciaire des magistrats municipaux supérieurs. On le voit, ces distinctions étaient souvent oubliées au IVe siècle. D'autre part, le *curator rei publicae* accomplissait un *officium* impérial et n'était pas, en tant que tel, soumis aux *munera*. En fait, nous le voyons de plus en plus assimilé aux magistrats ; sans doute, sa fonction n'était pas assortie du paiement de *munera* financiers mais, dans la pratique, elle ne se distingua pas de celles des magistrats, si ce n'est par son autorité plus grande. Il participa en particulier au *munus iudicandi*, en concurrence, nous l'avons vu, avec les duumvirs[83]. A partir du moment où ce fut la règle de choisir le curateur parmi les anciens duumvirs et où sa fonction fut intégrée pleinement au cursus municipal, son *officium* ne fut pas d'une nature différente de celle des *munera* et *honores* des autres responsables municipaux.

Sur l'album de Timgad, trente-trois décurions sont classés sous la rubrique *excusati* ; on les trouve parmi les *non honores functi* : ils étaient donc dispensés des magistratures et des *munera* les plus importants[84]. La raison de cette dispense peut être le fait qu'ils n'étaient pas assez riches pour supporter les frais inhérents aux fonctions supérieures et

---

80. *Passio Felicis*, 3, *P.L.*, 8, 679. Le décurion Vincentius Celsinus est chargé par le curateur de garder l'évêque chez lui, en *custodia priuata*, puis de l'escorter à Carthage, jusqu'au tribunal du proconsul. C'est un exemple très concret d'exécution d'un *munus* (sur ce texte, voir notice *Thibiuca* – P. –, n. 4-8).

81. *C. Th.*, XIV, 25, 1 (318 selon Seeck). Sur ce texte, voir notice *Karthago*, n. 67-69.

82. *Digeste*, L, 4, 18, 14.

83. *Cf.* chapitre III, p. 191-193.

84. Le terme *excusatio munerum* est courant dans le langage juridique pour désigner la dispense légale des charges.

pour offrir les garanties financières nécessaires. Comme on trouve parmi eux des membres de familles importantes de la ville, on peut supposer que, dans certains cas, ils avaient été jugés quittes de leurs obligations parce que des proches parents avaient géré les honneurs et les grands *munera*[85].

La documentation africaine ne nous permet pas de connaître avec précision la manière dont étaient accomplis tous les services confiés aux cités. Nous avons étudié dans un chapitre précédent la responsabilité de la construction et de l'entretien des bâtiments publics[86]. Nous évoquerons l'évergétisme dans un autre chapitre[87]. Examinons ici les responsabilités des décurions dans les domaines fiscaux et judiciaires, et vis-à-vis des professeurs et des médecins.

IV — LA PERCEPTION DES IMPÔTS PAR LES CURIALES

La perception des impôts était l'une des principales charges de l'administration impériale confiées aux curiales. Chaque année, la curie devait désigner en son sein les *susceptores* à qui était confié ce *munus*[88]. Dès le début du IVe siècle apparut en Égypte un autre responsable, l'*exactor*, à qui revenait le soin de percevoir les arriérés d'impôts. Il est possible que cette fonction ait été d'abord conférée par une nomination impériale ; par la suite, elle devint élective, comme le montre la législation[89]. Les rôles de l'impôt, pour une cité donnée, étaient remis chaque année aux *susceptores* par les bureaux provinciaux[90]. Si la totalité prévue des sommes ou produits n'était pas perçue, le président de la curie qui avait prononcé la *nominatio* des *susceptores* était responsable sur ses biens des arriérés. En fait, comme le précise une loi de 386, c'était l'ensemble de la curie qui était solidairement responsable[91]. Cependant, en 364, Valentinien Ier décida que les *susceptores* seraient désormais recrutés parmi les fonctionnaires. Cette mesure allégeait beaucoup les charges pesant sur les décurions et B. H. Warmington y a vu une des causes de la prospérité des cités

---

85. Sur ce problème, voir notice *Thamugadi* – N. –, n. 82.

86. Chapitre II, p. 61-62.

87. Chapitre VI, p. 298-318.

88. La documentation papyrologique est très explicite quant à l'élection des *susceptores* par les curies (*cf.* A. H. M. JONES, *The Greek city from Alexander to Justinian*, p. 333-334). L'élection avait lieu aux calendes de mars, comme pour toutes les fonctions municipales (*C. Th.*, XII, 1, 28 ; *cf. supra*, n. 18).

89. A. H. M. JONES, *The Later Roman Empire*, t. 2, p. 728. Le choix du responsable de l'*exactio annonarum* par les décurions est évoqué par une loi dès 323 (*C. Th.*, XII, 1, 8).

90. *C. Th.*, XII, 6, 3 (349) ; XII, 6, 21 (386) ; *cf. C. Th.*, XI, 7, 1 (315).

91. Responsabilité du *creator* : *C. Th.*, XII, 6, 1 (321) ; XII, 1, 54 (362). Responsabilité de toute la curie : *C. Th.*, XII, 6, 20 (386).

africaines à cette époque[92]. Les responsables des greniers de l'annone (*praepositi horreorum*) furent également choisis parmi les fonctionnaires ainsi, peut-être, que les *exactores*. On ignore dans quelle mesure cette réforme fut appliquée. En 383, Théodose décida que seuls les plus riches paieraient leurs impôts aux fonctionnaires provinciaux ; les décurions devaient percevoir ceux de leurs collègues, le défenseur ceux des pauvres[93]. Mais une loi du même Théodose, émise en 386, évoque à nouveau les *susceptores* et *exactores* désignés par les curies et responsables de toute rentrée fiscale[94].

On connaît par Libanius les graves difficultés auxquelles se heurtaient les curiales dans l'accomplissement de cette tâche, les menaces, les coups parfois, qu'ils devaient endurer de la part de contribuables récalcitrants ou de fonctionnaires du fisc, le risque de la confiscation de leur patrimoine en cas de déficit. La documentation africaine est muette sur ce grave problème. On ne saurait, pour autant, en induire qu'il ne se posait pas dans cette région. L'absence d'allusions à des faits de ce genre dans la correspondance d'Augustin incite cependant à penser que des événements aussi dramatiques que ceux décrits par Libanius dans son *Discours sur les patronages* devaient être exceptionnels[95].

Au vrai, certains documents montrent que la perception des impôts pouvait être avantageuse pour les curiales. Les lois impériales dénonçaient un abus fréquent, qui consistait à faire payer aux pauvres plus que ce qui était prévu et à ménager les riches propriétaires, membres de la curie[96]. Les lois stigmatisaient souvent la corruption et la pratique des pots-de-vin ; nul doute que les responsables des impôts n'aient souvent profité de l'autorité qui leur était conférée pour réaliser des profits illicites. Valen-

---

92. *C. Th.*, VIII, 3, 1. B. H. Warmington (*The Nort-African Provinces from Diocletian to the Vandal Conquest*, Cambridge, 1954, p. 53-54) a exagéré les effets bénéfiques de cette mesure pour les curiales ; son application fût limitée : dès 365, une loi de Valentinien 1er, adressée au vicaire d'Afrique Dracontius spécifie que la collecte des *species annonariae* (impôts en nature) serait toujours assurée par les curiales (*C. Th.* XII, 6, 9). Sur le caractère ambigu, pour les intérêts des décurions, de l'exemption de ce type de *munus*, voir *infra*, n. 101.

93. *C. Th.*, XI, 7, 12.

94. *C. Th.*, XII, 6, 20. En 412, une loi d'Honorius adressée au proconsul d'Afrique Eucharius (*C. Th.*, XII, 6, 31 = *C. Just.*, X, 72, 14) confie la *susceptio uestium* aux fonctionnaires provinciaux ; ce texte précise que le but recherché est de soulager les curiales de charges trop lourdes et de risques financiers.

95. LIBANIUS, *Discours sur les patronages*, éd. L. Harmand, Paris, 1955 (texte et traduction p. 13-45 ; commentaire, p. 66-67, 168-172). L. Harmand a insisté à juste titre sur le caractère très partial de ce plaidoyer (ainsi, p. 170-171). Sur l'opinion comparable de Deléage, voir *infra*, n. 101. L'ensemble des témoignages de Libanius sur le *munus* de la perception des impôts a été analysé par P. PETIT, *op. cit.*, p. 145-158.

96. Citons *C. Th.*, XII, 6, 22, de 386, qui déplore les injustices perpétrées à l'encontre des contribuables par les *exactores*. Libanius évoque la dureté des *prôtoi* (*principales*) d'Antioche, et les bénéfices réalisés par les *exactores* (*Cf.* P. PETIT, *op. cit.*, p. 157-158) ; voir aussi *C. Th.*, XI, 24, 4, de 399.

tinien Ier institua le *defensor plebis* pour protéger les pauvres des injustices fiscales que les riches perpétraient à leur encontre, et il eut soin de faire choisir ce dignitaire en dehors de la curie[97]. Cette réforme, nous l'avons vu, échoua elle aussi, et les pauvres furent de nouveau soumis à l'arbitraire des riches décurions.

Nous avons déjà évoqué la loi d'Honorius de 412 qui décrit l'intervention du peuple dans la désignation des *exactores* à Carthage. On a vu comment le public était admis à la séance de nomination et pouvait accuser un candidat « de concussion avec les propriétaires « (*concussione possessorum*) ; si la preuve de l'accusation était faite et si l'intéressé était convaincu d'avoir touché de l'argent des *possessores*, (probablement quand il était *susceptor*) il devait être sévèrement puni[98].

Rappelons aussi le cas, déjà évoqué, de cet aristocrate carthaginois nommé Faustinus qui désirait devenir *exactor* : la conversion de ce païen convaincu, relate Augustin, paraissait suspecte au peuple chrétien qui croyait que Faustinus voulait ainsi faciliter sa carrière[99]. Nous avons là une bonne preuve du fait que les fonctions fiscales n'étaient pas nécessairement ces charges écrasantes et ruineuses que les historiens modernes ont décrites, en suivant Libanius. Une loi émise en 386 par Théodose interdit que la fonction d'*exactor* soit assumée sans limite de temps par des gens qui utilisent leur puissance pour léser et tyranniser leurs administrés ; l'empereur rappelait que de nouveaux *exactores* devaient être désignés chaque année ou, si c'était l'usage local, tous les deux ans[100]. Nous sommes loin, on le constate, de l'image du malheureux percepteur bénévole, terrorisé et ruiné[101].

---

97. Sur cette question, voir chapitre III, *supra*, p. 193-194.

98. *C. Th.*, XI, 7, 20. Sur ce texte, qui montre les avantages illicites que les *exactores* pouvaient retirer de leur *munus*, voir *supra*, p. 144-145 et notice *Karthago*, n. 121.

99. AUGUSTIN, *Sermo « Morin »* I, *P.L.S.*, 2, 657-660. Sur ce document, voir notice *Karthago*, n. 117-119. L'éditeur date ce sermon de l'année 401.

100. *C. Th.*, XII, 6, 20.

101. Dans son étude *La capitation du Bas-Empire* (Nancy, 1945, p. 248), André Deléage suggère que les mesures impériales confiant aux fonctionnaires la perception des impôts constituaient une dépossession des curies, et non une délivrance, comme le pense A. Piganiol (*L'Empire chrétien*, Paris, 1947, p. 341-342 ; *R.E.L.*, 1947, p. 439). Deléage cite à l'appui de sa thèse un texte relatif à l'Afrique fort caractéristique. En 430, Valentinien III interdit au préfet du prétoire Théodose d'étendre à la Proconsulaire le privilège obtenu naguère par la Byzacène de confier à des curiales la *custodia horreorum*, la responsabilité des magasins de l'annone (*C. Th.*, XII, 6, 33). Il y avait donc eu une démarche du conseil provincial de Byzacène pour obtenir le maintien de ce *munus* à la charge des curies, preuve qu'il présentait de substantiels avantages. Il est difficile de trancher entre les opinions de Deléage et de Piganiol. Retenons que le problème est complexe et que les responsabilités fiscales des curiales devaient, selon les circonstances, apparaître tantôt profitables, tantôt redoutables. Nul doute cependant que la célèbre diatribe de Salvien contre la tyrannie des curiales (*Du gouvernement de Dieu*, IV, 18) n'ait visé tout particulièrement leurs malversations et injustices dans le domaine fiscal (sur ce texte, voir *infra*, p. 233, n. 187).

Si les *susceptores* étaient recrutés, semble-t-il, parmi les décurions point encore au sommet de leur carrière, les *exactores*, qui apparaissent au IVe siècle comme les vrais responsables locaux des rentrées fiscales, étaient pris parmi les décurions les plus riches et les plus élevés dans la hiérarchie municipale. Sur l'album de Timgad figurent deux *exactores*, dans la liste des flamines perpétuels, c'est-à-dire les dignitaires de la catégorie supérieure, ayant reçu tous les *honores*[102]. Il est probable, selon A. Chastagnol, que la fonction était exercée par roulement annuel entre les flamines perpétuels[103]. Il était naturel de choisir pour ce *munus* difficile des décurions possédant du prestige et de l'autorité, et offrant des garanties financières suffisantes.

V — LES PRÉROGATIVES JUDICIAIRES DE L'AUTORITÉ MUNICIPALE

Les historiens modernes ont souvent répété que la juridiction municipale était devenue presque inexistante au Bas-Empire[104]. Le doublement du nombre des provinces avait rapproché le gouverneur, juge ordinaire, des justiciables ; la législation, devenue de plus en plus tâtillonne et autoritaire, n'aurait plus laissé aucune marge de liberté d'appréciation aux magistrats et responsables des cités, devenus de simples exécutants timorés des décisions impériales, sous le contrôle étroit des gouverneurs et de leurs fonctionnaires. Des lois évoquent des *iudices pedanei*, auxiliaires des gouverneurs pour les petites causes. On a pu supposer qu'ils avaient pris la place des magistrats des cités.

En fait, la justice demeurait un devoir et une prérogative des autorités municipales. Arcadius Charisius mentionne le *munus iudicandi* parmi les charges des décurions[105]. Une loi de Valentinien Ier précisa en 364 qu'un justiciable avait trente jours pour faire appel d'une sentence d'un magistrat[106]. Ce principe fut rappelé en 370, en spécifiant que le juge d'appel était le *iudex ordinarius*, c'est-à-dire le gouverneur provincial[107]. Les magistrats dont il est question dans ces lois étaient les duumvirs et non les *iudices pedanei*, qui sont mentionnés à part.

---

102. Ils sont, dans l'ordre de la liste, les 11e et 12e flamines perpétuels. Les dix flamines qui les précèdent étaient peut-être les *decemprimi*.

103. A. Chastagnol, *L'album municipal de Timgad*, p. 30.

104. C'était l'opinion de J. Declareuil (*Rev. Hist. de dr. fr. et étr.*, 1907, p. 633-635). Cet auteur supposait même qu'il y eut dans chaque cité des *iudices pedanei*, délégués du gouverneur juge ordinaire (*contra*, voir *infra*, n. 110).

105. *Digeste*, L, 4, 18, 14.

106. *C. Th.*, XI, 31, 1. Ce document évoque le *iudicium magistratuum* ; ce dernier terme évoque toujours, dans la législation du temps, les magistrats municipaux.

107. *C. Th.*, XI, 31, 3.

Nous avons évoqué dans le chapitre précédent le rôle judiciaire des duumvirs[108]. A coup sûr, les causes pour lesquelles ils avaient le droit de prononcer des sentences étaient d'importance mineure et leurs décisions n'étaient jamais sans appel. Au criminel, ils jugeaient les petits délinquants et ils n'étaient compétents au civil que pour des intérêts limités. Une loi de Constantin leur donne le droit de donner des amendes[109]; il est probable qu'ils pouvaient condamner les *humiliores* à recevoir des coups de bâton. Là où le système municipal demeurait en place, les *iudices pedanei* ne les concurrençaient guère. Nous n'avons qu'une trace de leur activité en Afrique : la loi émise par Valentinien Ier en 374, et qui confère d'importants privilèges aux professeurs de peinture africains, déclare que ces derniers ne sont pas soumis à l'autorité des *iudices pedanei*[109bis]. On ne les voit pas intervenir à propos des nombreux procès auxquels donna lieu la question donatiste. Les lois qui les mentionnent les présentent comme des suppléants des gouverneurs et Dioclétien avait recommandé à ces derniers de confier le moins de cause possible aux *pedanei* et d'étudier eux-mêmes tous les dossiers[110]. A coup sûr, ces lois ne les présentent nullement comme les remplaçants des magistrats dépouillés de leurs prérogatives. En revanche, le tribunal épiscopal (*episcopalis audientia*) concurrença sur place, pour les causes mineures, la juridiction municipale, à partir du règne de Constantin. Nous verrons plus loin que la documentation africaine nous conduit à ne pas exagérer l'importance de cette juridiction parallèle[111].

La législation nous fait connaître quelques prérogatives judiciaires précises de l'organisme municipal. Ainsi, des lois de Constance II évoquent la compétence des duumvirs en matière de *bonorum possessio* et d'affranchissement[112]. Nous le constaterons à propos des *acta municipalia*, les autorités des cités tenaient la place de nos notaires pour la rédaction des actes de vente d'immeubles et de donation[113]. C'est en leur présence qu'on ouvrait et qu'on authentifiait les testaments[114]. Les magistrats désignaient les tuteurs des veuves et des orphelins mineurs[115].

---

108. Chapitre III, p. 161-163.

109. *C. Th.*, XIII, 3, 1 = *C. Just.*, X, 53, 6 (date d'après Seeck).

109 bis. *C. Th.*, XIII, 4, 4 : « ... lege praescribsimus neue pedaneorum iudicum sint obnoxii potestati... » Sur ce texte, voir *supra*, p. 66-67 et n. 34.

110. *C. Just.*, III, 3, 2 et 3 (294) ; III, 3, 4 (303). Ces lois visent à limiter l'action des *pedanei*, et non à la généraliser, comme le pensait Declareuil. Julien rappela, en 362, la possibilité pour les gouverneurs de faire appel à leurs services, ce qui montre que l'institution n'était pas universellement répandue (*C. Just.*, III, 3, 5).

111. Sur ce problème, voir chapitre VIII, *infra*, p. 389-395.

112. *Bonorum possessio* : *C. Just.*, VI, 9, 9 (339) ; affranchissement : *C. Just.*, 1, 4 (320 — Seeck).

113. *C. Th.*, VIII, 12, 3 (316) ; sur les *acta publica*, voir *infra*, p. 223-224.

114. Voir la description de cette procédure dans A. H. M. JONES, *Later Roman Empire*, t. 2, p. 761.

115. La *datio tutoris* par l'autorité municipale est attestée par ULPIEN, *Digeste*, XXVI, 5, 3 ; elle existait toujours au temps de Justinien (*Institutes*, I, 20, § 4 et 5).

Force est donc de constater que la juridiction municipale demeurait fort importante au Bas-Empire. Cette impression s'accroît si l'on ajoute aux causes pour lesquelles elle était compétente celles qui regardaient les gouverneurs mais qu'elle était chargée d'instruire. Une loi émise en 409 par Honorius expose clairement le problème à propos des criminels accusés d'homicide, de brigandage, d'adultère[116]. Les autorités des cités (défenseurs, curateurs, magistrats, curies) n'ont pas le droit, selon ce document, d'emprisonner les inculpés, mais elles doivent recueillir tous les témoignages dans les *acta municipalia* et faire conduire sous escorte les accusés et les accusateurs devant le tribunal compétent, c'est-à-dire celui du gouverneur. Il ressort de ce texte que les responsables locaux avaient pour mission d'enregistrer les plaintes et dénonciations, de convoquer les témoins, de procéder aux arrestations et aux interrogatoires et de constituer le dossier d'instruction du procès. Il s'agit de prérogatives judiciaires et policières considérables car, le plus souvent, le gouverneur devait juger d'après les éléments ainsi rassemblés sur place et dans le sens suggéré par l'instruction, surtout si les accusés étaient de pauvres gens, incapables de préparer leur défense ou de demander le concours d'un avocat habile.

Les documents chrétiens africains donnent des exemples précis de cette procédure. Lors de la persécution, en 303-304, les curateurs et magistrats furent chargés des opérations de perquisition et de confiscation des livres sacrés et des biens des églises[117]. Ce furent eux qui déférèrent les chrétiens récalcitrants au tribunal du gouverneur, habilité à prononcer des condamnations capitales. Les procès-verbaux qu'ils rédigèrent servirent, le cas échéant, de pièce à conviction contre les accusés ; on trouve une allusion à un de ces documents (*elogium*) dans la passion des martyrs d'Abitinae[118]. Il semble qu'en certains endroits, à Abthugni en particulier, les autorités de la cité rédigèrent des rapports de complaisance destinés à éviter la persécution à leurs concitoyens chrétiens[119]. Ce fait montre l'importance de cette instruction préalable et son influence sur la suite de l'action judiciaire. Le fait que les procès criminels pouvant entraîner

---

116. *C. Th.*, IX, 2, 5 : « Defensores ciuitatum, curatores, magistratus et ordines oblatos sibi reos in carcerem non mittant, sed in ipso latrocinio uel congressu uiolentiae aut perpetrato homicidio stupro uel raptu uel adulterio deprehensos, et actis municipalibus sibi traditos expresso crimine prosecutionibus arguentium, cum his a quibus fuerint accusati, mox sub idonea prosecutione ad iudicium dirigant. » On note que la procédure décrite est accusatoire : elle suppose un demandeur, une partie civile. Les dirigeants des cités étant responsables du maintien de l'ordre, ils pouvaient certainement se porter eux-mêmes demandeurs, au nom de la cité, et agir comme un ministère public, à l'égard d'inculpés contre qui nulle partie civile ne se serait élevée.

117. Voir l'analyse de ces documents au chapitre VII, *infra*, p. 333-343.

118. *Passio Saturnini, Datiui, Felicis...*, III, éd. P. Franchi de Cavallieri, *Studi e Testi*, 65, Rome, 1935, p. 50 : « Qui apprehensi producebantur alacres ad forum... Ibi primum congressi, confessionis palmam magistratus elogio sustulerunt. »

119. Sur ce point, voir chapitre VII, *infra*, p. 338-341, et notice *Abthugni* (Byzacène), n. 49-51.

la condamnation capitale échappaient à la compétence de la juridiction municipale a amené les historiens à croire cette dernière inexistante. Or elle remplissait en gros le rôle dévolu à nos commissaires de police, nos juges d'instructions, nos procureurs, qui n'ont nulle compétence pour condamner quiconque mais qui peuvent conduire devant une cour un accusé et rédiger un dossier rassemblant les indices et les témoignages recueillis contre lui. Il ne viendra à personne l'idée que le parquet et ses auxiliaires n'ont pas un rôle essentiel dans un procès criminel, même si la sentence n'est pas de leur ressort. Nos sources montrent sans conteste, et tout particulièrement en Afrique, que les dirigeants des cités jouaient, au Bas-Empire, ce rôle de ministère public et de juge d'instruction.

L'œuvre de saint Augustin donne d'utiles renseignements sur ce point. Vers 396, le responsable des *acta publica* d'Hippone refusa d'enregistrer une plainte contre un donatiste qui menaçait de mort sa mère catholique. Augustin accusa ce dignitaire municipal de partialité en faveur de la puissante communauté donatiste de la ville et lui fit remarquer que, dans une cité romaine, entendons régie par le droit romain, on ne pouvait refuser l'enregistrement d'une plainte[120]. L'anecdote est significative, car elle montre comment l'attitude des responsables locaux pouvait influer sur le cours d'une action judiciaire, notamment en étouffant l'affaire, comme ce fut parfois le cas, nous l'avons remarqué, lors de la persécution des chrétiens en 303. En 412, des circoncellions tuèrent le prêtre catholique d'Hippone Restitutus et blessèrent grièvement un autre prêtre. Augustin déposa une plainte dans les *acta*, l'affaire fut instruite sur place par les « responsables de l'ordre public » qui établirent un dossier (appelé par Augustin *notoria*) qu'on envoya, avec les accusés, au tribunal du proconsul Apringius[121].

Le document le plus circonstancié est antérieur ; il s'agit d'un passage des actes du procès de l'évêque Félix d'Abthugni devant le proconsul Aelianus, en 315[122]. Le proconsul jugeait cette affaire sur l'ordre personnel de l'empereur et en son nom. Or, on lut devant le tribunal le procès-verbal d'une audience concernant la même affaire, présidée peu de temps auparavant par un duumvir de Carthage, où les témoins avaient comparu et avaient été interrogés par le magistrat municipal et les avocats des

---

120. Augustin, *Epist.* 34 et 35, *C.S.E.L.*, 34, 2, p. 23-31, particulièrement *Epist.* 35, *loc. cit.*, p. 29 : « ... si haec illi perferri in notitiam per codices publicos fecero, qui mihi negari, ut arbitror, in Romana ciuitate non possunt. » Sur ces textes, voir notice *Hippo Regius* (P.), n. 30-34.

121. Augustin, *Epist.* 133 et 134, *C.S.E.L.*, 44, p. 80-88. Augustin précise dans *Epist.* 133 (*loc. cit.*, p. 80-81) que les coupables furent conduits *ad iudicium*, c'est-à-dire au tribunal du proconsul, par les soins de ceux qui avaient la *cura publicae disciplinae*, la responsabilité de l'ordre public, c'est-à-dire, comme P. Monceaux l'a bien vu (*Hist. litt. de l'Afr. chr.*, t. 4, p. 297), les autorités municipales d'Hippone. L'allusion au dossier d'accusation envoyé au proconsul se trouve dans *Epist.* 134, *loc. cit.*, p. 85 : « cura eorum qui disciplinae publicae inseruiunt, praemissa notoria ad iudicia... »)

122. Ed. Ziwsa, *C.S.E.L.*, 26, p. 198-200 ; *cf.* notice *Karthago*, n. 52-65.

deux parties[123]. Le document précise que cette audience était *in iure*[124], terme qui évoque l'antique procédure formulaire. Certes, il ne s'agit pas d'une transposition de cette dernière : le duumvir n'est pas assimilé au préteur, procédant à une *iuris dictio* qui lierait le juge tranchant ensuite *in iudicio*, ici le proconsul. Le duumvir n'accomplissait qu'une instruction de la cause, il n'était pas habilité à élaborer une « formule » contraignante. Toutefois, l'expression *in iure* manifestait qu'il agissait en vertu de sa *potestas* de magistrat, et non en tant que simple délégué du proconsul, en entendant le demandeur, le défendeur, leurs témoins et leurs avocats exposer publiquement et contradictoirement la cause[125].

L'affaire de Félix d'Abthugni montre que le duumvir de Carthage avait instruit à fond le procès et que l'interrogatoire des témoins avait pris la forme d'une audience publique. L'avocat des donatistes y déclara qu'il déposait plainte pour comportement indigne et entente illicite (*pactio*) avec les persécuteurs des chrétiens, contre les évêques Cécilien de Carthage et Félix d'Abthugni[126]. La *uocatio in ius* était donc le fait d'une partie civile plutôt que d'une commission rogatoire du proconsul demandant au duumvir d'instruire une affaire jugée sur l'ordre de Constantin : le légat de Carthage et les chefs des services proconsulaires eussent été plus compétents. L'avocat des donatistes avait suivi l'ordre normal de la procédure, le dépôt d'une plainte dans les *acta* municipaux, la comparution devant un duumvir chargé d'instruire la cause et de transmettre le dossier au gouverneur si l'affaire dépassait sa compétence[127].

Les gouverneurs provinciaux étaient juges ordinaires et avaient à connaître de procès multiples, au civil comme au criminel ; pour le proconsul d'Afrique, s'ajoutaient les causes jugées en appel, en concurrence avec le vicaire. Or la justice n'était pas, et de loin, la seule prérogative des gouverneurs ; ils ne pouvaient donc consacrer aux audiences qu'un temps limité, ce qui implique que beaucoup de procès devaient être promptement

---

123. Sur ce procès et la procédure suivie, voir notice *Abthugni* (Byz.), n. 14-52, et notice *Karthago*, n. 55-60.

124. *Acta, loc. cit.*, p. 198 : « ... in iure apud Aurelium Didymum Speretium, sacerdotem Iouis Optimi Maximi, duumuirum splendidae coloniae Carthaginiensium... »

125. Je remercie Michel Humbert pour l'aide qu'il m'a apportée dans l'élucidation de ce point.

126. *Acta, loc. cit.*, p. 198-199. L'avocat des donatistes, Maximus, déclara à l'audience municipale : « Apud maximos imperatores causa agenda erit contra Caecilianum et Felicem... » Il demanda ensuite que la déposition du principal témoin, le duumvir d'Abthugni en fonction en 303, fût enregistrée et puisse être transmise au proconsul, juge *uice sacra* (« ut horum actus et fides in iudicio sacro detegi possit »). On trouve aussi une allusion à la plainte déposée par les donatistes dans la lettre du proconsul Anullinus à Constantin, citée dans *Epist.* 88 de saint Augustin (*C.S.E.L.*, 34, 2, p. 408).

127. C'est P. Monceaux qui avait émis l'idée d'une commission rogatoire du proconsul, jugeant expédient de confier l'instruction à l'autorité municipale (*Hist. litt. de l'Afr. chrét.*, t. 4, p. 224-225). En fait, la procédure suivie était régulière, du fait qu'il y avait eu dépôt d'une plainte.

expédiés. C'était possible grâce à l'instruction *in iure* effectuée par l'autorité municipale ; c'est dire l'importance du rôle de cette dernière, dans des causes pour lesquelles elle ne pouvait prononcer d'arrêt.

Cette procédure offrait aux accusés de sérieuses garanties, car ils pouvaient faire enregistrer tous les témoignages en leur faveur. Ils avaient, en principe, le droit d'y recourir, comme en témoigne l'intervention de saint Augustin, entre 409 et 413, en faveur d'un certain Faventius. Cet homme était l'intendant d'un domaine rural ; il entra en conflit avec le propriétaire qui obtint qu'il fût arrêté et déféré au tribunal du consulaire de Numidie. Faventius se réfugia dans l'église d'Hippone, où il fut appréhendé. Augustin envoya quatre lettres en sa faveur[128]. Il craignait que la richesse de l'accusateur ne causât du tort à Faventius au tribunal du consulaire ; aussi demandait-il que les parties et les témoins fussent interrogés par l'autorité municipale et que fussent constitués les *acta municipalia* afférent à l'affaire. Ou bien, pendant trente jours, selon la loi, Faventius, avec ses amis, pourrait préparer la défense de sa cause, en restant en liberté surveillée. Cette procédure, au témoignage d'Augustin, était celle que prévoyaient les lois : « C'est ce que l'empereur a ordonné pour ce type de causes[129] ».

On doit aussi constater que le rôle des autorités des cités ne prenait pas fin quand le dossier, les parties et les témoins étaient déférés au tribunal du gouverneur. Un passage des actes de Félix d'Abthugni montre un duumvir de Carthage intervenant au cours de l'audience proconsulaire et tenant, semble-t-il, la fonction d'assesseur[130]. Mais peut-être était-ce là un égard exceptionnel, dû au prestige du sénat carthaginois. En revanche, plusieurs passages de lettres de saint Augustin montrent de manière très concrète qu'il revenait à l'autorité municipale de faire

---

128. Augustin, lettres 113 (au tribun Cresconius) ; 114 (à l'officier Florentinus, responsable de l'arrestation) ; 115 (à Fortunatus, évêque de Cirta) ; 116 (au consulaire de Numidie Generosus) ; *C.S.E.L.*, 34, 2, p. 659-663. Sur le consulaire Generosus, en fonction entre 409 et 413 et connu par ce seul document, voir A. CHASTAGNOL, *Les consulaires de Numidie*, dans *Mélanges Jérôme Carcopino*, p. 225 et 227.

129. AUGUSTIN, *Epist.* 115 à l'évêque Fortunatus de Cirta, *loc. cit.*, p. 662 : « Alio die misi litteras petens ut ei concederetur, quod iussit in causis talibus imperator, id est ut actis municipalibus interrogarentur qui praecepti fuerint exhibendi, utrum uelint in ea ciuitate sub custodia moderata triginta dies agere, ut rem suam ordinent uel praeparent sumptum... » La seconde solution prévoyait la constitution du dossier à titre privé. L'allusion aux sommes qu'il fallait rassembler montre qu'un tel procès coûtait cher, en frais de justice, en honoraires d'avocats et, certainement, en pots-de-vin.

130. *Acta purgationis Felicis*, *C.S.E.L.*, 26, p. 198, l. 11. Cette intervention du duumvir Quintus Sisenna est mentionnée en dehors de la lecture des actes de l'audience municipale, qui était présidée par un autre magistrat, le duumvir Aurelius Didymus Speretius. Ce dernier était présent à l'audience proconsulaire, et il intervint par deux fois pour attester l'exactitude des *acta* enregistrés lors de l'audience qu'il avait présidée (*loc. cit.*, p. 200, l. 13 et 202, l. 31) ; cette audience avait eu lieu le 20 août 314 (*loc. cit.*, p. 198, l. 19-21). Le procès devant le proconsul n'ayant eu lieu, semble-t-il, qu'au début de l'année 315, Speretius n'était plus duumvir à cette date, contrairement à Quintus Sisenna (*cf.* notice *Karthago*, n. 54 et 62).

exécuter sur place les arrêts du gouverneur. Dans la lettre 108, écrite selon Monceaux en 410, Augustin évoquait les procès intentés par les donatistes aux évêques maximianistes, dissidents à l'intérieur du schisme. Après avoir mentionné les décisions de justice obtenues en faveur des plaignants, Augustin fait état des « forces des cités, grâce auxquelles fut accompli ce qui avait été décidé en justice[131] ». L'epistula ad catholicos, écrite en 401 ou 409, relate les mêmes faits et est encore plus explicite ; les donatistes, dit Augustin, ont demandé que les maximianistes fussent expulsés de leurs basiliques « par les décisions (iussa) des juges et leur exécution par l'administration (officia) et les forces (auxilia) des cités[132] ». Un exemple précis de ces exécutions par la force publique municipale est fourni avec l'expulsion de son église de l'évêque Salvius, à Membressa en 397. Le récit, fort pittoresque, est donné par Augustin dans le traité Contra Cresconium[133]. L'évêque maximianiste Salvius était populaire à Membressa ; les donatistes craignaient que les autorités de la ville ne missent pas à exécution la décision du proconsul ; ils obtinrent de ce dernier que l'expulsion fût réalisée par les autorités de la ville voisine d'Abitinae. Ainsi fut fait, mais de nombreux donatistes accompagnèrent les magistrats et firent subir de cruelles brimades à l'évêque Salvius. Ce texte montre que le gouverneur provincial était pratiquement contraint, pour faire appliquer ses arrêts, d'en appeler aux dirigeants des cités et que ceux-ci pouvaient se permettre, dans certains cas, de faire obstacle à sa volonté. La solution était alors de réquisitionner les autorités d'une cité voisine. De toute évidence, on ne faisait intervenir l'armée que dans des cas extrêmes.

---

131. AUGUSTIN, Epist. 108 (V, 14), C.S.E.L., 34, 2, p. 627 : « Concilium etiam Bagaiense, non semel gestis proconsularibus ac deinde municipalibus allegatum est, excitata iudicia, impetratae minacissimae iussiones, postulatum atque praeceptum est, ad cohercitionem resistentes perducerentur, impertitum officium, concessa auxilia ciuitatum, per quae id quod iudicatum est, impleretur. » Augustin voulait montrer à son correspondant, l'évêque donatiste d'Hippone Macrobius, combien les schismatiques étaient mal fondés à critiquer les actions judiciaires menées contre eux par les catholiques, car ils avaient procédé de même à l'égard des Maximianistes. Augustin énumère les décisions de justice obtenues en accumulant, pour créer un effet rhétorique, des termes de jargon juridique. Il en arrive enfin à l'exécution des jugements par la force publique et il révèle que cette dernière est une police municipale.

132. Epistula ad catholicos de secta donatistarum, 54, éd. G. Finaert-M. J. Congar, B.A., 28, p. 660 : « At uero quod Maximianistarum furorem legibus publicis cohercendum putatis, ut eos per iussa iudicum et exsecutionem officiorum et auxilia ciuitatum pulsos de basilicis quas tenebant... » Cet ouvrage est parfois appelé Traité sur l'unité de l'Église. Sur sa date et le problème de son authenticité augustinienne, voir l'introduction de M. J. Congar, B.A., 28, p. 485-496.

133. Éd. Finaert-de Veer, B.A., 31, p. 588 : « ... sententia proconsulis Abitinensibus allegata est, per quam ciuitatem uicinam indicatum impleri uestri meruerunt... » Sur cet épisode, voir notice Abitinae (P.), n. 24-28. Dans une loi adressée aux Byzacéniens en 364, Valentinien Ier évoque cette possibilité qu'avait le gouverneur d'utiliser les services de décurions hors des limites de leur cité (C. Just., X, 32, 25).

VI — LES *ACTA PUBLICA*

Nous avons plusieurs fois évoqué des sources juridiques et patristiques mentionnant les *acta* (ou *gesta*) *publica* (ou *municipalia*). C'étaient des documents officiels, rédigés sous la responsabilité des autorités municipales et déposés dans les archives des cités.

Il s'agissait tout d'abord d'actes afférents à l'administration municipale. Ainsi, on rédigeait des procès-verbaux des séances de la curie, des décisions et actes officiels du curateur et des magistrats. Lors du procès de Félix d'Abthugni, en 314-315, on rechercha, vainement il est vrai, les *acta* du duumvirat d'Alfius Caecilianus en 303, qui avaient été rédigés sur des tablettes de cire[134]. Dans des cités plus riches et importantes qu'Abthugni, il est probable qu'on utilisait des registres de parchemin[135]. De fait, les *acta* ne contenaient pas un simple résumé des faits et dits relatés, mais une sténographie détaillée. C'est le cas pour le procès-verbal, conservé dans le dossier du donatisme, de la perquisition dans l'église de Cirta en 303. Ce document est extrait des *acta publica* du flamine perpétuel et curateur Munatius Felix ; la perquisition y est relatée dans tous ses détails et toutes les paroles échangées sont consignées. La minute avait été rédigée par un sténographe formé à l'utilisation des notes tironiennes[136].

Nous avons vu l'utilisation des *acta publica* pour la procédure judiciaire, l'enregistrement des plaintes et des témoignages, la minute des débats de l'audience *in iure*. Le procès-verbal établi à Cirta en 303 appartient à cette catégorie, puisqu'il relate en détail une perquisition domiciliaire.

Le concile de Carthage de 403 tenta d'utiliser les *acta* pour convoquer les évêques donatistes à une conférence ; les magistrats reçurent des gouverneurs l'ordre de faire comparaître dans chaque cité l'évêque schismatique et d'insérer sa réponse dans les *acta publica*[137].

La législation montre que l'autorité municipale avait aussi la charge d'enregistrer et d'authentiquer les contrats entre particuliers. L'insertion *apud acta* donnait valeur officielle aux donations et aux ventes d'immeubles, ainsi qu'aux affranchissements, aux émancipations, aux tutelles et aux adoptions. Des copies certifiées conformes de ces pièces étaient

---

134. *Acta purgationis Felicis*, éd. Ziwsa, *C.S.E.L.*, 26, p. 198 : « ... si in eis cera possit inueniri inquiro. »

135. Dans sa lettre 35 citée *supra*, p. 219, n. 120, Augustin évoque les *codices publici* de la cité d'Hippone.

136. *Gesta apud Zenophilum consularem*, éd. Ziwsa, *C.S.E.L.*, 26, p. 186-188 ; sur ce document, voir notice *Cirta* (*N.*), n. 36-46.

137. *Reg. eccles. Carthag. excerpta*, canons 67 et 91, éd. Munier, *C.C.*, 149, p. 199-200 et 210. L'ensemble du dossier concernant ces *gesta municipalia* de 403 a été étudié par P. MONCEAUX, *Hist. litt. de l'Afr. chrét.*, t. 4, p. 280-284. Les évêques donatistes craignaient un piège et répondirent dans les *acta* par des fins de non-recevoir.

remises aux intéressés. Les magistrats des cités remplissaient donc, en l'occurrence, la fonction dévolue à nos notaires[138]. Les archives ecclésiastiques italiennes ont conservé des papyrus où figurent de tels actes, enregistrés par les magistrats de Ravenne, de Reate et de Syracuse, entre 489 et 625[139].

Il s'agissait donc d'un service public fort important, dont la législation avait précisé avec soin les modalités. Une loi de Valentinien Ier précise en 366 que les magistrats, entendons les duumvirs, avaient le pouvoir (*potestas*) de la confection des *acta*[140] ; le curateur possédait également cette prérogative[141]. En 409, Honorius ordonna que le magistrat responsable fût assisté de l'*exceptor publicus* et de trois curiales qui devaient servir de témoins[142]. La mention de l'*exceptor* est fort significative. Ce personnage correspondait à nos secrétaires de mairie. Il devait connaître les usages juridiques et administratifs, les formulaires adéquats ; c'était donc lui qui rédigeait les actes, sous la responsabilité du magistrat, dont les compétences techniques pouvaient être limitées[143].

VII — LE PETIT PERSONNEL MUNICIPAL

Une cité était un organisme complexe, aux fonctions multiples et variées. Même dans les petites cités africaines, guère plus grosses qu'une bourgade, l'autorité municipale devait assumer une tâche délicate, sur le plan judiciaire et fiscal en particulier. Dans les grandes villes, se posaient de difficiles problèmes d'administration, d'entretien matériel, de ravitail-

---

138. Voir *supra*, p. 217 et n. 112-115.

139. J. O. TJÄDER, *Die nichtliterarischen Papyri Italiens aus der Zeit 445-700*, Lund, 1955, 4 ; 5 ; 7 ; 8 ; 10 ; 11 ; 12 ; 14 ; 21.

140. *C. Just.*, I, 56, 2 : « Magistratus conficiendorum actorum habeant potestatem. »

141. *C. Th.*, VIII, 12, 3, de 323 (Seeck) ; il s'agit d'actes privés. Dès 303, on l'a vu, le curateur de Cirta était responsable de la confection d'un procès-verbal officiel.

142. *C. Th.*, XII, 1, 151 : « Municipalia gesta non aliter fieri uolumus quam trium curialium praesentia, excepto magistratu et exceptore publico, semperque hic numerus in eadem actorum testificatione seruetur. Sic enim et fraudi non patebit occasio et ueritati maior crescit auctoritas. »

143. Sur la fonction d'*exceptor*, voir *infra*, n. 145-148. Les *Tablettes Albertini* montrent la persistance des actes écrits dans l'Afrique vandale, mais les responsables de leur rédaction n'étaient pas des magistrats municipaux : on y trouve la mention de *magistri*, c'est-à-dire, pense C. Courtois, les chefs de la communauté rurale (C. COURTOIS, L. LESCHI, C. PERRAT, C. SAUMAGNE, *Tablettes Albertini*, *actes privés de l'époque vandale*, Paris, 1952, p. 13). Sur la pratique de l'acte public écrit au haut Moyen Age, voir P. RICHÉ, *Éducation et culture dans l'Occident barbare*, Paris, 1962, p. 101-102 ; 259-262 (en Gaule, et dans un cadre municipal) ; 294-297 (en Espagne). Sur les actes italiens sur papyrus des ve, vi[e] et viie siècles, voir *supra*, n. 139.

lement, de maintien de l'ordre. Certes, le système des *munera* permettait de faire face à ces tâches grâce à des réquisitions de toutes sortes, depuis les humbles corvées matérielles exigées des *humiliores* à titre de *munera sordida* jusqu'aux fonctions de responsabilité des magistrats. Diverses tâches administratives étaient réparties à tour de rôle entre les décurions : nous avons vu que les fonctions de *scriba* (secrétaire) et de *tabularius* (archiviste) étaient, selon la liste d'Arcadius Charisius, des *munera*, c'est-à-dire des fonctions temporaires et non rétribuées[144].

Pourtant, il existait un personnel permanent, formé de fonctionnaires municipaux salariés (*officiales publici*) et d'esclaves entretenus par la cité (*serui publici*). Parmi les premiers, figuraient d'abord des employés possédant une compétence technique particulière, les *exceptores* et les *notarii*. Les premiers étaient, nous venons de le voir, les secrétaires généraux de la commune. Ils étaient à la tête de l'*officium municipale*, c'est-à-dire des services administratifs de la cité. Un épisode montre très concrètement leur importance. Lors de la perquisition dans les locaux ecclésiastiques de Cirta en 303, le curateur demanda avec insistance à l'évêque de lui indiquer les noms et les adresses des lecteurs qui gardaient chez eux les livres sacrés. L'évêque répondit que cette dénonciation était inutile, car ces lecteurs étaient bien connus. Le curateur ayant observé qu'il ne les connaissait pas, son interlocuteur lui répliqua que l'*officium*, c'est-à-dire les deux *exceptores* qui l'accompagnaient, pourrait le renseigner. De fait, ces employés conduisirent sans difficulté le curateur au domicile des lecteurs[145]. Ils avaient donc constitué, avant la perquisition, un dossier sur l'église de Cirta et ses clercs, dont ils pouvaient communiquer, le moment venu, les éléments utiles au dignitaire responsable. Nous avons évoqué, à propos de leur rôle dans la confection des *acta publica*, la compétence des *exceptores* en matière juridique et administrative[146]. Si l'on considère que le curateur et les duumvirs n'étaient en fonction que pour un an, on comprend que ces fonctionnaires devaient assurer la continuité de la gestion administrative et, pour le cas assurément fréquent où les dignitaires manquaient d'instruction ou de capacité personnelle, ils pouvaient leur suggérer les décisions à prendre et leur dicter les formules requises par le droit[147]. Toutefois, même si leur rôle était important, ce ne sont pas leurs noms qui figurent sur les inscriptions. Un seul *exceptor* est connu par l'épigraphie, Flavius Bon[ifatius ?], qui offrit une partie de la mosaïque ornant le sol d'une église de Sabratha[148].

---

144. *Digeste*, L, 4, 18, 10 ; voir *supra*, p. 207.

145. *Acta apud Zenophilum consularem*, éd. Ziwsa, *C.S.E.L.*, 26, p. 186 : « Felix flamen perpetuus curator rei publicae dixit : Non eos nouimus. Paulus episcopus dixit : Nouit eos officium publicum, id est Edusius et Iunius exceptores. »

146. D'après *C. Th.*, XII, 1, 151 (*supra*, n. 142).

147. C'est, à un niveau plus modeste, l'équivalent des jurisconsultes du *consilium* du gouverneur provincial, lequel utilisait leur connaissance du droit et de la jurisprudence pour toute décision à prendre dans le domaine judiciaire ou administratif.

148. *I.R.T.*, 13 ; notice *Sabratha* (Trip.), n. 25.

Les *notarii* étaient des sténographes qui rédigeaient en notes tironiennes les minutes des procès-verbaux. Une lettre de saint Augustin montre qu'il en existait même dans de petites villes. En 397 ou 398, l'évêque d'Hippone se rendit à Thubursicu Numidarum et y soutint une controverse publique avec les donatistes de la ville. Pour posséder un compte-rendu exact du débat, Augustin demanda qu'il fût sténographié par des *notarii* qui se trouvaient là. Ils refusèrent ce travail supplémentaire imprévu et les personnes de bonne volonté qui tentèrent de les remplacer durent y renoncer, vu la rapidité du dialogue et leur manque de technique[149]. Ce texte montre que ces spécialistes n'étaient pas seulement utilisés dans les villes importantes, mais que le goût de l'acte juridique écrit et détaillé existait en Afrique jusque dans des bourgades reculées.

On a trouvé à Lepcis Magna l'épitaphe d'un de ces employés, datable paléographiquement de la fin du IIIe ou au début du IVe siècle. Il s'agit de Philippus, mort d'épuisement à 27 ans, dit le texte, par suite du surmenage que lui causaient ses multiples fonctions : il était à la fois secrétaire (*librarius*), sténographe (*notarius*), calculateur (*ratiocinator*) et comptable (*numerarius*)[150]. Le nom unique incite à penser que Philippus était un esclave public, mais ce n'est pas sûr car, le plus souvent, seuls les *honestiores* mentionnaient leur gentilice sur les inscriptions à cette époque. De toute manière, cet employé surmené était au service de l'administration municipale qui, dans une grande ville comme Lepcis Magna, devait être importante et complexe. En ce qui concerne l'administration financière, le traité *Sur les miracles de saint Étienne*, rédigé au début du Ve siècle sur l'ordre de l'évêque Evodius d'Uzalis, mentionne un *dispensator pecuniae publicae Carthaginis*, qui était probablement une sorte de trésorier-payeur municipal. Ce personnage, Florentius, fut accusé de malversations ; il réussit à se justifier lors de son procès devant le proconsul et il attribua son acquittement à l'intercession de saint Étienne[151]. A coup sûr, dans une ville de l'importance de Carthage, le fonctionnaire responsable de la caisse publique devait manier de grosses sommes et pouvait, en conséquence, être l'objet de tentations ou de soupçons.

Nous connaissons trois *scribae*, tous affectés à un magistrat particulier : le duumvir d'Abthugni en 303 avait un scribe nommé Miccius[152], son collègue Augentius, avec qui il avait géré l'édilité, avait eu à son service

---

149. Augustin, *Epist.* 44, *C.S.E.L.*, 34, 2, p. 110 : « Postulauimus ut a notariis uerba nostra exciperentur, ... sed notarii qui aderant atque id strenue facere poterant, nescio qua causa excipere noluerunt. » Sur ce document, voir notice *Thubursicu Numidarum* (P.), n. 21-23.

150. *I.R.T.*, 657 ; notice *Lepcis Magna* (T.), n. 82. Philippus assurait de multiples fonctions administratives, mais il n'était pas *exceptor* ; il était donc un bureaucrate subalterne, alors que l'*exceptor* coordonnait toute l'administration municipale.

151. *De miraculis sancti Stephani*, *P.L.*, 41, 851-854 ; sur ce texte, voir notice *Karthago*, n. 69 bis.

152. *Acta purgationis Felicis*, *C.S.E.L.*, 26, p. 197 et 198. Ce texte est très explicite quant au fait que le *scriba* était personnellement attaché à un magistrat (p. 197 : « ... scribam quem habuisti tunc temporis administrationis tuae... »).

le *scriba* Ingentius, celui qui chercha à perdre l'évêque Félix en rédigeant un faux[153] ; à la conférence de Carthage en 411, on trouve parmi les secrétaires Rufinianus, scribe du curateur de la cité[154]. Ces secrétaires étaient donc attachés à la personne d'un dignitaire. On ne peut dire s'ils accomplissaient un *munus*, s'ils étaient des fonctionnaires municipaux mis à la disposition des magistrats durant leur fonction, ou s'ils étaient rétribués par le dignitaire qui les utilisait. Il est probable que les trois cas existaient concurremment. La présence du scribe du curateur à la conférence de Carthage en 411 ne peut s'expliquer que par ses compétences techniques en matière de secrétariat ; il n'était donc pas un décurion accomplissant un *munus*.

Le *tabularius* avait la responsabilité de conserver et de classer les archives, c'est-à-dire les *acta publica*. Il s'en trouvait en 303 dans une aussi petite ville qu'Abthugni[155]. Charisius mentionne cette fonction parmi les *munera*[156]. Il est probable qu'elle était confiée à un fonctionnaire qualifié dans les grandes villes.

Les témoignages sur le rôle de tous ces auxiliaires de l'administration municipale confirment l'impression donnée par les documents concernant les *acta publica* : on constate l'existence d'un organisme public complexe, où l'acte écrit joue un rôle essentiel et où l'on respecte avec scrupule les formes juridiques.

Dans les actes relatifs à la perquisition dans l'église de Cirta en 303 et dans ceux du procès de Félix d'Abthugni, on trouve la mention d'esclaves publics. A Cirta, l'esclave Bos était chargé de la besogne matérielle de recherche et de confiscation des biens mobiliers de l'église[157]. A Abthugni, ce travail fut fait par un employé dont le statut n'est pas précisé[158] ;

---

153. *Ibidem*, p. 199 : « Nam cum posteriore tempore adueniret Ingentius, scriba Augenti, cum quo aedilitatem administraui... »

154. *Actes de la conférence de Carthage en 411*, III, 116, éd. Lancel, t. II, *S.C.*, 195, p. 558 : « ... Rufiniano scriba uiri clarissimi curatoris celsae Karthaginis... »

155. *Acta purgationis Felicis*, C.S.E.L., 26, p. 197. Ce *tabularius* était mort lors du procès de 314-315 et son décès est l'une des causes probables de la disparition des archives relatives à la persécution de 303 à Abthugni. Le *tabularius* était responsable du dépôt d'archives (*tabularium*) ; des inscriptions africaines mentionnent ce bâtiment : à Bulla Regia – Procons. – C., 25521, notice, n. 7, restauration d'un *tabularium* au temps de Julien ; à Cit--- (*Sidi Ahmed el Hachemi*) – Procons. – C, 27817 = *I.L.S.*, 5557, notice, n. 2, restauration d'un *tabularium* entre 368 et 370.

156. *Digeste*, L, 4, 18, 10.

157. *Gesta apud Zenophilum consularem*, C.S.E.L., 26, p. 188 : « Felix flamen perpetuus Boui seruo publico dixit : Intra et quaere, ne plus habetis. Seruus publicus dixit : Quaesiui et non inueni. » Le secrétaire qui rédigeait l'inventaire des objets confisqués était probablement un esclave, vu son nom (Victor Aufidii) ; son maître, Aufidius, offrait vraisemblablement ses services à la cité, moyennant indemnité. Il prenait son rôle au sérieux et ne se contentait pas de faire son travail de sténographe : on le voit crier des menaces de mort aux clercs (*loc. cit.*, p. 187 : « Victor Aufidi Siluano dixit : Mortuus fueras si illas non inuenisses »).

158. Cet employé, Galatius, est mentionné à plusieurs reprises dans les *Acta purgationis Felicis* (C.S.E.L., 26, p. 198 et 199) ; le duumvir Alfius Caecilianus

un esclave public, Solus, participa à la perquisition et il fut entendu comme témoin en 315, ce qui est notable[159].

Le maintien de l'ordre était à la charge des cités et elles devaient donc entretenir des forces de police, dont les effectifs devaient évidemment beaucoup varier en fonction de l'importance de la population des villes[160]. Nous savons par Salvien qu'il existait de nombreux policiers à Carthage ; il les appelle pompeusement *procuratores publicae disciplinae* et il affirme qu'ils surveillaient chaque place et chaque carrefour[161]. Saint Augustin évoque certains d'entre eux, les gardiens du forum (*aeditimi fori*) dans ses *Confessions* ; ils arrêtèrent un jour Alypius, étudiant d'Augustin et futur évêque de Thagaste, qu'ils avaient pris pour un voleur[162].

VIII — MÉDECINS, PROFESSEURS ET ARCHITECTES RÉTRIBUÉS PAR LES CITÉS

La loi obligeait les cités à recruter et à entretenir des médecins et des professeurs publics. Leur fonction leur conférait des privilèges ; ils étaient exemptés des charges municipales, car leur activité professionnelle au service de la communauté en tenait lieu[163]. Le jurisconsulte Modestin, qui écrivait dans le second quart du iiie siècle, précise que les petites cités pouvaient avoir cinq médecins, trois rhéteurs et trois grammairiens *immunes* ; ces effectifs pouvaient être respectivement de sept, quatre et quatre pour les villes plus importantes, de dix, cinq et cinq pour les très grandes villes[164]. Les maîtres de philosophie avaient

---

l'appelle *Galatius meus* ; plutôt que son esclave personnel, il devait être un esclave public mis temporairement à la disposition du magistrat. Les *acta* de Félix d'Abthugni évoquent des *officiales publici* et l'impression prévaut que cette petite cité disposait d'un personnel administratif et de service assez abondant (voir notice, n. 43-45).

159. L'esclave public Solo, ou Solus, n'est pas mentionné dans les *Acta*, mais par Optat, I, 27, et par la lettre de Constantin au proconsul Probianus, citée par saint AUGUSTIN, *Epist.* 88, *C.S.E.L.*, 34, 2, p. 410 : « Solum, seruum publicum supra scriptae ciuitatis ».

160. Voir *supra*, p. 222 et n. 131-133, les allusions de saint Augustin aux interventions des forces publiques municipales.

161. SALVIEN, *De gubernatione Dei*, VII, 16 : « ... omnia, ut ita dicam, platearum et competorum procuratores, cuncta ferme et loca urbis et membra populi gubernantes. » Nous étudions ce texte dans la notice *Karthago*, n. 83-85.

162. *Augustin, Confessions*, VI, 9, 15 ; sur cet épisode, voir notice *Karthago*, n. 86-89.

163. Sur l'immunité des professeurs et des médecins par rapport aux charges municipales, voir chapitre v, *infra*, p. 287-288.

164. MODESTIN, *Lib. II excusationum*, *Digeste*, XXVII, 1, 6, 1 et 2. L'ensemble de la législation du iiie siècle relative au statut des médecins et des professeurs a été étudié par Nicole Charbonnel (*Les munera publica au IIIe siècle*, thèse polycopiée, Université de Paris II, 1971, p. 264-282).

reçu des privilèges analogues[165]. La nomination de ces médecins et professeurs incombait aux curies, qui devaient également veiller à ce qu'ils exerçassent correctement leurs fonctions et, dans le cas contraire, procéder à leur radiation[166].

Ce statut fut maintenu au IVe siècle, au témoignage d'Arcadius Charisius[167]. Constantin, en 321, confirma leur immunité des charges municipales et les privilèges des *honestiores* dont ils bénéficiaient devant l'autorité judiciaire[168]. Julien s'intéressait beaucoup à la transmission de la culture littéraire ; il demanda que l'on fît approuver personnellement par l'empereur les décrets des décurions nommant les professeurs[169]. Des lois du IVe siècle précisent les traitements que les cités devaient allouer aux professeurs et aux médecins publics[170] ; elles lèvent donc toute ambiguïté sur leur statut : il s'agissait bien de fonctionnaires municipaux. Libanius, rhéteur municipal à Antioche, se plaignait de la lourdeur de la tutelle de la curie et jugeait médiocres les traitements des professeurs[171].

La documentation africaine montre assez concrètement l'organisation de l'enseignement. Dans une petite ville comme Thagaste, on ne trouvait que des écoles primaires[172]. Augustin, à l'âge de onze ans, dut partir pour Madaure afin de suivre l'enseignement du grammairien[173]. Vingt ans plus tard, un vieux grammairien de Madaure, Maximus, lui envoya une lettre où il faisait l'éloge du paganisme et du patriotisme municipal[174].

---

165. Selon Modestin (*Digeste*, XXVII, 1, 6, 8), ils devaient cependant acquitter les *munera* en argent, ce que rappela Dioclétien (*C. Just.*, X, 37, 6). En revanche, les professeurs de droit ne bénéficiaient pas de l'immunité, sauf s'ils enseignaient à Rome (*Digeste*, XXVII, 1, 6, 12). De fait, un jurisconsulte *magister studiorum* fit une carrière municipale à Thuburbo Maius – P. – au temps de Constance II (*I.L. Afr.*, 273, a et b ; notice, n. 11).

166. Une loi de Dioclétien spécifie que l'immunité des médecins leur était accordée par un décret des décurions (*C. Just.*, X, 43, 5). Radiation pour incapacité d'un médecin par sa cité : Modestin, *Digeste*, L, 4, 11, 3.

167. *Digeste*, L, 4, 18, 30.

168. *C. Th.*, XIII, 3, 1 (date d'après Seeck) ; sur l'immunité, voir *C. Th.*, XIII, 3, 2, de 333.

169. *C. Th.*, XIII, 3, 5 (362). Il est fort douteux que cette procédure ait survécu à Julien.

170. *C. Th.*, XIII, 3, 1 (321 – S. –). Gratien (*C. Th.*, XIII, 3, 11) accorda en 376 aux professeurs des cités gauloises que leur traitement fût en partie payé par le fisc impérial. C'était un privilège exceptionnel, le cas des professeurs impériaux de Rome et de Constantinople mis à part.

171. LIBANIUS, *Discours*, XXV, 49 (allusion aux tracasseries que la curie fait subir aux professeurs) ; XXXI, 36 (demande d'avantages à la curie.) Cf. P. PETIT, *Libanios, op. c.*, p. 67-68.

172. C'est ce qui ressort du cursus scolaire d'Augustin. Toutefois, en 373-374, Augustin y fut grammairien (*Confessions*, IV, 4, 7 : « In illis annis, quo primum tempore in municipio quo natus sum docere coeperam... ». Il semble que Thagaste ne possédait pas de grammairien quelques années auparavant quand Augustin, en 365, dut partir étudier à Madaure.

173. *Confessions*, II, 3, 5.

174. Parmi les lettres d'AUGUSTIN, *Epist.* 16, C,S,E,L., 34, 1, p. 37-39.

En 370, Augustin dut se rendre à Carthage pour suivre l'enseignement supérieur du rhéteur[175]. Il devint lui-même rhéteur public à Carthage en 374, et il évoque dans les *Confessions* les salaires versés aux professeurs par les cités[175bis]. Les écoles supérieures de Carthage étaient renommées : Salvien évoque avec admiration leur prospérité et leur qualité avant l'invasion vandale ; on y enseignait, selon lui, tous les arts libéraux, les lettres grecques et latines et la philosophie[176]. Il est probable que des écoles de droit ont également existé, mais les étudiants fortunés allaient étudier cette discipline à Rome, après leurs études littéraires à Carthage[177].

Augustin, cependant, démissiona de sa chaire en 383, excédé par les chahuts perpétrés par certains étudiants[178]. Il fut, pendant un an, professeur privé à Rome, rétribué par ses élèves. Nous le voyons, un enseignement non officiel existait, et ses maîtres ne bénéficièrent certainement pas des privilèges de leurs collègues nommés et rétribués par les cités, en matière d'exemption des *munera*[179].

La documentation est plus limitée pour les médecins. Ceux qui étaient nommés et rétribués par les cités portaient le titre d'*archiatri*[180]. Augustin

---

175. Études d'Augustin à Carthage : *Confessions*, III, 1, 1 et 3, 6 ; enseignement : *Confessions*, V, 8, 14 ; VI, 7, 12. Il précise qu'il occupait une chaire municipale (*Conf.*, VI, 7, 11 : « Ego autem rhetoricam ibi professus publica schola uterer »). Sur ces témoignages, voir notre notice *Karthago*, n. 71-75).

175 bis. *Confessions*, I, 16, 26 : « Et magna res agitur, cum hoc agitur publice in foro, in conspectu legum supra mercedem salaria decernentium... » Ce passage fait allusion à la coutume de mettre à la disposition des professeurs des salles publiques attenantes au forum de la ville ; *merces* doit probablement désigner les honoraires versés par les parents d'élèves, *salarium* le traitement alloué par la cité. Sur l'usage de mettre des lieux publics à la disposition des professeurs, voir la loi de Théodose II (*C. Th.*, XIV 9, 3, de 425 : dans l'exèdre nord du forum de Constantinople, comme à Rome dans les salles attenantes au portique du forum de Trajan).

176. SALVIEN, *De gubernatione Dei*, VII, 16, éd. E. Pauly, *C.S.E.L.*, 8, p. 180 : « Illic... artium liberalium scholae, illic philosophorum officinae cuncta denique uel linguarum gymnasia uel morum. » Sur le contenu de cet enseignement, lire H.-I. MARROU, *L'école de l'Antiquité tardive*, dans *Settimane di Studio del Centro Italiano di Studi sull'alto Medioevo*, XIX, Spolète, 1972, p. 127-143 = *Christiana Tempora* Rome, 1978, p. 49-65.

177. Ainsi Alypius, d'après les *Confessions* d'Augustin (VI, 8, 13) : « ... uiam Romam praecesserat, ut ius disceret... ». « Les études libérales (littéraires) conduisaient, dit Augustin, aux procès du forum » : entendons au métier d'avocat (« illa studia, quae honesta uocabuntur, ductum suum intuentem fora litigiosa » ; *Confessions*, III, 3, 6). Tous les étudiants qui suivaient ce cursus ne partaient pas pour Rome après avoir quitté l'école du rhéteur. Des maîtres de droit existaient en Afrique : nous en avons rencontré un flamine et curateur à Thuburbo Maius sous Constance II, qui enseignait très probablement à Carthage (*supra*, n. 165). A coup sûr, un enseignement technique du droit était organisé en Afrique, à l'attention des praticiens ; il fallait former, en particulier, les *exceptores* municipaux dont nous avons évoqué (*supra*, p. 225) le rôle juridique important.

178. *Confessions*, V, 8, 14.

179. *Confessions*, V, 12, 22. Cependant, Augustin ne fut pas alors rappelé par la curie de Thagaste, à laquelle il était *obnoxius* de par sa naissance.

180. Ainsi, dans la loi *C. Th.*, XIII, 3, 2, de 320 selon Seeck.

en mentionne un, le *principalis et archiater* d'Hippone Hilarinus, qu'il recommanda à l'évêque Aurelius de Carthage. Le titre de *principalis* implique une carrière municipale ; il semble donc qu'Hilarinus ne profita pas totalement de l'immunité que sa fonction lui valait[181]. De même, une inscription évoque le médecin Geminius Dativus, qui fut deux fois curateur d'Avitta Bibba ; il est vrai que, même au IVe siècle, il n'était pas toujours nécessaire d'avoir accompli une carrière municipale complète pour être curateur[182].

Deux textes évoquent les architectes. Une loi adressée par Constantin au préfet du prétoire Félix enjoignait de recruter et de former des jeunes gens pour cette profession dans les provinces africaines ; ils recevraient un salaire durant leur apprentissage et seraient exempts des *munera personalia*[183] On ne peut affirmer qu'ils devenaient ensuite fonctionnaires municipaux. Augustin évoque, dans ses *Confessions*, un architecte des constructions publiques de Carthage, mais il précise que les chantiers de la cité ne constituaient que son principal travail[184]. Il avait donc des clients privés. Il est donc probable qu'il ait exercé son art comme une profession libérale mais qu'il ait bénéficié des commandes officielles.

IX — FONCTIONNAIRES BÉNÉVOLES EXPLOITÉS OU TYRANNEAUX LOCAUX ? LA MULTIPLICITÉ DES FONCTIONS DES CURIALES

L'analyse des charges et prérogatives des curiales à laquelle nous avons procédé montre leur nombre et leur importance. Si l'on voulait comparer leurs fonctions avec celles des responsables de nos administrations, on pourrait faire les constatations suivantes :

— Les autorités des cités jouaient tout d'abord, à la tête de l'administration municipale proprement dite, le rôle de nos maires et de leurs conseils municipaux.

— Leurs prérogatives judiciaires et policières en faisaient l'équivalent de nos juges d'instance, de nos juges d'instruction et de nos commissaires de police.

— L'utilisation des *acta publica* pour les contrats privés leur conférait les fonctions imparties à nos notaires.

---

181. AUGUSTIN, *Epist.* 41, *C.S.E.L.*, 34, 2, p. 83.

182. *C.*, 12269 = 706 et *C.*, 12279 ; notice *Avitta Bibba* (P.), n. 8 et 9. Dans une basilique chrétienne de Furnos Maius (P.), on a trouvé la mosaïque tombale de *l'archiater* Cottinus (P. GAUCKLER, *Inventaire des mosaïques de la Gaule et de l'Afrique*, t. II, Paris, 1910, p. 174, no 517 = *C.*, 25811).

183. *C. Th.*, XIII, 4, 1 ; voir chapitre II, p. 66 et n. 33.

184. *Confessions*, VI, 9, 15 : « ... quidam architectus, cuius maxima erat cura publicarum fabricarum. »

— La curie tenait la place de nos inspecteurs de l'instruction publique par rapport aux professeurs et de l'administration de l'assistance publique par rapport aux médecins.

— Les curiales procédaient à la répartition locale et à la collecte des impôts ; ils correspondaient donc à nos inspecteurs et à nos percepteurs des contributions.

— La charge du recrutement des soldats leur donnait les prérogatives de certains de nos bureaux militaires.

— La responsabilité de l'entretien des routes n'appartenant pas à la voirie locale les assimilait à notre administration des ponts et chaussées.

Nous n'avons évoqué ici que les principales responsabilités des curiales. Il conviendrait d'ajouter leur rôle évergétique, l'organisation et le financement des spectacles[185]. On doit d'abord constater qu'en dépit de la multiplication de ses fonctionnaires, l'état romain continuait, au Bas-Empire, à s'en remettre aux autorités des cités dans la plupart des domaines de l'administration, du moins dans les provinces où les structures municipales demeuraient vivantes. On comprend, d'autre part, que les curiales aient souvent considéré leurs fonctions comme écrasantes, que la répartition annuelle des *munera* ait donné lieu à des contestations qu'une jurisprudence minutieuse tenta de prévenir. A. H. M. Jones s'est demandé ce qui poussait les décurions les plus fortunés à chercher à prix d'or des promotions dans l'ordre sénatorial qui ne leur valaient pas de véritables avantages financiers ; il a suggéré que la raison la plus plausible était qu'ils briguaient un rang les mettant à l'abri de mauvais traitements que les curiales risquaient d'endurer, malgré leur qualité d'*honestiores*, en cas de collecte insuffisante des impôts[186]. Plus simplement, la raison de ces désertions me paraît résider dans la lourdeur des tâches bénévoles imparties aux membres des curies. Il était naturel que de riches propriétaires préférassent les plaisirs de l'oisiveté à ces multiples responsabilités.

Mais il est un autre aspect des choses dont il faut tenir compte. Les curiales n'étaient pas seulement les employés bénévoles et craintifs d'un état despotique. L'administration impériale avait besoin des services de ces notables locaux qui n'étaient pas désignés par elle mais par leurs

---

185. Sur l'évergétisme, voir chapitre VI, *infra*, p. 298-318. La documentation africaine ne permet pas une approche précise de l'important problème des finances municipales. On trouvera une mise au point sur cette question dans le chapitre II, § « La législation sur le financement des constructions municipales », p. 67-72.

186. A. H. M. JONES, *The Later Roman Empire*, t. 2, p. 749-750. Les privilèges des décurions en tant qu'*honestiores* sont confirmés par les lois C. Th., XII, 1, 9, de 349 (Seeck) ; XII, 1, 47, de 359 ; IX, 35, 2, de 376 (qui excepte des privilèges les coupables *de maiestate*) ; XII, 1, 80, de 380 ; XII, 1, 85, de 381. Cependant, une loi de 387 (*C. Th.*, XII, 1, 117) autorise les gouverneurs à battre les décurions convaincus de fraude ou d'exaction dans la perception des impôts. C'est à cette pratique que Libanius fait assez souvent allusion (*Or.* XXVII, 13, 42 ; XXVIII, 4, 22 ; LIV, 51 ; *ep.* 994).

pairs, ce qui, au iv⁰ siècle, valait même pour le curateur. Leur position locale était forte, de par leur fortune et le prestige de leurs familles ; elle était considérablement accrue par les responsabilités qui leur étaient imparties. Sans doute, le roulement annuel des fonctions et leur multiplicité empêchaient-ils la domination locale d'un individu ; mais le groupe dirigeant de la curie (les *principales*, les *primarii uiri*) jouissait d'une autorité considérable et s'en servait souvent pour opprimer les plébéiens ou les décurions plus modestes. On connaît la diatribe de Salvien : « Y a-t-il une ville, voire même un municipe ou un bourg, où il n'existe pas autant de tyrans que de curiales[187] ? ». Nous avons vu comment la lourde fonction de percepteur des impôts pouvait être recherchée et devenir source d'avantages, voire de profits illicites[188]. Le groupe dirigeant possédait la puissance économique. Ses pouvoirs fiscaux, judiciaires et policiers lui assuraient par ailleurs une domination qui pouvait facilement devenir tyrannique. Les historiens modernes ont davantage suivi Libanius, dans son tableau très sombre des servitudes des curiales, que Salvien dénonçant leurs exactions. Il convient probablement de tenir compte de ces deux aspects de la réalité. Certes, la législation impériale visait à enfermer les curiales dans un réseau d'obligations strictement réglementées et à en faire les exécutants dociles d'une politique élaborée au plus haut niveau, que les gouverneurs étaient chargés de faire appliquer. Mais ces lois cherchaient aussi à éviter les abus de pouvoir au détriment des pauvres et des petits décurions, et leur efficacité fut, à coup sûr, limitée[189]. D'autre part, nous avons vu que les tentatives pour imposer aux cités un agent du pouvoir impérial supervisant leur administration avaient échoué. Successivement, le curateur et le défenseur ont été absorbés par les curies, ont été choisis par elles et dans leur sein[190]. De même, l'état romain dut renoncer à la réforme instaurée par Valentinien I⁰ʳ et visant à faire percevoir les impôts par des fonctionnaires[191]. Les notables dirigeants

---

187. SALVIEN, *De gubernatione Dei*, IV, 18, éd. E. Pauly, *C.S.E.L.*, 8, p. 107 : « Ceci est d'autant plus grave que la multitude est proscrite par un petit nombre, pour qui le fruit de la perception des impôts publics est une proie qu'ils s'approprient... Y a-t-il une ville, en effet, voire même un municipe ou un bourg où il n'existe pas autant de tyrans que de curiales ? Quel est donc l'endroit, dis-je, où les biens des veuves et des orphelins ne sont pas dévorés par les *principales* des cités ? » (« Illud grauius est, quod plurimi proscribuntur a paucis, quibus exactio publica peculiaris est praeda... Quae enim sunt modo urbes, sed etiam municipia atque uici ubi non a quot curiales fuerint, tot tyranni sunt ? ... Quis ergo, ut dixi, locus est, ubi non a principalibus ciuitatum uiduarum et pupillorum uiscera deuorentur ? ») Il faut faire la part de l'exagération polémique propre à Salvien, mais il est certain que son témoignage correspondait à une réalité au moins occasionnelle, dont ne tiennent nul compte les historiens partisans de la thèse de la « prolétarisation » des curiales au Bas-Empire.

188. *Supra*, p. 215.

189. Sur l'échec de l'institution du *defensor plebis*, voir chapitre III, *supra*, p. 193-194.

190. Voir chapitre III, *supra*, p. 187-188.

191. *Supra*, p. 213-214 et n. 92.

des cités se savaient donc indispensables. Nous avons noté l'ampleur de leurs pouvoirs de fait dans le domaine judiciaire et policier. Ils pouvaient donc exercer sur leurs concitoyens moins fortunés une domination très stricte, quelque peu compensée par la nécessité d'acquérir de la popularité, surtout par le moyen de l'évergétisme.

Peut-on dire que l'autonomie des cités avait totalement disparu au Bas-Empire ? Certes, bien des éléments conduisent à l'affirmer. La généralisation du droit romain pour les individus et pour les communes avait amené la fin des institutions pérégrines originales ; on a constaté dans le chapitre précédent combien étaient limitées les survivances de droit public pérégrin dans l'Afrique du Bas-Empire[192]. Le droit, devenu uniforme, était précisé par une jurisprudence dictée par les constitutions impériales dont les gouverneurs surveillaient l'application. La multiplication des bureaux provinciaux permettait un contrôle précis. Nous avons vu comment la politique des cités en matière de constructions publiques était étroitement dépendante de la législation impériale en la matière[193] ; sur ce point, l'indice le plus frappant est l'extrême raréfaction des travaux de construction et même de restauration de temples païens à partir de Constantin, alors que de nombreuses curies africaines restèrent dominées par les païens jusqu'à la fin du IVe siècle et même au delà[194]. La rigueur et la précision des lois permettaient un contrôle strict de la gestion des responsables municipaux, qui ne possédaient qu'une liberté de manœuvre limitée, la législation les considérant comme de simples exécutants.

Pourtant, nous l'avons relevé, des indices fort significatifs montrent que les cités, ne serait-ce que par l'usage de la force d'inertie, gardaient une relative autonomie face à la bureaucratie impériale. On a pu le constater pour l'exercice des fonctions judiciaires[195], en particulier à propos de certains responsables municipaux qui n'appliquèrent pas vraiment les mesures de persécution des chrétiens en 303[106]. Les faits de réaction païenne sous les empereurs chrétiens, jusqu'au début du Ve siècle, montrent aussi l'indépendance que pouvaient sauvegarder les curies[197]. Responsables de l'exécution des lois, intermédiaires nécessaires entre les gouverneurs et le reste de la population, les dirigeants des cités avaient conservé sur place une position très forte. Si certains riches préféraient l'otium, l'oisiveté dont bénéficiaient les honorati, il n'est pas douteux que d'autres appréciaient la situation dominante que leur valaient dans leur cité les multiples responsabilités dont ils étaient investis, la possibilité d'exercer leur volonté de puissance.

---

192. Chapitre III, supra, p. 125-128.
193. Chapitre II, p. 61-66.
194. Voir chapitre VII, infra, p. 347-349.
195. Supra, p. 222
196. Sur ce point, voir chapitre VII, infra, p. 333-343.
197. Cf. chapitre VII, infra, p. 355-359.

Certes, ceci était surtout vrai pour les décurions les plus fortunés et les plus élevés dans le cursus municipal (*principales*, flamines perpétuels, *primarii*). Mais cette catégorie n'était pas nécessairement réduite à quelques familles : l'album municipal de Timgad mentionne parmi les flamines perpétuels et les *duumuiralicii* des représentants de près de la moitié des familles décurionales[198]. L'image du curiale du Bas-Empire écrasé, ruiné et terrorisé est tellement ancrée dans l'esprit des historiens modernes qu'elle les a conduits à sous-estimer de nombreux textes montrant que cette catégorie sociale était toujours recrutée, comme sous le Haut-Empire, parmi les riches et les notables, aptes à user et parfois abuser de leur autorité[199].

Toutefois, malgré le maintien de la vitalité de l'organisme municipal et du prestige de ses dirigeants, beaucoup de décurions cherchaient à déserter les curies. De très nombreuses lois furent émises pour lutter contre ce phénomène et leur multiplicité semble prouver leur inefficacité. Ces documents montrent l'existence de difficultés dans la vie municipale et pourraient paraître infirmer l'analyse que nous venons de faire. C'est donc ce problème qu'il nous faut maintenant aborder.

---

198. Voir notre notice *Thamugadi* (N.), n. 100.

199. Le point de vue de Libanius, dans son *Discours sur les patronages*, souvent cité, est très partial ; l'attitude très hostile des paysans petits propriétaires ou colons avait très certainement été suscitée par la brutalité, voire les exactions, des riches propriétaires curiales d'Antioche (*cf.* L. HARMAND, *Libanius, Discours sur les patronages*, Paris, 1955, p. 170-172).

APPENDICE : LES COLLÈGES DE *IUUENES*

La législation impériale mentionne très souvent à la suite des décurions les *collegiati*, et semble considérer que les plébéiens étaient groupés en corps de métiers rassemblant les artisans et les marchands. Ceux qui fournissaient des denrées nécessaires à l'armée et à l'annone publique étaient l'objet d'une sollicitude particulière et d'un contrôle strict. Les lois cherchaient à fixer chacun héréditairement dans sa condition et, en conséquence, les *collegiati* dans leurs professions respectives. Les curies exerçaient un contrôle sur les collèges[1]. Il s'agissait donc d'un aspect important de la vie des cités. Malheureusement, la documentation africaine est presque inexistante sur ce sujet. Tout au plus peut-on citer une allusion à des boulangers de l'annone à Sitifis entre 383 et 392[2]. D'autre part, à Abthugni à la même époque, une inscription évoque, si la restitution proposée est exacte, la mise à la disposition des collèges de la cité ([*quibus licet co*]*ire ex s*(*enatus*) *c*(*onsulto*)) des *cellae* du Capitole désaffecté[3].

Nous possédons toutefois des documents importants sur une association qui a beaucoup retenu l'attention des historiens contemporains de l'Afrique romaine, les *iuuenes*.

Dans son article *Juvenes* du *Dictionnaire des Antiquités* (publié en 1900), Camille Jullian affirmait que les *collegia iuuenum* étaient une institution typiquement italienne qui n'existait pas en Afrique[4]. Quatorze inscriptions découvertes depuis ont infirmé cette supposition. L'une d'elles, trouvée à Mactar, montre l'existence d'une *iuuentus* dans cette cité dès le règne de Domitien, alors que les institutions mactaroises étaient totalement pérégrines. Le groupement comportait 70 membres environ et avait à

---

1. *Exempli gratia* : C. *Th.*, XII, 1, 146 ; VII, 21, 3 ; XIV, 7, 1. Sur les collèges, se reporter à J. P. WALTZING, *Étude sur les corporations professionnelles chez les Romains*, Louvain, 1895.

2. C. 8480 = *I.L.S.*, 5596 ; notice Sitifis (M.S.), n. 9.

3. C., 11205 = 928. Sur l'interprétation de ce texte, voir notice Abthugni (B.), n. 4-10.

4. Une étude d'ensemble vient d'être donnée par Maria Jaczynowska, sous le titre *Les associations de la jeunesse romaine sous le Haut-Empire* (Wroclaw - Varsovie, 1978 ; 123 p., en français). Cette étude reprend et développe un ouvrage du même auteur paru à Torun en 1964 sous le titre *Collegia Iuvenum* (en polonais). Il s'agit d'une étude exhaustive de la question ; on y trouve un recueil de l'ensemble des inscriptions mentionnant des *iuuenes* (éd. 1978, p. 67-107). Maria Jaszynowska a donné aussi une communication sur la place des *iuuenes* dans la société dans le recueil *Recherches sur les structures sociales de l'Antiquité classique* (publ. par C. Nicolet), Paris, 1970, p. 265-274. Sur les *iuuenes* africains, se reporter à G. PICARD, *Civitas Mactaritana*, dans *Karthago*, 8, 1957, p. 77-95.

sa tête des *magistri*[5]. D'autres inscriptions, trouvées ailleurs et plus tardives, évoquent des *maiores* et un *praefectus iuuenum*. Ces associations, contrôlées par l'autorité municipale, semblent avoir eu des fonctions diverses, dont le culte d'une divinité protectrice : à Mactar, les *iuuenes* se disaient *cultores Martis Augusti* ; ce patronage se retrouve pour d'autres collèges de *iuuenes*, en Italie et en Gaule. Ailleurs, le dieu protecteur est Hercule ou Diane, cette dernière probablement à cause de sa qualité de chasseresse. En effet les *iuuenes* participaient aux spectacles de l'amphithéâtre et notamment affrontaient les animaux sauvages dans les *uenationes*. On voit les associations italiennes organiser des jeux, les *lusus iuuenum* ou *iuuenalia*, qui permettaient aux membres de montrer au public, dans l'amphithéâtre, leur adresse et leur courage[6]. Il ne semble pas que la *iuuentus* ait été, comme l'avait cru Rostovtzeff, un organisme para-militaire, un centre de formation pour les futurs cadres de l'armée[7]. Toutefois, de par leur formation physique et leur encadrement, les *iuuenes* pouvaient, le cas échéant, fournir aux magistrats municipaux une force de maintien de l'ordre. Le culte de Mars, constaté à Mactar et ailleurs, manifeste assurément une préoccupation de ce genre, sans qu'il faille l'exagérer, les empereurs ne pouvant tolérer la constitution d'armées municipales[8]. Les *iuuentutes* ne groupaient probablement pas que des jeunes gens au sens où nous l'entendons ; on sait que la « jeunesse », pour les Romains, se situait entre 17 et 46 ans.

Ces associations pouvaient causer des troubles ; le juriste Callistrate, qui écrivait sous les Sévères, évoque les désordres que suscitaient parfois les *iuuenes*, en particulier à l'occasion des jeux, et il précise que le gouverneur peut ordonner qu'ils soient battus, exilés et même mis à mort[9]. M. Gilbert Picard a montré[10] que les *iuuenes* africains jouèrent un rôle capital dans les événements qui aboutirent, en 238, à l'assassinat du procurateur du fisc de Maximin et à la proclamation, à Thysdrus, du proconsul Gordien comme empereur[11].

---

5. *A.E.*, 1959, 172 (= *Karthago*, 8, 1957, p. 77-78).

6. Cette activité est attestée par de nombreuses inscriptions italiennes. De même dans *S.H.A.*, *Les trois Gordiens*, 4.

7. M. ROSTOVTZEFF, *Social and Economic History of the Roman Empire*, 2e éd., Oxford, 1957, p. 103 ; 107 ; 128 ; 326.

8. M. Gilbert Picard (*loc. cit.*, p. 81-87) tout en récusant l'hypothèse de Rostovtzeff sur de prétendus centres de préparation à la carrière militaire, montre cependant que les *iuuentutes* possédaient un caractère militaire indéniable et pouvaient constituer une milice municipale. Mme Jaczynowska pense que la *iuuentus* n'assuma ce rôle que dans des circonstances exceptionnelles.

9. *Digeste*, XLVIII, 19, 28, 3.

10. G. PICARD, *loc. cit.*, p. 93-95.

11. Hérodien (VII, 6-8) rapporte que Maximin se gaussait de Gordien, qu'il traitait d'empereur de parade d'amphithéâtre, défendu par des bestiaires ; il s'agit d'une allusion aux jeux des *Iuuenalia*. Les *iuuenes* sont présentés par Hérodien (VII, 4 ; VII, 5, 3) et par l'*Histoire Auguste* (*Les trois Gordiens*, IX, 3) comme les auteurs du coup d'état.

Sur les quatorze inscriptions africaines mentionnant des *iuuenes*
recensées par Maria Jaczynowska, les deux plus tardives ont été découvertes en Maurétanie Sitifienne. L'une, trouvée à Sétif, mentionne deux
maiores iuuenum qui accomplirent une dédicace en l'an 204 de la province,
l'an 243 de notre ère[12]. L'autre, originaire de Saldae (Bougie), est d'un
grand intérêt. Il s'agit de la dédicace métrique d'un autel à Jupiter et à
la *Gens Maura* divinisée, en action de grâce pour un fait militaire qui
avait permis de repousser un ennemi des murailles de la ville. Six des
iuuenes victorieux sont nommés dans le texte ; ils étaient de toute évidence, les chefs de l'association, et ils avaient fourni l'argent nécessaire
à l'édification du monument, dédié par tous les « frères[13] ». Il semble qu'il
faille suivre l'éditeur, Louis Leschi, qui propose de rattacher cet événement à la grande révolte des *Quinquegentanei* de Kabylie, entre 290 et 297,
révolte que devaient réprimer, d'abord le gouverneur Aurelius Litua,
puis l'empereur Maximien lui-même[14]. Ce document confirme le rôle
de troupe d'appoint que pouvaient jouer les *iuuenes* en cas de besoin : leur
sortie victorieuse avait permis de mettre fin à l'investissement de Saldae
par les insurgés.

L'institution existait toujours au IVe siècle, comme en fait foi une
inscription italienne : une tablette de patronat, datée de 325 et trouvée
à Amiternum en Sabine, mentionne des spectacles pour les *Iuuenalia*[15].
En Afrique, aucune inscription postérieure au IIIe siècle ne concerne les
iuuenes. Ils n'avaient pourtant pas disparu. Deux passages de saint
Augustin les évoquent en effet, sans doute possible, d'une manière fort
précise et concrète ; ces témoignages ont, jusqu'à présent, échappé à la
sagacité des historiens. Le premier date de 417 ; il s'agit d'un passage
de la lettre 185 d'Augustin, adressée au tribun militaire et futur comte
d'Afrique Bonifatius, chargé de la répression du donatisme. Le second
texte se trouve dans le traité *Contra Gaudentium*, adressé en 420 à l'évêque
donatiste de Timgad, Gaudentius. Augustin évoquait une forme de
martyre volontaire, recherchée par certains fanatiques.

« Surtout, quand le culte des idoles existait encore, d'immenses foules
se rendaient aux fêtes les plus fréquentées des païens, non pour briser
les idoles, mais pour se faire tuer par leurs adorateurs... En effet, chacun
des robustes jeunes gens (*ualentissimi iuuenes*) adorateurs des idoles
avait l'habitude de vouer aux idoles tous ceux qu'il pouvait tuer[16] ».

---

12. *A.E.*, 1910, 7 = *B.C.T.H.*, 1909, p. 183.

13. *A.E.*, 1928, 38 = *B.C.T.H.*, 1928-1929, p. 145. Ce document a été étudié
par Louis Leschi (*Les « Juvenes » de Saldae d'après une inscription métrique*, dans
Rev. Afr., 48, 1927, p. 393-419 = *Études d'épigraphie, d'archéologie et d'histoire
africaines*, Paris, 1927, p. 349-360. Le texte est reproduit dans notre notice sur
Saldae (Maurétanie Sitifienne), n. 9.

14. L. LESCHI, *loc. cit.*, *Études*, p. 357-359.

15. *A.E.*, 1937, 111 = *Notiz. degli Sc.*, 1936, p. 94-97.

16. AUGUSTIN, *Epist.* 185, III, 12, *C.S.E.L.*, 57, p. 11 : « Maxime, quando adhuc
cultus fuerat idolorum, ad paganorum celeberrimas sollemnitates ingentia turbarum

« A l'époque où la licence du culte des idoles bouillonnait partout, ces gens se ruaient sur la foule des païens en armes qui célébraient leurs fêtes et les jeunes païens vouaient à leurs idoles tous ceux qu'ils pouvaient tuer. Ils accouraient par bandes de tout côté ; à la manière des bêtes sauvages exposées aux chasseurs dans l'amphithéâtre, ils se jetaient eux-mêmes sur les épieux qu'on leur opposait : dans leur folie furieuse, ils trouvaient la mort, dans la putréfaction une tombe, dans leur imposture des gens pour les vénérer[17] ».

Le contexte de ces documents est la liquidation du donatisme, conformément aux décisions d'Honorius prises à la suite de la conférence de 411. Dans sa lettre 185, Augustin résumait l'histoire de la querelle, à l'intention de Bonifatius, qui était chargé d'amener à l'obéissance les derniers donatistes ouvertement récalcitrants[18]. Thamugadi constituait une forteresse du schisme. Son évêque Gaudentius avait succédé à Optat en 398 et il était encore en place en 420[19]. Les mesures impériales n'avaient pas pu être appliquées à Timgad et Gaudentius possédait toujours la grande basilique bâtie par son prédécesseur[20]. Cependant, en 420, un tribun nommé Dulcitius fut chargé de faire appliquer la loi[21]. Plutôt que de livrer sa basilique, Gaudentius menaça de s'y enfermer avec ses fidèles et d'y mettre le feu, en invoquant l'exemple des donatistes qui avaient préféré le suicide à la communion avec les « traditeurs[22] ». Augustin lui envoya son dernier traité anti-donatiste. Comme dans la lettre à

---

agmina ueniebant, non ut idola frangerent, sed ut interficerentur a cultoribus idolorum ... Nam singuli quique ualentissimi iuuenes cultores idolorum, quot quis occideret, ipsis idolis uouere consueuerant. »

17. Augustin, *Contra Gaudentium*, I, 28, 32, éd. G. Finaert - E. Lamirande, *B.A.*, 32, Paris, 1965, p. 580-582 : « ... maxime cum idolatriae licentia usque quaque ferueret, quando isti paganorum armis festa sua frequentantium irruebant, uouebant autem pagani iuuenes idolis suis quis quot occideret ; at isti gregatim hinc atque inde confluentes tamquam in amphitheatro a uenatoribus more immanium bestiarum uenabulis se oppositis ingerebant, furentes moriebantur, putrescentes sepeliebantur, decipientes colebantur. » J'étudie de manière plus détaillée ces textes et la place qu'y tiennent, à mon sens, les *iuuenes* dans ma contribution aux *Hommages à Jean Lassus*, dans *Ant. Afr.*, 15, 1980, *Iuuenes et circoncellions : les derniers sacrifices humains de l'Afrique antique.*

18. La *lettre* 185 (*C.S.E.L.*, 57, p. 1-44) constitue un véritable traité sur la légitimité de l'emploi de la coercition contre les donatistes (*De correctione donatistarum liber*). Sur cette liquidation du donatisme entre 412 et 420, voir P. Monceaux, *Hist. litt. de l'Afr. chrét.*, 4, p. 87-97 (Monceaux épouse exactement le point de vue d'Augustin) et Peter Brown, *Vie de saint Augustin*, trad. franç., Paris, 1971, p. 275-287 et 391-402 (P. Brown est lucide sur les conséquences désastreuses de cette apologie de l'emploi de la force dans les questions religieuses).

19. Voir notre notice *Thamugadi* (N.), n. 105-112.

20. Sur Gaudentius, se reporter à l'introduction au traité *Contra Gaudentium*, par E. Lamirande, *B.A.*, 32, p. 491-497 et à P. Monceaux, *Hist. Litt.*, 6, p. 197-198.

21. Le rôle de Dulcitius est connu par le *Contra Gaudentium*, I, 2, 2 ; I, 10, 11 (*B.A.*, 32, p. 512-522) et par la réponse d'Augustin à une lettre de ce tribun (*Epist.* 204, *C.S.E.L.*, 57, p. 317-322). Augustin lui conseillait de ne pas céder au chantage exercé par Gaudentius, dût-il y avoir des victimes.

22. *Contra Gaudentium*, I, 1, 1 ; I, 6, 7 ; I, 28, 32.

Bonifatius, il y évoquait l'étonnante épidémie de suicides qui s'était répandue dans la communauté donatiste après la répression sanglante du mouvement des circoncellions menée par les légats de Constant, Paul et Macaire, entre 345 et 347[23]. Il ne s'agissait pas d'événements contemporains d'Augustin ; déjà, Optat de Milev en parlait comme de faits du passé[24]. Une sorte de folie collective semble s'être emparée de donatistes exaltés appartenant au petit peuple des campagnes numides après que Paul et Macaire aient noyé dans le sang la jacquerie. De nombreux fanatiques cherchèrent volontairement la mort par divers moyens, pensant acquérir ainsi la palme du martyre. Ce comportement désespéré donne la mesure du traumatisme ressenti par les circoncellions à la suite de la répression en 345-347. Nous pensons pouvoir affirmer que la jacquerie ne se poursuivit pas au delà de ces années et que la dimension explicitement sociale du mouvement des circoncellions disparut ensuite[25]. De même, l'épidémie suicidaire, conséquence de la répression, fut également limitée dans le temps et dans l'espace. Bien que sur une moindre échelle, ce comportement était réapparu depuis 412 ; c'est pourquoi Augustin avait informé Bonifatius des faits tragiques du passé[26]. En 420, le chantage exercé par Gaudentius de Timgad risquait de développer le phénomène. Il ne semble pas, cependant, avoir mis sa menace à exécution.

Dans les deux passages que nous avons cités, Augustin évoquait une forme très singulière de suicide, la profanation de cérémonies païennes qui amenait les fidèles à massacrer les assaillants, venus sans armes, à seule fin d'acquérir ainsi la palme du martyre.

Trois raisons militent pour une identification des « jeunes païens » (pagani iuuenes) avec les membres des confréries de iuuenes. La première est, bien entendu, l'emploi du mot ; pourquoi les cérémonies religieuses

---

23. *Ibidem*, I, 28, 32-33. Les deux textes dont nous commentons ici des extraits donnent les récits les plus précis de ces faits. On trouve des allusions assez nombreuses ailleurs ; l'ensemble des références est donné par P. Monceaux, *Hist. Litt.*, 4, p. 183-184.

24. Optat de Milev, III, 4, éd. Ziwsa, *C.S.E.L.*, 26, p. 83.

25. Voir chapitre ii, *supra*, p. 93-96.

26. Entre le règne de Julien, qui leur rendit la liberté religieuse, et les mesures de liquidation prises après la conférence de 411, les donatistes n'eurent aucune raison de recourir à ces actes désespérés. Théodose abandonna la politique de tolérance instaurée par Julien, mais ses mesures furent très mal appliquées. Sous Constant, le plus grand nombre des suicidaires qui ne se faisaient pas tuer par les païens se précipitaient par groupes entiers du haut de montagnes élevées (Augustin, *Epist.* 185, iii, 12 ; xix, 50 ; *Contra Gaudentium*, I, 18, 32). Au pied des djebels Nif-en-Nser et Anouda, dans les hautes plaines de la Numidie centrale, 65 inscriptions funéraires ont été retrouvées ; elles signalaient les tombes de ces martyrs volontaires (L. Leschi, *A propos des épitaphes chrétiennes du Djebel Nif-en-Nser*, dans *Rev. Afr.*, 84, 1940, p. 30-36). Lors de la recrudescence des suicides à partir de 412, les circoncellions préféraient s'immoler par le feu (Augustin, *Epist.* 185, iii, 12). Augustin notait cependant que le nombre des suicidaires était bien moindre que lors de la première épidémie : « Qui ignore combien de ces gens-là partaient naguère se livrer à toutes sortes de morts et combien peu, en comparaison, se font maintenant brûler dans les incendies qu'ils allument ? » (*Contra Gaudentium*, I, 29, 33).

que troublaient les circoncellions suicidaires auraient-elles été fréquentées spécialement par les hommes jeunes, si elles ne rassemblaient pas justement les membres de la *iuuentus* ? D'autre part, nous voyons ici un lien étroit entre la fête religieuse et le port des armes : la fête est célébrée par « des païens en armes ». Puisque le contexte n'est nullement militaire, il ne peut s'agir que d'une cérémonie destinée à la *iuuentus*. Enfin, Augustin évoque les chasses dans l'amphithéâtre auxquelles, nous le savons, les *iuuenes* s'exerçaient tout particulièrement et dont ils donnaient le spectacle à leurs concitoyens lors des *iuuenalia*[27]. Il est possible que la fête que perturbait l'irruption des circoncellions ait été celle des *iuuenalia*. Les « solennités très fréquentées » qu'évoque la lettre à Bonifatius peuvent, de fait, correspondre à cette fête.

Ces textes de saint Augustin, datés de 417 et 420, constituent les derniers témoignages connus sur les *iuuenes*. Il ne faut pas en induire que cette institution avait persisté en Afrique jusqu'au ve siècle. Nous l'avons vu, Augustin évoque ici des faits qu'il faut situer au temps des fils de Constantin. Ces documents permettent donc d'affirmer que les *iuuentutes* subsistaient en Afrique durant la première moitié du ive siècle. La christianisation de l'Empire leur fut-elle fatale ? Ce n'est pas sûr, car nous voyons perdurer jusqu'au ve siècle, et même à l'époque vandale, les titres de flamine perpétuel municipal et de prêtre provincial : ces sacerdoces s'étaient vidés de leur contenu proprement religieux et se maintenaient en tant que dignité civile[28]. Les *iuuenes* auraient donc pu subsister, tout en abandonnant « la licence du culte des idoles » qu'évoquait Augustin à leur propos. Nous ne pouvons l'affirmer, faute de documents.

Un dernier point, d'un grand intérêt, a été, lui aussi, négligé par les commentateurs. Augustin affirme que les *iuuenes* « avaient coutume de vouer à leurs idoles tous ceux qu'ils pouvaient tuer[29] ». S'il ne s'agit pas d'une formule purement polémique, cette phrase impliquerait que les *iuuenes* utilisaient les circoncellions suicidaires comme les victimes d'un sacrifice humain ; ils ne se seraient pas contenté de punir les profanateurs de leurs cérémonies religieuses mais, par une formule explicite de *deuotio*, ils auraient offert leurs victimes à la divinité dont ils célébraient le culte. Ce serait donc la mention la plus tardive de ces sacrifices humains qui

---

27. Les *pagani iuuenes* évoqués dans *Contra Gaudentium*, 28, 32 sont armés d'épieux qu'ils manient habilement pour embrocher les circoncellions comme des bêtes dans l'amphithéâtre ; ils sont visiblement exercés à ce type de sport.

28. Sur ce problème voir A. Chastagnol et N. Duval, *Les survivances du culte impérial dans l'Afrique du Nord à l'époque vandale*, dans *Mélanges William Seston*, Paris, 1974, p. 106-118 ; *cf. infra*, chap. vii, p. 362-369.

29. *Epist.* 185, iii, 12 : « Nam singuli quique ualentissimi iuuenes cultores idolorum, quot quis occideret, ipsis idolis uouere consueuerant. » *Contra Gaudentium*, I, 28, 32 : « Vovebant autem pagani iuuenes idolis suis quis quot occideret. » Augustin affirme bien dans le premier texte que ce ne fut pas un épisode isolé, mais une véritable coutume (*consueuerant*).

jouèrent un rôle si important dans la religion traditionnelle de l'Afrique antique[30].

---

30. Les dernières mentions connues jusqu'à présent de cette pratique en Afrique remontent au début du IIIe siècle ; Tertullien nous apprend que les immolations d'enfants sacrifiés à Saturne furent formellement interdites par Tibère, mais qu'elles subsistaient en secret de son temps (Apologétique, IX, 2). D'autre part, dans la Passion des saintes Félicité et Perpétue, rédigée par un contemporain au début du IIIe siècle, il est précisé que les condamnés à mort exposés aux bêtes dans l'amphithéâtre étaient revêtus du costume des prêtres de Saturne pour les hommes, de celui des sacratae des Cereres pour les femmes. Gilbert Picard (Les religions de l'Afrique antique, Paris, 1954, p. 134) a montré que ces habits signifiaient qu'on « vouait » aux dieux les condamnés ; on pouvait ainsi continuer la tradition des sacrifices humains d'une manière légale. Un historien allemand, W. Thümmel (Zur Beurteilung des Donatismus, Halle-Saale, 1893, p. 88-93) avait cherché à expliquer le comportement suicidaire des circoncellions par la tradition africaine des sacrifices humains dans le culte de Baal-Saturne. Son argumentation était fragile. Plutôt qu'une permanence rituelle formelle, il faut plutôt voir ici le maintien d'une religiosité africaine voyant la divinité sous une forme redoutable et terrifiante, que seul le sang peut apaiser. Sur ce point, Peter Brown a formulé des remarques très éclairantes (La vie de saint Augustin, trad. franç., p. 32-34). Il est singulier de constater que les historiens qui ont posé ce problème à propos des circoncellions suicidaires n'ont pas relevé le cas des iuuenes païens qui les « vouaient » à leurs dieux et dont le comportement était, me semble-t-il, dans la droite ligne de la plus ancienne religion africaine. Nous reprenons cette question plus en détail dans notre article Iuuenes et circoncellions : les derniers sacrifices humains de l'Afrique antique, à paraître dans les Hommages à Jean Lassus, Ant. Afr., 15, 1980.

CHAPITRE V

Ampleur et limites de la désertion des curies

La législation impériale contre la désertion des curies municipales constitue une masse fort considérable de documents. Ces lois prescrivaient aux décurions et à leurs fils d'accomplir l'ensemble des charges et des honneurs de la carrière municipale. Le gouvernement impérial attachait la plus grande importance à ce que cette règle fût observée. « Il est mauvais pour l'État, déclare une constitution de Constance II, que les curies végètent par suite du petit nombre de leurs membres[1] ». Les textes conservés par les codes concernent des cas précis et variés : l'empereur ordonne à un préfet du prétoire ou un gouverneur provincial de réprimer telle ou telle manière, pour les décurions, de tourner la loi et de se dérober à leurs devoirs municipaux. Les curiales semblent, en cette matière, avoir fait preuve d'imagination et l'impression prévaut que tous les moyens étaient bons pour éviter un service civique qui, à la lecture de ces textes, semble n'avoir été qu'une corvée fastidieuse et une lourde charge financière. Seule la contrainte légale aurait donc permis d'astreindre à ces obligations ceux que leur naissance et leur fortune destinaient à faire partie des curies municipales.

Ces textes juridiques sont donc à l'origine de l'opinion des historiens modernes voulant que la catégorie dirigeante des cités et l'ensemble de la vie municipale aient été en pleine décadence sociale, économique et politique au IVe siècle. On se rappelle le jugement de Ferdinant Lot, cité dans l'introduction de ce livre : les curiales voudraient fuir, « mais la loi intervient pour les retenir dans cette prison qu'est devenue la ville[2] ».

---

1. *C. Th.*, XII, 1, 32, du 17 août 341 : « Nam rei publicae incommodum est curias hominum paucitate languescere ».

2. Ferdinand Lot, *La fin du monde antique et le début du Moyen-Age*, Paris, 1926, p. 146.

Reprendre totalement ce problème complexe dépasserait de beaucoup notre propos[3]. Mais nous devons constater qu'une part fort notable de la législation impériale sur les curiales concerne les provinces africaines.

La section du *Code Théodosien* consacrée aux obligations des décurions (XII, 1) ne compte pas moins de cent quatre-vingt-douze textes, ce qui manifeste la grande importance que l'administration impériale et, en conséquence, les compilateurs du code attachaient aux affaires municipales. Cent sept textes, adressés en général à des préfets du prétoire, ne concernent pas, apparemment, une région donnée de l'Empire. Quatre-vingt-cinq documents, en revanche, sont destinés explicitement à une province ou un diocèse déterminé, soit que le texte spécifie cette application géographique précise, soit que le destinaire se trouve être un gouverneur, un vicaire ou un comte en fonction dans cette circonscription.

La répartition de ces quatre-vingt-cinq documents entre les diocèses de l'Empire est fort inégale. La Bretagne n'en reçut aucun ; la Gaule, la Thrace et la Moesie un seul chacun ; l'Espagne et l'Illyricum respectivement deux. L'Égypte et l'Asie, pour leur part, eurent droit à six rescrits chacune ; douze furent destinés à l'Orient. On dénombre sept textes pour les régions d'Italie, mais il faut leur ajouter onze documents envoyés à Rome et visant surtout, semble-t-il, les cités italiennes. Quatre furent adressés au préfet de Constantinople.

Pour sa part, le diocèse d'Afrique reçut trente-deux textes, soit plus du tiers de l'ensemble des rescrits destinés à une région déterminée. Cette abondance de documents permet une approche régionale du problème, ce qui n'est pas le cas ailleurs. Toutefois, il convient au préalable de s'interroger sur la signification de cette pléthore législative.

Comme à l'accoutumée, la plupart de ces textes visent à réprimer des abus, condamnent des errements dans la gestion des cités et, surtout, cherchent à arrêter la désertion des curies. L'abondance de cette sorte de documents pourrait donc amener à penser qu'en Afrique plus qu'ailleurs la vie municipale était déficiente, que les curies y étaient davantage dépeuplées, les élites urbaines encore moins soucieuses de leurs devoirs que dans les autres régions ; en conséquence, la vigilance du pouvoir central devait être plus ferme, rigoureuse et continuelle, dans ces provinces où la crise municipale se révélait particulièrement aiguë.

---

3. Il a été étudié récemment pour l'ensemble de l'Empire dans le grand ouvrage d'A. H. M. JONES, *The later Roman Empire*, Oxford, 1964, t. 2, p. 740-757. Dans sa thèse de droit sur *Les « munera publica » au IIIe siècle* (Université de Paris II, 1971, exemplaires polycopiés), Nicole Charbonnel a donné une analyse exhaustive de la législation impériale sur les obligations des décurions de l'avènement de Septime Sévère à l'abdication de Dioclétien. On notera que les empereurs du Bas-Empire n'ont fait que reprendre et amplifier une législation coercitive dont tous les éléments essentiels sont déjà fixés dans l'œuvre des grands jurisconsultes de l'époque sévérienne conservée dans le *Digeste*, qui était rédigée d'après la législation alors en vigueur.

Nous nous heurtons ici à la contradiction majeure que présentent nos sources sur la vie urbaine et municipale en Afrique au Bas-Empire. Les documents archéologiques, épigraphiques et littéraires ne montrent nullement des villes ruinées ou anémiées. Nous avons pu décrire des structures municipales cohérentes et efficaces, des villes actives où s'ouvraient de nombreux chantiers publics et privés. Nous verrons dans le prochain chapitre le maintien du prestige de la classe dirigeante et de ses munificences évergétiques. Or la législation donne l'image d'une vie municipale maintenue artificiellement en vie, à coup de mesures coercitives dont la perpétuelle répétition implique une efficacité limitée.

Pourtant, ces diverses sources concernent une réalité unique, bien que complexe. Il est donc nécessaire de les éclairer mutuellement. Leurs contradictions, en effet, peuvent révéler des aspects divers mais coexistants de la vie et de la société municipales.

Tout d'abord, nous constatons que la législation contre la désertion des curies vise les régions où la vie urbaine était restée la plus active, l'Afrique tout particulièrement. Ceci ne doit pas nous surprendre. En effet, dans les zones où les villes étaient très peu nombreuses, ou détruites, ou réduites à de très petites dimensions depuis les invasions du IIIe siècle, l'état romain ne pouvait plus compter pour l'administration, la perception des impôts et l'ensemble des responsabilités publiques, sur des conseils municipaux rares ou exsangues. Les gouverneurs de province ne pouvaient éviter de faire appel à la collaboration de propriétaires fonciers ou de confier des tâches civiles à des militaires. Tel n'était pas le cas dans la partie de l'Afrique où les villes demeuraient nombreuses et vivantes : l'État entendait bien que la cité demeurât le centre privilégié de l'administration locale et que ses responsables assurassent bénévolement une bonne partie de l'administration impériale. Le gouvernement central se souciait assez peu de tenter de ranimer les curies des régions où, depuis le IIIe siècle, la vie urbaine était décadente. En revanche, là où la cité était l'élément essentiel de la vie locale, en Orient, en Asie et dans les provinces africaines, l'état romain chercha à maintenir cette structure municipale qu'il avait toujours considérée comme l'organisation normale et souhaitable de la vie sociale[4]. Jean Gaudemet a écrit que l'abondance des documents juridiques concernant l'Orient s'expliquait « sans doute moins par l'accident du rassemblement des textes au *Code Théodosien* que par le plus grand développement des villes dans cette région[5] ». Ceci vaut pour l'Afrique, pour laquelle ces textes sont encore plus nom-

---

4. Comme nous l'avons noté dans le chapitre précédent, l'abondance de la législation impériale relative aux obligations des autorités municipales montre l'importance des prérogatives de cette dernière et, en conséquence, les limites de l'instauration d'un système bureaucratique et centralisé : la gestion des affaires locales reposait toujours sur les décurions, d'où le souci, pour l'État, qu'ils accomplissent correctement leur tâche.

5. J. GAUDEMET, *Constantin et les curies municipales*, dans *Iura, Rivista internazionale di diritto romano e antico*, 2, 1951, p. 45.

breux. Les compilateurs de Théodose II n'ont pas utilisé les archives provinciales, mais celles de la chancellerie impériale ; ils n'avaient donc nulle raison, a priori, de privilégier dans leur choix une région particulière. Le nombre considérable des documents destinés à l'Afrique est donc un sûr indice de la vitalité de cette contrée et de ses villes. D'autre part, nous savons que les Africains étaient très portés sur la procédure. Depuis le Haut-Empire, un bon nombre d'entre eux avaient étudié le droit, ce qui leur avait permis de faire de belles carrières dans l'administration impériale[6]. Nos sources montrent les conseils provinciaux et les cités d'Afrique très prompts à dépêcher en Italie des ambassades destinées à faire valoir leurs droits devant l'administration centrale[7]. Les procès multiples auxquels donna lieu la querelle donatiste sont de fort bons exemples de cet esprit chicanier. Les constitutions impériales étaient, très souvent, des réponses à ces plaintes formulées selon les règles du droit.

Il ne faut donc pas induire de l'abondance des textes juridiques concernant les provinces africaines une crise plus grave dans cette partie de l'Empire qu'ailleurs. Il reste que ces constitutions déplorent souvent la désertion de curiales, ce qui implique des difficultés réelles. Mais, si l'on saisit bien la vraie nature de ces documents, on doit constater qu'ils n'infirment pas le témoignage des sources épigraphiques, archéologiques et littéraires sur la prospérité des villes d'Afrique au Bas-Empire. Ils leur apportent cependant un important correctif, en révélant les difficultés auxquelles se heurtait la vie municipale.

La législation coercitive était inhérente au système municipal que nous avons défini dans le précédent chapitre. La vie collective d'une cité était fondée sur une série d'obligations imposées aux citoyens. Tous, avons-nous vu, devaient fournir des prestations diverses ; les humbles étaient soumis aux munera sordida, comme l'entretien des rues, des bâtiments publics, des thermes. Les honestiores devaient consacrer une part de leur temps et de leur revenu à leur cité, fournir les ressources nécessaires aux spectacles, au chauffage des thermes, assurer la gestion administrative, accomplir les magistratures et assumer les prêtrises officielles. De plus, ils étaient responsables de services impériaux, essentiellement la perception des impôts et la poste publique. La répartition de ces charges entre les intéressés ne pouvait pas ne pas susciter des contestations et des conflits. Les gouverneurs provinciaux avaient donc fréquemment à intervenir pour régler les différents et le législateur

---

6. « L'Afrique, nourrice des avocats » (nutricula causidicorum Africa) écrivait déjà Juvénal (Satire VII, 148-149). H.-G. Pflaum a recensé 13 africains sur 104 procurateurs équestres dont l'origine est connue, entre 117 et 192 et pas moins de 25 sur 91 entre 193 et le milieu du IIIe siècle (H.-G. PFLAUM, Les procurateurs équestres sous le Haut-Empire romain, Paris, 1950, p. 185 et 193).

7. Sur ces plaintes, voir infra, p. 253-254 et n. 26 ; sur les ambassades, voir chapitre IV, supra, p. 211.

fut amené à définir une jurisprudence précise[8]. La législation devint plus systématique à partir du moment où l'état romain tenta d'attacher héréditairement chacun à une catégorie sociale et juridique précise, aux obligations nettement définies. Il en résulta, pour les personnes de famille décurionale, la constitution d'une catégorie d'*obnoxii curiae*, de gens liés de père en fils à la curie d'une cité déterminée.

En légiférant sur les obligations des décurions, les empereurs du Bas-Empire n'innovaient pas ; les Antonins et les Sévères avaient pris de nombreuses mesures en ce sens, et les *munera* municipaux occupent une place non négligeable dans l'œuvre des grands jurisconsultes du IIIe siècle[9]. Il n'en reste pas moins que, sur ce plan comme sur les autres, la législation de Dioclétien et ses successeurs se caractérise par une accentuation de l'aspect autoritaire et coercitif.

Toutefois, il ne faut pas chercher dans ces textes législatifs un tableau objectif et précis de la vie municipale du temps : tel n'était pas leur propos. L'intérêt de l'État était que les cités fussent bien gérées puisque, nous l'avons vu, l'essentiel de la vie et de l'administration était toujours confié à leurs dirigeants, y compris dans des domaines comme la fiscalité qui intéressaient directement l'administration centrale. Les charges des curiales peuvent fort bien être assimilées à des impôts, perçus mi en argent, mi en prestations de services. La législation sur les obligations des décurions est donc, d'une certaine manière, assimilable à des règlements fiscaux tendant à éviter toute fraude, à contraindre à payer des contribuables récalcitrants. La nature de ces documents explique donc leur caractère négatif, le fait qu'ils visent presqu'uniquement à dénoncer et corriger des abus. L'empereur n'envoyait pas un rescrit à un gouverneur de province pour qu'il félicitât un *ordo* municipal de sa conduite[10], mais pour qu'il empêchât des pratiques illégales perpétrées dans telle ou telle cité. Le caractère par nature répressif de cette législation risque, à coup sûr, de donner une image exagérément sombre de la situation. Mais à la rubrique du droit pénal, les codes évoquent le meurtre, le vol, la spoliation, ce qui n'implique nullement que telles étaient les occupations quotidiennes des habitants de l'Empire, pas plus, pourrait-on dire, que les pages de faits divers de nos journaux ne permettent une étude objective sur notre vie quotidienne. De même, un état considère toujours que les impôts qu'il exige sont justes et légitimes ; il n'a pas coutume de remercier ni de féliciter les contribuables en règle. Il met tout en œuvre, en

---

8. Les codes, on le sait, ne contiennent pas une législation élaborée dans l'abstrait mais une collection de multiples décisions circonstancielles prises par les empereurs successifs pour résoudre des problèmes précis. Plus qu'une vue globale objective d'une situation donnée, ils présentent des séries de solutions apportées à des conflits déterminés, à des cas spécifiques.

9. *Cf.* N. CHARBONNEL, *op. cit. supra* n. 3.

10. Il en est pourtant un exemple : Honorius, en 397, tout en déplorant des injustices dans la répartition des *munera*, évoquait la prospérité des villes africaines et de leurs curies (*C. Th.*, XII, 5, 3).

revanche, pour traquer et condamner les fraudeurs fiscaux ; l'abondance des mesures contre ces derniers sous tous les régimes n'implique pas cependant que personne ne paye ses impôts. La fraude était fort répandue au Bas-Empire et elle a sans doute contribué, en allégeant un fardeau excessif, à sauvegarder la fortune des élites sociales locales. On aurait tort de voir là l'indice indubitable d'une très grave décadence de la vie urbaine. Il est permis de penser que les charges les plus impopulaires, celles qu'on cherchait surtout à éviter, n'étaient pas la gestion des villes, l'administration municipale, mais les fonctions du service de l'État, la perception des impôts et l'organisation de la poste publique en particulier. Or, c'était ce qui importait le plus à l'administration impériale.

Le point le plus significatif est, à mon sens, le suivant : les multiples lois contre la désertion des curiales africains conservées dans le *Code Théodosien* n'évoquent pas ces dignitaires municipaux ruinés et privés de leur prestige, ravalés à la condition d'*humiliores*, que décrivent certains historiens modernes[11]. Pour une large part, les mesures impériales visaient des décurions qui s'introduisaient de manière plus ou moins illégale dans les ordres supérieurs, l'ordre équestre jusqu'à Constantin, puis l'ordre sénatorial. Sans doute, ces promotions permettaient-elles souvent de se dispenser des *munera* municipaux ; elles constituaient donc de fait une désertion de la curie. Mais elles impliquaient aussi, pour ceux qui en bénéficiaient, une ascension sociale considérable. Or, l'accession à ces honneurs coûtait fort cher, notamment, comme le déploraient les lois impériales, en pots-de-vin pour corrompre les hauts fonctionnaires. Ces promotions supposaient aussi de puissants protecteurs, des relations parmi des gens hauts placés. Or un nombre considérable des mesures contre les *honorati* abusifs sont adressées aux provinces africaines. Elles constituent donc un indice de la richesse et du prestige social d'une partie de l'aristocratie municipale africaine.

Cette législation ne témoigne nullement d'un appauvrissement ou d'une crise sociale des notables locaux, pas plus que d'un abandon des villes pour les domaines ruraux : *honorati* ou non, les propriétaires fonciers africains avaient à la fois une *domus* en ville et une résidence *in rure*, sur leurs terres. Reste que ces lois manifestent une indéniable répugnance, chez les plus favorisés, donc ceux qui, traditionnellement, assuraient les munificences évergétiques, à gérer les carrières municipales. Si l'on ajoute les décurions moins fortunés qui cherchaient à obtenir des dispenses semblables en entrant dans la bureaucratie, l'armée ou le clergé chrétien, on doit constater qu'un assez grand nombre d'assujettis cherchaient à fuir des charges jugées trop pesantes et trop astreignantes. On comprend cette répugnance si l'on considère le nombre et la lourdeur des *munera*

---

11. De fait, aucune des nombreuses lois concernant les curies africaines ne mentionne des décurions vendant leurs terres, devenant les fermiers de riches patrons, préférant la condition d'*humiliores* à l'exécution des *munera* municipaux, alors que de nombreuses lois leur reprochent de s'évader par le haut en devenant *honorati*.

municipaux obligatoires décrits, au début du IVe siècle, par les jurisconsultes Hermogénien et Arcadius Charisius[12].

Pourtant, les sources africaines, de multiples inscriptions, de nombreux passages de l'œuvre de saint Augustin, impliquent le maintien, au Bas-Empire, du patriotisme municipal et des générosités évergétiques[13]. Certains textes nous montrent des personnes de famille décurionale échappant à leurs obligations héréditaires sans difficulté particulière : c'est le cas de saint Augustin lui-même. Mais des inscriptions présentent des gens que la loi dispensait des charges municipales les assumer volontairement, par civisme. Le problème est donc complexe et demande un examen précis. Il convient d'abord d'analyser la législation, car elle a beaucoup varié durant la période et elle traite de cas très divers. Les constitutions impériales conservées dans les codes étaient, nous l'avons vu, davantage des mesures circonstancielles que des lois générales. Or, c'est une erreur des historiens modernes que d'avoir considéré les décurions comme une classe sociale moyenne homogène. Des aristocrates carthaginois cherchaient à entrer dans l'ordre sénatorial : vu leur fortune, leur style de vie et leurs relations, c'était une ambition normale. Mais il n'y avait aucune commune mesure entre leur situation et celle des petits décurions des bourgades de l'intérieur : quelques exceptions mises à part, les multiples lois contre l'entrée illégale dans l'ordre clarissime ne les concernaient nullement. Pour avoir une idée précise du but et de la signification des lois impériales, il nous faudra donc les mettre en rapport avec ce que les inscriptions et les textes littéraires nous apprennent sur les notables africains.

I — LES *HONORATI* D'ORIGINE CURIALE

Les honorati *de rang équestre.*

L'élite des décurions a toujours été, sous l'Empire, une pépinière de nouveaux titulaires des honneurs impériaux. Ils étaient riches et remplissaient donc souvent les conditions de cens. Un bon nombre d'entre eux avaient reçu l'éducation littéraire requise et s'étaient initiés au droit. Dès leur jeune âge, les fonctions municipales les avaient mis en contact avec la gestion des affaires publiques. Il était donc normal que le gouvernement impérial eût souvent fait appel à un bon nombre d'entre eux pour leur confier des responsabilités dans l'administration et l'armée. L'entrée dans l'ordre équestre fut donc la forme normale de promotion sociale pour les décurions. Contrairement aux charges municipales, les fonctions impériales étaient rémunérées ; elles procuraient

---

12. Voir *supra*, chapitre IV, p. 206-208.
13. Voir *infra*, chapitre VI, p. 293-318.

à leurs détenteurs une autorité que leur ambition pouvait rechercher, au delà de l'horizon étroit d'une cité. Cette promotion à l'ordre équestre des meilleurs éléments de l'élite dirigeante municipale permit, au second siècle, un développement bienvenu de l'administration impériale et un renouvellement des couches supérieures de la société, y compris de l'ordre sénatorial dont les nouveaux *adlecti* étaient choisis parmi les chevaliers.

Au IIIe siècle, bien des fonctions réservées jadis aux sénateurs furent confiées à des chevaliers. L'accroissement du nombre des fonctionnaires sous Dioclétien frappa les contemporains[14]. A coup sûr, beaucoup furent pris parmi les décurions des cités. C'est donc l'État romain lui-même qui a suscité chez les curiales l'espoir d'accéder aux fonctions impériales et d'échapper à la fois au monde restreint de leur cité et aux lourds *munera* municipaux. Toutefois, dès le Haut-Empire, on constate qu'un bon nombre de chevaliers ne faisaient pas carrière dans l'administration impériale et se contentaient de jouir des honneurs et de la considération que leur valait la possession du « cheval public ». Un fonctionnaire impérial, un officier, accomplissaient un service public : il était donc normal qu'ils fussent exempts des charges municipales. En revanche, un chevalier oisif n'avait nulle justification pour s'abstenir de participer aux responsabilités et charges financières de ses concitoyens. Il semble cependant que le rang de perfectissime, le plus élevé de la hiérarchie équestre, conférait l'immunité ; c'est pourquoi, en 317, Constantin interdit de donner cette dignité à ceux qui étaient « liés à la curie »[15]. La même année, Licinius précisait qu'on pouvait conférer les titres de *perfectissimus* ou d'*egregius* non seulement à des fonctionnaires impériaux, mais aussi à des *principales* ou des décurions des cités, à condition qu'ils eussent accompli la totalité de leurs service municipal. L'empereur ordonnait, en revanche, que fussent retirés les codicilles conférant les dignités de perfectissime, ducénaire, centenaire ou de *uir egregius*, c'est-à-dire l'ensemble des titres équestres supérieurs, à des curiales qui n'avaient pas accompli tout leur service mais cherchaient simplement à fuir leur curie. Ces titres honoraires avaient été, bien entendu, obtenus par ces gens qui n'y avaient pas droit grâce à des fonctionnaires corrompus qui les leur vendaient[16]. Il faut toutefois remarquer que le présent texte

---

14. En témoigne Lactance, *De la mort des persécuteurs*, VII, éd. Moreau, S.C., 39, p. 85.

15. *C. Th.*, VI, 38, 1 = *C. Just.*, XII, 32, 1, du 19 janvier 317 (Seeck, *Regesten*, p. 165) : « Codicillis perfectissimatus fruantur qui impetrauerint si abhorreant a condicione seruili uel fisco aut *curiae obnoxii* non sint uel si pistores non fuerint uel non in aliquo [negotio constiterint nec sibi honorem uenali suffragio emerint, nec rem alicuius administrauerint]. » (passage entre [] seulement dans *C. Just.*). Ce texte vise les candidats à un titre honoraire.

16. *C. Th.*, XII, 1, 5, du 21 juillet 317 : « Si uero decurio suffragio comparato perfectissimatus uel ducenae uel centenae uel egregiatus meruerit dignitatem declinare suam curiam cupiens, codicillis amissis suae condicioni reddatur... » Ce document énumère les grades de l'ordre équestre tels qu'ils existaient encore ;

exclut toute enquête concernant les fonctionnaires en poste : il n'est pas question de vérifier s'ils ne sont pas d'origine curiale, la mesure étant limitée aux dignitaires honoraires oisifs.

Les aristocrates municipaux de l'Afrique ne furent pas les derniers à briguer de façon plus ou moins légale les honneurs équestres ; nous le savons par plusieurs mesures les concernant émises par Constantin et ses fils. En 327, Constantin rappela au comte d'Afrique Annius Tiberianus que l'ordre équestre n'était pas héréditaire et que les fils de vétérans ayant reçu le titre de perfectissime étaient tenus aux fonctions curiales[17]. Les *honorati* furent visés dans des décisions prises en 338 et 339 par Constantin II. Le vicaire d'Afrique reçut l'ordre de frapper d'une amende de trente livres d'argent, sans préjudice d'une amende en or fixée par une loi antérieure, ceux qui s'étaient soustraits à leurs obligations en usurpant des dignités dispensant des *munera*[18]. Un autre document adressé au même vicaire — il s'agit peut-être d'un second fragment d'une même constitution — énumère ces dignités : ce sont les rangs d'*ex comitibus, ex praesidibus, ex rationalibus, ex magistris studiorum* et de perfectissime honoraire[19]. Bien entendu, il ne s'agissait nullement de comtes, de gouverneurs provinciaux, d'administrateurs des finances ou de chefs des bureaux palatins en exercice, mais de personnes ayant reçu ces

---

l'égrégiat correspondait au rang de sexagénaire. *Suffragio comparato* : le curiale se procurait cet appui grâce à de puissants patrons ou par des pots-de-vin. La loi *C. Th.*, VI, 22, 1, de l'année 324 (Seeck, *Reg.*, p. 173) est également fort explicite : Constantin réservait les honneurs équestres aux seuls fonctionnaires en service. On devrait dégrader ceux qui achetaient leurs titres à des fonctionnaires corrompus. Ceux qui avaient obtenu leurs titres légalement les gardaient, mais ils devaient accomplir les *munera et honores* : « Hi duumuiratus, curas, flamonium prouinciae lucrati, cetera munerum publicorum obire non abnuant. »

17. *C. Th.*, XII, 1, 15 : « Uniuersis prouinciarum rectoribus intimato nostram clementiam statuisse ueteranorum filios curialibus muniis innectendos ; ita ut et ii qui perfectissimatus sibi honore blandiuntur, trusi in curiam necessariis officiis publicis inseruiant. »

18. *C. Th.*, VI, 22, 2, du 27 novembre 338, au vicaire Aco Catullinus (le même texte est reproduit sous une forme un peu différente et moins complète dans *C. Th.*, XII, 1, 24) : « Ab honoribus mercandis per suffragia uel qualibet ambitione quaerendis certa multa prohibuit. Cui addimus, ut quicumque fugientes obsequia curiarum umbram et nomina adfectauerint dignitatum, tricenas libras argenti inferre cogantur, manente illa praeterea inlatione auri, qua perpetua lege constricti sunt. »

19. *C. Th.*, XII, 1, 26, du 1er novembre 338 : « Cunctos ex comitibus cuiuslibet ordinis et ex praesidibus et rationalibus et magistris studiorum, denique ex perfectissimis honorarios uel affectu eorum ad ciuica onera constringes, si quidem rectius patriae uel honoribus uel magistratibus expendere debuissent, quaecumque ab his foedantibus honores consumpta sunt. » On remarquera la violence de la fin du texte, l'évocation des fonctions municipales « ravagées par ceux qui souillent ces honneurs » en les obtenant malhonnêtement. Notons encore une loi particulièrement énergique émise en 343 par Constant (*C. Th.*, XII, 1, 36 = *C. Just.*, X, 65, 4). Elle prévoit, une nouvelle fois, le retour à la curie des comtes et *praesides* honoraires qui avaient acquis leurs dignités par des pratiques illégales. Ce texte ordonne même la confiscation des biens des délinquants ; toutefois, il exclut formellement de la mesure les fonctionnaires en poste.

appellations à titre fictif et honoraire. On donnait ces dignités à des fonctionnaires qui avaient rempli des charges correspondantes et qui partaient à la retraite ; mais on les accorda aussi à des gens qui n'avaient jamais géré de fonctions du service impérial, des curiales ayant accompli toute leur carrière municipale ou des prêtres provinciaux en particulier[20].

En 339, un rescrit de Constantin II au proconsul d'Afrique Celsinus déplorait que « le sénat de Carthage fût trop peu fourni en curiales, tous recherchant à grands frais des honneurs indûs, au prix de la ruine de leur patrimoine ». Le proconsul devait donc obliger les décurions carthaginois à accomplir les *ciuica munera* et leur faire retirer leurs dignités illégales. Cette décision devait être appliquée dans toute l'Afrique[21]. Elle concernait l'ensemble des *honorati*, équestres et clarissimes, et se révélait particulièrement dure. A coup sûr, elle constituait une réponse à une plainte transmise par le proconsul (*conquestus es*). L'*ordo* de Carthage avait attiré l'attention de ce dernier sur le problème posé par la désertion de curiales fortunés, fait particulièrement grave dans une ville riche et importante où les notables étaient plus aptes qu'ailleurs à briguer les dignités impériales, dussent-ils, comme l'affirmait Constantin II, compromettre pour cela leur fortune. Cette remarque impliquait évidemment que les cadeaux nécessaires pour être promu illégalement *honoratus* coûtaient plus cher que les *munera* municipaux[22].

Il faut, à la suite de Seeck, restituer cette loi à Constantin II, alors que le *Code Théodosien* l'attribue à Constant et Constance II. En revanche, il convient, avec le même auteur, d'attribuer à Constant et de dater de la fin de l'année 339, une loi que le code situe en 353. Ce document est adressé à l'*ordo* de Carthage ; il ordonne d'astreindre les *ex comitibus* et *ex praesidibus* dont l'origine curiale était prouvée à accomplir toutes les charges et tous les honneurs municipaux, tout en conservant les dignités qu'ils avaient acquises. Constant précisait que cette mesure ne concernait que les *honorati sine administratione*, ce qui excluait le renvoi à la curie des fonctionnaires en poste[23]. Constant paraît avoir mitigé la rigueur des

---

20. Sur les *honorati*, voir A. H. M. JONES, *The Later Roman Empire*, t. 2, p. 526-527 ; 534-535 ; 546-547 ; J. DECLAREUIL, *Quelques problèmes d'histoire des institutions municipales au temps de l'empire romain, III*, dans *Revue Historique de droit*, 36, 1907, p. 609-6 ; D. VAN BERCHEM, *Note sur les diplômes honorifiques du IV⁰ s.* à *propos de la table de patronat de Timgad*, dans *R. de Phil.*, 60, 1934, p. 165-168.

21. *C. Th.*, XII, 1, 27. Voir notre notice *Karthago*, n. 93 ; sur l'attribution de cette loi à Constantin II, voir O. SEECK, *Regesten*, p. 187.

22. Ce qui implique que, pour les plus riches décurions, la désertion n'avait pas pour motif le désir de se soustraire aux charges financières des cités, mais l'ambition et la volonté d'échapper aux obligations administratives des *munera personalia*.

23. *C. Th.*, XII, 1, 41. Sur la date de la loi et son attribution à Constant, voir O. SEECK, *Regesten*, p. 44 et 187 (*cf.* notre notice *Karthago*, n. 95-97). Ce document est adressé directement à l'*ordo* de Carthage, procédure rare et qui supposait l'envoi préalable d'une ambassade de la cité auprès du *comitatus* impérial. A la même époque, Constant envoya une réponse du même type, mais par l'intermédiaire

décisions de son frère en ne privant plus les *honorati* de leurs titres, et en réaffirmant le principe traditionnel selon lequel une dignité équestre ne conférait pas l'immunité des charges municipales. Une loi de 326 avait clairement rappelé ce principe, même pour les fils de fonctionnaires effectifs[24].

La dernière loi connue contre les dignitaires équestres déserteurs des curies fut émise par Constance II en 358 ; cet empereur ordonna au vicaire d'Afrique Martinianus de rechercher les comtes et perfectissimes honoraires qui vivaient oisifs dans leur province et de les contraindre à accomplir leurs obligations[25].

Les *honorati* formaient donc une catégorie intermédiaire, aux confins de l'ordre décurional et des ordres supérieurs. Leurs titres dispensaient des *munera* municipaux les anciens fonctionnaires impériaux qui les recevaient ; les curiales qui y accédaient légalement n'avaient besoin de nulle dispense, puisqu'ils avaient achevé leurs obligations. Toutefois, bien des gens qui n'y avaient nul droit parvenaient à les obtenir grâce à leurs puissantes relations et à la vénalité de fonctionnaires qui, moyennant pot-de-vin, oubliaient que les services municipaux des intéressés n'étaient pas achevés. Les nouveaux promus se prévalaient dès lors de leur codicilles impériaux de nomination pour abandonner leur curie.

Les curies, cependant, savaient se défendre et ces mesures impériales furent le fruit des plaintes qu'elles adressèrent aux gouverneurs ou aux bureaux impériaux, par l'intermédiaire du conseil provincial ou d'ambassades des cités[26]. En effet, cette législation ne traduisait pas, comme une

---

du gouverneur provincial, à l'*ordo* de Constantine ; elle concernait les *honorati* clarissimes (*C. Th.*, XII, I, 29, du 19 janvier 340, selon Seeck, p. 189 ; *cf. infra*, p. 258 et n. 40).

24. *C. Th.*, XII, 1, 14. Sur la date, controversée, de cette loi, voir *infra* p. 257-258 et n. 39.

25. *C. Th.*, XII, 1, 44 : « ad Martinianum uicarium Africae : Quicumque intra palatium perfectissimus aut comes prouectus suffragio est, spolietur honoris indebiti dignitate et si intra prouinciam repertus fuerit otiosus, cuius munia uitare studebat, obsequiis competentibus subiugetur. » *Cuius munia* se rapporte à *prouinciam* : bien entendu, il faut comprendre les charges locales, donc municipales, et pas seulement le sacerdoce provincial.

26. Neuf lois impériales concernent des cités ou des provinces africaines déterminées et furent donc émises à la suite de doléances transmises par les conseils provinciaux ou les curies, par l'intermédiaire d'un gouverneur provincial ou d'une ambassade. Nous avons cité les lois *C. Th.*, XII, 1, 27 (339) et XII, 1, 41 (339) qui concernent Carthage, ainsi que *C. Th.*, XII, 1, 29 (340), concernant Constantine. Ajoutons qu'une loi de Constantin II (*C. Th.*, VI, 22, 2, de 338, cité *supra*, n. 18) et punissant les *honorati* promus par corruption, porte la mention *acc(epta)... Thamugadi*. Il semble donc qu'elle fût, pour une part, suscitée par une plainte de la curie de Timgad. La loi de Julien ramenant à la curie tous les déserteurs, dont les clercs chrétiens, fut adressée aux Byzacéniens (JULIEN, *lettre* 54 ; voir *infra*, p. 282 et n. 117) ; elle fut donc suscitée par une plainte du conseil provincial de Byzacène. Il en est de même de lois de Valentinien 1er (*C.Th.*, XII, I, 59 et 60). C'est le conseil de Sitifienne qui suscita la loi du même Valentinien 1er déniant aux fils de soldats toute immunité municipale (*C. Th.*, XII, 1, 64, de 368, adressée *Mauris Sitifensi-*

lecture superficielle pourrait le faire croire, une volonté despotique de brimer et d'accabler l'élite des cités en empêchant systématiquement la promotion sociale des curiales.

L'autorité impériale avait intérêt à la bonne marche de la vie municipale, qui assurait la paix publique, l'accomplissement de nombreux services et la rentrée des impôts. Toutefois, aux yeux de l'empereur, peu importait le nombre total des responsables et évergètes locaux, pourvu que les tâches qui leur étaient confiées fussent accomplies. Le point de vue des notables des cités était tout différent, car plus grand était le nombre des participants, plus faibles étaient le temps et l'argent que chacun devait consacrer aux charges municipales. Ceux qui pouvaient s'évader par le haut étaient les plus riches. C'étaient donc des curiales moins fortunés qui devaient assumer les sacrifices financiers : *munera* patrimoniaux, dépenses évergétiques et, le cas échéant, participation à la redoutable responsabilité commune en cas de déficit dans la recette des impôts. Les notables voulaient, grâce à une répartition la plus large et équilibrée possible des *munera*, alléger leurs charges et éviter un appauvrissement collectif des curies. Il fallait pour cela arrêter la défection des plus fortunés. La législation contre les *honorati* abusifs avait donc pour but d'aider les décurions demeurés en fonction. Il faut mettre ces mesures en rapport avec l'ensemble des lois impériales destinées à protéger les humbles contre les abus des puissants ; il s'agissait ici d'éviter que l'égoïsme des plus riches n'imposât de trop lourdes charges à la classe moyenne.

« Il était normal, a écrit André Piganiol, que la bourgeoisie des villes fût la pépinière des fonctionnaires et des carrières libérales. Cette ascension de la bourgeoisie avait été le trait caractéristique de la société du Haut-Empire. La lutte engagée par l'État contre la bourgeoisie pour l'obliger à rester une classe parasitaire était contre nature[27] ». On peut dire qu'il n'y a pas un mot exact dans ce jugement. En contraignant au besoin les décurions à accomplir leurs *munera*, l'État n'en faisait pas « une classe parasitaire », mais leur faisait assumer de lourdes et nécessaires responsabilités. D'autre part, aucune loi n'interdisait formellement à un curiale de recevoir des fonctions administratives effectives conférant la dignité équestre ou sénatoriale et l'immunité des charges municipales. Au contraire, l'insistance des documents impériaux à spécifier que les mesures autoritaires contraignant les *honorati* à revenir dans leurs curies respectives ne s'appliquait pas aux fonctionnaires en place montre

---

bus). En 373, dans une loi adressée au proconsul Symmaque (*C. Th.*, XII, 1, 73) Valentinien 1er évoque une ambassade venue se plaindre de la désertion de décurions devenus clarissimes (*missa in hanc rem legatione*). Ces multiples démarches des Africains fatiguèrent parfois le gouvernement impérial : en 324, Constantin ordonna au proconsul d'Afrique Hilarianus de veiller à ce que nul décurion ne se rendît au *comitatus*, pour ses affaires personnelles ou celles de sa cité, sans l'autorisation du gouverneur provincial ; les contrevenants devaient être punis par l'exil (*C. Th.*, XII, 1, 9).

27. A. Piganiol, *L'empire chrétien*, Paris, 1947, p. 358.

que, dans l'esprit du législateur, les curiales avaient toujours, en fait sinon en droit strict, accès aux fonctions impériales supérieures, quand leurs capacités, leur éducation et la faveur des autorités leur en donnaient la possibilité. Les membres de la classe curiale étaient les plus qualifiés, par leur rang social et leur éducation, pour occuper les postes supérieurs de l'administration impériale, considérablement accrus en nombre au IVe siècle. L'intérêt de l'État était donc de ne pas tarir cette source précieuse de recrutement de cadres en appliquant rigoureusement la norme légale du lien imprescriptible du décurion et de sa curie. On restait ferme sur trois points : l'interdiction de la corruption (principe sur l'efficacité duquel on ne peut nourrir aucune illusion) ; le caractère non héréditaire des titres équestres ; l'interdiction de l'accès aux titres honoraires pour ceux qui n'avaient pas accompli la totalité de leur service municipal. En revanche, il n'était pas question de donner suite aux plaintes des cités en ce qui concernait les cadres utiles à l'État. Des lois, nous le verrons, tentèrent de ramener à leurs charges municipales des décurions modestes qui étaient devenus bureaucrates dans les services de l'administration provinciale. On ne connaît rien de tel pour les hauts fonctionnaires : l'État romain ne s'est pas privé de l'apport de talents nouveaux que permettait, comme sous le Haut-Empire, le recrutement dans l'élite municipale. Les structures sociales étaient en fait moins rigides au Bas-Empire qu'une lecture rapide des documents juridiques pourrait le faire croire[28].

La dernière loi connue interdisant aux décurions une promotion illégale à une dignité équestre (le perfectissimat) fut émise, nous l'avons vu, en 358. Après cette date, nous ne possédons plus de document de ce type pour aucun grade de l'ordre équestre. Deux perfectissimes seulement figurent parmi les *honorati* de l'album municipal de Timgad, qui date du temps de Julien[29]. Ce titre, dernière survivance de l'antique ordre équestre, était alors fort dévalué et ne conférait à ses détenteurs aucune immunité des *munera* municipaux. Dès lors, la forme de désertion de la curie que choisirent les décurions fortunés fut l'entrée dans l'ordre sénatorial.

---

28. Sur ce problème, voir Ramsay MAC MULLEN, *Social mobility and the Theodosian Code*, dans *Journal of Roman Studies*, 54, 1964, p. 49-53. « Le code, dit justement R. Mac Mullen, révèle davantage les vélléités des empereurs que la réalité sociale ». D'excellents exemples de cette mobilité sociale sont donnés par les cas bien connus de saint Augustin et de ses amis (*cf. infra*, p. 271-275).

29. Les derniers *honorati* équestres africains connus sont Valerius, *uir egregius*, à Cirta entre 364 et 367 (*I.L. Alg.*, II, 591 = C., 7014 ; notice Cirta, n. 32) et Aelius Julianus, *praesidalis* (*ex praeside*) à Timgad, en 367 ou peu après (*A.E.*, 1913, 25 = *I.L.C.V.*, 387 ; notice *Thamugadi*, n. 40). Voir *infra*, p. 260-264, la liste des *honorati* équestres africains connus à partir de 276.

La promotion de décurions dans l'ordre sénatorial.

Sous Dioclétien, le Sénat ne comptait pas plus de membres que sous le Haut-Empire[30] et l'ordre sénatorial constituait donc toujours une caste fort restreinte. Un décurion recherchant une promotion sociale ne pouvait envisager d'y pénétrer sans accomplir auparavant une carrière équestre. Une réforme d'une grande ampleur eut lieu sous le règne de Constantin : l'effectif du Sénat de Rome passa au moins à 2 000 membres[31]. Le Sénat de Constantinople fut créé en 330 avec trois cents membres ; Constance II augmenta ses effectifs et il finit par compter lui aussi 2 000 membres[32]. Les nouveaux sénateurs furent pris en premier lieu dans l'ordre équestre, qui finit par disparaître. A partir de 326, le titre de *uir egregius* n'apparaît plus dans la législation[33]. Seule subsista la dignité de perfectissime, gardée par quelques gouverneurs provinciaux de rang inférieur, des chefs militaires locaux, des chefs de bureau[34]. Les fonctions importantes qu'assumaient des chevaliers furent donc progressivement confiées à des sénateurs : ce glissement paraît en voie d'achèvement en 337[35].

30. Selon Mommsen (*Droit public*, trad. franç., t. VII, p. 19) l'effectif augustéen de 600 membres aurait été assez vite dépassé. Selon G. Barbieri (*L'albo senatorio da Settimo Severo a Carino*, Rome, 1952, p. 431) le Sénat comprenait de 800 à 900 membres au début du IIIe siècle. A. Chastagnol estime au contraire que la limite des 600 membres fut respectée d'Auguste à Dioclétien (*Les modes de recrutement du Sénat au IVe siècle ap. J.-.C.*, dans *Recherches sur les structures sociales de l'Antiquité classique*, Paris, 1970, p. 190 ; *Constantin et le Sénat*, dans *Atti dell'Academia Romanistica Constantiniana*, IIe convegno, Pérouge, 1976, p. 53.)

31. Sur cette question, se reporter aux deux études d'A. Chastagnol citées à la note précédente.

32. THÉMISTIUS, *Discours*, XXXIV, 13.

33. En 321, dix flamines perpétuels de Zama Regia étaient *uiri egregii*, ce qui montre la dévaluation du titre (*C.*, VI, 1686 = *I.L.S.*, 6111 c ; notice Zama Regia – Byzacène –, n. 11). Le dernier connu est mentionné à Cirta entre 364 et 367 (*cf. supra*, n. 29). Sur cette disparition, voir A. CHASTAGNOL, *Un gouverneur constantinien de Tripolitaine : Laenatius Romulus, praeses en 324-326*, dans *Latomus*, 25, 1966, p. 549.

34. Le dernier gouverneur provincial africain non clarissime connu est Flavius Vivius Benedictus, *praeses* perfectissime de Tripolitaine en 378 (*I.R.T.*, 103 et 476 ; *C.*, 10489 = 11024 = *I.L.S.*, 779). Des bureaucrates palatins portaient encore les titres de perfectissimes, ducénaires et centenaires en 384, d'après *C. Th.*, VI, 30, 7 (*cf. C. Th.*, VI, 30, 8 et 9, de 385). On peut considérer que le rang de perfectissime avait disparu en 412 : il n'est pas mentionné dans la loi qui établissait à cette date les taux des amendes infligées aux donatistes obstinés en fonction des ordres de la société (*C. Th.*, XVI, 5, 52). Il y eut pourtant des survivances : un papyrus de Ravenne mentionne deux *uiri perfectissimi* à Syracuse en 489 (éd. J. O. TJÄDER, *Die nichtliterarischen lateinischen Papyri Italiens aus der Zeit 445-700*, t. 1, Lund, 1955, p. 288-292).

35. *Cf.* A. CHASTAGNOL, *Les modes de recrutement du Sénat au IVe siècle, op. cit.*, p. 188. La Numidie fût gouvernée par un consulaire dès 320, la Byzacène en 328. Sur les sénateurs du Bas-Empire originaires d'Afrique, il existe une étude due à Mechtild OVERBECK (*Untersuchungen zum Afrikanischen Senatsadel in der Spätantike*, Kallmünz, 1973, 99 p.). Toutefois, ce travail, beaucoup trop rapide, n'est nullement axé sur le problème des *honorati*.

D'emblée, des aristocrates municipaux bénéficièrent de cette extension de l'ordre sénatorial. Dès 321, le panégyriste gaulois Nazarius félicitait Rome d'avoir « attaché à sa curie les plus nobles citoyens de toutes les provinces » et d'avoir inclu dans son Sénat « l'élite du monde entier[36] ». Ainsi, au départ, c'est une décision impériale qui a suscité l'accès de décurions au clarissimat[37].

La résidence à Rome, même épisodique, n'était plus requise des sénateurs. Des aristocraties clarissimes locales se constituèrent donc. Pour une bonne part, ces nouveaux sénateurs ne cherchèrent pas à gérer des fonctions impériales : ils se contentèrent du titre et de la considération qu'il leur valait. En principe, seuls pouvaient, parmi les curiales, bénéficier de l'*adlectio* ceux qui avaient accompli toute la carrière municipale. Le statut d'*honoratus* clarissime pouvait donc récompenser un aristocrate municipal ayant géré toutes les charges et tous les honneurs (*omnibus muneribus et honoribus functus*) et possédant le cens requis, cens dont nous ignorons le montant au Bas-Empire. Contrairement à l'ordre équestre, la dignité sénatoriale était officiellement héréditaire. Cependant, les conséquences des adlections de décurions ne devaient pas, en théorie, gêner beaucoup les cités, car seuls les enfants nés après l'entrée du père au Sénat étaient eux-mêmes clarissimes. Comme, en principe, seuls étaient promus des décurions déjà âgés, l'essentiel de leur descendance restait liée à la curie[38].

Pourtant, en bien des cas, les cités s'estimèrent lésées et se plaignirent auprès de l'autorité impériale : certains de leurs plus riches citoyens étaient devenus clarissimes sans avoir accompli leur carrière locale et ils avaient privé leur ville des services qu'ils étaient, plus que quiconque, appelés à rendre, sur le plan financier et évergétique en particulier. Les problèmes qui existaient auparavant avec les *honorati* équestres surgissaient donc à nouveau. Le gouvernement impérial pouvait d'autant mieux sévir que l'extension de l'ordre sénatorial, voulue délibérément, était chose faite : on pouvait désormais arrêter le recrutement des nouveaux clarissimes. Quand ce coup d'arrêt fut-il donné ? Le *Code Théodosien* contient deux lois attribuées à Constantin et datées de 326 et 329, qui interdisent l'accès des décurions au Sénat, surtout s'ils y accèdent par la brigue (*ambitus*), sans mettre en cause les promotions déjà acquises. La date de ces mesures a fait l'objet de controverses. Si O. Seeck accepte les dates mentionnées dans le code, d'autres historiens ne croient pas ces mesures antérieures

---

36. *Panégyriques latins*, X (4), 35, 2, éd. Galletier, *Coll. des Univ. de Fr.*, t. 2, p. 195.

37. Seule l'*adlectio* par le prince pouvait ouvrir le Sénat à un homme de naissance non clarissime, mais une cooptation préalable par les sénateurs était requise. Sur cette procédure, voir A. Chastagnol, *Modes de recrutement*, *op. cit.*, p. 194-206.

38. Telle fut, du moins, la procédure qui fût définie en 340 par Constant (*C. Th.*, XII, 1, 29 ; *cf. infra*, n. 40). Elle n'était sans doute pas vraiment nouvelle, mais elle fut certainement assouplie considérablement dans la première partie du règne de Constantin, lors du recrutement de nombreux nouveaux sénateurs.

à Constance II[39]. Une loi sur ce sujet, datée avec certitude, fut émise en 340 par Constant ; elle concerne l'*ordo* de Constantine, en Numidie. L'empereur ordonnait au gouverneur de veiller à ce que personne ne désertât la curie pour entrer dans l'ordre sénatorial avant d'avoir accompli toutes les charges municipales. Les contrevenants devaient rembourser à la cité toutes les sommes dont leur désertion l'avait privée[40].

Cette jurisprudence demeura. En 361, Constance II la rendit plus stricte : il ordonna de renvoyer à leur curie tous les décurions qui s'étaient intégrés au Sénat, à l'exception de ceux qui avaient géré le coûteux honneur de la préture ; encore ces derniers devaient-ils restituer au fisc impérial et à leur cité les sommes que leur désertion leur avait évité de payer[41]. Dès 364, Valentinien Ier revenait à la procédure traditionnelle : nul décurion ne pourrait entrer au Sénat avant d'avoir accompli toute la carrière municipale ; pour ceux qui n'étaient pas en règle, on devait surseoir à leur *adlectio* jusqu'à ce qu'ils fussent quittes envers leurs curies. Le nouveau sénateur devait laisser un ou plusieurs fils pour prendre sa succession dans l'*ordo* de sa cité[42].

Cependant, les *honorati* se multipliaient et restaient souvent inactifs dans leur cité. Les conditions édictées par les empereurs pour pouvoir légalement bénéficier de l'*adlectio* rencontraient beaucoup d'obstacles : la réitération régulière des lois en témoigne. Les gens riches et influents

---

39. *C. Th.*, XII, 1, 14 et 18. Ces documents font partie d'un ensemble de lois adressées aux préfets du prétoire et datées du 7e consulat de Constantin et du 1er consulat de Constance II (326 ; liste dans SEECK, *Regesten*, p. 177). Mommsen, dans son édition du *Code Théodosien*, juge ces lois antidatées et propose l'année 353 ; il est suivi par A. H. M. JONES, *Later Roman Empire*, t. 3, p. 236, n. 67. On peut fort bien accepter, avec Seeck, la date de 326 ; c'est ce que fait A. Chastagnol (*L'album municipal de Timgad*, p. 34) : « Une loi de 326 apportait un frein brutal et interdisait avec fermeté désormais l'accès des curiales au Sénat : ad senatum decurio non adspiret (*C. Th.*, XII, 1, 18) ».

40. *C. Th.*, XII, 1, 29 = *C. Just.*, X, 32, 20 ; *cf.* notre notice *Cirta*, n. 54. Seeck (*Regesten*, p. 189) pense que cette loi fut émise par Constant pour amender la décision brutale prise quelques mois plus tôt par son frère Constantin II et ordonnant non seulement de renvoyer à la curie mais de dégrader les *honorati* équestres ou clarissimes qui n'étaient pas en règle (*C. Th.*, XII, 1, 27, au proconsul d'Afrique ; *cf. supra*, p. 252 et n. 21 et notice *Karthago*, n. 93).

41. *C. Th.*, XII, 1, 48 : « Si forte decuriones munia detrectantes ad senatus nostri sese consortium contulerint, exempti albo curiae propriis urbibus mancipandi sunt. Qui uero praetorum honore perfuncti sunt residentes in senatu, redhibere debebunt quae ex rationibus fisci aut urbium visceribus abstulerunt, ita ut omnibus deinceps adipiscendi honoris huiusce aditus obstruatur. » On notera la force de l'expression *mancipandi urbibus* pour désigner la mise à la disposition des cités de leurs curiales partis au Sénat. Cette loi concernait le sénat de Constantinople ; elle mettait fin à la mission de recrutement de nouveaux sénateurs confiée à Thémistius.

42. *C. Th.*, XII, 1, 57 : « Nemo ad ordinem senatorium ante functionem omnium munerum municipalium senator accedat. » La suite du texte précise bien que ses concitoyens n'ont nul droit de retenir et d'empêcher de rejoindre le Sénat celui qui a ainsi accompli ses services municipaux : « tum eum ita ordinis senatorii complexus excipiet, ut reposcentium ciuium flagitatio non fatiget. »

mettaient en œuvre leurs relations, obtenaient la protection de dignitaires importants, le plus souvent grâce à des cadeaux. On tournait donc la loi et des cités se plaignaient de la désertion de riches citoyens. Ces problèmes concernaient l'Afrique. En 373, Valentinien Ier prescrivit au proconsul Symmaque d'obliger à demeurer dans leur curie les décurions qui cherchaient à entrer dans l'ordre clarissime sans gérer un gouvernement provincial, une fonction palatine, un commandement militaire, c'est-à-dire ceux qui voulaient devenir des *honorati* inactifs. Une ambassade, précisait l'empereur, avait été envoyée à ce sujet ; entendons qu'une ville ou, plus vraisemblablement, le conseil provincial de la Proconsulaire, avait envoyé une délégation au *comitatus* impérial pour exposer les griefs des cités lésées[43]. Ce texte est d'un grand intérêt. Il montre que c'est à la demande des curies que l'empereur tenta de donner un coup d'arrêt à la multiplication des *honorati* africains ; il permet aussi de constater que, contrairement à ce que croyait André Piganiol[44], cette législation ne visait nullement les sénateurs d'origine curiale qui accomplissaient des carrières dans la haute administration impériale ; cette dernière, nous l'avons vu, a continué à recruter ses cadres dans la bourgeoisie riche et cultivée des villes.

En Orient, dès 371, Valens avait décidé que les *honorati* clarissimes d'origine curiale devaient, tout en gardant leur titre, accomplir les *munera* municipaux[45]. Cette suppression de l'immunité traditionnelle des clarissimes fut confirmée en 386 par Théodose[46]. Il semble qu'en Occident, le règlement établi par Valentinien Ier en 364 resta en vigueur jusqu'au début du ve siècle : Honorius le confirma en 397 et accorda même, pour les membres de la catégorie supérieure des *illustres*, l'hérédité de la dignité aux fils nés avant l'*adlectio*[47].

---

43. *C. Th.*, XII, 1, 73 : « Qui nullo administrationis honore fultus, nullis uel palatini laboris insignibus uel meritis iustis militiae in consortium senatus nititur peruenire, missa in hanc rem legatione, reuocetur eique reddatur curiae, quam uoluit declinare. »

44. A. PIGANIOL, *L'empire chrétien*, Paris, 1947, p. 358.

45. *C. Th.*, XII, 1, 74. Voici le résumé des dispositions de ce long document : un décurion ne peut accéder au Sénat que s'il a accompli ses fonctions municipales et s'il laisse un fils né avant son accession au clarissimat qui lui succédera à la curie de sa cité. S'il a plusieurs fils, il pourra en choisir un qui sera agrégé au Sénat. Ceux qui n'ont pas de fils seront exclus du Sénat et renvoyés dans leurs cités, à l'exception des sénateurs nommés avant 360 et de ceux qui ont géré des fonctions supérieures (fonctions comportant le *ius gladii* ; gouvernements de provinces) ou la préture. Enfin, les nominations honorifiques ne conféreront aucune immunité.

46. *C. Th.*, XII, 1, 82 (380) ; XII, 1, 93 (382) ; XII, 1, 111 (386) ; XII, 1, 118 (387) ; XII, 1, 122 (390).

47. *C. Th.*, XII, 1, 155. Un clarissime est flamine perpétuel à Thaca (au lieu-dit Aïn el Ansarine ; notice Thaca – P. –, n. 5 ; *C.*, 24069) entre 425 et 439 : à cette époque tardive, le principe de la compatibilité du rang sénatorial et des fonctions municipales était donc accepté en Afrique. Un autre exemple est donné pour Flavius Arpagius, *spectabilis* et flamine perpétuel de Missua (– P. – ; notice, n. 3 ; *C.*, 909 = *I.L.S.*, 9043) postérieurement à 389. Mais ce dernier cas est particulier (*cf. infra*, p. 270 et n. 61).

Ainsi, tout au long de la période, les empereurs ont multiplié les lois contre les décurions devenus *honorati* de manière illégale et par corrup - tion, pour fuir les charges de leurs curies. La continuelle réitération de ces mesures prouve que leur efficacité était médiocre : l'hémorragie des plus riches décurions a continué. Les inscriptions et les textes litté- raires africains peuvent nous aider à voir concrètement le problème dans une région donnée de l'Empire. Deux questions doivent nous retenir : quelle fut l'ampleur de la désertion vers les catégories supérieures dans les cités africaines ? La législation coercitive parvint-elle à endiguer le phénomène et doit-elle être considérée comme l'une des causes de la renaissance de l'urbanisme et de l'évergétisme en Afrique dans la seconde moitié du IVe siècle ?

TABLEAU CHRONOLOGIQUE

DES *HONORATI* ÉQUESTRES AFRICAINS DU BAS-EMPIRE

a) Honorati *datables avec précision*

1	276-282	Aelius Rufus	Lambaesis – N. –, n. 9	*uir egregius*, cura- teur et flamine perpétuel	*C.*, 2661 = *I.L.S.*, 5788
2	280	Tullius Maximus	Cuicul – N. –, n. 13	chevalier romain, flamine perpétuel	*B.C.T.H.*, 1911, p. 110
3	286-293	Aellius Princeps	Cedia – N. –, n. 2	chevalier romain, évergète	*C.*, 10727 = 17655
4	286-293	Cocceius Donatia- nus	Ad Maiores – N. –, n. 6	chevalier romain, curateur	*C.*, 2480 et 2481 + 17970
5	avant 287	Sulpicius Felix	Thala – B. –, n. 5	chevalier romain, édile et évergète	*C.*, 23291
6	290-294	P. Rupilius Piso- nianus	Mactaris – B. –, n. 16 ; Mididi – B. –, n. 3	*uir egregius*, cura- teur des deux cités	*C.*, 624 + 23413 + *A.E.*, 1946, 119 (Mactar) ; *C.*, 11774 (Midi- di)
7	vers 295	M. Rutilius Felix Felicianus	Cuicul – N. –, n. 14	chevalier romain, pontife, curateur	*A.E.*, 1920, 15

8	293-305	C. Statulenius Vitalis Aquilinus	Thamugadi – N. –, n. 11	chevalier romain, duumvir, augure et évergète	Kolbe, *Statthalter*, p. 40
9	293-305 datation probable)	P. Aurelius Honoratus Quietianus	Thubursicu Bure – P. –, n. 10	chevalier romain, curateur	*C.*, 25998
10	286-305	C. Umbrius Tertullus	Thubursicu Numidarum – P. –, n. 17 et 18 ; *cf.* Madauros – P. –, n. 19	*uir egregius*, curateur ; peut-être identique à ---rius Tertullus, curateur de Madaure, *proc (urator) c (entenarius)*	*I.L.Alg.*, I, 1228 = *I.L.S.*, 9357 + *A.E.*, 1940, 18 et *A.E.*, 1957, 94 ; *cf. A.E.*, 1936, 136 (Madaure)
11	286-305	--ıu[s M]arcellinus	Thibilis – N. –, n. 19	chevalier romain, duumvir, flamine perpétuel et évergète	*I.L.Alg.*, II, 2, 4636
12	315-316	Aemilius Victor	Vallis – P. –, n. 7	*uir egregius*, curateur et flamine perpétuel	*C.*, 1277 = *I.L.S.*, 6809
13	322	C. Mucius Brutianus Faustinus Antonianus	Zama Regia – B. –, n. 11	*uir egregius*, curateur, flamine perpétuel, augure	*C.*, VI, 1686 = *I.L.S.*, 6111c
14	322	C. Camellius Africanus Fabianus	Zama Regia – B. –, n. 11	*uir egregius*, flamine perpétuel, pontife	*C.*, VI, 1686 = *I.L.S.*, 6111c
15	322	C. Julius Servatus Tertullianus	Zama Regia – B. –, n. 11	*uir egregius*, flamine perpétuel	*C.*, VI, 1686 = *I.L.S.*, 6111c
16	322	M. Flavius Theodorus Thallus	Zama Regia – B. –, n. 11	*uir egregius*, flamine perpétuel, pontife	*C.*, VI, 1686 = *I.L.S.*, 6111c
17	322	C. Mucius Probus Felix Rufinus	Zama Regia – B. –, n. 11	*uir egregius*, flamine perpétuel, pontife, prêtre de Saturne	*C.*, VI, 1686 = *I.L.S.*, 6111c
18	322	M. Nasidius Saturus Sabinianus Nqeanus (*sic*)	Zama Regia – B. –, n. 11	*uir egregius*, flamine perpétuel, augure	*C.*, VI, 1686 = *I.L.S.*, 6111c

19	322	P. Gavius Renatus Maior Donatianus	Zama Regia – B. –, n. 11	*uir egregius*, flamine perpétuel	*C.*, VI, 1686 = *I.L.S.*, 6111c
20	322	C. Bocius Cassiaius (*sic*) Secundinus	Zama Regia – B. –, n. 11	*uir egregius*, flamine perpétuel	*C.*, VI, 1686 = *I.L.S.*, 6111c
21	322	P. Julius Catinius Honoratianus	Zama Regia – B. –, n. 11	*uir egregius*, flamine perpétuel, édile	*C.*, VI, 1686 = *I.L.S.*, 6111c
22	322	C. Blossius Junianus Orontinus	Zama Regia – B. –, n. 11	*uir egregius*, flamine perpétuel, édile désigné	*C.*, VI, 1686 = *I.L.S.*, 6111c
23	324-326	Claudius Aurelius Generosus	Lepcis Magna – T. –, n. 16	*uir egregius*, curateur	*I.R.T.*, 467
24	361-363	--- [Ma]rcianus	Madauros – P. –, n. 8	*ducenarius*, curateur	*I.L.Alg.*, I, 2100
25	361-363	Plotius Florentinus	Thamugadi – N. – (Album)	perfectissime, flamine perpétuel	Album municipal, col. 1, l. 13 et 14 (*C.*, 2403 = *I.L.S.*, 6122)
26	361-363	Elius Ampelius	Thamugadi – N. – (Album)	perfectissime	*ibidem*
27	364-367	Julius Patricius V---	Hʳ El Abiod – N. –, n. 1	Perfectissime, dignitaire local (restitutions hypothétiques)	*A.E.*, 1909, 222
28	364-367	Valerius ---	Cirta – N. –, n. 32	*uir egregius, sacerdotalis* (dernière mention connue d'un *egregius*)	*I.L.Alg.*, II, 1, 591 = *C.*, 7014
29	367 ou années suivantes	Aelius Julianus	Thamugadi – N. –, n. 40	*praesidalis*, flamine perpétuel, patron, ancien curateur	*A.E.*, 1913, 25 = *I.L.C.V.*, 387

b) honorati *non datables avec précision*

*2e moitié du III*e *siècle ou début du IV*e *siècle*

30	P. Jullius Pol-l[io?]	Madauros – P. –, n. 25	chevalier romain, flamine perpétuel, duumvir	*I.L.Alg.*, I, 2141
31	L. Scribon[ius Nata?]lis Flavianus	Madauros – P. –, n. 25	chevalier romain, flamine perpétuel, duumvir désigné	*I.L.Alg.*, I, 2141
32	Q. Calpurnius--- [Ve?]nustianus	Madauros – P. –, n. 25	chevalier romain, flamine perpétuel	*I.L.Alg.*, I, 2141
33	Aurelius Flavius	Vina – P. –, n. 7	chevalier romain, décurion, édile, *duumuiralicius*, questeur décurion de Carthage	*A.E.*, 1961, 200
34	--- --darnianus	Chusira – B. –, n. 3	chevalier romain, curateur et flamine perpétuel	*C.*, 704 = 12199
35	L. Volusius Gallus	Lepcis Magna – T. –, n. 73	chevalier romain, flamine perpétuel, pontife, *duouiralis*	*I.R.T.*, 579
36	L. Domitius Justus Aemilianus, *signo* Consentius	Lepcis Magna – T. –, n. 76	chevalier romain, *uir perfectissimus*, citoyen de Lepcis, curateur, évergète probable	*I.R.T.*, 561
37	Aurelius Sempronius Serenus	Lepcis Magna – T. –, n. 77	chevalier romain, *principalis* d'Alexandrie, décurion honoraire, évergète	*I.R.T.*, 559
38	M. Annius Sacerdos	Satafis – M. S. –, n. 4 et 5	chevalier romain, *dispunctor*, patron et évergète	*C.*, 8396 = *I.L.S.*, 5728 ; *C.*, 20268

Bas-Empire, date indéterminée

39	L. Flavius Felix Gabinianus	Karthago – P. –, n. 46 ; Abitinae – P. –, n. 11	*uir egregius*, flamine perpétuel et *duumuiralicius* de Carthage, curateur d'Abitinae	*C.*, 1165
40	Q. Vasidius Pacatus	Thubursicu Numidarum – P. –, n. 15bis	Perfectissime, flamine perpétuel, curateur et évergète	....*Alg.*, I, 1299
41	--- Severus	Sufetula – B. –, n. 15	*uir egregius*, curateur flamine perpétuel et évergète	*A.E.*, 1954, 59
42	T. Flavius Vibianus	Lepcis Magna – T. –, n. 62	perfectissime, *sacerdos* de Tripolitaine, *principalis*, flamine perpétuel, duumvir, prêtre des Laurentes de Lavinium, évergète	*I.R.T.*, 567 et 568
43	T. Flavius Frontinus Heraclius	Lepcis Magna – T. –, n. 67	Perfectissime, *principalis*, duumvir, augure, prêtre des Laurentes de Lavinium, évergète	*I.R.T.*, 564
44	M. Vibius Anianus Geminus, *signo* Amelius	Lepcis Magna – T. –, n. 70	Perfectissime, *sacerdotalis* de Tripolitaine, flamine perpétuel, pontife deux fois duumvir, évergète	*I.R.T.*, 578
45	Pompeius ---ius	Sabratha – T. –, n. 19	Perfectissime, curateur	*I.R.T.*, 102

En premier lieu, ce tableau permet de constater que les titres équestres ne dispensaient nullement des charges et honneurs municipaux. Tant à l'époque tardive que sous le Haut-Empire, un *eques romanus* qui n'accomplissait pas une carrière au service de l'empereur n'avait nulle raison de se dérober aux responsabilités de sa cité. Cette liste montre aussi fort clairement les étapes de la disparition de cette antique institution au IVe siècle. Après le règne de Dioclétien, on ne trouve plus mention des simples *equites romani*[48]. Seuls demeurent les *egregii*, qui disparaissent à leur tour après Constantin, à l'exception d'un *sacerdotalis* honoré à Cirta qui portait encore ce titre entre 364 et 367 (liste, no 28). Cette dignité, qui était jadis réservée aux chevaliers procurateurs, s'était beaucoup dévaluée : dès 276, on voit Aelius Rufus de Lambèse (liste, no 1) en être revêtu, alors qu'il n'est qu'un simple flamine perpétuel municipal[49]. En 322, on avait pu trouver à Zama Regia dix flamines honorés du titre d'*egregius* pour constituer une ambassade (liste, no 13-22) ; l'un d'eux (no 21) est un simple édile, un autre (no 22) n'est même qu'édile désigné : on voit à quel point cette dignité jadis élevée pouvait être déchue et largement répandue au temps de Constantin[49bis]. En tout cas, les lois interdisant toute dispense des charges municipales aux *egregii* étaient observées.

Sur l'album de Timgad, seuls deux perfectissimes sont mentionnés, ce qui illustre bien la décadence des dignités équestres. Ils portent des gentilices retrouvés ailleurs sur l'album ; l'un d'eux (liste, no 25) est flamine perpétuel[50]. A Timgad au temps de Julien, le titre équestre le plus élevé était fort peu recherché et n'offrait pas d'avantage concret particulier. Il est vraisemblable que les titres de comte, gouverneur de province ou chef de service administratif honoraires (*ex comitibus, ex praesidibus* etc.) conféraient l'immunité avant que Constantin II ne décidât le contraire en 339[51]. Dès lors, nul titre inférieur au clarissimat ne dispensa des *munera* municipaux. Les dignités équestres furent de moins en moins briguées ; elles correspondirent à ce qu'est pour nous une décoration. Le dernier notable municipal africain connu pour s'en être paré fut Aelius Julianus, flamine perpétuel et deux fois duumvir de Timgad entre 364 et 366 : le titre de *praesidalis* (c'est-à-dire *ex praeside*, gouverneur de province honoraire) figure sur la table de patronat que ses concitoyens lui offrirent quelques années plus tard[52].

---

48. Ceci a bien été montré par P. VEYNE, *Deux inscriptions de Vina*, dans *Karthago*, 9, 1958, p. 110-117.

49. *C.*, 2661 = *I.L.S.*, 5788 ; notice *Lambaesis* – N. –, n. 9.

49 bis. *C.*, VI, 1686 = *I.L.S.*, 6111 c ; notice *Zama Regia*, – B. –, n. 11.

50. Album de Timgad, col. 1, l. 13 et 14.

51. *C. Th.*, XII, 1, 26 ; *cf. supra*, p. 251 et n. 19.

52. *A.E.*, 1913, 25 = *I.L.C.V.*, 387 ; notice *Thamugadi* – N. –, n. 40-42 ; liste, no 29. Sur les ultimes survivances des titres équestres, voir *supra*, p. 256, n. 34.

TABLEAU CHRONOLOGIQUE
DES *HONORATI* CLARISSIMES AFRICAINS
DU BAS-EMPIRE

1	282	Caelius Severus, *signo* Thoracius	Pupput – B. –, n. 4	clarissime, consulaire, patricien, curateur, patron et évergète	C., 24095 = I.L.S., 5361
2	283	C. Valerius Gallianus Honoratianus	Karthago – P. –, n. 25	clarissime et curateur	C., 12522 = I.L.S., 600
3	283	C. Macrinius Sossianus	Calama – P. –, n. 18	clarissime et consulaire, curateur, futur légat de Numidie proconsulaire	I.L. Alg., I, 247 = C., 5332 = 17486
4	286-293	L. Munatius Sabinus	Bulla Regia – P. –, n. 6	clarissime, curateur	C., 25520
5	295-296	Egnatius Tuccianus	Thugga – P. –, n. 7	clarissime, probablement curateur	C., 26566 et 26567 + I.L. Afr., 532
6	293-305	[Octa]vius Stratonianus	Thugga – P. –, n. 9	clarissime, curateur	C., 26472
7	Seconde moitié du IIIe s. ou début du IVe s.	Flavius Pollio Flavianus	Ammaedara – P. –, n. 10bis	clarissime et consulaire, curateur	C., 11536
8	Seconde moitié du IIIe s. ou début du IVe s.	L. Suanius Victor Vitellianus	Calama – P. –, n. 24bis	clarissime, consulaire, patron et curateur	I.L. Alg., I, 283 = C., 5356 = 17494
9	Seconde moitié du IIIe s. ou début du IVe s.	Agrius Celsinianus	Bulla Regia – P., n. 12 ; Thuburbo Minus – P., n. 5	clarissime et consulaire, curateur des deux cités	C., 25523 et I.L.Afr., 414

10	Seconde moitié du IIIᵉ s. ou début du IVᵉ s.	Betitius Pius Maximilianus	Karthago – P. –, n. 32	clarissime et consulaire, curateur	*C.*, IX, 1121
11	Seconde moitié du IIIᵉ s. ou début du IVᵉ s.	[An ?]nius Rufinus	Thysdrus – B. –, n. 10	clarissime, curateur	*C.*, 51
12	fin du IIIᵉ siècle	L. Octavius Aur[elianus ?] Didasius	Ureu – P. –, n. 6	clarissime, citoyen de la cité, patron et évergète	Peyras-Maurin, *Ureu*, n° 6, p. 40-46
13	314-324	Vettius Piso Severus	Karthago – P. –, n. 27	clarissime, curateur	*C.*, 1016 = 12465
14	312-337	C. Caelius Censorinus	Karthago – P., n. 33	consul, curateur ; n'est pas un *honoratus* local, car fit une carrière sénatoriale (*cf. supra*, tableau des curateurs, n° 56, *P.L.R.E.*, p. 196)	*C.*, X, 3732 = *I.L.S.*, 1216
15	325-330	M. Valerius Gypasius	Sicca Veneria – P. –, n. 15	clarissime, curateur	*C.*, 1633
16	312-337 (?)	Valerius Romanus	Sicca Veneria – P. –, n. 10	clarissime, curateur et patron	*C.*, 15881 = *I.L.S.*, 5505
17	312-337 (?)	- - -	Sicca Veneria – P. –, n. 20.	clarissime, curateur et patron	*C.*, 1651 = 15883
18	361-363	Pompeus Deuterius	Thamugadi – N. –, album	clarissime et patron	Album municipal, col. 1, l. 6
19	361-363	Valerius Erenianus	Thamugadi – N. –, album	clarissime	*ibid.* col. 1, l. 8
20	361-363	Sessius Pulverius	Thamugadi – N. –, album	clarissime	*ibid.*, col. 1, l. 9
21	361-363	Valerius Phorphyrius	Thamugadi – N. –, album	clarissime	*ibid.*, col. 1, l. 10

22	361-363	Cessius Trigetius	Thamugadi – N. – Album	clarissime	*ibid.*, col. 1, l. 11
23	361-363	Cessius Andanius	Thamugadi – N., Album	clarissime	*ibid.* col. 1, l. 12
24	364-367	---lius Festus	Sufetula – B. – n. 10	clarissime éver- gète (?)	*C.*, 234 = 11329 + *A.E.*, 1958, 158
25	364-372	Rutilius Saturni- nus	Cuicul – N. –, n. 16 et 23	clarissime, éver- gète, membre d'une famille lo- cale ; paraît avoir fait une carrière municipale avant son *adlectio*	*C.*, 20156 = *I.L.S.*, 5556 ; *C.*, 8324 = *I.L.S.*, 5535
26	vers 370-380	Cornelius Roma- nianus	Thagaste – P. –, n. 22-32	a reçu tous les honneurs muni- cipaux, puis d'au- tres honneurs, où l'on peut voir le sacerdoce provin- cial, et, probable- ment, l'*adlectio* au clarissimat	Augustin, *C. Academicos*, I, 2
27	396	- - - Eusebius	Hippo Regius – P. –, n. 30-35	*honoratus* clarissi- me (*clarissima di- gnitate indultus*), très probablement curateur	A u g u s t i n, *Epist.*, 34 et 35, *C.S.E.L.*, 34, 2, p. 23-31
28	après 389	Flavius Arpagius	Missua – P. –, n. 2	clarissime et *spec- tabilis*, tribun et notaire, *ex adiutore* du maître des of- fices, flamine per- pétuel et patron	*C.*, 909 = *I.L.S.*, 9043
29	411	- - -	Karthago – P. –, n. 109	clarissime, cura- teur	*Actes de la con- férence de Car- thage*, I, 1
30	425-439	- - - Rufinianus	Thaca – P. – (à *Aïn el Ansarine*), n. 5	clarissime, flamine perpétuel	*C.*, 24069
31	Bas- Empire	Cassius Manilia- nus	Furnos Maius – P., n. 6	clarissime, appar- tenant à une fa- mille d'aristo- crates locaux	*C.*, 23801

32	Bas-Empire	Silius Tertullus	Utica – P. –,n. 16	clarissime et curateur	*C.*, 1183 = *I.L.S.*, 5407
33	Bas-Empire (avant le milieu du IVe siècle)	L. Volusius Bassus Cerealis, *signo* Curnius	Lepcis Magna – T. –, n. 21 et 74	clarissime et consulaire, citoyen de la cité, curateur, ambassadeur municipal et patron	*I.R.T.*, 543 et 544

Cette liste est fort différente de la précédente : elle montre clairement que les clarissimes n'assumaient pas les charges municipales. Si l'on met à part le cas, très particulier de Flavius Arpagius de Missua[53], il faut attendre le règne de Valentinien III pour voir l'un d'entre eux revêtu du titre de flamine perpétuel[54] : à cette époque, on pouvait obliger un sénateur d'origine curiale à accomplir, s'il ne l'avait pas fait, la carrière municipale, conjointement avec les charges propres au clarissimat. Auparavant, la liste se confond presque avec celle des curateurs clarissimes. De fait, nous l'avons vu, la coutume de choisir le curateur en dehors de la curie, parmi les titulaires des dignités impériales, ne s'est jamais totalement perdue, même quand le curateur devint dans les faits le délégué de l'*ordo*[55]. Toutefois, on peut considérer qu'en grande majorité les curateurs sénateurs mentionnés ici étaient des aristocrates locaux. On peut s'étonner du faible nombre de patrons clarissimes, si l'on excepte les gouverneurs et autres hauts fonctionnaires, que nous n'avons pas mentionnés ici. Sur les cinq patrons clarissimes mentionnés sur l'album de Timgad, le premier, Vulcacius Rufinus, est un ancien gouverneur de Numidie, nullement originaire de la cité[56] ; on ignore tout du second, du troisième et du cinquième, qui ne sont pas connus par ailleurs et dont les gentilices ne figurent pas à un autre endroit de l'album. Seul le quatrième de ces patrons clarissimes, Pompeus Deuterius (liste, n° 18), semble un enfant du pays : onze autres *Pompei* figurent sur l'album dont un *duouiralicius*, deux décurions *excusati*, un *non excusatus* et sept bureaucrates. On peut supposer, avec A. Chastagnol, que le clarissime Pompeus Deuterius était l'ancêtre de la famille. De même, les cinq clarissimes non patrons, comme les deux perfectissimes, appartenaient à l'aristocratie locale[57]. On doit

---

53. Sur Flavius Arpagius, clarissime et *spectabilis*, patron et flamine perpétuel de Missua, au plus tôt en 389, voir *infra*, n. 61 ; liste, n° 28.

54. *C.* 24069 ; notice *Thaca* – P. –, n. 5 (inscription trouvée au lieu-dit Aïn el Ansarine et qu'il faut probablement rapporter à Thaca ; liste, n° 30.)

55. Voir au chapitre III, p. 170-183, la liste des curateurs africains du Bas-Empire.

56. Il fut consulaire de Numidie peu avant sa nomination comme comte d'Orient en 342 (A. Chastagnol, *Les consulaires de Numidie*, dans *Mélanges J. Carcopino*, Paris, 1966, p. 224 et 226 ; *cf. P.L.R.E.*, p. 782-783).

57. Sur les *honorati* de Timgad, voir A. Chastagnol, *L'album municipal de Timgad*, p. 23-28 ; *cf.* notice *Thamugadi* – N. –, n. 72-76.

constater que, lorsqu'ils n'assumaient pas la curatelle, les *honorati* clarissimes africains semblent avoir été peu soucieux de la vie de leur cité et
peu enclins à la pratique de l'évergétisme. On comprend, dans ces conditions, que leurs concitoyens n'aient pas vu leur *adlectio* d'un bon œil
et aient cherché à l'empêcher quand elle n'était pas conforme aux normes
juridiques.

Deux personnages font exception, pour des raisons distinctes. Le premier
est Rutilius Saturninus (liste, n° 25), qui fit construire à ses frais la *basilica
uestiaria* de Cuicul entre 364 et 367, puis fit édifier une seconde basilique
entre 367 et 372 *pro editione muneris debiti*, à la place d'une offrande de
jeux de l'amphithéâtre due à ses concitoyens[58]. Les deux inscriptions
précisent que le clarissime évergète eut la *cura* de la construction des
basiliques. Le second texte signale que le *munus*, remplacé par un acte
d'évergétisme monumental, était dû (*debitum*), ce qui implique qu'il ne
s'agissait pas d'une générosité spontanée. Il est certes permis de penser
que la grande munificence du personnage impliquait un dépassement
des sommes prescrites. Il n'en reste pas moins que Rutilius Saturninus,
qui appartenait à l'une des familles dominantes de Cuicul[59], fut amené,
bien que clarissime, à assumer des charges municipales. Il est probable
que nous sommes ici en présence d'un cas précis d'application de la
législation impériale rappelée par Valentinien 1er en 364[60]. Il s'était
révélé que, lors de son *adlectio*, Rutilius Saturninus n'était pas quitte
de toutes ses obligations envers la curie de Cuicul. Il dut donc les accomplir, avant de bénéficier pleinement des prérogatives du clarissimat.

Le cas de Flavius Arpagius (liste, n° 28), clarissime, flamine perpétuel
et patron de Missua à la fin du ive siècle ou au début du siècle suivant,
est différent. Ce personnage fit carrière dans l'administration impériale ;
d'abord *agens in rebus*, il finit par devenir tribun et notaire, ce qui lui
valut le titre de *spectabilis*, conféré à ces fonctionnaires en 381. Le patronat
lui fut donné par sa cité d'origine, qui espérait ainsi bénéficier de la
protection de ce puissant personnage. Le flaminat perpétuel d'Arpagius
était soit une dignité purement honorifique, soit un titre reçu avant le
début de la carrière administrative du personnage. Arpagius n'était
donc pas exactement un *honoratus* local[61].

---

58. *C.*, 20156 = *I.L.S.*, 5536, notice *Cuicul* – N. –, n. 16 (*basilica uestiaria* ;
364-367) ; *C.* 8324 = *I.L.S.*, 5535, notice *Cuicul*, n. 23 (construction d'une basilique
pro editione muneris debiti ; 367-372).

59. Deux autres *Rutilii* sont mentionnés sur les inscriptions municipales de Cuicul
au Bas-Empire : un chevalier romain curateur sous la Tétrarchie (*A.E.*, 1920, 15)
et un dignitaire, probablement curateur, entre 383 et 392 (*A.E.*, 1913, 23).

60. *C. Th.*, XII, 1, 57 ; *cf. supra*, n. 42.

61. *C.*, 909 = *I.L.S.*, 9043, notice *Missua* – P. – n. 3. L'inscription est postérieure à 389, car Arpagius y est dit *ex adiutore inlustris uiri magistri officiorum*.
Or le titre d'*illustris* n'est pas attesté pour un maître des offices avant la loi *C. Th.*,
XII, 1, 120, du 17 décembre 389. Les lacunes de l'inscription empêchent de tirer
une conclusion quelconque du cas de ---lius Festus, clarissime et semble-t-il, évergète
à Sufetula en 364-367 (liste, n° 24).

Nous devons constater que les *honorati* clarissimes africains connus sont peu nombreux. La liste que nous avons établie est courte (33 noms), surtout si l'on considère la masse de documents juridiques qui traitent de leur situation ; il est, d'autre part, certain qu'on y trouve, surtout au début, des sénateurs africains ou non qui avaient reçu la curatelle à la manière du Haut-Empire, des gens qui faisaient carrière et n'étaient donc pas des *honorati* locaux. C'est certainement le cas pour plusieurs des sept consulaires connus. L'abandon, à l'époque tardive, de la coutume d'indiquer la carrière des personnages sur les inscriptions rend, dans ce domaine, toute certitude difficile. Le silence des inscriptions peut également s'expliquer par cette indifférence à la vie des cités que la législation leur reprochait. A Timgad, au temps de la rédaction de l'album, les *honorati* étaient huit ; c'est peu de chose à côté des 70 bureaucrates qui figurent à la fin de la liste. Ceci indique bien que, malgré la multiplication du nombre des sénateurs, seule une petite élite de décurions pouvait espérer bénéficier d'une semblable promotion. L'insistance de la législation sur le problème des *honorati* montre que les cités y étaient sensibles et savaient se défendre quand un décurion était promu illégalement et par corruption. Toutefois, il ne faut pas exagérer l'ampleur du phénomène de la désertion des curies par le haut, surtout si l'on considère que, pour la plupart, les *honorati* n'avaient accédé à leur dignité qu'après la fin de leur service municipal. Dans son étude récente sur l'album de Timgad, A. Chastagnol a cherché à déterminer les liens familiaux entre les individus mentionnés. Il constate que, « dans plusieurs cas, lorsqu'un chef de famille est parvenu au rang de clarissime, ses enfants demeurent curiales[62] ». Ainsi, un Sessius et un Pompeus sont clarissimes, mais respectivement six et quatre de leurs parents sont décurions effectifs : les enfants nés avant l'*adlectio* sont donc restés dans la curie.

Saint Augustin nous donne deux exemples concrets de personnes d'origine curiale cherchant à accéder aux fonctions clarissimes : lui même, avant qu'il ne renonce à ces ambitions terrestres, et son ancien élève Licentius, fils de Romanianus.

Fils de petits curiales de Thagaste, Augustin était « un parvenu de la culture[63] ». Professeur de rhétorique, il avait enseigné à Carthage, puis à Rome. Dans cette dernière ville, il fut présenté en 384, par ses amis manichéens, au puissant préfet de la Ville Symmaque. Le chef du clan païen au Sénat apprécia son éloquence et le fit désigner, à la suite d'un concours, comme professeur municipal de rhétorique à Milan[64]. La loi

---

62. A. CHASTAGNOL, *L'album municipal de Timgad*, p. 35.

63. L'expression est d'H.-I. Marrou (*Saint Augustin et l'augustinisme*, Paris, 1955, p. 13). Sur la famille d'Augustin, voir notice *Thagaste* – P. –, n. 6-21.

64. *Confessions*, V, 13, 23 : « ... ego ipse ambiui per ipsos manichaeis uanitatibus ebrios... ut, dictione proposita me probatum, praefectus tunc Symmachus mitteret. » La chaire milanaise était publique, donc municipale : même le voyage du nouveau professeur devait être payé par l'autorité (*Confessions, ibidem* : « ... impertita etiam euectione publica ».)

dispensait des devoirs municipaux les professeurs rétribués par les cités : Augustin était donc en position régulière, sauf en 383-384 quand il était professeur privé à Rome. Il enseigna à Milan de la rentrée scolaire de l'automne 384 aux vacances de l'été 386[65]. Symmaque savait fort bien que son protégé, dans la ville où résidait l'empereur, allait pouvoir nourrir des ambitions extra-universitaires. « Les belles lettres, avait-il écrit, portent souvent en avant ceux qui marchent à la quête des magistratures[66] ». En 385 Augustin, orateur officiel, dut prononcer le panégyrique de l'empereur[67]. Il nous expose lui-même dans les *Confessions* comment, ayant consacré à ses cours la matinée, il passait l'après-midi à des démarches ayant pour objet d'obtenir une place de haut fonctionnaire[68]. Il faisait intervenir en sa faveur le patronage de nombreux amis puissants qui appartenaient probablement au clan païen traditionaliste de Symmaque. Il se flattait de pouvoir ainsi obtenir, nous dit-il, au moins un poste de *praeses*, gouverneur de province de rang perfectissime[69].

On sait que la conversion d'Augustin, qui eut lieu à Milan en août 386, vint couper court à ces projets ambitieux : d'emblée, il décida de renoncer à toute ambition mondaine et il démissiona même, à l'automne, de ses fonctions de professeur[70]. Ce qu'il recherchait auparavant était une responsabilité effective dans l'administration impériale, non un titre honoraire, et on a vu que la législation était nettement moins rigoureuse pour les curiales qui cherchaient à devenir des grands commis de l'État que pour ceux qui se faisaient attribuer un titre fictif d'*honoratus*, à seule fin de jouir de l'*otium*[71]. Cependant, les intrigues qu'Augustin menait à Milan étaient exactement du type de celles que les lois impériales condamnaient. Augustin était alors un représentant très caractéristique de ces curiales qui cherchaient à s'introduire dans l'aristocratie impériale ; *praeses*

---

65. Sur cette période de l'existence d'Augustin, se reporter à Peter Brown, *La vie de saint Augustin*, trad. franç., Paris, 1971, p. 73-85.

66. Symmaque, *Lettres*, I, 20, éd. J.-P. Callu, *Coll. des Univ. de Fr.*, Paris, 1972, t. I, p. 84 : « ... quia iter ad capessendos magistratus saepe litteris promouetur ».

67. *Confessions*, VI, 6, 9.

68. *Confessions*, VI, 11, 18. Plus exactement il partageait ses après-midi entre ces démarches et la préparation de ses cours et il se reproche, dans les *Confessions*, de n'avoir pas utilisé ce temps libre à la recherche de la vérité (« Antemeridianis horis discipuli occupant ; ceteris quid facimus ? Cur non agimus ? Sed quando salutamus amicos maiores quorum suffragiis opus habemus ? Quando praeparemus quod emant scholastici ? »).

69. *Ibidem*, VI, 11, 19 : « Ecce iam quantum est ut impetretur aliquis honor. Et quid amplius in his desiderandum ? Suppetit amicorum maiorum copia : ut nihil aliud multum festinemus, uel praesidatus dari potest. » La formule implique qu'Augustin ambitionnait davantage qu'un poste de *praeses*.

70. *Confessions*, IX, 2, 2.

71. En 373, douze années auparavant, Valentinien avait écrit à Symmaque, proconsul d'Afrique, qu'il fallait renvoyer à leur curie les décurions qui n'occupaient pas de fonction effective : seuls les dignitaires honoraires étaient visés (*C. Th.*, XII, 1, 73 ; voir *supra*, p. 259 et n. 43).

perfectissime, nul doute qu'il eût poursuivi sa carrière et fût ensuite devenu, grâce à son mérite et à la puissance de ses protecteurs, un haut fonctionnaire clarissime. Ses démarches assidues auprès d'amis influents (*amicos maiores quorum suffragiis opus habemus*) correspondaient tout à fait à cette brigue, à cet abus du patronage que les lois réprouvaient. Il est même, dans les *Confessions*, question des lourdes dépenses que ces intrigues allaient entraîner pour lui. A ces projets d'avenir était lié le mariage qui devait l'unir à la riche héritière que sa mère Monique lui avait trouvée ; il allait, disait-il, « épouser une femme dotée de quelques biens, pour que la dépense ne soit pas lourde[72] ». Cet aveu suit immédiatement le récit de ses démarches en vue d'obtenir un *praesidatus*, le gouvernement d'une province ; il s'agit donc bien d'une allusion aux inévitables pots-de-vin qu'Augustin allait devoir verser aux fonctionnaires de la chancellerie impériale, voire à ses nobles protecteurs, dépenses qu'il n'aurait pas pu assumer avec sa maigre fortune personnelle, sans cette dot bienvenue. Nous nous trouvons ici devant un exemple fort net et précis de cette corruption et de cette vénalité condamnées si souvent par les lois impériales[73]. Notons qu'Augustin, si prompt à déplorer et juger sévèrement les erreurs de sa vie pré-chrétienne, n'émet pas le moindre jugement de valeur sur ces pratiques, sauf lorsqu'il regrette d'avoir occupé à des vanités un temps qu'il eût fallu consacrer à la recherche de Dieu. L'illégalité de ses projets et de ses démarches ne semble, à lire les *Confessions*, l'avoir nullement préoccupé. On voit bien ici la distance entre le droit et le fait.

Licentius était le fils de Romanianus, l'évergète de Thagaste, bienfaiteur d'Augustin[74]. Il devint l'élève du futur évêque d'Hippone, professeur de rhétorique à Milan, élève fort doué, au témoignage de son maître[75]. Une dizaine d'années plus tard, en 395, Augustin était devenu prêtre à Hippone et allait être promu à l'épiscopat. Licentius était de nouveau en Italie et il cherchait à faire carrière ; son père Romanianus intriguait auprès de gens haut placés pour faciliter les choses. Licentius écrivit à son ancien professeur pour lui demander des lettres de recommandation auprès de relations influentes qu'il avait pu conserver. Mais Augustin,

---

72. « Et ducenda uxor cum aliqua pecunia, ne sumptum nostrum grauet... » (*Confessions*, VI, 11, 20 ; *cf.* VI, 13, 23).

73. Citons par exemple *C. Th.*, XII, 1, 25, de 338 : « Quoniam emptae dignitatis obtentu curias uacuefactas esse non dubium est, placuit ut cuncti, qui suffragiis dignitatum insignia consecuti sunt, inmeriti honoris splendore priuati ciuilium munerum sollemnitate fungantur ». On remarquera le terme de *suffragia* qui désigne le patronage illégal obtenu par brigue ; c'est ainsi qu'Augustin appelle l'appui que lui accordaient ses *maiores amici*.

74. Sur Romanianus, voir notice sur *Thagaste* – P. –, n. 22-32.

75. Licentius était auprès d'Augustin lors de sa conversion. Dans la retraite de Cassiciacum, il apparaît comme le disciple préféré du maître : malgré son jeune âge, il est l'interlocuteur de dialogues philosophiques, de préférence même à Adéodat, le propre fils d'Augustin pourtant très doué lui aussi (*Contra Academicos*, II, 3 ; II, 13 ; *De ordine*, I, 3 (7) ; I, 10 (28)).

qui avait ourdi dix ans plus tôt les mêmes intrigues pour son propre compte, avait définitivement rompu avec ces ambitions mondaines. Dans sa réponse, il déplorait le choix de Licentius, craignant que les honneurs terrestres ne le détournassent de la vie spirituelle[76]. Il adressa Licentius à Paulin de Nole, qui écrivit une longue lettre en partie versifiée au jeune ambitieux qui se piquait de poésie[77]. La lettre de Paulin montre clairement la nature des honneurs brigués par Licentius : il s'agit de la carrière sénatoriale. En imitant les prophètes et les apôtres, en suivant l'enseignement d'Augustin, Licentius deviendrait, selon Paulin, « vraiment pontife, vraiment consul[78] ». C'était le *comitatus* divin qu'il devait rejoindre ; il lui fallait « fuir les pièges de la dure *militia*[79] ». Ce mot et plusieurs métaphores militaires ne doivent pas faire penser que Licentius voulait faire carrière dans l'armée ; on le sait, au Bas-Empire, tout service de l'empereur est qualifié de *militia*. En tout cas, pour Paulin, il fallait choisir entre Dieu et César : « La distance entre le ciel et la terre n'est pas plus grande que celle qui sépare l'empire de César et celui du Christ[80] ». Tout porte à croire que l'ambitieux Licentius attendait de ses correspondants tout autre chose que ces sermons destinés à lui faire embrasser une vie monastique qui ne l'attirait nullement. On peut être à bon droit choqué par ces torrents d'éloquence en prose et en vers, dépensés par Augustin et Paulin pour détourner un jeune homme doué du service de l'état romain ; ces fervents chrétiens se comportaient toujours comme des étrangers dans la cité et justifiaient ainsi les préventions de Symmaque et de ses amis.

Il est probable que Romanianus avait obtenu, à l'issue de sa carrière municipale à Thagaste, un titre d'*honoratus* qui ne pouvait être à cette époque que le clarissimat. Augustin fait allusion, dans le *Contra Academicos*, à des honneurs « qui surpassaient l'usage municipal », reçus par l'évergète[81]. Il faut certainement entendre par là le sacerdoce provincial, mais vraisemblablement aussi une dignité impériale. Selon toute évidence, Licentius était déjà né lors de cette promotion : il n'hérita pas du clarissimat. En 395, il était donc un exemple typique de ces membres de l'ordre décurional qui cherchaient à se soustraire à leurs obligations héréditaires en s'évadant par le haut et que dénonçaient les constitutions impériales,

---

76. *Augustin, Epist.* 26, *C.S.E.L.*, 34, 1, p. 83-95.

77. Parmi les lettres d'Augustin, *Epist.* 32, *C.S.E.L.*, 34, 2, p. 8-18.

78. *Ibidem*, p. 12 : « Vere enim pontifex et uere consul Licentius erit, si Augustini uestigiis propheticis et apostolicis disciplinis... adhaereas indiuulso per itinera diuina comitatu. »

79. *Ibidem*, p. 14 : « ... monebo ut fugias durae lubrica militiae... » De même, un peu plus loin, Paulin évoque le port de la chlamyde (*ibid.*, p. 15, vers 46).

80. *Ibidem*, p. 16, vers 63-64 : « Quanta etenim caelo ac terris distantia, tanta est Caesaris et Christi rebus et imperiis. »

81. *Contra Academicos*, I, 2, éd. Jolivet, *B.A.*, 4, p. 16 : « ... influerent honores, adderentur etiam potestates quae municipales habitum supercrescerent. » Sur ce problème, voir notre notice *Thagaste*, n. 26.

avec pourtant une circonstance atténuante : il briguait le service actif de l'État, et non la condition d'*honoratus* oisif[82].

II — LES DÉCURIONS DEVENUS FONCTIONNAIRES IMPÉRIAUX

Le développement de la bureaucratie est un des traits majeurs du Bas-Empire romain. Avec son exagération coutumière de polémiste, Lactance affirmait que, sous Dioclétien, les soldats et les fonctionnaires étaient plus nombreux que les contribuables[83]. Le mouvement s'amplifia sous Constantin. En 365, une constitution de Valentinien Ier ordonna de ne pas utiliser plus de trois cents personnes dans les services du vicaire d'Afrique[84]. En 398, Honorius fixa à quatre cents employés l'effectif maximum des bureaux du proconsul d'Afrique et de ses légats[85]. A coup sûr, la chancellerie impériale jugea nécessaire d'établir ces limites parce qu'elles étaient dépassées[86]. Pour des décurions désireux d'abandonner leurs *munera* mais possédant trop peu de fortune et de relations pour devenir *honorati*, cette bureaucratie hypertrophiée constituait un débouché souhaitable. En 319, Constantin avait confirmé l'exemption des charges municipales pour les *officiales* des bureaux impériaux et du fisc[87]. Il en allait assurément de même pour ceux des bureaux provinciaux : un fonctionnaire des services du proconsul ou du vicaire ne pouvait à la fois accomplir son travail à Carthage et participer aux activités de sa curie d'origine.

Bien entendu, les *officiales* impériaux n'étaient pas tous d'origine curiale. L'*ordo salutationis* du consulaire Ulpius Mariscianus fixe l'ordre de préséance lors des audiences du gouverneur de Numidie, au temps de Julien. La dernière catégorie de personnes admises à cette cérémonie

---

82. On ignore ce qu'il advint par la suite de Licentius et de ses ambitions.

83. LACTANCE, *De la mort des persécuteurs*, VII, éd. Moreau, *S.C.*, 39, p. 85.

84. *C. Th.*, I, 15, 5 (au vicaire Dracontius) : « Officium uicariae per Africam praefecturae intra eum numerum colligatur, ut trecentos minime possit excedere, sicuti ceterorum uicariorum esse praecepimus. » Ce nombre maximum restait inchangé en 386, comme le rappelèrent alors Valentinien II et Théodose (*C. Th.*, I, 15, 12).

85. *C. Th.*, I, 12, 6 (au proconsul d'Afrique Victorius et au vicaire Dominator) : « Apparitioni tuae et legatorum quadringentos... censuimus deputandos ». Ce texte précise que ces quatre cents employés doivent être exempts de tout lien avec les curies et les *collegia* : à la fin du siècle, la législation était devenue plus rigoureuse. Toutefois, une allusion aux plaintes des cités prouve que des exceptions subsistaient (*quos rei publicae membra... sibi esse detractos*).

86. Soixante-dix personnes issues de familles décurionales de la seule cité de Timgad travaillaient dans les bureaux de Carthage et de Constantine au temps de Julien (voir *infra*, p. 277-278).

87. *C. Th.*, VI, 35, 3.

était formée des *officiales ex ordine*, les bureaucrates issus de l'ordre décurional. Les autres n'étaient pas admis, car ils étaient des *humiliores*[88].

On observe au IVe siècle pour les bureaucrates la même tendance à former une caste héréditaire que pour les autres catégories de la société, tendance appuyée par la législation impériale. La cité qui voyait l'un de ses décurions devenir fonctionnaire risquait donc de perdre non seulement ses services mais aussi ceux de ses descendants. On comprend dès lors que des requêtes pour freiner cette hémorragie aient été adressées à l'empereur. La première loi connue en ce sens fut émise par Constantin en 326 : devaient être renvoyés dans leurs curies ceux qui n'avaient pas plus de vingt ans de service dans les bureaux ou l'armée[89]. En 336, une loi exempta de ce rappel les fonctionnaires des bureaux centraux[90]. En 341, Constant imposa aux bureaucrates palatins une ancienneté de cinq ans pour échapper au retour à la curie, décision reprise en 357 par Constance II[91]. Julien, dans le cadre de sa politique systématiquement favorable aux cités, décida que tous les *officiales* d'origine curiale devaient, tout en conservant leur poste et leur salaire, être soumis aux *munera* financiers municipaux[92].

La législation contre les décurions réfugiés dans les bureaux devint de plus en plus sévère. Pour qu'ils pussent demeurer en poste, on exigea successivement quinze, vint, vingt-cinq et enfin en 382, trente années de service. En même temps, l'immunité des charges curiales était totalement supprimée pour certaines catégories d'employés, ceux des vicaires en particulier. On chercha aussi à maintenir à la curie les fils de décurions devenus fonctionnaires, ce qui était une manière de ne pas revenir sur la nomination des pères[93]. Il semble que, périodiquement, des purges eurent

---

88. *C.*, 17896 (notice Thamugadi – N. –, n. 53-59) : ... [*qui*]*nt*[*o of*]*ficiales ex ordine*.

89. *C. Th.*, XII, 1, 13.

90. *C. Th.*, XII, 1, 22.

91. *C. Th.*, XII, 1, 31 = *C. Just.*, X, 71, 1. Ce document était adressé à Catullinus, préfet du prétoire d'Italie, Afrique et Illyricum (*P.L.R.E.*, p. 188). Constant ne revenait pas sur le privilège accordé en 336 par son père aux employés des bureaux palatins, mais il le refusait à ceux qui étaient entrés dans ces services depuis cette date. Loi de Constance II : *C. Th.*, XII, 1, 38 (datée par Seeck de 357). Pour d'autres catégories d'*officiales*, l'ancienneté requise en 353 était de quinze ans (*C. Th.*, VIII, 7, 6).

92. JULIEN, *Discours*, XVIII, 135. Cette décision fut rappelée en 383 par Théodose (*C. Th.*, XII, 1, 96) : « Etiam istud adiectum est, ut originales qui ad diuersa prouinciarum officia confugerunt, ex diui Iuliani tempore ad curiales functiones, sublata omni ambiguitate, retrahantur. » Ammien Marcellin (XXV, 4, 21) reproche à Julien d'avoir, très injustement selon lui, renvoyé dans les curies des personnes exemptées ; il s'agit très probablement de ces fonctionnaires. Une loi de Julien (*C. Th.*, VI, 26, 1) impose quinze années d'ancienneté aux fonctionnaires palatins d'origine curiale pour éviter le retour dans leur cité.

93. *C. Th.*, XII, 1, 88 (382) : Les curiales qui servent depuis moins de trente ans dans les bureaux palatins sont renvoyés à leurs curies. En 383 (*C. Th.*, XII, 1, 100) on ordonne le retour à la curie de ceux qui n'ont pas bénéficié d'une ancienne loi

lieu dans les bureaux pour en éliminer des gens qui s'y étaient introduits malgré leur origine curiale, par patronage ou corruption. Les plaintes des cités n'étaient pas étrangères à ces mesures : la prolifération des bureaucrates ne pouvait manquer d'entraîner la défection d'un bon nombre de curiales de fortune moyenne qui pouvaient être très utiles à leur cité.

A l'exception des deux documents sur les effectifs des bureaux du proconsul et du vicaire, aucun de ces textes ne concerne spécifiquement l'Afrique : ils sont adressés à des préfets du prétoire qui devaient les transmettre aux gouverneurs ou vicaires ainsi qu'aux chefs des bureaux centraux. Toutefois, nous savons que de nombreux curiales africains cherchaient refuge dans l'administration, grâce à l'album municipal de Timgad. Sur la dernière partie de ce document, on lit en effet, après les noms de onze clercs chrétiens, ceux de soixante-dix *officiales*[94], ainsi répartis :

— Cinq au service du vicaire d'Afrique.
— Trente-sept au service du gouverneur (*consularis*) de Numidie.
— Vingt-trois au service du préfet de l'annone d'Afrique[95].
— Cinq au service du *rationalis* de Numidie, le responsable du fisc impérial dans la province.

Ces fonctionnaires appartenaient à des familles de Timgad ; on retrouve ici un grand nombre de gentilices portés par des décurions, sous d'autres rubriques de l'album[96]. L'éditeur de cette partie de l'inscription, Louis Leschi, avait avancé une hypothèse singulière : ces soixante-dix fonctionnaires auraient été en service à Timgad, dans des bureaux locaux de leurs services[97]. André Piganiol a montré qu'il s'agissait d'*officiales* des bureaux de Carthage (ceux du vicaire et du préfet de l'annone) ou de Constantine

---

(peut-être celle de 382 citée ci-dessus). Le durcissement est net l'année suivante (*C. Th.*, XII, 1, 120) : aucune exception n'est plus mentionnée. En 397 (*C. Th.*, XII, 1, 154), on précise qu'aucune ancienneté dans les bureaux ne peut sauver un curiale du retour dans sa cité si sa curie le demande. Ceci est répété en 416 (*C. Th.*, XII, 1, 147). N'imaginons pourtant pas une progression cohérente vers une sévérité de plus en plus grande. Ainsi en 423, en Orient, Théodose II revint à l'ancienneté de quinze ans pour les employés des bureaux centraux (*C. Th.*, VI, 35, 14) ; en 436, le même empereur refusa de nouveau toute immunité, quelle que fût l'ancienneté (*C. Th.*, XII, 1, 188). De toute manière, il ressort à l'évidence de la continuelle répétition de ces mesures qu'on parvenait toujours à les tourner, quelle que fût leur sévérité.

94. Ces noms figurent sur les colonnes 5 et 6 de l'album, éditées par Louis Leschi (*L'album municipal de Timgad et* l'ordo salutationis *du consulaire Ulpius Mariscianus*, dans *R.E.A.*, 1948, p. 71-100 = L. Leschi, *Études d'épigraphie, d'archéologie et d'histoire africaines*, Paris, 1957, p. 246-266). Voir notice *Thamugadi*, n. 87-90.

95. Ce préfet de l'annone d'Afrique, résidant à Carthage, apparaît pour la première fois en 315 (*C. Th.*, XI, 30, 4 ; XIII, 5, 2 ; *cf.* R. Cagnat, *L'annone d'Afrique*, dans *Mém. Ac. des Inscr.*, XL, 1915, p. 27-28).

96. On trouvera une étude complète de ces rapports familiaux dans l'ouvrage d'André Chastagnol, *L'album municipal de Timgad*, p. 70-74.

97. L. Leschi, *op. cit.*, *Études*, p. 254-255.

(ceux du consulaire et du *rationalis*)[98]. De fait, il n'existait pas de services administratifs de ce genre dans une ville de moyenne importance, dénuée de tout caractère de capitale provinciale ou, *a fortiori*, diocésaine.

Bien entendu, les bureaucrates n'étaient pas décurions mais ils étaient, comme les *clerici*, classés à la suite des membres effectifs de la curie. L'album fut gravé au temps de Julien, comme André Chastagnol l'a confirmé dans son étude récente[99]. Il faut donc mettre en rapport ce recensement des fonctionnaires impériaux appartenant à des familles curiales de Timgad avec la loi de Julien astreignant les *officiales* aux *munera* financiers municipaux[100].

Le fait le plus significatif est le grand nombre de ces bureaucrates. Si soixante-dix d'entre eux étaient issus des familles décurionales d'une ville moyenne comme Timgad, on peut considérer que des milliers de curiales africains travaillaient dans l'administration impériale. Ceci donne une idée concrète de l'énorme développement de cette dernière au Bas-Empire. Il était inévitable qu'une très large partie de son personnel fût recrutée dans les rangs des familles curiales appartenant à la classe moyenne, puisque c'est là qu'on trouvait les gens ayant reçu l'instruction nécessaire pour un travail de bureau. La gestion des cités, à laquelle ils étaient astreints héréditairement, leur avait donné la pratique de l'administration. Il eût été très malaisé, pour les chefs des bureaux provinciaux, de les remplacer par des plébéiens plus ou moins illettrés. Mais cette hémorragie de curiales devait poser de redoutables problèmes aux dirigeants des cités : d'où des plaintes, dont la législation impériale contre cette forme de désertion fut la conséquence. L'album de Timgad montre que ces lois ne furent guère appliquées, au moins avant le règne de Julien.

Une loi de Gratien, adressée en 385 au préfet du prétoire d'Italie Neoterius, dont dépendait l'Afrique, évoque un problème inattendu qui manifeste la complexité du processus. Ce document commence par réitérer l'interdiction de recruter les bureaucrates parmi les décurions. Mais il évoque ensuite la pratique condamnable de curies qui falsifient les *acta* pour permettre à certains de leurs membres d'entrer dans les bureaux[100bis]. La situation rencontrée ici est donc exactement l'inverse de celle qu'on trouve d'ordinaire. Elle s'explique très probablement ainsi : en certains cas, il pouvait être avantageux pour une cité d'avoir des citoyens en poste dans les bureaux provinciaux ou autres, où ils auraient l'occasion de favoriser leur patrie d'origine. Cette loi de Gratien combattait moins la désertion des curies que l'abus du patronage. Elle montre en tout cas

---

98. A. Piganiol, *La signification de l'album de Timgad*, dans *Mém. Soc. Nat. des Ant. de Fr.*, 1954, p. 97-101.

99. A. Chastagnol, *op. cit.*, p. 40-48.

100. *Cf. supra*, n. 92.

100 bis. *C. Th.*, VII, 2, 2. Je remercie Michel Humbert qui m'a amicalement indiqué ce document et suggéré son interprétation.

que le phénomène de l'accession de décurions à d'autres catégories ou d'autres fonctions n'était pas toujours nuisible aux cités.

III — LES DÉCURIONS ENTRÉS DANS LE CLERGÉ CHRÉTIEN

Constantin accorda l'immunité des charges municipales aux clercs chrétiens et ce fut l'Afrique qui eut la primeur de cette mesure[101] : Eusèbe de Césarée a conservé le texte du rescrit impérial envoyé en 313 au proconsul Anullinus[102]. La raison invoquée par l'empereur était, outre les égards envers ceux qui « donnaient leurs soins personnels au service de la religion divine », la volonté d'éviter « qu'ils fussent détournés par quelque erreur ou déviation du service dû à la divinité ». Entendons ici que Constantin considérait comme difficile que les dignitaires municipaux pussent s'abstenir totalement de participer à des actes religieux païens. La nouvelle politique à l'égard de l'Église était trop récente pour que les usages fussent modifiés de manière à satisfaire pleinement la conscience chrétienne.

Eusèbe reproduit ce document à la suite de quatre autres lettres envoyées à la même époque par Constantin, à propos du début de l'affaire donatiste. L'une d'elles[103], adressée au même proconsul Anullinus, concernait la restitution des biens d'église confisqués lors de la persécution de Dioclétien. Ils devaient être remis aux seuls catholiques, c'est-à-dire aux fidèles de l'évêque Cécilien, auquel Constantin écrivit une autre lettre précisant ce point et accordant aux églises d'Afrique, de Numidie et de Maurétanie des gratifications en argent[104]. Ces documents concernent donc la liquidation des séquelles de la persécution en Afrique et ils témoi-

---

101. Sur l'ensemble de la question, voir J. GAUDEMET, *L'Église dans l'empire romain*, Paris, 1958, p. 144-149 et 177-178, ainsi que J. DECLAREUIL, *Les curies municipales et le clergé au Bas-Empire*, dans *R. Hist. de droit*, 1935, p. 48-53.

102. Copie de la lettre impériale à Anullinus dans EUSÈBE DE CÉSARÉE, *Histoire Ecclésiastique*, X, 7 : « A l'intérieur de la province qui t'a été confiée, ceux qui exercent dans l'église catholique, à laquelle Cécilien est préposé, leur ministère en vue de cette sainte religion et qu'on a coutume de dénommer clercs, je veux qu'ils soient exemptés simplement, une fois pour toutes, de toutes les charges publiques (ἀπὸ πάντων ἅπαξ ἁπλῶς τῶν λειτουργιῶν βούλομαι ἀλειτουργήτους διαφυλαχθῆναι) afin qu'ils ne soient pas détournés par quelque erreur ou déviation sacrilège du service dû à la divinité, mais qu'au contraire, ils obéissent à leur propre loi en toute tranquillité (ἀλλὰ μᾶλλον ἄνευ τινὸς ἐνοχλήσεως τῷ ἰδίῳ νόμῳ ἐξυπηρετῶνται). »

103. EUSÈBE DE CÉSARÉE, *Histoire Ecclésiastique*, X, 5. Augustin (*Epist.* 88, C.S.E.L. 34, 2, p. 408) reproduit une réponse du même proconsul, datée du 15 avril 313, et rendant compte d'efforts tentés, conformément aux ordres impériaux, pour ramener les clercs à l'unité. Il est possible que les deux rescrits reproduits par Eusèbe soient antérieurs à cette réponse. Sur le proconsul Anullinus, voir *P.L.R.E.*, p. 78-79.

104. EUSÈBE, *Hist. Eccl.*, X, VI.

gnent du premier effort du gouvernement impérial pour résoudre ce qui allait devenir la question donatiste. Le problème des obligations curiales des clercs dut être posé à Constantin en même temps que les autres. Le principe selon lequel la fonction religieuse des clercs constituait une « liturgie » suffisante les assimilait aux professeurs et médecins exemptés, de par leur fonction au service du public, des *munera ciuilia*[105]. Il convient de noter que les rabbins et chefs de synagogue reçurent du même Constantin un semblable privilège[106] ; or, tandis que les textes constantiniens évoquent la religion chrétienne et ses clercs avec des formules de vénération, la « néfaste secte » des Juifs est citée sans bienveillance. Il ne semble donc pas qu'il faille attribuer l'exemption accordée aux clercs à un zèle de converti ; peu d'historiens, au reste, pensent aujourd'hui que Constantin était pleinement converti en 312-313[107]. Dans sa lettre au proconsul Anullinus, Constantin disait que les clercs exemptés des charges municipales pourraient «obéir à leur propre loi» (τῷ ἰδίῳ νόμῳ). Il semble donc qu'il y avait toujours une incompatibilité entre les fonctions curiales et le respect strict des règles canoniques chrétiennes qu'impliquait la fonction de clerc. Un texte daté d'octobre 313, recueilli dans le *Code Théodosien* et dont le destinataire n'est pas mentionné, concerne ce même problème. Constantin y déplore que des hérétiques, pour brimer des clercs catholiques, leur font attribuer des charges comme celle de *susceptor* des impôts. Le destinataire devait faire respecter la règle de l'immunité des clercs[108]. A coup sûr, ceci concernait l'Afrique, où les adversaires de Cécilien s'efforçaient, par ce moyen, d'éliminer leurs rivaux en leur déniant la qualité de clercs. Toujours en 313, Constantin rappelait l'exemption des clercs au *corrector* de Lucanie et de Bruttium ; on empêcherait ainsi la « malice sacrilège» de certains païens, s'efforçant d'arracher à leurs fonctions les ministres du culte chrétien[109].

---

105. Certains prêtres païens pouvaient aussi recevoir l'exemption des *munera* (ULPIEN, *Liber XXIII ad Edictum, Dig.*, L, 5, 13). Constantin appliquait aux chrétiens cette mesure, en conséquence de la reconnaissance du christianisme comme *religio licita*. Toutefois, la mention, dans Eusèbe, X, 7, de la « loi particulière » selon laquelle les clercs devaient vivre, implique une situation spécifique des chrétiens.

106. *C. Th.*, XVI, 8, 2, de 330 (dispense des charges curiales) ; *C. Th.*, XVI, 8, 4, de 331 (dispense des *munera corporalia*). En 398, Arcadius renouvela ce privilège en signalant sa symétrie avec celui des clercs chrétiens (*C. Th.*, XVI, 8, 13).

107. Sur ce problème, voir W. SESTON et J. VOGT, *Die Constantinische Frage*, dans *Rapports du Xe Congrès International des sciences historiques*, Rome, 1956, t. VI, p. 731-799 ; A. BENOIT, *La « conversion » de Constantin*, dans M. SIMON et A. BENOIT, *Le judaïsme et le christianisme antique*, Paris, 1968, p. 308-334.

108. *C. Th.*, XVI, 2, 1 ; ce texte est daté d'octobre 313. Mommsen (éd. du *C. Th.*, t. II, p. 835) récuse justement l'opinion de Godefroy selon qui ce rescrit était extrait de la lettre à Anullinus citée par Eusèbe ; les termes, en effet, ne concordent pas. La date du présent rescrit est bien octobre 313 : il suppose une exemption déjà accordée, que les hérétiques (très probablement les donatistes) poussent les cités à ne pas respecter en contraignant les clercs catholiques à devenir curiales.

109. *C. Th.*, XVI, 2, 2 (octobre 313 d'après Seeck). Il s'agit d'une mesure d'ordre général (« Qui diuino cultu ministeria religionis inpendunt, id est hi qui clerici appel-

Bientôt le ton changea. Une loi datée de 329 ordonna de ne désigner de nouveaux clercs que pour remplacer les morts[110] ; de toute manière, les personnes de famille curiale ou celles que leurs ressources désignaient pour le service municipal se voyaient interdire l'ordination. En cas de conflit entre une municipalité et une église au sujet d'un candidat à la cléricature, on devait trancher en faveur de la première et renvoyer l'intéressé à la curie. L'Église triomphante avait assurément tendance à gonfler le nombre de ses ministres ; parmi ceux-ci se trouvaient les clercs mineurs, sous-diacres, acolytes, lecteurs, etc., dont les obligations liturgiques ou pastorales étaient légères mais qui, faisant partie du clergé, bénéficiaient de son immunité. Des curiales chrétiens voyaient là une bonne occasion de se libérer à peu de frais de leurs obligations. Des plaintes émanant des cités avaient fait comprendre le danger à l'empereur dont la réaction était fort dure. Elle fut un peu atténuée, toujours en 329, par une constitution précisant qu'on ne devait pas inquiéter ceux qui étaient déjà membres du clergé avant la promulgation de cette mesure[111]. Cette réaction radicale pouvait priver l'Église d'excellents pasteurs ; elle suscita certainement des protestations de la part des évêques, mais nous n'en avons pas conservé de traces[112]. Une difficulté majeure pour l'application de cette loi venait du fait que les désignations des clercs se faisaient souvent par la voix du peuple, mettant en demeure l'évêque d'ordonner tel ou tel ; Constantin y faisait allusion en déplorant ce genre d'abandon des *munera* par suite du *consensus* de la foule[113].

Cette législation se maintint pourtant. Constance II, en Orient, rappela que les fils de clercs d'origine curiale devaient accomplir leurs charges[114]. En 361, le même empereur assouplit un peu le réglement dans une loi adressée au préfet du prétoire d'Italie et d'Afrique. Il décida que les évêques d'origine curiale pourraient, de toute manière, conserver leur fonction et leurs biens. Les gens de grande vertu dont l'ordination était réclamée par la demande unanime du peuple (*totius populi uocibus*) pourraient être ordonnés, même s'ils étaient liés à une curie, si l'*ordo*

---

lantur, ab omnibus omnino muneribus excusentur, ne sacrilego liuore quorundam a diuinis obsequiis auocentur »). En 330, Constantin rappella au consulaire de Numidie l'immunité des clercs catholiques, car les donatistes étaient parvenus, en certains lieux, à les contraindre à rejoindre la curie (*C. Th.*, XVI, 2, 7).

110. *C. Th.*, XVI, 2, 6 (du 1er juin 329 selon Seeck) : « Les riches doivent supporter les obligations du siècle et ce sont les pauvres qui doivent être entretenus par les richesses des églises (opulentos enim saeculi subire necessitates oportet, pauperes ecclesiarum diuitiis sustentari). »

111. *C. Th.*, XVI, 2, 3, du 18 juillet 329 (Seeck).

112. Le pape Innocent 1er (402-417) rappela à des évêques l'interdiction d'ordonner des décurions (*ep.* 3, 4, 7, *P.L.*, 20, 490, aux évêques espagnols du concile de Tolède ; *ep.* 37, 3, *P.L.*, 20, 604, à l'évêque de Nucérie).

113. *C. Th.* XVI, 2, 6 : « Neque uulgari consensu neque quibuslibet petentibus sub specie clericorum a muneribus publicis uacatio deferatur. »

114. *C. Th.*, XVI, 2, 9, de 349 : « Filios tamen eorum, si curiis obnoxii non tenentur, in ecclesia perseuerare... »

donnait son consentement et le gouverneur provincial son agrément. Quant à ceux dont l'ordination n'avait pas offert ces garanties légales, ils feraient donation de leurs biens à leurs fils, tenus d'accomplir leurs *munera* ; s'ils n'avaient pas de fils, des proches parents recevraient les deux tiers de leurs biens et assumeraient les *munera*. En l'absence de ces proches parents, la cité recevrait les deux tiers des biens du curiale ordonné[115].

Ces problèmes se posaient particulièrement en Afrique, comme nous le montrent des documents du temps de Julien et de Valentinien. Julien décida de supprimer tous les privilèges des églises et il voulut contribuer au repeuplement des curies en y renvoyant les clercs[116]. Il écrivit en ce sens aux habitants de la province de Byzacène. Une plainte avait donc été émise par le conseil de cette province africaine, car des notables avaient abandonné leur curie pour entrer dans le clergé, ce qui prouve la faible efficacité des mesures draconiennes prises par les empereurs depuis 329. Julien allait plus loin que ses prédécesseurs, puisqu'il renvoyait à la curie non plus seulement les candidats aux ordres mais aussi les clercs en fonction. Il écrivit en effet aux Byzacéniens qu'il « leur rendait tous leurs curiales » notamment ceux qui avaient « adopté la superstition des Galiléens[117] ».

Étaient cependant exemptés ceux qui avaient rempli des charges publiques dans « la métropole », c'est-à-dire dans l'administration provin-

---

115. *C. Th.*, XII, 1, 49. Cette constitution a été très probablement émise à la suite de réclamations épiscopales.

116. *C. Th.*, XII, 1, 50 et XIII, 1, 4 : « Decuriones qui, ut christiani, declinant munia, reuocentur. »

117. JULIEN, *lettre* 54, éd. Bidez, *Coll. des Univ. de Fr.*, t. I, 2, p. 66. Cette lettre est adressée aux Byzacéniens (βυζακίοις) et non aux Byzantins, comme on le croyait avant que Franz Cumont n'établisse la véritable identité des destinataires (*Rev. de Philol.*, 26, 1902, p. 224), par comparaison avec *C. Th.*, XII, 1, 59, de 364, constitution qui abroge la décision de Julien et qui est adressée aux mêmes Byzacéniens. Voici le texte de la lettre de Julien : Τοὺς βουλευτὰς πάντας ὑμῖν ἀποδεδώκαμεν καὶ τοὺς πατροβούλους, εἴτε τῇ Γαλιλαίων ἔδοσαν ἑαυτοὺς δεισιδαιμονία, εἴτε ὅπως ἄλλως πραγματεύσαιντο διαδρᾶναι τὸ βουλευτήριον, ἔξω τῶν ἐν τῇ μητροπόλει λελειτουργηκότων. (« Nous vous rendons tous vos bouleutes et vos patroboules, soit qu'ils aient adopté la superstition des Galiléens, soit qu'ils aient recouru à quelqu'autre subterfuge pour échapper à la curie, sauf ceux qui se sont acquittés des charges publiques dans la métropole »). Les bouleutes sont évidemment les curiales ; les patroboules sont plus difficilement identifiables. Le sens le plus probable est fils de décurion, personne de famille curiale. On trouve ce terme dans une inscription de Paros (*I. G.*, XII, 5, p. 44 n° 141) ; les patroboules y sont cités après les bouleutes et avant les autres citoyens, dans l'énumération de bénéficiaires de dons évergétiques. On ne saurait donc voir en eux des patrons, comme le pensait F. Cumont (πατροϐούλοι, *Rev. de Phil.*, 26, 1902, p. 226-228). Les textes juridiques n'évoquent jamais une obligation du patronat, alors qu'ils mentionnent très fréquemment les *obnoxii curiae* à la suite des curiales. L'argument de Cumont contre cette interprétation (*loc. cit.*, p. 228, n. 4) est que les fils de décurion, les *praetextati*, sont des mineurs, et qu'il ne pouvait y avoir de mineurs dans le clergé. Or, nous savons que les clercs inférieurs, les lecteurs notamment, étaient souvent très jeunes.

ciale ou la curie d'Hadrumète[118]. Julien, on le voit, continuait en fait la politique de ses prédécesseurs et l'ordre de retour général des curiales illégalement exemptés ne pouvait avoir qu'une portée limitée. Le seul point original concernait les « Galiléens », c'est-à-dire les chrétiens dans le langage de Julien : cette mesure visait les clercs, seuls chrétiens qui pouvaient être dispensés de la curie pour raison religieuse. Julien refusait d'utiliser le mort clerc, pour ne pas paraître reconnaître officiellement une institution spécifiquement chrétienne[119].

Bien entendu , les mesures anti-chrétiennes de Julien ne survécurent pas à son règne éphémère. Valentinien et Valens mirent les choses au point dès 364 dans une constitution adressée, comme la lettre de Julien, à la province de Byzacène. On revenait à la législation de Constance II selon laquelle seuls seraient maintenus à la curie les candidats décurions à la cléricature qui ne remettraient pas leurs biens à un remplaçant ou à la cité. Dans le même document, Valentinien et Valens interdisaient de recevoir comme clercs les plébéiens riches, c'est-à-dire les gens de famille non curiale mais que leur fortune pouvait, un jour ou l'autre, faire désigner pour le service municipal[120]. Nous devons certainement mettre en rapport avec le problème de l'exemption des clercs le document envoyé par les mêmes empereurs en 370 au proconsul d'Afrique Claudius, lui ordonnant de maintenir toutes les décisions de Constance II en dépit des mesures prises depuis par des païens, c'est-à-dire par Julien et ceux qui l'appuyèrent[121]. On voit par ce texte que les décisions de Julien eurent en Afrique un grand retentissement et de fermes appuis, puisque sept après la mort de l'Apostat, toutes les traces n'en étaient pas effacées.

---

118. Pour J. Bidez (éd. des lettres de Julien, *op. cit.*), ces charges publiques dans la « métropole » désigneraient les services municipaux accomplis dans la capitale provinciale, Hadrumète, où les charges étaient plus lourdes qu'ailleurs : «Dans les petites villes, on restait soumis aux obligations de la curie indéfiniment ». En fait, des textes évoquent la limitation dans la durée des *munera* municipaux dans toute cité. Il pourrait aussi s'agir de la reprise par Julien d'une clause souvent rencontrée dans les constitutions impériales traitant ces problèmes : l'immunité accordée aux personnes travaillant dans les bureaux provinciaux.

119. Comme tant d'autres, cette mesure fut suscitée par les demandes des cités. Nul doute qu'elle n'ait été bien accueillie dans beaucoup de villes d'Afrique ; sur la réaction païenne dans les cités africaines et les manifestations de sympathie envers la politique de Julien, voir chap. vii, *infra*, p. 351.

120. Nous trouvons deux extraits de cette constitution dans le *Code Théodosien*, XII, 1, 59 : « Ad Byzacenos : Qui partes eligit ecclesiae, aut in propinquum bona propria conferendo eum pro se faciat curialem, aut facultatibus curiae cedat quam reliquit, ex necessitate reuocando eo, qui neutrum fecit, cum clericus esse coepisset. » C. Th., XVI, 2, 17 : « Plebeios diuites ab ecclesia suscipi penitus arcemus. » On notera le durcissement par rapport à la législation de Constance II : il n'est plus question pour le curiale devenu clerc de garder un tiers de ses biens.

121. C. Th., XVI, 2, 18 : « Quam ultimo tempore diui Constanti sententiam fuisse claruerit, ualeat, nec ea in adsimulatione aliqua conualescant, quae tunc decreta uel facta sunt, cum paganorum animi contra sanctissimam legem quibusdam sunt deprauationibus excitati. »

On peut constater une nouvelle fois qu'une très forte proportion de ces mesures concerne les provinces africaines. Aux raisons déjà évoquées, il faut ici ajouter l'importance de la diffusion du christianisme dans cette région de l'Empire et le très grand nombre des évêchés. Il y avait un évêque dans presque toute cité où résidaient des chrétiens ; on créa même des sièges dans des bourgades ou des domaines ruraux. Or, ces églises utilisaient les services d'un abondant personnel de prêtres, diacres et clercs mineurs. Dans bien des cas, d'autre part, coexistaient dans une même cité une église catholique et une église donatiste. Cette dernière fut tolérée par le pouvoir impérial de 321 à 347 et de 362 à 405. Nul doute que ses clercs d'origine curiale n'aient alors bénéficié des mêmes privilèges que leurs homologues catholiques[122]. On comprend, dans ces conditions, que bien des curiales aient pu se glisser dans les rangs de ce nombreux clergé ; ceci suscita des protestations des cités, auxquelles firent écho les lois impériales.

Les mesures de Valentinien et de Valens montrent le caractère assez peu cohérent de la législation impériale en la matière. En 364, on n'évoquait plus la possibilité de garder un tiers de ses biens, accordée au curiale entrant dans le clergé par Constance II en 361[123]. En 370, en Orient, Valens accorda la pleine immunité des charges curiales à tout clerc ordonné depuis au moins dix ans, ce qui était un aveu de l'inefficacité des mesures prises depuis Constantin. Ce texte précise même qu'on laissait à ces clercs tout leur patrimoine ; en revanche, ceux qui avaient moins de dix ans d'ancienneté reviendraient à la curie. L'année suivante,

---

122. Nous avons vu que Constantin intervint à deux reprises pour faire bénéficier de l'immunité les clercs catholiques que les donatistes avaient réussi à faire renvoyer dans les curies (*C. Th.*, XVI, 2, 1, de 313, et XVI, 2, 7, de 330 ; *cf. supra*, n. 108 et 109). Si, dans les cités où ils dominaient, les schismatiques pouvaient exercer de telles pressions sur leurs adversaires, nul doute qu'ils parvenaient à faire dispenser leurs clercs fortunés des *munera* curiaux. Toutefois, aucun document conservé n'évoque un octroi officiel de l'immunité aux donatistes, même quand l'autorité impériale les tolérait. C'est par erreur que Mommsen a affirmé le contraire, dans son édition du *Code Théodosien* (p. 837). A la suite de *C. Th.*, XVI, 2, 7, il cite une lettre de Constantin qui nous a été transmise avec le « dossier du donatisme » par Optat de Milev (Lettre de Constantin à onze évêques, *in* Optat, *Opera, C.S.E.L.*, 26, p. 213-216). Constantin confirmait à ces évêques numides la restitution de l'immunité des clercs renvoyés dans les curies par suite des manœuvres des donatistes. Il leur annonçait qu'il ferait bâtir à Cirta une nouvelle basilique à ses frais pour compenser la perte de celle que les donatistes avaient usurpée : il avait décidé de tolérer ces derniers car il voulait éviter un affrontement. Il ne s'agissait nullement, comme Mommsen l'a cru après une lecture trop hâtive, d'un document destiné aux évêques donatistes accordant à leurs clercs les mêmes immunités qu'aux catholiques. Mommsen fut sans doute induit en erreur par le nom (Donatus) du dernier évêque cité comme destinataire. Ziwsa, l'éditeur du texte dans *C.S.E.L.* 26, et Duchesne, son commentateur dans *Le dossier du donatisme*, dans *M.E.F.R.*, 10, 1890, p. 612-613, cités par Mommsen à l'appui de son interprétation, n'ont aucun doute quant au caractère catholique des évêques destinataires. L'erreur de Mommsen s'est répercutée dans des ouvrages postérieurs (ainsi dans J. GAUDEMET, *L'Église dans l'empire romain*, Paris, 1958, p. 177 et note 5).

123. *C. Th.*, XII, 1, 59 et XVI, 2, 17 (*supra*, n. 120).

Valentinien accorda, en Occident, une amnistie plus large : ceux qui avaient été ordonnés avant 364 (début du règne de l'empereur) reçurent l'immunité[124].

Théodose reprit la même politique. Il déclara que les décurions qui entraient dans le clergé devaient faire la preuve de la sincérité de leur vocation en renonçant à tous leurs biens, qui devaient être attribués à celui qui prendrait leur place dans la curie[125] ; toutefois, en 390, il amnistia lui aussi les clercs ordonnés avant son second consulat (388), ce qui restreignait beaucoup la portée de la première mesure[126]. Les moines furent également mis en demeure, dès le temps de Valentinien Ier, de choisir entre le retour à la curie et la perte de leurs biens, donnés à ceux qui accomplissaient leurs *munera*[127].

L'album municipal de Timgad montre la situation particulière des clercs d'origine curiale. Sur l'important fragment découvert en 1940 et édité par Louis Leschi[128], nous lisons en effet une liste de onze personnages rangés sous la dénomination de *clerici*, avant la liste des fonctionnaires. L'album, nous le savons, fut gravé au temps de Julien[129]. Il faut donc mettre en rapport la présence de clercs sur ce document avec les lois émises par cet empereur. Nous aurions donc ici une preuve de l'application concrète de la loi du 13 mars 362 par laquelle Julien renvoyait à leur curie « les décurions qui, en tant que chrétiens, refusaient les *munera*[130] », c'est-à-dire les clercs, en vertu de l'immunité accordée par Constantin. Pourtant, un problème se pose : pourquoi ces *clerici* constituent-ils un groupe particulier, à la fin de l'album, juste avant les fonctionnaires impériaux d'origine curiale ? L'application stricte de la loi de Julien impliquait de les intégrer dans l'album à leur rang de décurions. Pour A. Chastagnol, ces clercs n'étaient pas devenus décurions, mais on les avait simplement astreints à des *munera* financiers[131]. André Piganiol avait suggéré que leur mention à la fin de l'album avait pour but d'affirmer

---

124. *C. Th.*, XVI, 2, 19 (370) ; XVI, 2, 21 (371).

125. En 377, l'immunité générale fût accordée à tous les clercs par Gratien (*C. Th.*, XVI, 2, 24). Théodose imposa (pour l'Orient) l'abandon du patrimoine en 383 (*C. Th.*, XII, 1, 104).

126. *C. Th.*, XII, 1, 121. Cette mesure fut prise à Milan en 390, et s'appliquait donc à l'Occident. En 391, Théodose rappela l'obligation du transfert du patrimoine et les devoirs des fils de clercs d'origine curiale (*C. Th.*, XII, 1, 123).

127. *C. Th.*, XII, 1, 63 (370). Ces documents juridiques, y compris ceux de la fin du IVe siècle et du Ve siècle, sont analysés par J. DECLAREUIL, *Les curies municipales et le clergé au Bas-Empire*, dans *R. Hist. de droit*, 1935, p. 49-53.

128. L. LESCHI, *L'album municipal de Timgad et l'ordo salutationis du consulaire Ulpius Mariscianus*, dans *R.E.A.*, 1948, p. 71-100 = L. LESCHI, *Études d'épigraphie, d'archéologie et d'histoire africaines*, Paris, 1957, p. 247. Sur ce document, voir notre notice *Thamugadi* - N. -, n. 64-100 et, pour le problème des *clerici*, n. 85-91.

129. A. CHASTAGNOL, *L'album de Timgad*, p. 40-48.

130. *C. Th.*, XII, 1, 50 (voir *supra*, n. 116).

131. A. CHASTAGNOL, *op. cit.*, p. 33-37.

la main-mise de la curie sur leurs biens[132]. Quoi qu'il en soit, nous sommes en présence d'une application modérée de la loi de Julien.

L'église donatiste dominait très nettement à Timgad ; nul doute qu'un bon nombre des onze clercs de l'album lui aient appartenu, ceci d'autant plus que les mesures de l'Apostat mettaient les deux communautés sur un plan de stricte égalité[133]. Bien entendu, tous les clercs citoyens de Timgad n'étaient pas mentionnés ici : seuls figuraient sur l'album ceux qui étaient de famille décurionale. On peut noter que le clergé attirait moins les curiales que la bureaucratie impériale, puisque soixante-dix fonctionnaires (*officiales*) figurent sur l'album à la suite des onze *clerici*.

Saint Augustin est, assurément, le plus célèbre africain d'origine curiale devenu clerc. Quand, à la fin de l'année 388, Augustin et Alypius, convertis et baptisés à Milan, revinrent en Afrique, ils constituèrent un groupe de *serui Dei*, ascètes vivant selon l'idéal monastique sans suivre une règle précise. Après un court séjour à Carthage, ils s'installèrent avec leur groupe d'amis à Thagaste, la cité d'Augustin[134]. Pour ce dernier, aussi bien que pour Alypius qui appartenait à la puissante famille de Romanianus[135], il ne fut aucunement question d'un retour à la curie, alors qu'Augustin n'était plus couvert par sa fonction de professeur ni Alypius par celle d'assesseur du *comes largitionum Italicianarum*[136]. N'imaginons pas que la clause légale du transfert à la curie des biens du curiale entrant dans les ordres fut appliquée : nous savons qu'après son ordination comme prêtre de l'église d'Hippône en 391, Augustin fit don des terres qu'il tenait de son père à l'église de Thagaste[137]. Peut-être son frère aîné Navigius, qui ne partageait nullement ses goûts intellectuels, accomplit-il fidèlement ses obligations municipales[138] ; mais nous n'avons nul écho d'une démarche

---

132. A. Piganiol, *La signification de l'album municipal de Timgad*, dans *Mém. de la Soc. Nat. des Ant. de Fr.*, III, 1955, p. 97-101 = A. Piganiol, *Scripta varia*, Bruxelles, 1973, t. III (coll. *Latomus*, vol. 133), p. 537-538. Ceci implique de dater l'album avant la loi du 13 mars 362 ou après son abrogation par les successeurs de Julien. A. Piganiol propose l'année 362, mais avant la stricte application de la loi de Julien ; la mention des clercs aurait eu pour but de préparer leur rappel à la curie. Cette hypothèse est à coup sûr satisfaisante, mais difficilement démontrable.

133. Voir *supra*, n. 122. Sur l'importance du donatisme à Timgad, voir notice *Thamugadi*, n. 104-112.

134. Sur cette période de l'existence d'Augustin, voir Peter Brown, *La vie de saint Augustin*, trad. franç., Paris, 1971, p. 153-170 (et chronologie, p. 84).

135. Augustin, *Epist.* 27, *C.S.E.L.*, 34, 1, p. 100-101 : « Nam est cognatus uenerabilis et uere beati episcopi Alypii » (il s'agit de Romanianus). Augustin signale aussi dans les *Confessions* (VI, 7, 11) qu'Alypius appartenait à l'une des familles dominantes de Thagaste (« ... Alypius, ex eodem quo ego eram ortus municipio, parentibus primatibus municipalibus... »).

136. Sur la situation des avocats et des jurisconsultes par rapport aux *munera* municipaux, voir *infra*, p. 288-289 ; pour le cas d'Alypius, voir p. 289-290.

137. Augustin évoque cette donation dans *Epist.* 126, 7, *C.S.E.L.*, 44, p. 12-13.

138. Il est auprès de son frère à Milan ; il apparaît complètement dépassé par les entretiens philosophiques d'Augustin et de ses amis (*De beata uita*, 2, 7 ; 2, 14). Il revint avec son frère en Afrique (*Confessions*, IX, 11, 27).

des gens de Thagaste pour rappeler les leurs à Augustin et à Alypius. Ceci montre qu'en fait, on pouvait souvent se glisser à travers les mailles du filet dans lequel la législation impériale prétendait emprisonner les membres des familles décurionales.

La législation impériale mentionne d'autres fonctions dispensant des charges municipales. Ainsi, les naviculaires bénéficiaient d'une totale immunité, car le service de l'annone auquel ils étaient héréditairement astreints constituait un *munus* suffisant. Ce privilège est attesté dès l'époque antonine[139] ; il fut confirmé en 326[140]. En 371, une loi étendit à des naviculaires orientaux ces *priuilegia africana*[141]. A Neapolis (Proconsulaire) une inscription datée de 400-401, mentionne un *curator publicae* évergète qui est qualifié d'*ex nauiculario*[142]. Ce personnage, selon toute probabilité, a dû accomplir une carrière municipale après la cessation de ses fonctions de naviculaire.

Les médecins et les professeurs officiellement nommés et rétribués par les cités possédaient l'immunité. Ce privilège fut accordé par Antonin le Pieux[143] et confirmé par Dioclétien[144]. Constantin le rappela en précisant qu'il concernait en premier lieu les archiatres, c'est-à-dire les médecins

---

139. On le sait par CALLISTRATE, *Lib. I de cognitionibus*, Digeste, L, 6, 6, 9, qui évoque des rescrits sur ce sujet émis par Hadrien et Antonin le Pieux. Ce privilège est aussi évoqué par SCAEVOLA, *Lib. I regularum*, *Dig.*, L, 4, 5 et *Lib. II*, *Dig.*, L, 5, 3. Les *negotiatores* de l'annone bénéficiaient aussi de l'immunité (Callistrate, *Dig.*, L, VI, 6, 3).

140. *C. Th.*, XIII, 5, 5. Les *tituli* XIII, 5 et XIII, 6 du *Code Théodosien*, consacrés aux naviculaires et à leurs biens patrimoniaux, ne comprennent pas moins de 48 lois, émises entre 314 et 423. Cependant, comme l'a montré Jean Rougé, il existe au IVe siècle une ambiguïté : les lois concernent souvent des propriétaires fonciers dont les biens sont grevés de prestations annonaires, et non des vrais armateurs (J. ROUGÉ, *Recherches sur l'organisation du commerce maritime en Méditerranée sous l'empire romain*, Paris, 1966, p. 239-265 et 460-488).

141. *C. Th.*, XIII, 5, 14 : « His nauiculariis qui fuerint instituti seruari priuilegia africana decernimus. »

142. *C.*, 969 (notice *Neapolis* – P. –, n. 5). Un *nauicularius* est mentionné sur une autre inscription de Neapolis (*C.*, 970 ; notice, n. 8) datable de la fin du IVe siècle ou du début du Ve siècle ; il dédia une statue mais, le texte étant mutilé, on ne peut savoir s'il assumait une fonction officielle dans la cité ou s'il avait accompli un acte d'évergétisme privé.

143. MODESTIN, *Lib. II excusationum*, *Dig.*, XXVII, 1, 6, citant des rescrits d'Antonin, Commode, Septime Sévère et Caracalla. Médecins et professeurs sont considérés ensemble, comme le rappelle Ulpien (*Dig.*, L, XIII, 1, 6, 1). Il s'agit de fonctionnaires des cités et non des membres de professions libérales. Modestin donne les nombres autorisés de médecins et professeurs *immunes*, en fonction de l'importance des cités (*Dig.*, XXVII, 1, 6, 1-2). Sur cette question, voir Nicole CHARBONNEL, *Les « munera publica » au IIIe siècle*, Thèse de doctorat en droit polycopiée, Université de Paris II, 1971, p. 264-282.

144. *C. Just.*, X, 53, 4 (concerne les professeurs et rappelle la loi d'Antonin le Pieux) ; *C. Just.*, X, 53, 5 (concerne les médecins).

publics officiels des cités ; cette dernière loi évoquait aussi le privilège identique accordé aux grammairiens et aux rhéteurs[145]. Cette exemption ne fut jamais remise en question dans la législation. Augustin en bénéficia quand il fut grammairien dans sa ville natale de Thagaste en 373, rhéteur municipal à Carthage de 374 à 383, puis à Milan de l'automne 384 à sa conversion, durant l'été 386[146].

Une inscription de Madaure, datable paléographiquement du Bas-Empire, donne l'épitaphe d'un grammairien nommé Marius, qui enseigna de longues années dans la ville. Le document fait l'éloge du patriotisme municipal de ce professeur et précise qu'il a géré une magistrature pendant une année (... *produxit fascibus anno*)[147]. Il semble donc qu'il n'ait pas profité totalement de son immunité et qu'il ait accepté, par civisme, d'assumer un temps des honneurs locaux. Il en est de même pour un médecin municipal (*archiater*) d'Hippone mentionné par saint Augustin, qui le qualifie de *principalis*[148] ; ce dernier titre implique une particition aux activités de la curie, dans le groupe restreint des dirigeants. Comme le professeur de Madaure, ce médecin accepta donc des fonctions publiques spontanément, alors qu'il en était dispensé. De même, une inscription datable du Bas-Empire mentionne à Avitta Bibba (Proconsulaire) un médecin nommé Geminius Dativus qui fut curateur deux fois et bienfaiteur de sa cité[149]. Ces cas obligent à pondérer l'impression qui ressort de la lecture des textes juridiques et qui porte à croire à une désertion systématique des curies, à la disparition de tout patriotisme municipal.

L'immunité des charges municipales fut, en revanche, radicalement déniée aux avocats par Constance II, dans une loi adressée au vicaire d'Afrique Martinianus, en 358[150]. De fait, des inscriptions africaines

---

145. *C. Th.*, XIII, 3, 1. Ce texte est daté par le consulat de Crispus et de Constantin II. Seeck retient la date donnée par le code (321). Il n'y a pas de raison de suivre les auteurs de la *P.L.R.E.* (p. 979) qui proposent la date de 354 pour identifier le destinataire Volusianus, dont la fonction n'est pas précisée, avec le préfet de la Ville de 365, C. Ceionius Rufius Volusianus.

146. *Confessions*, IV, 4, 7 (enseignement à Thagaste) ; V, 8, 14 ; VI, 7, 11 (« ego autem rhetoricam ibi professus publica schola uterer » — enseignement à Carthage) ; V, 13, 23 ; VI, 11, 18 (enseignement à Milan).

147. *I.L. Alg.*, I, 2209 ; notice *Madauros* - P. -, n. 27. L'inscription étant dédiée par une fille du professeur nommée Maxima, on a pu supposer que le nom complet du personnage était Marius Maximus et qu'il s'agissait du grammairien Maxime, correspondant de saint Augustin (*Epist.* 16 et 17, *C.S.E.L.*, 34, 1, p. 37-44).

148. Augustin, *Epist.* 41, écrite en commun avec Alypius, à l'évêque Aurelius de Carthage (*C.S.E.L.*, 34, 2, p. 83) : « Fratrem Hilarinum, Hipponensem archiatrum et principalem, multum commendamus. »

149. *C.*, 12269 = 806 et *C.*, 12279 ; notice Avitta Bibba - P. -, n. 8 et 9. Ce Geminius Dativus curateur deux fois, est dit *salus omnium medicina*.

150. *C. Th.*, XII, 1, 46 : « ... nullum igitur aduocatum a curia cui tenetur obnoxius patimur excusari. » L'empereur ordonnait même de réserver aux avocats la coûteuse charge de *sacerdos prouinciae*.

évoquent des juristes professionnels exerçant des fonctions municipales. Deux furent découvertes à Membressa (Proconsulaire) ; elles mentionnent un curateur, M. Aurelius Restitutus, en fonction entre 412 et 414, qui porte le titre d'*ex togato*[151] ; il s'agissait donc d'un ancien avocat qui avait accompli une carrière municipale après son départ du barreau. A Bisica (Proconsulaire) une inscription évoque un autre *ex togato*, qui fut flamine perpétuel et curateur deux fois[152]. Ces deux avocats avaient peut-être bénéficié de l'immunité des *munera* municipaux quand ils exerçaient leur profession. Il n'en fut pas de même pour Annius Namptoius, flamine perpétuel et curateur de Thuburbo Maius (Proconsulaire) en 361 ; l'inscription qui le mentionne indique qu'il était *iurisconsultus et magister studiorum*[153] : il donnait aux plaideurs des conseils juridiques et assurait un enseignement du droit, très probablement à Carthage[154]. Il n'a pas bénéficié de l'immunité, ni en tant qu'avocat, ni en tant que professeur, peut-être en application de la loi émise par Constance II trois ans auparavant.

Cependant la législation, ou du moins son application concrète, semble avoir varié. Au temps de Valens, Libanius écrivit à Modestus, préfet du prétoire en Orient, pour protester contre l'imposition des *munera* curiaux à deux avocats, en contradiction, disait-il, avec une loi ancienne[155]. La loi de Constance ne semble donc pas avoir toujours été appliquée avec rigueur. En témoigne, pour l'Afrique, le cas d'Alypius, ancien étudiant et ami de saint Augustin.

En effet, quand ce dernier, fort de l'appui de Symmaque, s'efforçait d'obtenir des bureaux milanais un poste de gouverneur de province, il était accompagné de cet autre *obnoxius curiae* de Thagaste que ses obligations municipales ne semblaient guère tourmenter. Alypius était membre, nous l'avons vu, de la famille de Romanianus, et donc du milieu dirigeant de la cité[156]. Après ses études de rhétorique à Carthage, il partit pour Rome vers 380 en vue d'étudier le droit[157]. Il devint ensuite *assessor* de hauts fonctionnaires[158]. On appelait ainsi des juristes professionnels qui conseillaient des dignitaires que leur fonction amenait à rendre des jugements ; on en trouvait auprès des préfets du prétoire, des vicaires, des gouverneurs[159]. Augustin dit qu'Alypius fut *assessor* trois fois, notam-

---

151. *C.*, 25837 et 1297 ; notice *Membressa* – P. –, n. 3 et 5.

152. *C.*, 12299 et 23879 ; notice *Bisica Lucana* – P. –, n. 9.

153. *I.L. Afr.*, 273 a et b ; notice *Thuburbo Maius* – P. –, n. 11.

154. *Cf. P.L.R.E.*, p. 615. Les professeurs de droit ne bénéficiaient de l'immunité que s'ils enseignaient à Rome, selon Modestin, *Digeste*, XXVII, 1, 6, 12.

155. Libanius, lettre 293.

156. Voir *supra*, p. 286 et notice *Thagaste* – P. –, n. 38.

157. AUGUSTIN, *Confessions*, VI, 8, 13 : « ... Romam praecesserat ut ius disceret. »

158. *Confessions*, VI, 10, 16.

159. Sur cette fonction, se reporter à la mise au point d'A. H. M. JONES, *Later Roman Empire*, t. 1, p. 500-501.

ment auprès du comte des finances impériales pour l'Italie (*comes largitionum Italicianarum*) qui avait à connaître des causes fiscales[160]. Il se fit alors remarquer par son courage et son intégrité en refusant un passe-droit à un puissant sénateur, ce qui montre que l'avis de ces conseillers juridiques pouvait avoir un grand poids[161]. Ils éta ent payés sur des fonds d'État durant leur office, sans être des fonctionnaires. Augustin remarque que cette carrière de juriste était davantage conforme aux vœux des parents d'Alypius qu'aux siens propres[162] ; elle correspondait donc bien à l'ascension sociale loin de l'horizon étroit d'une petite cité africaine que pouvaient envisager des parents riches décurions, pour un fils intellectuellement doué. Mais en l'occurrence, le problème des obligations curiales héréditaires d'Alypius ne paraît pas s'être posé.

La législation évoque encore d'autres formes de désertion de la curie. Ainsi, dès le temps de Dioclétien, il fut interdit aux décurions d'entrer dans l'armée ; une série de constitutions émises par les empereurs suivants montre que cette loi ne fut pas toujours respectée[163]. D'autres textes évoquent des curiales qui aliénaient leurs terres au profit de grands propriétaires fonciers dont ils devenaient les clients. Du coup, ils ne répondaient plus aux conditions censitaires requises pour faire partie de la curie. Cette pratique, qui pouvait tenter des décurions pauvres, fut sévèrement interdite en 318 par Constantin ; elle persista cependant, puisque Julien la condamna encore en 362, ainsi qu'Honorius en 395[164]. La documentation africaine n'apporte pas de lumière particulière sur ces faits[165].

La désertion des curies fut donc un phénomène important et complexe. Les motifs qui poussaient les décurions à fuir leurs charges étaient divers et variaient selon leur condition sociale. Pour les plus riches, le motif financier n'était pas fondamental, car les *munera* municipaux n'excédaient pas leurs possibilités[166]. C'est donc l'ambition qui les poussait à devenir

---

160. *Confessions*, VI, 10, 16 : « Et ter iam assederat, mirabili continentia ceteris... Romae assidebat comiti largitionum italicianarum ».

161. *Confessions, ibidem.*

162. *Ibidem.*

163. Cette législation est étudiée par A. H. M. JONES, *Later Roman Empire*, t. I, p. 744 et t. III, p. 238 n. 74.

164. *C. Th.*, XII, 1, 6, du 1er juillet 318 (Seeck) ; *C. Th.*, XII, 1, 50, du 13 mars 362 ; *C. Th.*, XII, 1, 146, du 15 juillet 395 (loi occidentale).

165. Vu le grand nombre de cités et donc de décurions en Afrique, la réduction de certains curiales au rang d'*humiliores* n'avait rien d'inconcevable. Cependant, le silence des sources incite à penser que ce processus de déchéance sociale était peu fréquent.

166. Ceci d'autant plus que les promotions aux honneurs supérieurs coûtaient fort cher. Il est probable que les codicilles impériaux n'étaient délivrés que contre le paiement de droits ; surtout les pots-de-vin étaient ruineux : Constantin II, en 339, déploraient que les décurions carthaginois se ruinassent pour obtenir par corruption des rangs d'*honorati* (*C. Th.*, XII, 1, 27 ; voir *supra*, p. 252 et n. 21-22 ; notice *Karthago*, n. 93).

des *honorati*. Pour certains, primait la recherche d'une fonction impériale leur assurant une puissance bien plus grande que dans le cadre de leur cité. Pour d'autres, seul comptait le titre, et on peut les comparer à ces bourgeois de l'ancienne France achetant à prix d'or des charges vénales anoblissantes.

La liste impressionnante de *munera personalia* que donnèrent, au début de la période, les juristes Hermogénien et Charisius[167], fait aisément comprendre les réticences des intéressés. Libanius décrit aussi les multiples activités auxquelles les curiales étaient astreints[168] ; ce travail non rétribué devait paraître rebutant à beaucoup, ce qui explique le fait que bien des décurions aient cherché, dans les bureaux ou l'armée, des occupations salariées et peut-être moins astreignantes. A. H. M. Jones estime qu'une cause non négligeable de la désertion fut la dégradation du rang social des curiales, le fait que les gouverneurs ignoraient de plus en plus leurs privilèges d'*honestiores* et leur appliquaient des châtiments corporels lors des contestations sur la perception des impôts[169]. C'est possible, bien que les textes africains soient muets sur ce problème.

Pourtant, l'examen de l'ensemble des documents permet de dire que le problème ne fut jamais dramatique en Afrique. Encore en 397, nous l'avons vu, Honorius exaltait, dans un rescrit au proconsul Probinus, la prospérité des villes d'Afrique et leurs curies riches du nombre souhaitable de décurions[170]. Dans la conclusion de son étude sur l'album municipal de Timgad, M. André Chastagnol remet fermement en cause l'idée reçue d'une ruine de la classe curiale au ive siècle. Il remarque que les évasions de curiales vers l'ordre sénatorial, la bureaucratie, le clergé chrétien, ont été au départ autorisées et même encouragées par l'autorité impériale, dans le cadre des grandes réformes du premier quart du ive siècle. La même autorité intervint ensuite pour limiter le mouvement, quand les nouveaux cadres structurels furent suffisamment pourvus : après un écrémage inévitable, prima le souci de stabiliser les curies. De fait, le gouvernement impérial les considérait comme indispensables au bien-être de l'Empire. Encore en 458, l'empereur d'Occident Majorien déclarait que « personne n'ignore que les curiales sont la force de l'État, la substance même des cités » (*curiales neruos esse rei publicae ac uiscera ciuitatum nullus ignorat*)[171]. Les empereurs semblent avoir voulu leur maintien autant pour les fonctions d'état qui leur étaient confiées, l'impôt en particulier, que pour la conservation de la vie municipale et urbaine traditionnelle, considérée comme un aspect essentiel de la vie civilisée.

---

167. Voir l'analyse de ces textes *supra*, chapitre iv, p. 206-210.

168. *Cf.* P. PETIT, *Libanius et la vie municipale à Antioche au IVe siècle après J.-C.*, Paris, 1955, p. 48-52 et 260-261.

169. A. H. M. JONES, *Later Roman Empire*, t. 2, p. 749-750.

170. *C. Th.*, XII, 5, 3.

171. Majorien, novelle 7, dans *Code Théodosien*, éd. Mommsen-Meyer, t. II, p. 167.

Certes les curiales subissaient de lourdes contraintes, mais c'était le cas de toutes les catégories de la société dans le système du Bas-Empire[172]. On doit aussi constater que, tout au long de la période, bien des gens purent passer à travers les mailles du filet, soit grâce aux exceptions permises par la loi, soit illégalement. Des études récentes ont montré que la mobilité sociale fut beaucoup plus grande au Bas-Empire qu'on ne l'avait cru et que la pétrification de la société en castes rigides fut plus apparente que réelle[173].

Pour A. Chastagnol, l'étude de l'album municipal de Timgad montre que « les curiales chargés de l'administration des villes... ont bien joué leur rôle dans le fonctionnement général des institutions de l'Empire[174] ». L'examen de l'ensemble de la documentation africaine m'amène à me rallier à cette opinion. Certes, il existe un contraste entre les documents juridiques, dénonçant la désertion des curies, et les documents épigraphiques et archéologiques, manifestant le renouveau de la prospérité des villes et de leur couche dirigeante. Mais l'importance des maux dénoncés par les lois répressives ne doit pas être exagérée. L'époque de la plus grande prospérité de l'Afrique romaine, celle qui vit le plus grand essor de l'urbanisme et de l'évergétisme, se situe, on le sait, sous les Sévères ; or ce fut aussi le temps où les lois impériales et les ouvrages des jurisconsultes fixèrent avec minutie et rigueur les obligations des décurions, définirent les *munera* municipaux comme des charges financières astreignantes. Les empereurs du Bas-Empire ne firent que reprendre et développer cette législation contraignante. On le voit, le contraste constaté en Afrique au ive siècle existait déjà à l'époque sévérienne.

On ne peut nier l'existence d'un processus de désertion des curies africaines au Bas-Empire, non plus que la gravité du phénomène en certaines circonstances ; en témoignent les plaintes des cités auxquelles nos documents font plusieurs fois allusion[175]. Toutefois, à la suite d'A. Chastagnol, j'estime qu'il faut attribuer à ce fait une ampleur beaucoup plus limitée qu'on ne l'a cru. L'un des principaux arguments en faveur de cette opinion est le maintien, au ive siècle, de l'évergétisme et du patriotisme municipal, prouvé par de nombreuses sources et impliquant une prospérité retrouvée de la classe dominante après la crise du iiie siècle.

---

172. Les obligations des plébéiens n'étaient pas moins dures, et la législation tentait aussi de les fixer héréditairement dans leur condition (colons liés à la glèbe, gens de métier liés à leur collège). La condition des décurions *honestiores* était, à coup sûr, préférable. Nous avons vu plus haut (chapitre iv, p. 231-235) comment la fonction de décurion pouvait comporter d'importants avantages : outre un rang honorifique, l'exercice d'un pouvoir qui devenait parfois tyrannique, des profits, illicites mais fréquents, aux dépens des plus humbles.

173. Comme le montre R. Mac Mullen, *Social mobility and the Theodosian Code*, dans *J.R.S.*, 54, 1964, p. 49-53.

174. A. Chastagnol, *L'album municipal de Timgad*, Conclusion, p. 90.

175. Voir *supra*, p. 253-254 et n. 26.

CHAPITRE VI

Mentalités et structures sociales

En 375, Symmaque séjourna à Bénévent et il fut enthousiasmé par l'état d'esprit des notables de la ville ; la plupart, selon lui, étaient des dévots païens et des amateurs de belles-lettres. « Pour décorer la ville, écrivait-il à son père, ils épuisent à l'envi leurs biens personnels... Chacun ambitionne de remplir ses devoirs de bon citoyen ; pour ces travailleurs, la nuit continue le jour[1] ». Nul doute que, lors de son proconsulat en 373-374, Symmaque n'ait pu constater à maintes reprises dans les cités africaines une persistance semblable de l'esprit municipal traditionnel. De nombreux documents le montrent, en particulier dans le domaine de l'évergétisme.

Le témoignage le plus remarquable sur le maintien dans l'Afrique du Bas-Empire de l'idéal patriotique municipal se trouve dans les lettres adressées à saint Augustin par un vieux dignitaire de la curie de Calama, Nectarius. Cette correspondance était en rapport avec un événement violent qu'on date d'ordinaire de 408, une émeute anti-chrétienne suscitée par l'opposition de l'évêque Possidius à la célébration d'une fête païenne[2]. Nous examinerons dans le chapitre suivant la signification de cet épisode et de cette correspondance sur le plan religieux[3]. Nectarius demandait à Augustin son intercession auprès des juges en faveur des coupables. Il appuyait son plaidoyer par des considérations sur l'attachement que tout homme de bien devait à sa patrie terrestre. Ces réflexions étaient

---

1. SYMMAQUE, *Lettres*, I, 3 (4), éd. Callu, *Coll. des Univ. de Fr.*, p. 67 : « Et urbs cum sit maxima, singuli eius optimates uisi sunt mihi urbe maiores, amantissimi litterarum morumque mirabiles. Deos pars magna ueneratur ; priuatam pecuniam pro ciuitatis ornatu certatim fatigant... Pro se quisque operam boni ciuis adfectat ; nox diei iungitur ad laborem. »

2. Parmi les lettres de saint Augustin, *lettres* 90 et 103, C.S.E.L., 34, 2, p. 426-427 et 578-581. Sur ces textes, les réponses d'Augustin, l'événement relaté et sa datation, voir notice Calama – P. –, n. 25-34.

3. Chapitre VII, *infra*, p. 358, n. 119-123.

émaillées de réminiscences ou de citations prises à Cicéron, à Virgile, aux Stoïciens : pour intervenir auprès de l'homme de grande culture qu'était Augustin, les décurions de Calama avaient choisi le plus lettré d'entre eux. Nectarius était un vieil homme ; utilisant les termes juridiques adéquats, il remarquait qu'il devait à l'âge d'être libéré des charges de sa cité (*ab eius muneribus meruimus excusari*[4]). Mais il n'existait pas de limite aux services qu'on devait rendre à sa patrie, c'est-à-dire à sa cité : l'amour qu'on lui porte croît avec l'âge et, au terme de la vie, on désire la laisser florissante à ses descendants. Nectarius était d'autant plus attaché à sa ville qu'il y avait assumé d'importantes fonctions ; entendons qu'il avait été duumvir, flamine perpétuel et curateur, et qu'il appartenait probablement toujours au groupe des *principales*[5]. Dans une seconde lettre, Nectarius porta le débat sur le plan religieux et affirma, à la suite de Cicéron, que la patrie céleste récompensait les bons serviteurs de leur cité terrestre[6].

Certes, ce noble plaidoyer était intéressé ; la démarche de Nectarius visait à épargner aux émeutiers de Calama de graves condamnations, qui le touchaient d'autant plus que parmi les accusés se trouvaient des membres éminents de l'*ordo*[7]. Augustin avait promis de demander au juge que les coupables échappent à la torture et aux condamnations capitales, et que les amendes soient assez légères pour que les condamnés gardent de quoi vivre[8]. De fait, Nectarius avait affirmé, ce qui est fort significatif, que la mort était préférable, pour un homme riche, à une vie misérable due à la confiscation de ses biens[9]. On le constate, on est loin, avec ce marchandage, du pur idéal patriotique exposé dans l'exorde du noble lettré de Calama. De fait, on ne peut douter que l'attachement

---

4. *Epist.* 90, *loc. cit.*, p. 426 : « Quanta sit caritas patriae, quoniam nosti, praetereo ; sola est enim quae parentum iure uincat affectum ; cui si ullus esset consulendi modus aut finis bonis digne iam ab eius muneribus meruimus excusari. » Cette brève épitre est d'une grande élégance de style. Cet aristocrate lettré et païen était, dans sa petite ville, l'homologue de Symmaque à Rome.

5. *Ibidem* : « In Calamensi colonia multa sunt quae merito diligamus, uel quod in ea geniti sumus, uel quod eidem magna contulisse uidemur officia. » Pour Nectarius, les charges municipales sont non seulement une conséquence mais une cause du patriotisme municipal. Nous sommes loin, ici, de l'image du curiale n'assumant ses *munera* qu'à contre-cœur et sous la contrainte.

6. Il s'agit d'une citation du *Songe de Scipion* (CICÉRON, *De Republica*, VI, 13). Sur ce point, voir chapitre VII, *infra*, p. 358, n. 121-123.

7. Dans sa réponse (*Epist.* 91, C.S.E.L., 34, 2, p. 433) Augustin rapporte que les notables (*primates*) avaient interdit, lors de l'émeute, qu'on secourût les chrétiens pourchassés.

8. *Epist.* 91, *loc. cit.*, p. 434-435 ; *Epist.* 104, *ibid.*, p. 582-585. Augustin refusait cependant de retirer la plainte déposée en justice par l'Église, comme son correspondant le lui demandait.

9. *Epist.* 103, *loc. cit.*, p. 580 : « Ego autem, nisi me opinio fallit, sic arbitror grauius esse spoliari facultatibus quam occidi, si quidem, quod frequentatum in litteris nosti, mors malorum omnium auferat sensum, egestosa uita aeternam pariat calamitatem ; grauius est enim male uiuere quam mala morte finire. »

obstiné des notables africains du Bas-Empire à l'idéal municipal traditionnel n'ait comporté une bonne part d'égoïsme de possédants, de défense de privilèges sociaux. Ce n'est pas, à mon sens, le seul élément en jeu. Les institutions traditionnelles, nous l'avons vu, obligeaient les notables à un lourd travail et à des dépenses considérables et la législation qui les y contraignait n'explique pas à elle seule le fait qu'ils s'y soient pliés. Comme les décurions de Bénévent tant admirés par Symmaque, beaucoup de curiales africains ont mis tout en œuvre pour maintenir la vie urbaine classique dans leurs cités, suscitant l'hommage de la chancellerie d'Honorius, qui évoquait avec admiration en 397 «ces villes prospères, riches du nombre souhaitable de curiales[10] ». Cette situation n'était pas due seulement à des lois coercitives qui n'étaient pas propres à l'Afrique, mais aussi à la volonté délibérée de nombreux citoyens et donc, en dernière analyse, au patriotisme municipal.

I — LE MAINTIEN DU CADRE URBAIN ET DU GENRE DE VIE TRADITIONNELS

Nous avons souvent constaté à propos des institutions municipales que l'Afrique du Bas-Empire était un véritable conservatoire de traditions héritées de l'époque précédente. Un contemporain de la fondation de la colonie, au temps de Trajan, n'aurait pas été beaucoup dépaysé par les institutions de Timgad qui figurent sur l'album rédigé au temps de Julien. Il en va de même pour le paysage urbain. La prédominance des restaurations sur les constructions, que nous avons constatée précédemment, favorisait la stabilité en ce domaine[11].

Les inscriptions africaines du Bas-Empire mentionnent les types de monuments suivants, construits ou restaurés :

Temples ou autels païens : 38 (dont 18 chantiers antérieurs à 305).
Curies : 7.
Basiliques civiles : 11.
Tabularia (dépôts d'archives) : 2.
Praetorium (salle d'audience des magistrats municipaux) : 1.
Thermes : 41.
Monuments des eaux (aqueducs, nymphées, fontaines) : 21.
Lieux de spectacle : 18.
Forums : 7.

---

10. *C. Th.*, XII, 5, 3.
11. Chapitre II, *supra*, p. 62-66.

Arcs : 15.
Portiques : 28.
Marchés : 3.
Ponts : 2.
Plateae (*places ou rues à portiques*) : 3.

On peut ajouter un édifice original, une hôtellerie publique pour la réception des étrangers restaurée en 408 à Calama[12]. Les monuments chrétiens ne figurent pas sur cette liste, car ils étaient extérieurs, juridiquement et financièrement, à l'organisme municipal.

On doit constater tout d'abord que les types d'édifices évoqués sur les inscriptions ne sont pas différents de ceux qu'on rencontrait sous le Haut-Empire. Comme nous l'avons noté à propos des chantiers de construction ou de restauration de monuments publics, le paysage urbain est resté au Bas-Empire, dans les cités africaines, tel qu'il était depuis son élaboration au second siècle et à l'époque sévérienne. Ceci implique une absence de changement dans le style de vie des citadins. L'attention portée aux monuments liés directement à l'administration municipale (curies, basiliques, *tabularia, praetoria*[13]) est l'expression architecturale du maintien des institutions traditionnelles. L'importance des travaux effectués dans les thermes et les lieux de spectacle est liée à la permanence des plaisirs et avantages de la vie urbaine. Le nombre considérable de chantiers concernant les thermes était, bien entendu, dû au fait que la circulation d'eau et le système de chauffage nécessitaient un entretien important et de fréquentes réparations[14]. Le fonctionnement et le chauffage des thermes coûtaient fort cher, de même que les spectacles du théâtre et de l'amphithéâtre. Ces dépenses, on le voit, étaient assurées, ce qui

---

12. *I.L.Alg.*, I, 263 = *C.*, 5341 ; notice Calama – P. – n. 12 (... *locum ... ad* ne[cessa]rium usum et ad peregrinorum hospitalitatem ...).
13. On trouve la mention d'un *tabularium* à Bulla Regia (– P. – ; *C.*, 25521, notice, n. 7 — restauration au temps de Julien —) et à Cit... (Sidi Ahmed el Hachemi, – P. – ; *C.*, 27817 = *I.L.S.*, 5557, notice, n. 2 — restauration entre 368 et 370). On y conservait les archives, les *acta publica*, sous la responsabilité du *tabularius*. Un *praetorium* fut construit entre 368 et 370 à Aradi (? = Bou Arada, – P. – ; *A.E.*, 1955, 52, notice, n. 5). Plutôt qu'une maison destinée à la résidence du proconsul ou du légat, comme le pense l'éditeur de l'inscription, Gilbert Picard (*B.C.T.H.* 1951-1952, p. 204-205), j'estime qu'il s'agissait de l'endroit où se tenaient les magistrats et responsables de la cité, car les *Acta purgationis Felicis* (éd. Ziwsa, *C.S.E.L.*, 26, p. 199) montrent le duumvir d'Abthugni Alfius Caecilianus recevoir en 303 dans le *praetorium* des chrétiens s'inquiétant au sujet de la persécution (« ... mittunt ad me in praetorio ipsi christiani... »).
14. Des inscriptions évoquent le détail des travaux effectués dans des thermes et montrent la complexité des réparations qui devaient être effectuées régulièrement dans ces édifices. Ainsi, à Madaure en 366 ou 367, on dut réparer le pavement d'une salle chaude qui présentait des trous, ce qui perturbait complètement le système de chauffage (*I.L.Alg.*, I, 2102 ; notice, n. 10). D'autres inscriptions de Madaure évoquent des réparations précises à des thermes (*I.L.Alg.*, I, 2101, notice, n. 9, de 364 ; *I.L.Alg.*, I, 2108, notice, n. 15, de 407-408).

montre que les villes et leurs notables évergètes avaient gardé des ressources financières substantielles.

Le grand nombre des constructions purement décoratives et sans finalité pratique, comme les arcs et les portiques, est fort significatif du désir de maintenir un cadre urbain luxueux. Nous connaissons quinze chantiers à des arcs ou portes monumentales au Bas-Empire, dont dix constructions *ex nihilo*. Nous avons noté qu'à Thibilis, cité élevée seulement après le milieu du IIIe siècle au rang de municipe, ce n'est qu'à partir du règne de Dioclétien que la ville fut dotée des éléments décoratifs de prestige (portes monumentales, portiques, statues) jugés indispensables à la parure d'une commune romaine[15]. Cette idée de la nécessité, pour une ville, de posséder des monuments en rapport avec son statut et son prestige apparaît sur l'inscription de dédicace de la basilique civile de Cuicul, édifiée entre 364 et 367 ; l'édifice est qualifié de « basilique digne de la colonie de Cuicul[16] ». Un évergète fit restaurer entre 379 et 383 la curie de Lambèse ; l'inscription évoque le bâtiment en ces termes : « la curie de l'Ordre, que nos ancêtres ont appelée à juste titre le temple de cet Ordre[17] ». Ces exemples font clairement apparaître le lien entre l'urbanisme traditionnel et le patriotisme municipal.

La seule grande mutation qu'on peut observer au IVe siècle est la rapide raréfaction, après 305, des constructions et restaurations de temples païens. Les derniers chantiers correspondent même à des travaux effectués à des temples désaffectés et utilisés à des usages profanes[18]. Ce point mis à part, le cadre de la vie urbaine et municipale romaine classique fut soigneusement sauvegardé, comme le furent les magistratures et les sacerdoces officiels, les titres de municipe et de colonie, l'épithète *splendidissimus* attachée à l'*ordo* ou à la commune[19]. La sauvegarde et l'enrichissement du patrimoine monumental demandaient de lourdes dépenses et conditionnaient toute la vie quotidienne. On a ici la preuve que les institutions municipales conservées au Bas-Empire n'étaient pas un cadre vide, sans lien avec la réalité sociale et économique ou les mentalités.

---

15. Voir notice Thibilis – N. –, n. 20-25 ; *cf.* S. GSELL, *Khemissa, Mdaourouch, Announa*, fasc. 3, *Announa*, Alger-Paris, 1918, p. 50 ; 52 ; 70-72.

16. *A.E.*, 1946, 107, notice Cuicul – N. –, n. 15 : ... *basilicam dignam coloniae Cuiculitanae...*

17. *C.*, 18328 = *I.L.S.*, 5520, notice Lambaesis – N. –, n. 17 : ... *curia igitur ordinis quam maiores nostri merito templum eiusdem ordinis uocitari uoluerunt...* ›

18. Sur ce point, voir chapitre VII, *infra*, p. 343-352 (sur les temples désaffectés à partir de 375, voir p. 353 et 354).

19. Sur ce point, voir chapitre III, *supra*, p. 128-131.

II — L'ÉVERGÉTISME

a) *Le témoignage de saint Augustin.*

La description la plus précise de l'évergétisme en Afrique au Bas-Empire se trouve au début du traité *Contra Academicos* de saint Augustin[20]. Cet ouvrage, écrit en 386, était dédié à Romanianus, ce riche propriétaire terrien de Thagaste qui avait aidé la famille d'Augustin à supporter les frais de ses études à Carthage[21]. Augustin exhortait son bienfaiteur à se consoler de revers de fortune grâce à la philosophie. L'évocation de la gloire passée de Romanianus correspond très exactement à l'image typique de l'aristocrate romain évergète. Augustin rappelait d'abord la richesse du personnage, fondée sur les revenus d'importants biens fonciers[22] ; ces ressources avaient permis à Romanianus de posséder des demeures luxueuses et d'y vivre avec tout le raffinement désirable, mais aussi d'acquérir une immense popularité, due à sa générosité envers ses concitoyens. En premier lieu, il avait offert des spectacles au théâtre et des chasses à l'amphithéâtre[23] ; c'est là qu'on prenait la mesure de sa popularité, quand la foule rassemblée le portait aux nues dans ses clameurs. Une autre forme d'évergétisme consistait à faire dresser des tables chargées de victuailles que chacun pouvait obtenir gratuitement, et ceci quotidiennement selon Augustin. Cette munificence avait entraîné la promotion de Romanianus aux divers honneurs municipaux (dont le patronat) et provinciaux (le sacerdoce d'Afrique[24]). La foule, et particulièrement ses clients, le proclamaient « le plus bienveillant, le plus généreux, le

---

20. Augustin, *Contra Academicos*, I, 2, éd. Jolivet, *B.A.*, 14, p. 16-19. Ce texte est cité intégralement et analysé dans notre notice sur Thagaste – P. –, n. 23-32.

21. Cet épisode constitue un acte d'évergétisme au meilleur sens du terme. Il est connu par le *Contra Academicos* (II, 2-3 — *loc. cit.*, p. 64). On y trouve une allusion dans les *Confessions*, II, 3, 5.

22. *Ibidem* : « Ton patrimoine, habilement et fidèlement administré par tes gens, se montrait toujours propre à supporter de telles dépenses » (*resque ipsa familiaris diligenter a tuis fideliterque administrata, idoneam se tantis sumptibus paratamque praeberet*).

23. En tête des actes d'évergétisme, Augustin évoque l'offrande de ces jeux (*editio muneris*) et particulièrement les chasses à l'ours (*munera ursorum*), c'est-à-dire le spectacle le plus coûteux et le plus populaire. Sur les ours en Afrique du Nord antique, voir S. Gsell, *Hist. anc. de l'Afr. du N.*, t. 1, p. 115 et n. 1-15.

24. *Ibidem* : « Collocarentur statuae, influerent honores, adderentur etiam potestates quae municipales habitum supercrescerent. » Sur la nature de ces *potestates* supérieures, voir notice Thagaste, n. 26. Il s'agit très probablement du sacerdoce provincial, mais on peut aussi voir dans cette formule une allusion à une titulature d'*honoratus* impérial, bien que le mot *potestas* ne soit pas adéquat en l'occurrence (voir *infra*, n. 26). Le patronat est indiqué par la mention des tablettes de bronze, où était gravé le contrat, qu'offrirent à Romanianus Thagaste et les cités voisines (*cf.* notice Thagaste, n. 27).

plus honorable et le plus fortuné des hommes » ; des statues lui étaient dressées pour manifester la reconnaissance publique.

Cette description pourrait s'appliquer à un aristocrate évergète d'une cité hellénistique ou romaine de n'importe quelle époque, et elle montre combien l'idéal municipal avait peu changé en Afrique au Bas-Empire. Un problème se pose toutefois : ne s'agissait-il pas d'une exception ? Romanianus n'était-il pas un témoin isolé à l'époque tardive d'une tradition largement tombée en désuétude ?

Certes, on peut légitimement penser qu'une telle richesse et une telle générosité étaient rares. A coup sûr, la munificence de Romanianus était sans commune mesure avec les *munera* financiers inhérents aux honneurs municipaux dans une petite ville comme Thagaste. On ignore si Patricius, le père d'Augustin, parvint au duumvirat et au flaminat perpétuel. Si ce fut le cas, l'évergétisme dont il dut faire montre n'était pas comparable avec celui de son ami Romanianus[25]. Augustin précise bien que les spectacles offerts par ce dernier dépassaient tout ce qui avait été vu précédemment à Thagaste. Il s'agissait donc d'un évergétisme spontané et non du paiement strict d'une somme fixée par la loi, ce dont devaient se contenter des modestes décurions comme Patricius. On peut supposer cependant que des curiales aux ressources limitées pouvaient manifester une générosité relativement grande pour la raison suivante : ils ne recevaient qu'une fois dans leur vie les deux honneurs impliquant particulièrement l'évergétisme, le duumvirat et le flaminat perpétuel. C'était pour eux l'occasion de faire preuve de munificence, d'en tirer gloriole, et ils pouvaient s'y préparer en économisant de l'argent les années précédentes ou en contractant des dettes. On peut comparer ce comportement à celui de ces familles méditerranéennes à la fortune limitée qu'on voit dépenser des sommes hors de proportion avec leur niveau de vie habituel, à l'occasion d'une première communion ou d'un mariage, à seule fin d'éblouir leurs voisins et parents.

Dans plusieurs passages, saint Augustin indique très explicitement le lien qui existait entre la pratique de l'évergétisme et l'obtention des honneurs, la promotion sociale. Dans le texte sur Romanianus, l'afflux des *honores* est présenté, nous avons vu, comme la conséquence directe de la générosité de l'homme riche de Thagaste. On ne peut cependant parler en l'occurrence de promotion sociale, puisque Romanianus avait d'emblée dans sa cité une place éminente. Il est pourtant très probable qu'il obtint, à la fin de sa carrière locale, un titre de clarissime honoraire. En effet, une lettre de Paulin de Nole montre son fils Licentius cherchant

---

25. Augustin évoque à plusieurs reprises la modestie de sa famille ; ainsi, à propos de la charge financière trop lourde que constituait pour son père son départ pour des études supérieures à Carthage (*Confessions*, II, 3, 5) : « ... patris municipis Thagastensis admodum tenuis » ; ou dans le *Sermo* 356, 13 (*P.L.*, 39, 1850) : « Augustinum, id est hominem pauperem et de pauperibus natum. »

à faire une carrière administrative sénatoriale en Italie vers 395[26] ; il est vraisemblable que cette possibilité s'ouvrait à lui grâce au titre d'*honoratus* clarissime que son père, avait, semble-t-il, acquis après avoir obtenu les honneurs municipaux et le sacerdoce provincial.

Dans des sermons, Augustin évoque conjointement trois comportements qui lui semblent étroitement solidaires : la recherche de la richesse, le don de spectacles et la recherche des *honores*. Les hommes qu'il condamne sont des ambitieux ; l'« homme du siècle » veut la fortune, et pour l'obtenir il opprime le pauvre, mais son ambition ne se limite pas là : « Il demande aux hommes de vains honneurs et pour les obtenir, il leur montre les jeux de la débauche, les jeux de la mauvaise cupidité ; il offre des jeux, des chasses à l'ours...[27] ». Ailleurs, Augustin évoque ensemble les plaisirs de la vie des riches, comme les chasses et les festins, et « la recherche et la prise d'honneurs ruineux[28] ». Les mauvais chrétiens demandent à Dieu de l'argent et « des honneurs éphémères et périssables[29] ». Augustin vilipendait les donateurs de spectacles à cause de leur arrogance, de l'orgueil que leur conférait la popularité de mauvais aloi qu'ils devaient à leur générosité[30]. On dit souvent que les sommes consacrées aux prodigalités évergétiques étaient nettement moindres au Bas-Empire qu'à l'époque précédente. Ce n'est pas ce que suggère Augustin quand il affirme que les évergètes « dissipent les richesses de leur patrimoine[31] ». Il a évoqué les donateurs des *munera* de décembre à Carthage « vendant en pleurant leurs domaines » pour payer les frais des spectacles[32], ce que saint Jean Chrysostome disait peu d'années auparavant des évergètes d'Antioche[33].

---

26. Parmi les lettres d'Augustin, *Epist.* 32, *C.S.E.L.*, 34, 2, p. 8-18. Sur ce document, voir chapitre v, *supra*, p. 273-275.

27. *Sermo*, 32, 20, *C.C.*, 41, p. 407 : « ... superbit homo mortalis super hominem parem sibi, quaerit honores ab hominibus uanos ; ut autem adipiscatur, exhibet illis ludicra nequitiae... » (texte cité intégralement dans notre notice *Hippo Regius – P. –*, n. 18).

28. *En. in ps.* 38, 2, *C.C.*, 38, p. 403 : « ... in auro et argento, in epulis atque luxuria, ... in affectandis atque apprehendis ruinosis honoribus. »

29. *En. in ps.* 39, 7, *C.C.*, 38, p. 430 : « Namque multi de Deo sperant pecuniam, multi de Deo sperant honores caducos atque perituros... »

30. *Sermo*, 21, 10, *C.C.*, 41, p. 285-286 ; *En. in ps.* 149, 10, *C.C.*, 40, p. 2184.

31. *En. in ps.* 149, 10, *C.C.*, 40, p. 2184 : « ... etiam res suas perdere uolunt, donando scaenicis, histrionibus, uenatoribus, aurigis ; quanta donant, quanta impendunt ! Effundunt uires, non patrimonii tantum, sed etiam animi sui. » Nous citons intégralement ce passage au chapitre viii, *infra*, p. 379, n. 38. Dans ce même chapitre, nous examinerons le problème religieux posé par l'hostilité d'Augustin (et des autres Pères de l'Église) à l'égard de l'évergétisme.

32. *En. in ps.* 80, 7, *C.C.*, 39, p. 11 : « Illorum arca auro exinanitur... Plangunt plerique editores, uendentes uillas suas. » Sur la série d'*enarrationes* dont ce texte fait partie et sur leur date, voir notice *Karthago*, n. 133-145.

33. JEAN CHRYSOSTOME, *Sur la vaine gloire et l'éducation des enfants*, éd. A.-M. Malingrey, *S.C.*, 188, p. 74-89. La ruine de l'*editor* à la suite de ses prodigalités est décrite p. 80-82 ; Chrysostome le montre, non sans exagération rhétorique, mendiant

Ces textes ont, pour notre propos, un très grand intérêt. D'abord, ils nous permettent de constater le maintien d'une tradition essentielle à la vie municipale romaine, à l'extrême fin du IVe siècle et dans le premier tiers du Ve siècle, soit à une époque où la documentation épigraphique devient relativement rare. On voit d'autre part que ces générosités demeurent une obligation pour qui possède ou acquiert la richesse, s'il veut tenir son rang et obtenir la prééminence sociale. Enfin, le but recherché est la conquête des honneurs. Nul doute qu'il ne s'agisse des dignités supérieures des curies, le duumvirat et le flaminat perpétuel, le rang de *principalis*. Pour les plus riches s'ajoutait le sacerdoce provincial qui impliquait le paiement de jeux particulièrement fastueux et onéreux.

Les riches Africains du Bas-Empire recherchaient avec obstination les honneurs impériaux, c'est-à-dire essentiellement le clarissimat à partir du règne de Constantin[34]. L'*adlectio* au Sénat coûtait cher en gratifications à des hauts dignitaires et à des membres influents de l'assemblée. Elle ne supposait pas l'offre de jeux, avant ceux qui étaient liés à la préture ; or les *honorati* provinciaux n'étaient pas, en général, amenés à assurer cette magistrature[35]. Les spectacles que les Africains ambitieux devaient offrir à leurs concitoyens étaients donc liés à l'acquisition des honneurs municipaux et provinciaux. Comme la loi obligeait les candidats aux dignités impériales à accomplir au préalable toutes leurs obligations municipales[36], l'obtention des magistratures et distinctions locales par le moyen de l'évergétisme était une étape nécessaire pour les plus riches et les plus ambitieux qui visaient le clarissimat. Pour d'autres, le simple fait de tenir dans leur cité le haut du pavé et de posséder un pouvoir, non négligeable nous l'avons vu, sur leurs concitoyens, exerçait un attrait suffisant[37]. Les honneurs dont le moraliste chrétien Augustin dénonçait la vanité semblaient fort désirables à beaucoup de Romano-Africains ; ils n'hésitaient pas à sacrifier des sommes considérables pour y parvenir. Ceci entraînait le maintien d'une émulation entre les notables locaux, donc une concurrence pour l'accès aux dignités supérieures. Si quelques hommes riches s'étaient entendus pour se réserver les fonctions municipales les plus hautes, sans intervention du peuple ni des décurions modestes, ces prodigalités n'eussent pas eu de raison d'être. De fait, elles impliquent

---

sur l'agora. Ce texte a été composé à Antioche entre 387 et 398. Il s'agit d'un des documents les plus riches et les plus concrets que nous possédions sur l'évergétisme antique. Sur son authenticité chrysostomienne, voir A.-M. Malingrey, *loc. cit.*, p. 11-40.

34. Voir chapitre v, *supra*, p. 256-275.

35. Sur l'*adlectio* au Sénat au IVe siècle, se reporter aux études d'A. CHASTAGNOL, *Les modes de recrutement du Sénat au IVe siècle après J.-C.*, dans *Recherches sur les structures sociales dans l'Antiquité classique*, recueil éd. par C. Nicolet (colloque de Caen, 1969), Paris, 1970, p. 187-211 ; et *idem, Constantin et le Sénat*, dans *Atti dell' Accademia romanistica costantiniana*, 2o convegno, Pérouse, 1976, p. 51-69.

36. Sur cette législation, voir chapitre v, et particulièrement, p. 258.

37. Sur ce point, voir chapitre iv, *supra*, p. 231-235.

la nécessité de la popularité et donc l'existence, sinon de suffrages formels du peuple, du moins de pressions de l'opinion publique dont on ne pouvait pas ne pas tenir compte[38].

A coup sûr, il y a contradiction entre la situation décrite par ces documents et celle qui paraît ressortir des lois contre la désertion des curies, surtout celles qui déplorent la recherche indue du rang d'*honoratus* dispensé des charges civiques et donc de l'évergétisme *ob honorem*. Mais, nous l'avons vu, cette législation visait ceux qui refusaient de se plier à la règle, ceux qui obtenaient des passe-droits pour accélérer leur promotion sociale. Il serait abusif de croire qu'ils étaient la majorité ; en tout cas, les ambitieux décrits par Augustin ne faisaient pas l'économie de la carrière municipale et des actes d'évergétisme qu'elle impliquait.

Nous constatons sur l'album municipal de Timgad que les catégories supérieures (*duumuiralicii* et flamines perpétuels) comprennent des représentants de 30 des 65 familles représentées sur la liste[39]. Ceci nous incite à conclure que ces dignitaires n'étaient pas tous des gens très riches. On peut donc penser que des générosités aussi dispendieuses qu'un spectacle dans l'amphithéâtre n'étaient pas requises de tous ceux qui franchissaient le cap du duumvirat. Nous verrons plus loin que nos sources évoquent des duumvirs de niveau social relativement modeste. Si l'on met à part le cas des prêtres provinciaux, celui des magistrats de Carthage et, peut-être, de quelques grandes villes, on doit donc penser que les évergètes particulièrement généreux agissaient spontanément et qu'ils dépassaient largement les sommes dues obligatoirement par quiconque recevait un honneur municipal. C'était, selon Augustin, le cas de Romanianus à Thagaste[40]. De même, nous avons rencontré des curateurs qui pratiquaient l'évergétisme alors qu'ils n'y étaient pas tenus, puisque leur charge était juridiquement une fonction impériale et non un honneur municipal[41]. Toutefois, les générosités exceptionnelles n'étaient probablement pas totalement désintéressées, car elles conféraient à leurs auteurs un prestige qui pouvait les aider pour l'accession au sacerdoce provincial et, indirectement, aux honneurs impériaux.

On a remarqué que saint Augustin n'évoque pas l'évergétisme monumental. Doit-on en induire qu'il avait disparu de son temps ? La documentation épigraphique manifeste la part importante qu'il avait gardée au ive siècle dans les cités africaines. En fait, le témoignage de saint Augustin est partiel ; il polémiquait contre les spectacles et ne s'intéressait pas à cette autre forme d'évergétisme, qu'il ne jugeait pas immorale.

---

38. Sur ce rôle du peuple dans la vie municipale, voir chapitre iii, *supra*, p. 140-149.

39. *Cf.* notre notice *Thamugadi* – N. –, n. 98-100.

40. Augustin affirme qu'on avait jamais vu auparavant à Thagaste des spectacles aussi fastueux que ceux donnés par Romanianus, « numquam ibi antea uisa spectacula » (*Contra Academicos*, 1, 2, *B.A.*, 14, p. 16). Des formules de ce type se lisent sur des inscriptions évergétiques.

41. *Cf.* chapitre iii, *supra*, p. 190.

b) *Les actes d'évergétisme connus par la documentation africaine.*

Les documents africains mentionnent 108 actes d'évergétisme datables entre 275 et 439[42]. Ce nombre manifeste bien l'inexactitude de l'opinion souvent émise par les historiens modernes et selon laquelle ces générosités auraient disparu à partir de la crise du IIIe siècle. Seule disparaît, en fait, la mention des sommes dépensées par les évergètes. Richard Duncan-Jones, qui a recensé les inscriptions africaines mentionnant des sommes d'argent, n'en a relevé que deux postérieures à l'avènement de Dioclétien[43]. Nous devons constater qu'il s'agit de la fin d'une mode, et non de la conséquence d'un amenuisement grave des dons ; en effet, on voit très souvent, au cours de la période antérieure, la mention de sommes réduites, consacrées par exemple à l'érection de statues. Or nous avons des exemples, au IVe siècle, de munificences importantes (constructions d'édifices, offrandes de jeux) dont le montant n'est pas indiqué.

---

42. Ces actes sont relatés par 85 documents, mais certains en mentionnent plusieurs (construction ou restauration de deux bâtiments, offre d'un banquet — *epulum* —, de cadeaux — *sportulae* — ou de spectacles le jour de l'inauguration de l'édifice).

43. *C.*, 26472 (Thugga – P. – ; notice, n. 9 ; date : 293-305. La mention de la somme est hypothétique, car liée à une restitution). *I.L.Alg.*, I, 250 (Calama – P. – ; notice, n. 4 ; date : 286-293). R. Duncan-Jones a recensé 438 mentions de sommes sur les inscriptions africaines des IIe et IIIe siècles (*The Roman Economy*, Cambridge, 1974, p. 89-114).

TABLEAU DES ACTES D'ÉVERGÉTISME DATABLES
DU BAS-EMPIRE MENTIONNÉS DANS LA DOCUMENTATION AFRICAINE

I – 275-305

1	275-276	Q. Numisius Primus, *aedilicius et duumuiralicius*	Membressa – P. –, n. 1	Statues de Victoires d'une valeur de 16 000 sesterces, à la suite d'une promesse ; augmentation de la somme ; combats de pugilistes ;	*C.*, 25836
2	280	Turius Verna, curateur de Capsa et de Tacape	Capsa – B. –, n. 8	Banquet(*epulum*) spectacles (*ludi*) de trois jours, pour l'inauguration d'un temple	*C.*, 100 = 11228
3	282	Caelius Severus, *signo* Thoracius, clarissime, patricien, consulaire, curateur et patron	Pupput – B. –, n. 4	Restauration du forum et des édifices (*aedes*) qui le bordent, dont le Capitole et la curie	*C.*, 24095 = *I.L.S.*, 5361
4	276-282	C. Lurius Felix, duumvir quinquennal	Tichilla – P. –, n. 3	Statue de bronze du Génie du municipe ; augmentation de la somme promise ; spectacles (*ludi*) ; *gymnasia* (huile pour le bain).	*C.*, 14891
5	287	Sulpicius Felix, chevalier romain, édile	Thala – B. –, n. 5	Avenue ou place (*platea*) aménagée *ob honorem aedilitatis* ; promesse accomplie par les fils mineurs de l'évergète, sous la responsabilité de leur tuteur	*C.*, 23291
6	288	---	Sitifis – M.S. –, n. 6	Reconstruction du temple de Cybèle aux frais de certains fidèles (évergétisme à titre privé)	*C.*, 8457

7	286-293	Arminia Fadilla	Calama – P. –, n. 4	Restauration d'un temple d'Apollon, pour 150 000 sesterces, 200 000 sesterces étant ajoutés par ailleurs	*I.L. Alg.*, I, 250 = *C.*, 5333 = 17487
8	286-293	---	Naraggara – P. –, n. 4	Achèvement de thermes, en partie aux frais d'un évergète, en partie par une souscription des citoyens	*I.L. Alg.*, I, 1187 = *C.*, 10766 = 16812
9	286-293	---	Mididi – B. –, n. 3	Curie et probablement portiques, élevés grâce à une *collatio* des décurions ; banquet (*epulum*) offert par les *curiales* (des curies du peuple)	*C.*, 11774
10	286-293	D. Amulius Victorinus, flamine perpétuel	Thala – B. –, n. 6	Construction d'un portique	*C.*, 501
11	286-293	Aellius Princeps, et un duumvir anonyme	Cedia – N. –, n. 2	Travaux publics indéterminés	*C.*, 10727 = 17655
12	286-293	Clodius Victor et Pomponius Macrianus, duumvirs	Ad Maiores – N. –, n. 6	Construction d'un arc *ob honorem duumuiratus* ; promesse accomplie par le fils du premier duumvir et l'héritier du second	*C.*, 2480 et 2481 + 17970
13	290-293	C. Statulenius Vitalis Aquilinus, chevalier romain, augure, duumvir	Thamugadi – N.–, n. 11	Avenue ou place (*platea*) et pont construits l'année du duumvirat de l'évergète (très certainement *ob honorem*, à la suite d'une promesse)	*Kolbe, Statthalter*, p. 40

14	290-293	---	Verecunda – N. –, n. 5	Édifice restauré *ex c[onlatione pri]ncipalium* (acte d'évergétisme probable)	*C.*, 4224
15	299	Aurelius Dom- - -; Aurelius Quintus ; Aemilius - - -	Albulae – M.C. –, n. 1	Restauration d'un temple de la *Dea Maura*	*C.*, 21665
16	303	Pompeus Donatus flamine perpétuel; Sittius Frontinianus, pontife	Macomades – N. –, n. 3	Construction d'un arc	*C.*, 4764 =., 18698 = *I.L.S* 644
17	293-305	---	Ammaedara – P. –, n. 6	Travaux au théâtre ; spectacles (*ludi*)	*I.L. Tun.*, 461
18	293-305	Papirius Balbus Honoratus ; les héritiers de Sergius Firmus Juniarius	Thugga – P. –, n. 9	Restauration du temple du Génie de la patrie ; mention de la somme honoraire, et peut être d'une autre somme (*H.S.- - - LXI*) ; sportules aux décurions	*C.*, 26472
19	293-305	- - ius Marcellinus, chevalier romain, flamine perpétuel, duumvir	Thililis – N. –, n. 19	Statue d'Hercule, *ob honorem duumviratus*	*I.L. Alg.*, II, 2, 4636
20	293-305	Atius Crescens, duumvir	Ala Miliaria – M.C. –, n. 2	Statue, *ob honorem duumuiratus*	*A.E.*, 1936, 64
21	286-305	---	Thysdrus – B. –, n. 13	Spectacles dans l'amphithéâtre (*munerarius*) ; somme promise augmentée ; statue offerte par les curies du peuple en remerciement	*C.*, 22852

Aucun acte d'évergétisme n'est connu entre 305 et 324.

* *
*

II - 324-337

22	326-333	Aurelius Saturni-nusCrescentianus, flamine perpétuel, et son frère Aurelius Nicander, flamine perpétuel et patron	Madauros – P. –, n. 23	Statue	*I.L. Alg.*, I, 2162 = 4011
23	326-333	Nonius Marcellus - - - Herculius	Thubursicu Numidarum – P. –, n. 7	Réfection de la *platea uetus* (acte d'évergétisme incertain)	*I.L. Alg.*, I, 1273 = *C.*, 4878 = *I.L.S.*, 2943
24	326-335	L. Modius Valentio, curateur	Belalis Maior – P. –, n. 7	Reconstruction de la curie et d'un édifice hexagonal (acte d'évergétisme probable)	*C.*, 14436 = *I.L.S.*, 5518

III - 337-350

25	340-350	Flavius Victor Calpurnius, perfectissime, gouverneur de Tripolitaine, patron	Lepcis Magna – T. –, n. 18	*Editio* de spectacles de l'amphithéâtre	*I.R.T.*, 569 = *C.*, 22672 = *I.L.S.*, 9408

Aucun acte d'évergétisme n'est connu entre 350 et 361

* *

IV - 361-364

26	361-362	Furius Reginus flamine perpétuel	Thubursicu Numidarum – P. –, n. 10	Statue	*I.L. Alg.*, I, 1286
27	361-363	——	Satafis – M.S. – n. 2	Reconstruction de thermes	*C.*, 20267 + *Rec. Const.*, 1908, p. 280-281

V - 364-367

28	364-367	——	Apisa Maius – P. –, n. 4	Travaux publics	*C.*, 781
29	364-367	Ulagi(us) (?) Felix	R. P. Bihensis Bilt - - (*Hr Béhia*) – P. –, n. 2	Travaux publics	*C.*, 14341 = 25444

30	366-367	---	Calama – P. –, n. 7	Restauration d'un édifice	*I.L. Alg.*, I, 255 = *C.*, 5336
31	364-367	Rutilius Saturni- nus, clarissime	Cuicul – N. –, n. 16	Construction d'un marché aux vête- ments (*basilica* *uestiaria*)	*C.*, 20156 = *I.L.S.*, 5536
32	364-367	Popilius Conces- sus, flamine per- pétuel	Macomades – N. –, n. 5	Construction d'un arc *ob* *honorem* *flamonii*	*C.*, 4767 = 18701 = *I.L.S.*, 5571
33	364-367	- - - lius Festus, clarissime	Sufetula – B. –, n. 10	Fontaine ; acte d'évergétisme probable	*C.*, 234 = 11329 + *A.E.*, 1958, 158

VI - 367-375

34	367-372	Rutilius Saturni- nus, clarissime	Cuicul –N. –, n. 23	Basilique cons- truite à la place d'un spectacle de l'amphithéâtre dû à la cité (*pro* *editione muneris* *debiti*)	*C.*, 8324 = *I.L.S.*, 5535
35	367-375	Nevius Numidia- nus	Cirta – N. –, n. 13	Construction d'un portique	*I.L. Alg.*, II, 1, 593 = *C.*, 7015 = *I.L.S.*, 5555
36	371-373	---, curateur	Mustis – P. –, n. 8 (au *H*ᵣ *Haouïa*)	Restauration de thermes	*C.*, 16400
37	367 ou années suivantes	Aelius Julianus, flamine perpétuel, ancien curateur, patron, *praesida-* *lis*	Thamugadi – N. –, n. 40	Allusion très pro- bable à des actes d'évergétisme sur une tablette de patronat	*A.E.*, 1913, 25 = *I.L.C.V.*, 387

VII - 375-383

38	375-378	- - - Victor, flami- ne perpétuel	*Chéria* – N. –, n. 1	Travaux publics	*C.*, 2216 = 17611
39	376-377	L. Napotius Felix Antonianus, fla- mine perpétuel, ex-curateur	Thugga – P. –, n. 13	Réfection d'une adduction d'eau et d'un nymphée pour l'honneur du flaminat	*C.*, 26568 + *I.L. Afr.*, 533

40	376-377	——	*Hᵣ Tout el kaya* – P. –, n. 1	Réfection d'un portique et d'un escalier	*C.*, 14346 = *I.L.S.*, 5556
41	379-383	L. Napolius Felix Antonianus, flamine perpétuel, ex-duumvir, ex-curateur	Thugga – P. –, n. 14	Restauration d'un édifice *ob honorem duouiratus* ; banquet (*epula*) offert pour la dédicace ; allusion à une promesse, à un retard d'exécution, à une *ampliatio.*	*C.*, 26569
42	379-383	Crepereius Felicissimus ; Crepereius Glycerius son fils, flamine perpétuel	*Ghardimaou* – P. –, n. 1	Construction ou restauration d'un arc	*C.*, 14728
43	379-383	L. Silicius Rufus, *duumuiralicius* et curateur	Lambaesis – N. –, n. 17	Reconstruction de la curie ; restauration de l'adduction d'eau pour les fontaines publiques	*C.*, 18328 = *I.L.S.*, 5520
44	379-383	- - - Honoratianus ; - - - Ansa - - -, son frère	Satafis – M.S. –, n. 3	Restauration de l'adduction d'eau de thermes	*C.*, 8393 = 20266
45	Vers 370-380	Cornelius Romanianus, patron, ayant reçu tous les honneurs de la cité	Thagaste – P. –, n. 22-32	Spectacles (amphithéâtre et théâtre) ; banquets ; probablement travaux publics	*Augustin, C., Academicos,* I, 2 ; *cf. I.L. Alg.,* I, 879 = *C.,* 17226

VIII - 383-408

46	383-392	Furius Victorinus, flamine perpétuel	Uchi Maius – P. –, n. 9	Restauration d'un édifice public, par une *liberalitas* supérieure à celle des ancêtres du personnage	*C.*, 15453 + 26267
47	399-400	—— flamine perpétuel et curateur	Madauros – P. – n. 14	Restauration du forum et des édifices qui le bordaient, ainsi que du *proscenium* du théâtre	*I.L. Alg.* I, 2107

48	400-401	Coelius Titianus, ex-naviculaire et ex-curateur ; Coelius Restitutus, son fils	Neapolis – P. –, n. 5	Statue ; spectacle de l'amphithéâtre (*munerarius*)	*C.*, 969
49	407-408	Claudius Sisenna Germanianus, curateur	Madauros – P. –, n. 15	Restauration des thermes d'été	*I.L. Alg.*, *I*, 2107
50	395-408	[Gab ?]inius Salvianus, *aedilicius*, *principalis* de Carthage	Thuburbo Maius – P. –, n. 14	Restauration complète des thermes d'hiver	*I.L. Afr.*, 276

IX — 408-423

51	408	- - - Valentinus, curateur	Calama – P. –, n. 12	Restauration d'une hôtellerie publique	*I. L. Alg* I, 263 = *C.* 5341
52	408	M. Sinius Caripa, patron	Uzali Sar – P. –, n. 8	Construction d'une fontaine, à la suite d'une promesse (*ex professione sua*)	*C.*, 25377
53	409	---	Karthago – P. –, n. 133-145	Spectacles (amphithéâtre ; théâtre ; cirque) offerts en décembre par des évergètes carthaginois	Augustin, *En. in ps.* 80, 103, 146, 147
54	408-423	Stertinius Carcedonius	H^r Mesguida [Casula ?] – P. –, n. 1	Restauration de statues offertes par les ancêtres de l'évergète	*C.*, 24104
55	408-424	---	Tichilla – P. –, n. 5	Restauration de thermes, en partie grâce à un évergète, en partie par une *conlatio* de l'*ordo* et des citoyens	*C.*, 25864 + *I.L. Afr.*, 492

Aucun acte d'évergétisme n'est connu après 424

**

X — *Actes connus par des inscriptions du Bas-Empire non datables avec précision*

56		Geminius - - - (peut-être cura- teur)	Avitta Bibba P. –, n. 9	Evergétisme probable	*C.*, 12279
57	2e moitié du IIIe s. au début du IVe s.	Q. Vetulenius Urbanus Herrenianus, *signo* Magnilianus, flamine perpétuel et curateur ; Magnilialianus, son fils	Mun. Aurelium Commodianum (*Hr Bou Cha*) – P. –, n. 2	Importants travaux dans des thermes	*C.*, 828 = 23964
58	Seconde moitié du IVe s. avant 392	- - - clarissime, consulaire de Chypre, pontife du soleil et augure à Rome	Madauros – P. –, n. 17	Construction d'un portique au forum	*I.L. Alg.*, I, 2117
59		- - - curateur	Madauros – P. –, n. 18	Réfection d'un édifice public	*B.C.T.H.*, 1931, mars, p. XVI
60		- - - curateur	Madauros – P. –, n. 21	Réfection d'une basilique civile par des *curiales* (des décurions selon Gsell)	*I.L. Alg.*, I, 2135
61		Julius Saturus, flamine perpétuel, trois fois curateur ; ses enfants et héritiers	Membressa – P. –, n. 7	Acte d'énergétisme indéterminé	*C.*, 1238 = 25838
62		- - - naviculaire	Neapolis – P. –, n. 8	Statue	*C.*, 970
63		Valerius Romanus, clarissime, curateur et patron	Sicca Veneria – P. –, n. 10	Restauration du temple et de la statue de Vénus	*C.*, 15881 = *I.L.S.*, 5505
64		Honoratiani ; Victoriniani ; Venerii ; Ambibuliani	Theveste – P. –, n. 15	Restauration de l'amphithéâtre, aux frais de familles de notables	*A.E.*, 1967, 550

65		Valerius - - - – P. –, n. 14	Theveste	Travaux à un portique	*I.L. Alg.,* I, 3056 = *C.,* 16538
66		Lusius Fortunatus, édile, et duumvir	Thisiduo – P. –, n. 3	Spectacles de l'amphithéâtre (*munerarius*) offerts par deux fois (à l'occasion de l'édilité, puis du duumvirat)	*C.,* 1270
67		C. Vasidius Pacatus, perfectissime, flamine perpétuel, curateur	Thubursicu Numidarum – P. –, n. 15bis	Acte d'évergétisme indéterminé	*I.L. Alg.,* I, 1299
68		L. Octavius Aur[elianus ?] Didasius, clarissime, citoyen et patron	Ureu – P. –, n. 6	Restauration de thermes et de leur adduction d'eau	Maurin-Peyras, *Ureu,* nº 6, p. 40-46
69	Pas avant Constantin	L. Junius Junillus, perfectissime, *comes diuini lateris*, gouverneur de Maurétanie Césarienne, citoyen et patron	Ureu – P. –, n. 8	Travaux aux bâtiments publics	Maurin-Peyras, *Ureu,* nº 8, p. 49-54
70		- - - - - stulinus	Ziqua – P. –, n. 3	Acte d'évergétisme indéterminé	*C.,* 897
71	Entre 317 et 361	---	*H^r El Halouani* (ciuitas - - -iana) – P. –, n. 2	Travaux publics, en partie aux frais d'un évergète	*C.,* 23946
72		---	*Ksar Mezouar* – P. –, n. 1	Acte d'évergétisme indéterminé	*C.,* 14430
73	312-350	--- curateur	Chusira – B. –, n. 2	Travaux à un temple	*A.E.,* 1946, 45
74		Didius Preiectus, flamine perpétuel	Pheradi Maius – B. –, n. 10	Restauration de bâtiments publics	*I.L. Tun.,* 251
75	après 337	--- flamine perpétuel	Uzappa – B. –, n. 7	Restauration d'un édifice pour l'honneur du flaminat perpétuel	*C.,* 11932

76	1re moitié du IVe s.	T. Flavius Vibianus, perfectissime, prêtre provincial, prêtre des Laurentes de Lavinium, flamine perpétuel, curateur, duumvir	Lepcis Magna – T. –, n. 62	Spectacles de chasses dans l'amphithéâtre	*I.R.T.*, 567 ; *cf. I.R.T.*, 568
77	1re moitié du IVe s	T. Flavius Frontinus Heraclius, perfectissime, prêtre des Laurentes de Lavinium, augure, duumvir, *principalis*	Lepcis Magna – T. –, n. 67	Spectacles, principalement dans l'amphithéâtre	*I.R.T.*, 564
78	1re moitié du IVe s.	T. Flavius Vibianus junior, *signo* Heraclius, pontife, duumvir, fils du précédent	Lepcis Magna – T. –, n. 68 et 69bis	Spectacles	*I.R.T.*, 595 = *C.*, 14 = 22673 ; *I.R.T.*, 652
79	1re moitié du IVe s.	M. Vibius Anianus Geminus, *signo* Amelius, perfectissime, prêtre provincial, flamine perpétuel, pontife, deux fois duumvir	Lepcis Magna – T. –, n. 70	Spectacles	*I.R.T.*, 578
80		- - - Porfyrius	Lepcis Magna – T. –, n. 78	Offrande de quatre éléphants	*I.R.T.*, 603
81		---	Thamugadi – N. –, n. 16bis	Statue du Génie de la cité, offerte par un évergète anonyme, se qualifiant de *ciuis et amator ciuitatis*	*B.C.T.H.*, 1893 p. 162
82		- - - Felix	Thibilis – N. –, n. 24	Restauration d'une fontaine publique	*I.L. Alg.*, II, 2, 4724
83		---	H^r *Metkidès* (Tinfadi ?) – N. –, n. 4	Travaux publics	*C.*, 2195

84		---	H^r Metkidès (Tinfadi ?) – N. –, n. 5	Travaux publics	C., 2196
85	Avant Constantin	M. Annius Sacerdos, chevalier romain, curateur et patron	Satafis – M.S., n. 4 et 5	Vasques (conchae) pour les thermes et, probablement, statue	C., 8396 = I.L.S., 5728 ; C., 20268

Bien entendu, on retrouve dans cette liste les contrastes entre les périodes que nous avons remarqués pour les constructions et restaurations de monuments publics[44]. Sous le règne de Dioclétien, 22 actes d'évergétisme sont connus. Durant les 56 ans qui séparent l'abdication de Dioclétien de l'avènement de Julien, on en compte quatre, dont un très particulier, puisqu'il s'agit d'une générosité due à un gouverneur provincial[45]. On constate donc que les difficultés connues par les cités africaines sous la dynastie constantinienne apparaissent encore plus nettement ici que sur la chronologie des chantiers municipaux. C'est normal, car les problèmes financiers dus à une fiscalité trop lourde supprimaient pour les notables la possibilité de ces générosités[46]. Elles reprirent à partir du règne de Julien, et on en compte 26 entre 361 et 383, ce qui correspond en gros à la situation du temps de Dioclétien. Pour l'ensemble des constructions publiques, la proportion du financement évergétique baissa : elle correspond au tiers des chantiers entre 286 et 305, au quart entre 361 et 375. Quoi qu'il en soit, on doit constater que les générosités privées sont restées durant toute la période une source de financement non négligeable pour les chantiers urbains.

---

44. Voir chapitre II, supra, p. 74-81 (tableaux et graphiques statistiques). On doit constater que ces contrastes sont amplifiés dans le domaine évergétique. Les nombres indiqués ici sont en rapport avec l'ensemble des actes indiqués (108) par les 85 documents recensés.

45. Le gouverneur de Tripolitaine Flavius Victor Calpurnius, en fonction entre 340 et 350, se vit dresser une statue à Lepcis Magna en témoignage de reconnaissance pour ses bienfaits « qui surpassaient, dit le texte, ceux qu'on pouvait attendre d'un citoyen né dans la cité » (supra genitalis ciuis affectum ; I.R.T., 569 = C., 22672 = I.L.S., 9408 ; notice Lepcis Magna – T. –, n. 18). Parmi ces bienfaits figuraient des offrandes de spectacles. Il est plus douteux qu'il ait participé financièrement aux chantiers de monuments publics dont l'inscription le dit instaurator. Un autre acte d'évergétisme connu pour cette période est douteux, car l'inscription qui semble le mentionner est fragmentaire (restauration de la plaetea uetus de Thubursicu Numidarum – P. – par le grammairien Nonius Marcellus : la participation financière de ce dernier à l'opération est seulement probable ; I.L.Alg., I, 1273 = I.L.S., 2943 ; notice, n. 7).

46. Sur la crise des cités africaines à cette époque, voir chapitre II, p. 90-98. Sur ses causes essentielles fiscales, voir ibidem, p. 67-71 ; 96-98. La thèse classique de l'historiographie, supposant une quasi-disparition de l'évergétisme au Bas-Empire, se révèle exacte pour ces années difficiles.

Douze inscriptions évoquent, comme sous le Haut-Empire, l'exécution de promesses évergétiques liées à l'obtention d'un honneur municipal.

— En 287 à Thala (B. ; pour l'édilité)[47].

— Entre 286 et 293 à Ad Maiores (N. ; pour le duumvirat)[48].

— Entre 290 et 293 à Thamugadi (N. ; pour le duumvirat)[49].

— Entre 293 et 305 à Thugga (P. ; mention d'une somme honoraire)[50].

— Entre 293 et 305 à Thibilis (N. ; pour le duumvirat)[51].

— Entre 293 et 305 à Ala Miliaria (M.C. ; pour le duumvirat)[52].

— Entre 364 et 367 à Macomades (N. ; pour le flaminat)[53].

— En 376 ou 377, à Thugga (P. ; pour le flaminat)[54].

— Entre 379 et 383, à Thugga (P. ; pour le duumvirat)[55].

— A deux dates imprécises, à Thisiduo (P. ; pour l'édilité, puis pour le duumvirat)[56].

— A une date imprécise postérieure à 337, à Uzappa (B. ; pour le flaminat)[57].

— Enfin, on trouve probablement une allusion à la somme honoraire afférente au triumvirat dans une inscription de Milev (N.), datable de la seconde moitié du IIIe siècle[58].

On constate ici l'existence de ces générosités *ob honorem* durant toute la période considérée. Le fait n'est nullement surprenant, puisque nous savons par la législation que les charges municipales ne consistaient pas seulement en responsabilités diverses assumées bénévolement, mais dans le versement de sommes d'argent, particulièrement importantes pour les honneurs supérieurs du duumvirat et du flaminat perpétuel[59]. Il est normal que des dignitaires se soient acquittés de ces obligations par une participation financière à des travaux publics, par le don de spectacles ou de banquets.

---

47. *C.*, 23291 (notice, n. 5 ; tableau, n. 5).
48. *C.*, 2480 et 2481 + 17970 (notice, n. 6 ; tableau, n. 12).
49. Kolbe, *Stalthalter*, p. 40 (notice, n. 11 ; tableau, n. 13).
50. *C.*, 26472 (notice, n. 9 ; tableau, n. 18).
51. *I.L.Alg.*, II, 2, 4636 (notice, n. 19 ; tableau, n. 19).
52. *A.E.*, 1936, 64 (notice, n. 2 ; tableau, n. 20).
53. *C.*, 4767 = 18701 = *I.L.S.*, 5571 (notice, n. 5 ; tableau, n. 32).
54. *C.*, 26568 + *I.L.Afr.*, 533 (notice, n. 13 ; tableau, n. 39).
55. *C.*, 26569 (notice, n. 14 ; tableau, n. 41).
56. *C.*, 1270 (notice, n. 3 ; tableau, n. 66).
57. *C.*, 11932 (notice, n. 7 ; tableau, n. 75).
58. *C.*, 8210 = *I.L.S.*, 6864 (notice, n. 3).
59. Voir chapitre III, *supra*, p. 159 ; 167.

Certaines inscriptions commémorent des actes de munificence particulièrement notables. Ainsi, des textes de Lepcis Magna que l'on peut dater de la première moitié du ive siècle évoquent des jeux de l'amphithéâtre. Le duumvir de Lepcis et prêtre de Tripolitaine T. Flavius Vibianus offrit pour une *uenatio* dix panthères (*libycae ferae*)[60]. Son parent T. Flavius Frontinus Heraclius, duumvir de Lepcis, offrit une série de spectacles (*uoluptates*) dont les plus appréciés furent des *ludi* dans l'arène[61]. A Lambèse entre 379 et 383, le curateur et *duumuiralicius* L. Silicius Rufus fit, à ses frais, reconstruire la curie et réparer l'adduction d'eau alimentant les fontaines publiques. L'inscription, fort diserte, est un excellent témoignage sur le maintien de l'esprit municipal et évergétique ancien en Afrique au Bas-Empire. La formule initiale est particulièrement solennelle ; elle évoque « l'âge d'or » des empereurs régnants qui voit « non seulement les édifices tombés en ruines restaurés, mais de nouveaux bâtiments édifiés pour le bonheur de tous[62] ». Nous avons déjà noté que ce texte manifeste une prise de conscience de la prospérité des villes africaines sous la dynastie valentinienne[63]. La renaissance que connaissait alors l'évergétisme, après les années de crise sous la dynastie constantinienne, en est une manifestation fort caractéristique.

On doit tout particulièrement remarquer le maintien des actes d'évergétisme dans le dernier quart du ive siècle et le premier quart du ve siècle. Le déclin relatif par rapport aux années immédiatement précédentes est moindre dans ce domaine que pour l'ensemble des chantiers publics. Ceci confirme pleinement le témoignage des auteurs chrétiens sur les offrandes de spectacles à cette époque[64]. Quodvultdeus décrit encore la

---

60. *I.R.T.*, 567 ; notice, n. 62 (*ob diuersarum uoluptatum exhibitionem et libycarum ferarum X*). L'inscription est postérieure à la création de la province de Tripolitaine (entre 294 et 303 ; A. CHASTAGNOL, *Ant. Afr.*, I, 1967, p. 122).

61. *I.R.T.*, 564 ; notice, n. 67 (*ob diuersarum uoluptatum exhibitis adque admirabilem ludorum editionem*). Sur l'inscription *I.R.T.*, 595 = *C.*, 14 = 22673 (notice, n. 68), on trouve l'évocation de spectacles (*uoluptates*) offerts par T. Flavius Vibianus Junior, fils de T. Flavius Frontinus Heraclius et son collègue dans le duumvirat dès ses jeunes années ; bien entendu, ces jeux étaient offerts par le père, au nom de son jeune fils. On trouve encore des mentions d'offrandes de spectacles à Lepcis sur d'autres inscriptions du Bas-Empire : *I.R.T.*, 578 (notice, n. 70), *uoluptates* offertes par le duumvir M. Vibius Anianus Geminus) ; *I.R.T.*, 603 (notice, n. 78 ; offrande de quatre éléphants).

62. *C.*, 18328 = *I.L.S.*, 5520 ; notice, n. 17. C'est ce document qui évoque « la curie de l'Ordre que nos ancêtres ont appelée à juste titre le temple de cet Ordre ».

63. Notice *Lambaesis*, n. 17 ; chapitre II, p. 107-108.

64. La fastueuse munificence de Romanianus à Thagaste doit être datée du temps où Augustin faisait ses études ou enseignait en Afrique, soit entre 365 et 380 environ, c'est-à-dire la période la plus prospère du ive siècle africain. Mais les nombreuses allusions aux offrandes de spectacles que l'on trouve dans la prédication d'Augustin datent du temps de son épiscopat, et elles évoquent des faits qui ne sont pas antérieurs aux toutes dernières années du ive siècle. Les *Enarrationes in psalmos* 80, 102, 103, 146, 147 furent prononcées à Carthage en 409 et mentionnent les riches *munera* de décembre (cf. A.-M. La BONNARDIÈRE, dans *Recherches Augustiniennes*, 1976, p. 52-90 ; notice *Karthago*, n. 133-144). Les jeux offerts au peuple

foule des Carthaginois emplissant l'amphithéâtre juste avant que Genséric ne mît le siège devant la ville[65]. On constate donc le maintien jusqu'au bout de ces faits de civilisation que sont les spectacles, l'urbanisme romain et l'évergétisme qui en assurait pour une bonne part le financement. Bien entendu, ces permanences n'eussent pas été possibles sans une prospérité économique continue.

La prédominance, dans les chantiers publics, des restaurations sur les constructions de nouveaux monuments nous a amené à conclure que les villes d'Afrique au Bas-Empire disposaient de ressources moindres qu'à leur apogée sous les Sévères[66]. Nous avons vu également que cet appauvrissement fut bien moins important qu'on ne l'a dit, en particulier sous Dioclétien et la dynastie valentinienne. On peut faire la même constatation en ce qui concerne l'évergétisme : le nombre des dons fut probablement moindre qu'à l'époque des Sévères, de même que leur importance, certaines générosités exceptionnelles mises à part. Un indice de cette tendance est donné par une inscription en l'honneur du proconsul d'Afrique Julius Festus Hymetius (366-368) ; ce texte félicite Hymetius d'avoir permis que le sacerdoce de la province d'Afrique fût désormais disputé entre des concurrents alors qu'il était précédemment envisagé « avec terreur »[67]. Le proconsul avait évidemment décidé que les dépenses liées à cette dignité seraient diminuées ; il s'agissait probablement des sommes destinées à l'offrande de jeux lors de la tenue du conseil provincial. Ces limitations des dépenses n'étaient pas dues à un appauvrissement du pays, mais à l'accroissement considérable de la pression fiscale. Toutefois, le dossier de l'évergétisme africain au Bas-Empire montre, comme celui des chantiers urbains, que la régression par rapport à une brève période d'apogée fut beaucoup plus limitée que ne l'ont dit, jusqu'à une époque récente, les historiens modernes[68]. Or, cette activité évergétique demeura, en Afrique, étroitement liée à la vie municipale. De fait, les donateurs étaient, à peu d'exceptions près, des curiales, même quand les générosités mentionnées ne sont pas présentées sur les inscriptions comme liées à un *honneur* précis. Les *honorati* semblent avoir été fort peu généreux, justifiant les constitutions impériales qui les accusent de se désintéresser

---

de Carthage sont évoqués dans plusieurs lois d'Honorius (*C. Th.*, XII, 1, 146, de 395 ; XVI, 10, 17 = *C. Just.*, I, 11, 4, de 399 ; *C.Th.*, XV, 7, 13, de 413).

65. QUODVULTDEUS, *Sermo de tempore barbarico*, I, 1, *C.C.*, 60, p. 423-424. Sur ce texte, voir notice *Karthago*, n. 147.

66. Voir chapitre II, *supra*, p. 63-66.

67. *C.*, VI, 1736 = *I.L.S.*, 1256 (... *quod studium sacerdotii prouinciae restituerit et nunc a competitoribus adpetatur quod antea formidini fuerit*). Sur ce document, voir notice *Karthago*, n. 34-38.

68. Le maintien de l'activité bâtisseuse et évergétique au Bas-Empire en dépit du poids des impôts implique le retour à une prospérité économique égale à celle du début du IIIe siècle. On doit aussi constater que la période d'apogée, sous les Sévères, ne couvre qu'une quarantaine d'années, ce qui est fort court dans la longue histoire de l'Afrique romaine. On ne peut donc considérer cette époque comme normative.

de leurs cités[69]. On a constaté qu'à Antioche, les *honorati* ont pris, au IVe siècle, le relai des anciens évergètes dans le financement des constructions publiques, les curiales semblant se limiter à l'offrande de spectacles[70]. On ne remarque rien de tel en Afrique où, sur ce point comme sur tant d'autres, la tradition fut maintenue.

III — DÉCURIONS RICHES ET DÉCURIONS PAUVRES

Un critère censitaire présidait, nous l'avons vu, au recrutement des curiales ; il était possible, en cas de vacances dans une curie, de recruter de nouveaux membres parmi les plébéiens qui possédaient une fortune minimale, surtout s'ils étaient propriétaires fonciers[71]. Ceci posé, l'ordre décurional n'était pas et n'avait jamais été une classe sociale homogène[72].

---

69. Il convient de mettre à part les *honorati* équestres qui n'étaient pas dispensés des charges municipales, ainsi que le clarissime Rutilius Saturninus de Cuicul, qui semble avoir été obligé d'assumer des charges municipales après son *adlectio*, en application de la loi (*C.*, 8324 = *I.L.S.*, 5535 ; notice, n. 23-24). Sur cette faible propension à l'évergétisme des *honorati* clarissimes, voir chapitre v, p. 269-270.

70. Ce fait a été remarqué par J. LIEBESCHUETZ, *Antioch, city and imperial administration in the later Roman Empire*, Oxford, 1972, p. 132. Voir aussi A. NATALI, *Christianisme et cité à Antioche à la fin du IVe siècle d'après Jean Chrysostome*, dans *Jean Chrysostome et Augustin*, recueil éd. par Ch. Kannengiesser, Paris, 1975, p. 53.

71. Sur ce point, voir chapitre IV, *supra*, p. 197-199. La limite inférieure était basse : 25 jugères, soit un peu plus de six hectares en pleine propriété et autant en ferme sur les domaines impériaux, selon une loi de Constance II (*C.Th.*, XII, 1, 33, de 342) ; mais il n'existait pas de limite supérieure, si bien que de modestes propriétaires coexistaient avec des latifundiaires à l'intérieur de l'ordre décurional. Il semble que, dans les faits, le cens était fixé par chaque cité ; c'est ce qui semble ressortir de la loi *C. Th.*, XII, 1, 133, de 393, concernant la province de Tripolitaine : Théodose prévoyait l'*adlectio* aux curies des plébéiens jugés aptes vu leurs propriétés foncières ou leur fortune (« agro uel pecunia idoneos »).

72. Certains historiens ont affirmé que ce ne fut qu'au Bas-Empire que les curiales constituèrent une caste nettement séparée du reste de la population et que se forma au sein du groupe un net clivage entre le groupe dominant (les *primarii uiri*) et la masse des décurions. Ceci suppose une démocratie dans les cités romaines du Haut-Empire : tous les citoyens auraient pu espérer être élus magistrat et l'égalité aurait régné entre les décurions. Cette idée est encore exprimée par T. Kotula qui voit dans la disparition des curies du peuple un reflet « du fiasco de la démocratie antique » (*Les curies municipales en Afrique romaine*, Wroclaw, 1968, p. 137 ; *cf.*, p. 139). En fait, les cités romaines ne furent jamais démocratiques. Le système évergétique impliquait que les magistratures et les honneurs fussent réservés aux plus riches habitants qui bénéficiaient, dès le Haut-Empire, d'un prestige et d'une d'une autorité considérables par rapport à la masse des citoyens et par rapport aux décurions modestes, eux-mêmes plus fortunés que les plébéiens. Certes, la législation du Bas-Empire insiste beaucoup sur le caractère héréditaire du décurionat, mais elle suggère aussi de procéder à l'*adlectio* de plébéiens riches. Elle ne fait que systématiser une situation acquise dès l'origine. Le système censitaire est aussi vieux que le droit public romain : il constituait l'une des bases de la constitution républicaine ; il n'est donc nullement étonnant qu'il ait été adopté, dans le droit ou la pratique, par les communes romaines.

A Thagaste, vers 365, siégeaient côte à côte à la curie Patricius, père de saint Augustin, modeste *municeps* vivant des revenus de quelques champs, et Romanianus, qui éblouissait la cité et la région par son faste, ses vastes domaines et son évergétisme[73]. Pourtant, ces deux hommes appartenaient à la même catégorie juridique, celle des curiales, des *uiri honesti*[74]. Vu les charges financières dont les honneurs supérieurs étaient grevés, on peut penser que les plus modestes décurions ne parvenaient pas aux catégories les plus élevées de la carrière municipale, qu'ils ne devenaient pas duumvirs ou flamines perpétuels. Dans les petites villes cependant, nous savons que des gens fort simples devenaient duumvirs. Ainsi, saint Augustin évoque un décurion du municipe de Thullio, dans la région d'Hippone, qu'il définit comme « un curiale pauvre, tout juste *duumuiralicius* de cet endroit, un simple paysan[75] ». Cet homme aux ressources très limitées et cultivant, de toute évidence, lui-même son champ, avait donc pu accéder au duumvirat dans sa bourgade[76]. Le témoignage le plus concret sur ces dignitaires de petites villes recrutés dans un milieu modeste se trouve dans un texte que nous avons déjà maintes fois cité, les actes du procès de l'évêque Félix d'Abthugni. Au cours de l'audience tenue à Carthage en 314-315, fut enregistrée la déposition du duumvir en fonction à Abthugni en 303, Alfius Caecilianus[77]. S'il n'était pas l'illettré qu'A. H. M. Jones a cru voir[78], sa culture était fort limitée ; la minute du procès a transmis fidèlement son savoureux latin populaire. Il était le patron d'un atelier de tissage ; en 303, au moment où l'édit ordonnant la persécution des chrétiens parvint en Afrique, il était parti en voyage à Zama pour acheter du fil[79]. Il raconta au procès que plusieurs années après, le scribe Ingentius vint le trouver chez lui pour tenter de lui extorquer un document compromettant pour l'évêque Félix ; il déjeunait avec ses ouvriers, dans la pièce de sa maison qui donnait

---

73. Voir *supra*, p. 298-299 et n. 20-25 et notice *Thagaste* – P. –, n. 6-46.

74. L'appartenance de la famille d'Augustin à la catégorie des *honestiores* ou *uiri honesti* est indiquée par son biographe Possidius (*Vita Augustini*, I, 1, 2, *P.L.*, 32, 33 : « De numero curialium parentibus honestis... progenitus erat »).

75. Augustin, *De cura pro mortuis gerenda*, XI, 15, *C.S.E.L.*, 41, p. 644 : « Homo quidam Curma, municipii Tulliensis, quod Hipponi proximum est, curialis pauper, uix illius loci duumuiralicius et simpliciter rusticanus... »

76. La formule *uix illius loci duumuiralicius*, « tout juste ancien duumvir de cet endroit », signifie que, même dans cette infime bourgade, le pauvre Curma n'avait pu accéder au duumvirat qu'avec peine, vu ses faibles ressources. Il s'agit d'un bon témoignage sur le fait que le cens et le montant des charges financières liées aux honneurs municipaux variaient selon l'importance des communes.

77. *Acta purgationis Felicis*, éd. Ziwsa, *C.S.E.L.*, 26, p. 197-204 ; cf. notice *Abthugni* – B. –, n. 13-52, et *Karthago*, n. 52-65.

78. A. H. M. Jones, *The Later Roman Empire*, t. II, p. 860. Jones se fonde sur le fait qu'on voit Caecilianus dicter une lettre ; or, c'était une pratique courante. Au procès à Carthage, on lui remit la lettre pour qu'il la reconnaisse, ce qu'il fit (*loc. cit.*, p. 199, l. 22-25) : il savait donc lire.

79. *Acta, loc. cit.*, p. 199, l. 7-8 : « Alfius Caecilianus dixit : Zama ieram, propter lineas comparandas... »

sur la rue[80] : cette maison lui servait donc à la fois d'habitation et d'atelier et, de même qu'il partageait les repas de ses employés, il devait participer à leur travail manuel. Il est cependant probable qu'il possédait quelques champs, ce qui expliquait sa présence à la curie[81].

A coup sûr, les décurions aux ressources modestes étaient en majorité dans les petites villes. La chose est évidente dans la région à très forte densité urbaine du nord de la Proconsulaire, pour la raison suivante : dans la moyenne vallée de la Medjerda et de ses affluents, dans la plaine du Fahs, au pied du Zaghouan, les cités sont séparées les unes des autres par quelques kilomètres seulement. Or on sait que chaque *ordo* comprenait au moins plusieurs dizaines de décurions. Vu la faible superficie de chaque cité, la plupart des curiales ne pouvaient posséder que des biens fonciers fort limités[82].

Nous pensons avoir démontré que les domaines impériaux gérés par l'administration de la *res priuata* couvraient au début du Ve siècle environ un sixième de la superficie totale des provinces de Proconsulaire et de Byzacène[83]. Les domaines confisqués aux cités et aux temples devaient s'ajouter à ceux de la *res priuata*[84]. Nous connaissons aussi l'existence en Afrique au Bas-Empire d'importantes possessions foncières de sénateurs romains ; citons les domaines de Rufius Volusianus, près de Thubursicu Bure[85], ceux des *Valerii* (Mélanie ou Pinien) près de Thagaste, ceux

---

80. *Ibidem*, p. 201, l. 25-27 : « Caecilianus respondit : Domi ad me uenit. Prandebam cum operarios ; uenit illuc, stetit in ianua. » Sur ce passage, précieux témoignage sur le latin parlé dans l'Afrique du IVe siècle, voir notice *Abthugni*, n. 35.

81. Lors du procès, en 314-315, onze ans après son duumvirat, Caecilianus était un vieillard, trop faible pour faire le voyage au *comitatus* impérial ; c'est ce qui incita Constantin à faire juger l'affaire sur place *uice sacra* (*Acta, loc. cit.*, p. 199, l. 2-3 : « ... quod praesens est et senem uides et non potest ad comitatum sacrum pergere... » Il était donc déjà assez âgé lors de son duumvirat ; cette lenteur de sa carrière municipale s'explique par la modestie de sa condition sociale. Il faut noter que les actes du procès le désignent toujours comme ancien duumvir, ce qui montre qu'il n'accéda jamais à la dignité supérieure de flamine perpétuel, dont le prestige et la somme honoraire étaient probablement trop élevés pour lui, même dans une petite ville comme Abthugni.

82. Sur les différences de densité des cités selon les régions, voir chapitre I, *supra*, p. 46-48.

83. La loi *C.Th.*, XI, 28, 13, de 422, donne les superficies des terres de la *res priuata* en Proconsulaire et en Byzacène, ce qui permet de calculer la fraction de territoire qu'elles occupaient par rapport à la superficie totale des deux provinces (*cf.* chapitre I, *supra*, p. 31-33).

84. Sur ces confiscations, qui eurent lieu au temps de Constantin, et sur la part de revenu que purent conserver les cités, voir chapitre II, *supra*, p. 67-72.

85. *C.*, 2590 = *I.L.S.*, 6025 : *In his praed[iis]* | *Rufi Volusiani c(larissimi)* *u(iri) et* | *Caeciniae Lollianae c(larissimae) f(eminae) et filio |rum cccc(larissimorum)* *uuuu(irorum) Thiasus proc(urator) fecit.* Pour A. CHASTAGNOL (*Les fastes de la préfecture de Rome au Bas-Empire*, Paris, 1962, p. 164), il s'agit de C. Caeionius Rufius Volusianus Lampadius, préfet de la Ville en 365-366 ; *cf. P.L.R.E.*, p. 978 980 et stemma 13, p. 1138.

de Symmaque en Maurétanie Césarienne[86]. Augustin a évoqué à plusieurs reprises l'envie suscitée par ces domaines sénatoriaux dans la population d'Hippone[87]. Des nobles carthaginois possédaient des terres sur le territoire des cités de l'intérieur où il leur arrivait, encore au IVe siècle, de gérer des fonctions municipales[88].

Si l'on met à part quelques décurions de petites villes eux-mêmes grands propriétaires, comme Romanianus de Thagaste, on doit donc admettre que les autres, la masse des curiales, devaient se contenter de peu de choses, à la manière de Patricius, père d'Augustin. S'il y eut au Bas-Empire un processus de concentration foncière, ce que suggèrent certains passages d'Augustin[89], la proportion des curiales aux faibles ressources, à la limite du cens décurional, devait devenir plus importante.

Dans ces conditions, les curiales étaient-ils, comme on l'a souvent dit, une classe moyenne en voie de prolétarisation[90], à l'exception d'une faible minorité très riche, absorbée peu à peu dans l'ordre sénatorial par l'obtention des codicilles impériaux conférant le clarissimat ?

Charles-André Julien avait jadis affirmé que la société romano-africaine était formée de deux classes sociales, « la plèbe rurale et les landlords[91] ». Cette formule, à coup sûr inexacte pour le Haut-Empire, définirait-elle objectivement la société du Bas-Empire ? En fait, l'extraordinaire développement que le système municipal connut dans l'est de l'Afrique du Nord jusqu'à l'époque tardive infirme cette théorie. Tout fut mis en œuvre au IVe siècle, nous l'avons vu, pour maintenir l'organisation traditionnelle des cités ; ceci impliquait la répartition des responsabilités et des charges financières entre de nombreuses personnes. C'eût été parfaitement impossible si la terre avait été concentrée entre les mains de quelques latifundiaires exploitant de misérables colons. Dans les dizaines de cités du nord de la Tunisie actuelle étaient en fonction des milliers de curiales ; chacun devait posséder quelques biens au soleil, ce qui impliquait un maintien de la petite et moyenne propriété[92].

Assurément, un grand nombre de décurions de condition modeste atteignaient à grand-peine le niveau de ressources nécessaire pour faire face aux *munera* ; c'est pourquoi ils devaient parfois tirer des revenus du

---

86. *Vie de Sainte Mélanie*, 21-22, éd. Gorse, S.C., 90, Paris, 1962, p. 172-173 ; cf. chapitre VIII, *infra*, p. 385-387. Symmaque, *epistulae*, VII, 66.

87. Voir *infra*, p. 328-329.

88. Voir notice *Karthago*, n. 42-46.

89. Ainsi, dans l'*En. in ps.* 39, 28 ; voir *infra*, n.99.

90. Ainsi H.-I. MARROU, *Saint Augustin et l'augustinisme*, Paris, 1956, p. 12 (« une petite bourgeoisie en voie de prolétarisation »), ou A. H. M. JONES, *The Later Roman Empire*, t. 2, p. 755.

91. Ch.-A. JULIEN, *Histoire de l'Afrique du Nord*, Paris, éd. 1956, p. 165-166.

92. Sur les implications humaines et économiques de cette grande densité de villes, voir chapitre I, *supra*, p. 46-48.

commerce et de l'artisanat, comme Alfius Caecilianus à Abthugni[93].
Pour d'autres, une importante possibilité s'offrait. Souvent, les grands
domaines impériaux ou privés n'étaient pas exploités directement par
un intendant salarié mais confiés à un exploitant qui servait d'intermédiaire entre le propriétaire et les colons et gardait une partie des revenus.
Le contrat de type emphythéotique connut une grande extension au
Bas-Empire ; il donnait au fermier un droit de possession illimité dans
le temps, transmissible à ses héritiers, une redevance annuelle rappelant
les droits du propriétaire éminent[94]. D'autre part, nous avons vu que les
décurions parvinrent à conserver un monopole de fait pour la ferme des
domaines des cités et des temples confisqués par l'empereur[95].

On comprend dès lors que bien des exploitants agricoles pouvaient
tirer des revenus substantiels de terres dont ils n'étaient pas propriétaires
en titre. C'est à coup sûr l'une des explications fondamentales de la
prospérité des villes et de leurs notables au Bas-Empire, dans un pays
où existaient de nombreux grands domaines impériaux ou privés. Une
loi de Constance II prévoit de tenir compte, dans le calcul du cens décurional, non seulement des terres possédées en pleine propriété, mais
aussi de celles que l'intéressé exploite sur les domaines impériaux[96].
La loi sur les terres de la *res priuata* en Afrique Proconsulaire et en Byzacène émise par Honorius en 422, ordonne aux gouverneurs d'assigner
les domaines en friches à des personnes qui bénéficieront du contrat
emphythéotique leur assurant « la sécurité d'une propriété perpétuelle,
sans limitation de durée[97] ». On doit donc constater que la législation
impériale autorisait et favorisait un type d'exploitation qui limitait
beaucoup les effets de la concentration foncière en associant aux revenus
de la terre de nombreuses personnes.

Cette concentration était également freinée par les lois interdisant
aux curiales d'aliéner leur patrimoine, gage de l'accomplissement de leurs
charges municipales[98]. Quand Augustin, dans un sermon, évoquait un

---

93. Voir *supra*, p. 319-320 et n. 77-79. La loi n'excluait pas la richesse mobilière du
calcul du cens décurional ; nous avons cité une loi de Théodose (*C. Th.*, XII, 1,
133, de 393, concernant la province de Tripolitaine) demandant d'agréger aux
curies les plébéiens « agro uel pecunia idoneos ».

94. Sur cette pratique dans les domaines impériaux et les terres des cités (*fundi
rei publicae*), voir A. H. M. JONES, *The Later Roman Empire*, t. 1, p. 417-420. Les
termes *ius emphyteicum* et *ius perpetuum* étaient devenus synonymes. Pour Jones,
la plus grande partie des terres de la *res priuata* fut ainsi concédée en tenures per-
pétuelles.

95. Valentinien 1er voulut exclure les décurions de ces adjudications en 372
(*C.Th.*, X, 3, 2) ; en 383, Théodose leur rendit la ferme des *fundi rei publicae* et des
fundi templorum (*C.Th.*, X, 3, 4 ; ce texte les qualifie de *possessores antiqui, id est
decuriones*). Voir chapitre II, *supra*, p. 71-72.

96. *C.Th.*, XII, 1, 32, de 322 ; cf. *supra*, n. 71.

97. *C.Th.*, XI, 28, 13 : « ... quibus conlocata ac releuata sunt praedia, ad securitatem perpetuae proprietatis intermina possint aetate seruari. »

98. Ainsi, Théodose interdit en 386 à tout décurion de vendre un bien immobilier
sans l'autorisation du gouverneur provincial (*C.Th.*, XII, 3, 1 = *C.Just.*, X, 34, 1).

propriétaire qui absorbait les biens de ses voisins, c'était pour dénoncer son avidité, son avarice, le scandale que constituait son attitude[99], ce qui montre que l'opinion publique était très hostile à tout processus d'accaparement des terres. Ceci dit, on ne peut parvenir à aucune certitude quant à l'ampleur que pouvait revêtir ce phénomène. On peut simplement constater le fait que le maintien de la vie municipale supposait une répartition des revenus agricoles entre de nombreux bénéficiaires. Le clivage social essentiel demeurait donc celui qui séparait les *humiliores* des *honestiores*[100], et les curiales africains semblent être parvenus à se maintenir dans cette dernière catégorie, du point de vue financier et du point de vue juridique. Nous avons vu, à propos de la législation contre la désertion des curies, qu'aucun des nombreux documents concernant l'Afrique n'évoque des décurions qui chercheraient volontairement à se ravaler au niveau des plébéiens pour fuir leurs charges[101]. Nous possédons en revanche des témoignages sur le maintien de leurs privilèges officiels ; ainsi, dans les actes du procès de Félix d'Abthugni en 314-315, le proconsul Aelianus déclara au duumvir Alfius Caecilianus qu'il ajoutait foi à sa parole sans demander de preuve supplémentaire « car il avait géré le duumvirat dans sa patrie[102] ». Au cours du même procès, le scribe faussaire Ingentius fut suspendu au chevalet de torture ; le proconsul lui demanda quelle était sa condition. Il déclara qu'il était décurion de Ziqua, à la suite de quoi il ne fut pas torturé[103]. Libanius, on le sait, déplorait que ce privilège fût refusé aux curiales de son temps, mais on doit constater que le seul cas légal d'application de châtiments physiques à des décurions était la malversation (ou l'incompétence) en matière de perception des impôts, faute assimilée au IVe siècle au crime *de maiestate* pour lequel les privilèges des *honestiores* n'avaient jamais valu[104]. Pour le reste, les curiales constituaient toujours une noblesse[105] et leur sort, s'il ne valait pas celui des *honorati*, était bien préférable à celui des plébéiens.

---

99. Augustin, *En. in ps.* 39, 7, *C.C.*, 38, p. 430 : « Tu recherchais des domaines, tu désirais posséder la terre, tu chassais tes voisins ; ceux-ci chassés, tu convoitais avidement les biens d'autres voisins, et tu déployais ton avarice jusqu'à ce que tu parvinsses au rivage de la mer » (« fundos quaerebas, terram possidere cupiebas, uicinos excludebas ; illis exclusis, aliis uicinis inhiabas, et tamdiu tendebas auaritiam, donec ad littora peruenires... »).

100. Voir *infra*, III, *Citadins et campagnards*, p. 326-330.

101. Chapitre V, *supra*, p. 248.

102. *Acta purgationis Felicis*, *C.S.E.L.*, 26, p. 203, l. 21-22 : « Aelianus proconsul dixit : Cum duouiratum egeris in patria tua, oportet fidem uerbis tuis habere ».

103. *Ibidem*, p. 203, l. 20-22 : « Aelianus proconsul Ingentio dixit : Cuius condicionis es ? Ingentius respondit : Decurio sum Ziquensium. Aelianus proconsul ad officium dixit : Submitte illum. » Dès que la qualité d'*honestior* d'Ingentius est connue, le proconsul donne l'ordre de le descendre du chevalet. Le fait est rappelé dans la lettre envoyée par Constantin au proconsul Probianus, connue par la citation qu'en fait saint Augustin dans sa lettre 88 (*C.S.E.L.*, 34, 2, p. 410) : « ... Ingentium ... minime tortum quod se decurionem Ziquensium adseuerauerit ».

104. Voir chapitre IV, p. 214 et n. 186 et *infra*, n. 111.

105. Ils avaient droit au titre honorifique de *uir honestus*, qu'on trouve sur certaines inscriptions, mais le signe le plus visible de l'appartenance à la catégorie

Ceci posé, il demeure qu'un abîme séparait le genre de vie des nombreux curiales petits et moyens de celui des riches propriétaires. Au moins dans les grandes villes, ces derniers étaient socialement proches des clarissimes. On l'a vu à propos de la lettre où Symmaque évoquait les aristocrates de Bénévent, comme lui lettrés, dévots païens et attachés aux anciennes traditions[106]. Nous verrons dans le prochain chapitre que la réaction païenne eut de fervents défenseurs dans les curies africaines. Ammien Marcellin a raconté les malheurs des Tripolitains au temps de Valentinien Ier dans les mêmes termes que pour les sénateurs persécutés par le même empereur[107] : ses renseignements provenaient probablement de clarissimes amis des riches Lepcitains. Des sénateurs s'entremirent pour que les Tripolitains obtinssent réparation après la mort de Valentinien en 375 ; le plus actif fut Nicomaque Flavien, vicaire d'Afrique en 377[108], avec l'aide du proconsul Decimius Hilarianus Hesperius[109]. Ces grands seigneurs étaient proches des aristocrates locaux, alors que les ennemis des Tripolitains, le comte Romanus, le notaire Palladius, le maître des offices Remigius, n'étaient que des parvenus, devant leur puissance à la seule faveur impériale et détestés par Ammien. Ces événements sont donc d'excellents indices de la solidarité qui liait l'aristocratie sénatoriale et les plus riches décurions africains. Ces rapports devaient être encore plus nets avec les curiales de Carthage. Après la prise de Rome en 410, on vit des sénateurs romains réfugiés participer avec des aristocrates africains à un mouvement de réaction païenne à Carthage[110]. Nul doute que leurs rapports n'étaient pas uniquement fondés sur une conviction religieuse commune, mais aussi sur des relations mondaines liées à un genre de vie semblable.

La législation impériale essaya, au cours du Bas-Empire, de traduire dans le droit le clivage entre les plus riches décurions et les autres. Des lois exemptèrent les *principales* ou *decemprimi* de la flagellation en cas

---

des *honestiores* est l'utilisation du gentilice. De fait, on sait que l'usage de désigner les individus par un nom unique, le *cognomen* usuel, se généralisa au Bas-Empire. Pourtant, on trouve les gentilices de presque tous les dignitaires municipaux mentionnés sur les inscriptions africaines tardives. Comme l'a remarqué H.-G. Pflaum dans une intervention au congrès sur l'onomastique latine réuni à Paris en 1975 (Congrès C.N.R.S. n° 564, *Actes*, Paris, 1977, p. 435), ce maintien de la tradition était un moyen de distinguer les *honestiores* des *humiliores*. A la fin du Ve siècle, le propriétaire terrien mentionné dans les *Tablettes Albertini*, le flamine perpétuel Flavius Geminius Catullinus, porte trois noms. Les formulaires officiels et juridiques ont donc conservé l'usage du gentilice (voir les remarques dans le même sens de P.-A. Février et Ch. Pietri, *ibidem*, p. 428 et 429).

106. Symmaque, *Epistulae*, 1, 3, 4 ; *cf. supra*, p. 293 et n.1.

107. AMMIEN MARCELLIN, XXVIII, 6, 1 – 30 ; *cf.* notice *Lepcis Magna* – T. – n. 83-118.

108. Voir l'inscripton que lui dédia l'*ordo fidelis et innocens* de Lepcis Magna (*I.R.T.*, 475 ;notice, n. 109).

109. *I.R.T.*, 526 ; notice *Lepcis Magna*, n. 113.

110. Voir notice *Karthago*, n. 110-116 et chapitre VII, *infra*, p.359.

de mauvaise perception des taxes[111]. Surtout, les lois émises par Honorius en 412 et 414 contre les donatistes condamnèrent les *principales* ou *decemprimi* persévérant dans le schisme à des amendes quatre ou cinq fois supérieures à celles infligées aux autres décurions[112]. Ainsi, le droit sanctionna finalement une distinction sociale existant depuis longtemps dans les faits.

Nous avons vu que Romanianus de Thagaste fut nommé patron de son municipe et des cités voisines[113]. Le patronat manifestait à la fois la protection d'un homme riche et puissant sur une collectivité et la reconnaissance que lui vouait cette dernière, surtout s'il avait pratiqué l'évergétisme. Nous devons constater que la documentation africaine du Bas-Empire est décevante sur ce point. Brian H. Warmington a recensé 242 patrons de cités romano-africaines ; 52 sont datés entre 282 et l'invasion vandale. Quatorze seulement sont des notables locaux, les autres sont tous des gouverneurs, vicaires, comtes ou autres hauts fonctionnaires impériaux[114]. Le titre de patron semble avoir été donné généreusement aux gouverneurs quand les cités avaient à se louer de leur administration. Sur l'album municipal de Timgad, on trouve cependant six patrons, dont un seul gouverneur : deux seulement semblent avoir été des *honorati* locaux (un clarissime et un *sacerdotalis*)[115]. On doit donc constater qu'un nombre assez réduit d'*honorati* recevaient la tablette de patronat. La rareté des témoignages épigraphiques montre qu'ils n'étaient guère portés à pratiquer l'évergétisme. Le patronat semble avoir été un honneur assez exceptionnel pour un simple décurion : de fait, des inscriptions nous font connaître un bon nombre de dignitaires supérieurs généreux évergètes qui ne possédaient pas ce titre. Ce ne fut donc pas par l'intermédiaire de cette institution que s'exercèrent la protection et la domination des plus riches curiales sur leur cité[116].

---

111. Ainsi, *C.Th.*, IX, 35, 2, de 376 et IX, 35, 6, de 399. Ce dernier texte implique que les simples décurions avaient alors perdu ce privilège.

112. *C. Th.*, XVI, 5, 54 et XVI, 5, 58. Comme nous l'avons déjà remarqué, ces lois ne font nulle distinction entre les *principales* des grandes villes et ceux des petites bourgades, dont les niveaux économiques et sociaux devaient pourtant être très différents.

113. Augustin, *Contra Academicos*, 1, 2, *B.A.*, 14, p. 16 : « ... si municipales tabulae te non solum ciuium sed etiam uicinorum patronum aere signarent... » Cf. notice *Thagaste* – P. –, n. 22-32, et *supra*, p. 298-300 et n. 20-24.

114. B. H. Warmington, *The municipal Patrons of Roman North Africa*, dans *Papers of the British School at Rome*, 22, 1954, p. 39-55.

115. Album municipal de Timgad, l. 3. (Vulcacius Rufinus, clarissime, ancien consulaire de Numidie) ; l. 6 (clarissime) ; l. 16 (*sacerdotalis*).

116. Denis Van Berchem (*Note sur les diplômes honorifiques du IVe siècle, à propos de la tablette de patronat de Timgad*, dans *Rev. de Philol.*, 40, 1934, p. 165-168) dit que l'institution était en décadence. C'est possible, mais son argumentation n'est pas recevable : il se fonde sur le fait que la tablette du patronat d'Aelius Julianus (*A.E.*, 1913, 25 = *I.L.C.V.*, 387 ; notice *Thamugadi* – N. –, n. 40) a été donnée à un simple dignitaire local et non à un grand seigneur. Or, nous venons de constater que, dans leur immense majorité, les patrons des cités africaines au Bas-Empire étaient des gouverneurs ou des hauts fonctionnaires.

IV — CITADINS ET CAMPAGNARDS

Comme nous l'avons remarqué précédemment, si l'on met à part les cas particuliers des Maurétanies et des confins sahariens, on ne discerne pas dans notre abondante documentation une opposition entre une population romanisée urbaine et des campagnards attachés aux traditions pré-romaines. Les historiens qui ont décrit, dans l'est de l'Afrique du Nord au Bas-Empire, le développement d'un autonomisme anti-romain se sont livrés à des extrapolations à partir de textes nullement explicites[117]. Ceci posé, on doit constater un problème grave, bien que non particulier à l'Afrique : la prospérité des villes reposait sur une dure exploitation des campagnes. Sur ce point, le témoignage de saint Augustin est très clair. Quel que soit le propriétaire des terres, les paysans de la plaine de Bône et des montagnes environnantes apparaissent dans son œuvre comme des colons à la liberté fort précaire. C'est très net dans le domaine religieux, car les colons devaient suivre la religion du maître : « Si tel propriétaire devenait chrétien, disait-on à Hippone, personne ne serait plus païen[118] ». Les propriétaires donatistes contraignaient leurs paysans à recevoir le second baptême schismatique[119] ; de son côté, Augustin intervenait auprès des possesseurs catholiques pour qu'ils amenassent leurs colons donatistes dans le giron de l'église légitime[120]. L'édit d'union émis par Hononius en 412 ordonnait aux maîtres de contraindre à coups de bâton leurs colons qui persévéreraient dans le schisme à adhérer à la véritable église[121].

Ces pauvres gens ne souffraient pas seulement d'une absence de liberté. Une lettre d'Augustin à un propriétaire foncier nommé Romulus évoque de graves exactions commises par ce personnage et son intendant ; ils avaient réclamé aux colons des redevances doubles de celles qui étaient convenues et ils avaient multiplié de dures injustices sur leur domaine[122]. Les colons, dit Augustin, parvenaient à peine à payer leurs

---

117. Sur ce point, voir chapitre i, *supra*, p. 41-49.

118. AUGUSTIN, *En. in ps.*, 54, 13, *C.C.*, 39, p. 666.

119. C'était le cas d'un des ennemis les plus résolus d'Augustin, l'évêque donatiste de Calama Crispinus, qui avait acquis en bail emphythéotique un domaine impérial (AUGUSTIN, *Epist.* 66, *C.S.E.L.*, 34, 2, p. 235-236).

120. Il intervint auprès du sénateur Pammachius (*Epist.* 58 *C.S.E.L.*, 34, 2, p. 216-219 ; sur ce personnage, voir *P.L.R.E.*, p. 663), auprès des propriétaires catholiques Festus (*Epist.* 89, *C.S.E.L.*, 34, 2, p. 419-425) et Donatus (*Epist.* 112, *C.S.E.L.*, 34, 2, p. 657-659).

121. *C.Th.*, XVI, 5, 52 : « Seruos etiam dominorum admonitio uel colonos uerberum crebrior ictus a praua religione reuocabit... »

122. AUGUSTIN, *Epist.* 247, *C.S.E.L.*, 57, p. 585-589. Ce texte est frémissant d'indignation. Vu l'absence des formules de politesse utilisées pour s'adresser aux clarissimes, il est impossible d'identifier ce personnage à Flavius Pisidius Romulus, préfet de la Ville en 406, comme le font A. Chastagnol, *Fastes de la préfecture de Rome*, p, 262 et *P.L.R.E.*, p. 772.

redevances ; le fait de les doubler les réduisait à une véritable misère[123]. Combien de faits de ce genre ont pu avoir lieu, dont nous n'avons gardé nulle trace ? Notre documentation est axée sur les aristocrates, les notables, et les humbles paysans ont disparu sans laisser de documents. Dans la région d'Hippone, ils parlaient un patois issu du néo-punique. Ailleurs, ils devaient utiliser des dialectes berbères[124]. Il est plus que probable que, dans les régions les plus romanisées du nord-est de la Proconsulaire, là où les villes étaient les plus nombreuses, on parlait dans les campagnes le même latin populaire que dans les villes[125]. Le vrai problème n'est pas là, mais dans le fait qu'ils ne gardaient qu'une faible part du produit de leur labeur, qui était la source essentielle de la prospérité durable du pays. Certes, rien ne permet d'affirmer que la structure foncière que l'on constate dans la région d'Hippone grâce à l'œuvre d'Augustin se retrouvait dans l'ensemble de l'Afrique romaine. Dans la région d'Antioche, nous savons par Libanius que des villages de paysans libres et petits propriétaires coexistaient avec les domaines des aristocrates de la grande ville syrienne[126]. Il est fort possible que des petits exploitants libres aient existé dans certaines régions d'Afrique : nos sources sont trop limitées sur ce point pour permettre une affirmation. Cependant, les *Tablettes Albertini* nous ont appris que subsistait en pleine époque vandale le statut privilégié des *cultores Manciani*, qui pouvaient garder pour eux les deux tiers de leurs récoltes[127].

La plèbe urbaine pouvait bénéficier des avantages du genre de vie romain, de la beauté du cadre urbain toujours entretenu, de l'usage des thermes, des spectacles, de banquets offerts par les évergètes et de distributions frumentaires[128]. L'exceptionnelle densité des cités dans

---

123. *Ibidem*, p. 586 : « ... ne miseri et egeni homines bis reddant quod debent ... quia mihi uidetur iniustum ut bis exigantur qui semel reddere uix sufficiunt... »

124. Sur la survivance du punique, voir la mise au point de Marcel SIMON, *Punique ou Berbère ? Note sur le problème linguistique dans l'Afrique romaine*, dans *Ann. de l'Inst. de phil. et d'hist. orientales et slaves*, XIII. Bruxelles, 1955 = *Mélanges Isidore Lévy*, p. 613-629. Voir aussi Ch. SAUMAGNE, *La survivance du punique en Afrique aux Ve et VIe siècles ap. J.-C.*, dans *Karthago*, 4, 1953, p. 169-178.

125. Il existait de fait un latin populaire africain, dont les philologues pourraient étudier les composantes à partir des inscriptions ou de textes comme les *Acta purgationis Felicis* (*cf. supra*, p. 319-320 et n. 80). L'usage universel de la langue latine est attesté par Augustin pour une région où on ne l'attendait pas : celle de Sétif, en Maurétanie : « ... illic autem eiusdem linguae (latinae) usus omnino sit » (*epist*. 84, à l'évêque Novatus de Sitifis, *C.S.E.L.*, 34, 2, p. 393).

126. LIBANIUS, *Discours sur les patronnages*, 4, éd. L. Harmand, Paris, 1955, p. 15 et 27 (« Il existe de grosses bourgades, appartenant chacune à de nombreux propriétaires »). Sur la petite propriété en Égypte au Bas-Empire, voir les remarques de Paul LEMERLE, *Esquisse pour une histoire agraire de Byzance*, dans *Rev Hist*. 1958, p. 32 ; 43 ; 254.

127. C. COURTOIS, L. LESCHI, Ch. PERRAT, Ch. SAUMAGNE, *Tablettes Albertini*, Paris, 1952.

128. Nos sources nous permettent de connaître deux villes dont la population bénéficiait de distributions frumentaires : Carthage (*C.Th.*, XIV, 25, 1, de 318

le nord-est de la Proconsulaire permettait à coup sûr aux paysans de participer à cette vie urbaine, puisque leurs champs ne se trouvaient qu'à quelques kilomètres de la ville où ils devaient même souvent résider[129] ; c'est ce qui m'incite à penser que, dans cette région, ils avaient adopté la langue latine. Il n'en était pas de même là où les villes étaient plus rares, plus éloignées les unes des autres, là où les paysans étaient dispersés dans des *castella* ou des *uici*[130]. Les considérations de Rostovtzeff sur l'opposition, dans le monde hellénistico-romain, entre les villes privilégiées et les campagnes exploitées, correspondent assurément à une réalité au moins partielle.

Les circoncellions, on peut semble-t-il l'affirmer à la suite de Ch. Saumagne et d'E. Tengström, appartenaient à la catégorie des ouvriers agricoles libres et itinérants[131]. Nul doute que, lors de leur grande jacquerie du temps de Constant et, par la suite, dans des actions sporadiques, ils n'aient exprimé la rancœur des paysans contre les privilégiés des villes, qu'ils fussent *honorati* ou décurions, même quand, après 347, leur mouvement devint presqu'exclusivement religieux[132].

L'étude des campagnes de l'Afrique romaine n'entre pas dans mon propos. L'historien qui la mènera à bien confirmera, je le présume, mon point de vue sur la grande prospérité du pays à l'époque tardive, mais il est probable que son analyse sociale aura une tonalité moins optimiste que la mienne, qui est centrée sur les villes et leurs notables. La tension sociale résultant du trop grand contraste entre riches et pauvres apparaît à plusieurs reprises dans les écrits de saint Augustin, qui semble avoir été beaucoup plus lucide sur ce point que ne l'ont dit certains historiens modernes[133]. Il évoque l'envie suscitée par les grands domaines chez

---

— Seeck — ; notice *Karthago*, n. 67-69) et Sitifis (*C.*, 8480 = *I.L.S.*, 5596 ; notice, n. 9-10).

129. Sur ce point, voir chapitre I, p. 47-48, ainsi que A. N. Sherwin-White, *Geographical factors in Roman Algeria*, dans *J.R.S.*, 34, 1944, p. 8-10.

130. Sur les *castella* et les *uici*, voir chapitre III, p. 132-134. Sur l'importance du territoire d'Hippo Regius (bornes trouvées à 45 kilomètres à l'est et à 40 kilomètres au sud-ouest), voir chapitre I, p. 48.

131. Ch. Saumagne, *Ouvriers agricoles ou rodeurs de cellier ? Les circoncellions d'Afrique*, dans *Annales d'Hist. éc. et soc.*, 1934, p. 351-364 ; E. Tengström, *Donatisten und Katholiken*, Göteborg, 1964, p. 24-78. Voir chapitre II, *supra*, p. 95.

132. J'ai été amené à constater (*supra*, chapitre II, p. 93-96) que l'agitation des circoncellions cessa, après les années 340, de présenter un caractère social marqué : au temps de saint Augustin, leurs attaques contre des riches propriétaires sont exceptionnelles. Mais, même réduit à l'expression d'un fanatisme religieux, leur mouvement demeurait l'indice d'un malaise et d'une tension dans les campagnes.

133. Certes, Augustin ne fait jamais le lien entre une misère paysanne qu'il constate et les exactions des circoncellions. Comme tous les écrivains antiques, païens ou chrétiens, il ne met pas en cause le système social existant, notamment l'institution de l'esclavage (ainsi dans *Cité de Dieu*, XIX, 15, ou *Contra Gaudentium*, I, 19). Ceci a amené W. H. C. Frend (*The Donatist Church*, Oxford, 1952, p. 329-330) à estimer que le clergé catholique était peu sensible au problème social et se plaçait, en fait, du côté des riches. Ces vues ont été poussées à l'extrême par H. I. Diesner

« les pauvres qui regardent et murmurent, gémissent, vantent et jalousent, désirent égaler et se désolent de leur infériorité » ; *isti soli uiuunt* « ceux-là seuls vivent », disait-on de ces riches propriétaires[134]. Bien entendu c'étaient surtout les plus grandes fortunes qui suscitaient ce type de réaction. Toutefois, nous l'avons vu, le maintien du système municipal et l'obligation légale de sauvegarder les biens des curiales, garantie des *munera*, ont permis aux décurions modestes de conserver, le plus souvent, leur patrimoine et leur rang social. Une classe moyenne subsista donc, élément d'équilibre social, et le clivage le plus sensible se trouvait entre les masses pauvres et les rentiers du sol, qu'ils fussent des lati-fundiaires ou de petits décurions : c'est la division entre les *humiliores* et les *honestiores*. Elle apparaît nettement dans les conseils donnés par Augustin pour l'organisation d'un monastère de femmes. Il oppose la robustesse des moniales d'origine rurale, aptes à supporter un régime dur et une ascèse rigoureuse, à la fragilité des sœurs issues des bonnes familles et à l'éducation raffinée, qu'il convenait de traiter avec plus de douceur[135]. Ces dernières n'étaient pas nécessairement des filles de sénateurs ou de très riches propriétaires ; elles étaient simplement des *honestiores*, c'est-à-dire, pour la plupart, des filles de curiales.

Cette structure sociale n'était pas, pour l'essentiel, très différente de celle du Haut-Empire, et c'est certainement l'une des causes majeures du maintien des institutions municipales traditionnelles. Pourtant, il semble qu'on puisse affirmer que la situation des pauvres s'était dégradée dans les campagnes depuis le Haut-Empire, non pas suite d'une régression du terroir cultivé, mais à cause de l'accroissement de la pression fiscale. On sait que le lien légal qui fixa les colons à la glèbe à partir du règne de Constantin était, pour une large part, une conséquence des règles qui régissaient la capitation. Pour les villes et les notables, l'augmentation

---

(*Studien zur Gesellschaftslehre und sozialen Haltung Augustins*, Halles, 1954, p. 55-92). On trouvera des vues plus objectives dans l'étude de G. B. Ladner, *The idea of Reform*, Cambridge, Mass., 1959, p. 463-467 et dans celle d'A. Mandouze, *Encore le donatisme*, dans *Antiquité Classique*, 1960, p. 61-107. Une bonne mise au point a été donnée par É. Lamirande, dans Augustin, *Traités anti-donatistes*, t. 5, *B.A.*, 32, Paris, 1965, p. 749-751. Les textes que nous citons à la note suivante (et *supra*, n. 122-123) montrent qu'Augustin était fort lucide sur les oppositions sociales dans les campagnes et qu'il n'appuyait nullement les droits régaliens que s'octroyaient certains grands propriétaires.

134. Augustin, *Sermo*, 345, 1, *P.L.*, 38-39, 1517 : « Et maxime hoc diuites audire debent. Audite, diuites, qui aurum et argentum habetis, et tamen cupiditate ardetis : quos quando pauperes intuentur, murmurant, gemunt, laudant et inuident, aequari optant et impares se dolent ; et inter laudes diuitum hoc plerumque dicunt : ' Soli isti sunt, ipsi soli uiuunt '. » De même, dans *En. II in ps.* 32, *sermo* 2, 18, *C.C.*, 38, p. 267-268 : « Et quomodo nobis solet responderi, quando de fundis et de praediis aliquibus amplis atque amoenissimis quaerimus : ' Est quidam senator, et illud aut illud uocatur, cuius est ista posessio ', et dicimus : ' Beatus ille homo ' ».

135. Augustin, *Epist.* 211, 9, *C.S.E.L.*, 57, p. 362 (« règle » de saint Augustin). Il devait, de fait, être difficile de faire mener une vie commune à des femmes dont le mode de vie et l'éducation antérieurs différaient radicalement.

des prélèvements fiscaux pouvait entraîner la réduction de certaines dépenses publiques et privées : ainsi, la prédominance des restaurations de monuments sur les constructions, une moins grande fréquence des prodigalités évergétiques les plus fastueuses. Pour les paysans, l'accroissement des impôts pouvait amener le franchissement du seuil séparant la pauvreté de la misère. Nous avons pu constater, au long de cette étude, que le revenu global de l'Afrique romaine ne paraît pas avoir subi de diminution au Bas-Empire, que les villes restèrent prospères et purent sauvegarder leurs dépenses de luxe (spectacles, entretien des thermes, etc.). Rien ne permet de penser que le niveau de vie des aristocrates et des notables connut une régression importante, en dépit du poids des impôts. C'est donc, pour l'essentiel, le revenu des plus humbles paysans qui fut diminué. Optat et Augustin nous apprennent que la cause essentielle de la grande jacquerie, dirigée en Numidie sous le règne de Constant par les circoncellions, fut l'endettement des paysans : le principal but de leur action était alors d'obtenir par la menace que les créanciers détruisissent les reconnaissances de dettes[136]. Nous avons supposé que la plèbe rurale avait dû recourir à ces prêts par suite d'années sèches. Nul doute que le poids de la fiscalité, en absorbant ses maigres réserves, n'ait largement contribué à rendre sa situation dramatique[137].

Tel est, à notre point de vue, le problème le plus grave qui se posait en Afrique romaine au Bas-Empire, hors de la Tripolitaine et des Maurétanies où l'hostilité des berbères non-romanisés pouvait susciter d'autres difficultés. Tel est le prix dont l'Afrique paya le maintien de sa richesse économique, de la prospérité des villes, de leur mode de vie brillant et, en définitive, de la civilisation municipale romaine traditionnelle.

---

136. Optat, III, 4, *C.S.E.L.*, 26, p. 81 ; Augustin lettre 185, IV, *C.S.E.L.*, 57, p. 13-14 ; *cf.* chapitre II, *supra*, p. 93 ; 95-96.

137. Quelles qu'en fussent les raisons, l'endettement ne pouvait mener qu'à un processus de concentration foncière, car les paysans avaient dû hypothéquer leurs terres. Nos sources n'évoquent plus une situation de crise aussi dramatique, passées les années 340, et il est permis de supposer qu'au temps de la prospérité revenue, dans la seconde moitié du IVe siècle, un certain équilibre était restauré dans les campagnes.

CHAPITRE VII

Religion traditionnelle et vie municipale

L'histoire du paganisme dans les cités africaines au IVe siècle est celle d'un déclin inexorable. Dans tout l'Empire, la réaction païenne, triomphante dans les années 303-305 avec la persécution des chrétiens, dut ensuite céder sans cesse davantage de terrain à la religion nouvelle, sauf durant l'épisode éphémère du règne de Julien. A la fin du siècle, les mesures de Théodose et d'Honorius entraînèrent une campagne systématique de fermeture et de destruction des temples. Pourtant, en Afrique, on assiste durant toute la période à une résistance du paganisme, particulièrement sensible dans la classe dirigeante des cités. Surtout, on doit constater que la christianisation souvent bien superficielle des individus n'entraînait pas celle des institutions et des mentalités. L'influence du paganisme sur la vie municipale ne se limitait pas au culte public et l'interdiction de ce dernier ne mit pas fin à l'imprégnation de la vie collective par les vieilles croyances.

I — Avant Constantin

A un observateur superficiel, le paganisme pouvait sembler florissant dans les villes romano-africaines au temps de Dioclétien. On était parvenu à une intégration harmonieuse de ses différents éléments. Les vieux cultes berbéro-puniques, restés les plus populaires, celui de Saturne en premier lieu[1], avaient profondément subi l'influence romaine tout en gardant

---

1. Dans son étude exhaustive sur le culte de Saturne (*Saturne africain, Histoire*, Paris, 1966) Marcel Leglay constate que la plus grande abondance de documents correspond à la période de prospérité de l'époque sévérienne. Sur la raréfaction des témoignages sur Saturne à partir de la grande crise et sa signification voir *ibidem*, p. 95-100.

leur spécificité. Dans les villes, sinon dans les campagnes, ces cultes pouvaient demeurer originaux mais ils ne constituaient plus une véritable résistance à la romanisation[2]. Les religions orientales s'étaient assez peu développées car, comme l'a montré M. Leglay, les cultes indigènes suffisaient à la ferveur populaire[3]. Des communautés de fidèles de Cybèle existaient cependant, à Carthage et à Mactar en particulier. Dans cette dernière ville, une inscription évoque l'approbation donnée par la curie municipale à la nomination d'un prêtre (*antistes*) de Cybèle entre 286 et 293, preuve de la bonne intégration de ce culte dans la vie de la cité[4]. La religion romaine était pratiquée dans les multiples municipes et colonies des provinces africaines. Les Capitoles qui s'y élevaient symbolisaient l'accession au rang de commune romaine[5] ; les titres d'augure, de pontife et de flamine étaient intégrés au cursus des dignitaires municipaux. La construction et l'entretien des temples constituaient des tâches fondamentales des cités : sur 61 chantiers de monuments municipaux connus pour le règne de Dioclétien, 15, soit près d'un quart, concernent des édifices du culte païen[6]. Hors des temples, des statues divines se dressaient sur les places publiques ; les riches particuliers ornaient leurs demeures de mosaïques à sujets mythologiques.

Dioclétien avait donné une importance accrue au culte impérial, célébré régulièrement par les flamines municipaux et les conseils provinciaux présidés par le *sacerdos coronatus* annuel. Sous Dioclétien, des dédicaces exaltèrent les empereurs *Iouii* et *Herculii*[7].

---

2. La stèle dite Boglio, trouvée à Siliana, en Tunisie centrale (près de Jama) est un document fort caractéristique. Saturne y est représenté sous l'aigle de Jupiter, entouré des Dioscures revêtus d'habits militaires. Gilbert Picard a montré comment cette représentation s'apparente à l'appareil impérial : ceci est souligné par la présence de Victoires aux écoinçons, dans la même attitude que sur les arcs de triomphe (*cf.* G. PICARD, *L'art romain*, Paris, 1962, p. 170 ; M. LEGLAY, *Saturne africain*, p. 97-98). Cette stèle est datable de l'époque de Dioclétien. Aux registres inférieurs, sont représentés les travaux des champs. Le dédicant, Cuttinus, est de toute évidence un important propriétaire foncier. Cet ex-voto, écrit G. Picard, exprime « la liaison entre la dernière réaction païenne et le triomphe de la classe des grands propriétaires, sortie victorieuse de la crise sociale du IIIᵉ siècle » (*Les religions de l'Afrique antique*, Paris, 1954, p. 122).

3. M. LEGLAY, *Saturne africain, Histoire*, p. VI-VII ; 486-487. C'est surtout net pour le culte de Mithra, attesté seulement dans les milieux militaires.

4. *C.*, 23401 (notice *Mactaris* – B. –, n. 27). Une autre inscription, au texte très semblable, avait été gravée sous Probus (*C.*, 23400). Le temple de Cybèle à Carthage fut restauré au temps de Constantin (*C.*, 24521 ; notice *Karthago*, n. 13).

5. Thibilis devint municipe dans la seconde moitié du IIIᵉ siècle et commença probablement sous Dioclétien la construction d'un Capitole (voir notice *Thibilis* – N. –, n. 16-21).

6. Voir tableau des constructions et restaurations de temples, *infra*, p. 345-346.

7. A Lambèse, dédicace à Dioclétien Jovius (*B.C.T.H.*, 1919, p. 86 ; notice, n. 24) ; dédicace à Jupiter et Hercule *comites* de Dioclétien et Maximien et des deux Césars (*C.*, 18230 ; notice, n. 26). A Timgad, dédicaces à Jupiter, *conseruator* de Dioclétien et à Hercule, *conseruator* de Maximien (*C.*, 2347 = *I.L.S.*, 631 ; *C.* 2346 = *I.L.S.*, 633 ; notice *Thamugadi*, n. 19 et 20). A Thibilis, une dédicace à la victoire du dieu

Pourtant, cette brillante façade masquait un déclin. M. Leglay a analysé la décadence du culte de Saturne à partir de la seconde moitié du IIIe siècle, l'abandon de certains temples du grand dieu africain, tel celui de Thignica[8], la raréfaction des stèles votives. Dès le IIIe siècle s'est déroulé un fait capital dont les textes ne parlent guère, la lutte de Saturne et du Christ, et des conversions nombreuses au christianisme eurent lieu, dans les villes et les campagnes[9].

Dans les cités africaines comme ailleurs, la religion romaine était surtout un conformisme politique et social, un ensemble de rites figés dont l'essentiel était le culte impérial, davantage manifestation de loyalisme qu'expression d'une ferveur religieuse. La prédominance de ce culte apparaît fort clairement dans le prestige considérable dont étaient revêtus les flamines perpétuels municipaux et les *sacerdotales* provinciaux par rapport aux autres dignitaires religieux officiels[10]. Mais cela n'impliquait nullement une ferveur religieuse particulière. On peut constater en effet, de manière très concrète le manque d'enthousiasme religieux, le manque de conviction dans la réaction païenne qui caractérisaient de nombreux dignitaires municipaux, prêtres officiels de la religion romaine, quand on analyse leur attitude face à la persécution des chrétiens décidée par Dioclétien.

Les autorités municipales et la persécution des chrétiens sous Dioclétien

Nous avons déjà étudié une série de documents très importants pour notre propos : des textes chrétiens évoquant le rôle joué par les instances municipales dans la procédure de persécution des chrétiens instaurée par l'édit qu'émit Dioclétien le 23 février 303[11]. Ces sources fournissent, nous l'avons constaté, de substantiels renseignements sur les institutions des cités, les prérogatives judiciaires des duumvirs et des curateurs. Un point important reste à déterminer : l'attitude religieuse spécifique des dignitaires municipaux et, à travers eux, de l'ensemble de la couche dominante des cités africaines. Sommes-nous en présence d'une simple application administrative des décisions impériales ou bien d'une participation active à la réaction païenne[12] ?

Hercule invaincu évoque très probablement la victoire de Maximien sur les *Quinque-gentanei* (*B.C.T.H.*, 1906, p. cclxiii = *I.L.Alg.*, II, 2, 4636 ; notice, n. 19). On remarque que toutes ces dédicaces furent faites en Numidie.

8. M. Leglay, *op. cit.*, p. 101.

9. Sur ce déclin du culte de Saturne, voir M. Leglay, *op. cit.*, p. 95-100 et 487-492.

10. Sur cette préséance, voir chap. iii, *supra*, p. 166-167.

11. Notices *Karthago, Abitinae, Thibiuca* (Proconsulaire) ; *Abthugni* (Byzacène) ; *Cirta, Rusicade, Thibilis, Tigisis* (Numidie). Nous avons évoqué ces textes à propos du fonctionnement de l'organisme municipal dans le chapitre iv *supra*, p. 218-220.

12. J'ai abordé ce problème dans ma communication à la septième conférence internationale d'études patristiques, Oxford, 1975 (*Chrétiens et païens au temps de la persécution de Dioclétien : le cas d'Abthugni*, à paraître dans *Studia Patristica*, XV - *Texte und Untersuchungen*).

L'Église, en 303, venait de connaître plus de quarante ans de paix religieuse ; depuis l'édit de tolérance de Gallien, la persécution avait cessé et le christianisme avait connu un large développement, en Afrique notamment[13]. Le temps n'était plus où les chrétiens constituaient une infime minorité suspectée d'intentions radicalement subversives. Selon le mot d'un historien contemporain, cette période avait été pour l'Église celle de la conquête de la respectabilité[14]. En Afrique la foi chrétienne avait progressé, nous l'avons vu aux dépens du culte de Saturne. Malgré un statut juridique encore mal déterminé, les églises possédaient des biens, des lieux de culte en particulier, qu'on nommait déjà basiliques[15]. Minoritaires, certes, mais nombreux et répartis dans les diverses catégories sociales, les chrétiens avaient trouvé un *modus vivendi* de fait avec leurs concitoyens païens, du type de celui qui décrit le concile d'Elvire, en Bétique, tenu à une date comprise entre 295 et 309[16]. Une minorité mise à part, les chrétiens étaient de moins en moins enclins à considérer la cité humaine comme la grande Babylone promise au feu du ciel. Des responsables païens de plus en plus nombreux avaient cessé de voir « les ennemis du genre humain » dans des chrétiens qui acceptaient désormais les dignités municipales et même le flaminat, quitte à se faire remplacer par un collègue pour la présidence des sacrifices. Ainsi, nous connaissons à Abthugni un édile chrétien, Augentius, en fonction avant 303, qui appartenait même à la faction intransigeante, noyau du futur donatisme[17]. Or, la persécution interrompit brutalement, à partir de 303, ce processus de conciliation.

Les autorités municipales furent chargées de l'application dans les cités de l'édit du 23 février 303 : elles durent procéder à l'inventaire des biens des églises, confisquer et détruire les lieux du culte, le mobilier

---

13. Sur le tournant décisif que représente cette période, le témoignage le plus net est celui d'Eusèbe de Césarée, *Hist. Ecclés.*, VIII, 1. Dans son livre *Martyrdom and persecution in the early Church* (Oxford, 1965, p. 441-476), W. H. C. Frend appelle, de manière paradoxale mais judicieuse, *The triumph of Christianity, 260-303*, le chapitre traitant de ces années.

14. « Towards Repectability » (R. A. MARKUS, *Christianity in the Roman World*, Londres, 1974, p. 70).

15. Dans les *Acta purgationis Felicis Abthugnitani* (éd. Ziwsa, *C.S.E.L.*, 26, p. 199) on voit le duumvir en fonction à Abthugni en 303 prévenir les chrétiens de sa ville qu'il a vu détruire des basiliques à Zama et à Furnos (*Zama et Furnis dirui basilicas et uri scripturas uidi*). A Cirta, le procès-verbal de la perquisition accomplie par le curateur et flamine perpétuel Munatius Felix fournit l'inventaire de tous les biens meubles de l'église locale (*Gesta apud Zenophilum consularem*, éd. Ziwsa, *C.S.E.L.*, 26, p. 186-188).

16. *P.L.*, 84, 301-310. Sur les canons de ce concile concernant les magistrats municipaux, les flamines et les prêtres provinciaux chrétiens, voir *infra*, p. 362-363. Les évêques d'Elvire étaient fort rigoristes, mais ils estimaient pourtant qu'il était inévitable que des chrétiens acceptassent ces charges. Eusèbe (*Hist. Eccl.*, VIII, 1, éd. Bardy, *S.C.*, 55, p. 3) dit que les empereurs dispensaient des sacrifices les gouverneurs provinciaux chrétiens.

17. *Acta purgationis Felicis, loc. cit.*, p. 199 ; 201-202.

liturgique et, surtout, les manuscrits de l'Écriture Sainte. Les clercs qui refusaient d'accomplir cette *traditio* devaient être arrêtés et déférés au tribunal du gouverneur provincial, habilité à les condamner à mort s'ils persévéraient dans leur refus[18]. Nos sources mentionnent cette intervention des responsables municipaux pour sept cités : Carthage, Cirta, Abthugni, Rusicade, Thibiuca, Tigisis et Aquae Thibilitanae (dépendance, semble-t-il, du municipe de Thibilis).

Une première constatation s'impose : il n'est nulle part question d'un magistrat chrétien qui aurait été obligé, de par les devoirs de sa charge, de persécuter ses frères dans la foi[19]. Ceci implique que les responsables municipaux chrétiens étaient encore peu nombreux. Toutefois, au témoignage de nos sources, les magistrats païens ne paraissent pas avoir accompli leur mission de perquisition, inventaire et confiscation avec une violence anti-chrétienne particulière : ils se montrèrent plutôt comme des exécutants ponctuels de la loi. Dans deux cas, celui de saint Félix de Thibiuca et celui des martyrs d'Abitinae, les documents sont des actes des martyrs. Ils nous mettent en présence des scènes violentes et héroïques habituelles : des magistrats livrent des chrétiens n'acceptant pas de renier leur foi au proconsul, qui prononce des condamnations à mort. A Thibiuca en 303, l'évêque Félix refusa de remettre les Livres Saints au *curator rei publicae* Magnilianus ; ce dernier lui accorda un délai de réflexion de trois jours. L'évêque persistant ensuite dans son refus, le curateur le fit conduire enchaîné à Carthage[20]. Magnilianus est présenté dans ce texte comme un dignitaire scrupuleux, mais il ne manifeste aucune agressivité particulière à l'égard du prévenu.

A Abitinae, les choses se passèrent fort différemment. L'évêque avait livré les Écritures, mais quarante-sept chrétiens célébraient un culte clandestin autour d'un prêtre. Ils furent surpris par les magistrats, arrêtés, interrogés sur le forum ; ils déclarèrent vouloir rester chrétiens, à la suite de quoi ils furent conduits à Carthage pour y être jugés[21]. Il semble donc que les magistrats d'Abitinae firent preuve d'un grand zèle païen et qu'ils ne cherchèrent nullement à ménager leurs concitoyens[22]. Nous pensons

---

18. Sur la persécution de Dioclétien en Afrique, se reporter à P. MONCEAUX, *Hist. litt. Afr. chrét.*, t. III (1905). p. 21-40 et 93-161.

19. Ceci n'implique pas que le cas ne se soit pas produit : malgré l'abondance des sources africaines, nous ne connaissons que le nom de bien des martyrs, et non les circonstances précises de leurs procès. Bien entendu, nous n'évoquons pas ici les martyrs à propos desquels aucune intervention de l'autorité municipale n'est mentionnée (notamment les militaires).

20. *Passio s. Felicis episcopi Thibiacensis*, éd. Delahaye, *Analecta Bollandiana*, XXXIX, 1921, p. 241-276 ; *P.L.*, 8, 686-687. Notice *Thibiuca* (Proconsulaire), n. 4-8.

21. *Passio ss. Saturnini, Datiui...*, éd. Franchi de Cavalieri, *Studi e Testi*, 65, Rome, 1935, p. 49-71. Notice *Abitinae* (Proconsulaire), n. 9-20 ; notice *Karthago*, n. 101-106.

22. Le document présente l'arrestation des chrétiens comme une véritable rafle. Leur interrogatoire sur le forum paraît mené séance tenante ; les magistrats rédigent aussitôt un procès-verbal (*elogium*) qui est transmis au proconsul et sera une des pièces maîtresses de l'accusation (*Passio, loc. cit.*, III).

avoir montré qu'en fait, l'affaire d'Abitinae était très particulière et que la violence de la répression était due à une provocation. Parmi les chrétiens arrêtés se trouvait un décurion de Carthage, Dativus[23], qui avait enlevé une jeune fille, Victoria, pour la soustraire à sa famille, des notables carthaginois païens qui cherchaient à lui faire renier sa foi. La famille avait déposé une plainte pour rapt et l'accusation fut soutenue au procès par le frère de Victoria, qui exerçait la profession d'avocat. A coup sûr, le scandale avait été grand dans la bonne société carthaginoise[24]. L'ampleur de la rafle d'Abitinae s'explique donc par le fait que Dativus et Victoria s'étaient réfugiés dans cette petite ville. Les actes des martyrs précisent d'ailleurs que les magistrats municipaux étaient assistés, lors de l'opération, par un *stationarius*, c'est-à-dire un militaire[25]. A coup sûr, les autorités d'Abitinae n'avaient pas agi sur leur seule initiative, mais sur l'ordre du proconsul, lui-même saisi d'une plainte en forme. Ainsi, l'ampleur de la répression anti-chrétienne dans cette ville ne permet pas de juger de l'attitude religieuse personnelle des magistrats[26].

Les actes des martyrs ne concernent que des cas particulièrement exemplaires ou héroïques. Or, à chaque persécution, beaucoup de chrétiens faiblissaient. Certains, les *lapsi*, reniaient explicitement leur foi ; d'autres sauvaient leur vie par divers subterfuges[27]. La controverse donatiste a permis la conservation de documents qui nous donnent des exemples concrets de cette attitude. Ces textes auraient disparu si les catholiques ne les avaient pas utilisés par la suite pour les besoins de la polémique. Ces documents mettent en scène, ce qui est fort rare, des gens très ordinaires : non des gouverneurs provinciaux, des martyrs et des saints, mais de modestes magistrats des cités aux prises avec des clercs sans héroïsme, des gens sans grande originalité, de bons représentants du grand nombre.

Nous pouvons ainsi constater que tous les évêques étaient loin d'avoir l'héroïsme de saint Félix de Thibiuca. A Carthage, au témoignage de saint Augustin, l'évêque Mensurius livra aux autorités, non les Écritures, mais des écrits hérétiques qu'il avait en sa possession[28]. D'après les extraits,

---

23. Le texte qualifie Dativus de *senator* (*loc. cit.*, II et III). En fait, comme Monceaux l'a bien vu (*Hist. litt.*, t. III, p. 141), il était décurion du « sénat » de Carthage (sur ce problème, voir nos notices *Karthago*, n. 101-105 et *Abitinae*, n. 15-17).

24. *Passio*, VII. Le frère avocat déclara au procès devant le proconsul : « Hic est ..., domine, qui per absentiam patris nostri ... sororem nostram Victoriam seducens, hinc de splendidissima Karthaginis ciuitate ... ad Abitinensem coloniam perduxit. »

25. *Passio*, II : « ... a coloniae magistratibus atque ab ipso stationario milite adprehenduntur. » Les *stationarii* étaient répartis dans les provinces et ils pouvaient exercer une surveillance sur les magistrats municipaux, leur transmettre les ordres de l'autorité supérieure.

26. Sur les implications de l'affaire d'Abitinae à Carthage, voir *infra*, p. 342-343 et n. 47-52.

27. Ces apostasies multiples sont évoquées par Optat de Milev, III, 8.

28. AUGUSTIN, *Brevic. collat.*, III, 13, 25, éd. Finaert-Lamirande, B.A., 32, p. 192 ; *cf. infra*, p. 342 et n. 51.

cités par saint Augustin, des actes d'un concile tenu à Cirta en 304, on constate que des évêques numides firent de même : à Calama, l'évêque Donatus remit des livres de médecine, à Aquae Thibilitanae, Marinus livra des archives[29]. Incontestablement, les magistrats responsables semblent avoir manifesté une grande naïveté et s'être fait duper facilement. La bonne explication pourrait bien être qu'ils fermaient les yeux sur ces subterfuges et manifestaient un zèle médiocre dans cette besogne de persécution qui leur était imposée par l'autorité supérieure. Un épisode montre la vraisemblance de cette hypothèse. On s'aperçut à Carthage que Mensurius avait dupé les enquêteurs, et des décurions vinrent trouver le proconsul Anullinus pour dénoncer la supercherie. Le proconsul décida de passer outre : sans doute voulait-il éviter de se heurter de front à l'église de Carthage dont les chefs, Mensurius et son diacre Cécilien, manœuvraient, nous le verrons, avec une prudente diplomatie[30].

Le dossier du donatisme contient deux documents fort riches sur la procédure de persécution dans les cités : le procès-verbal des saisies effectuées en 303 dans l'église de Cirta, extrait des actes d'un procès présidé en 320 par le consulaire de Numidie Zenophilus ; les actes du procès de Félix, évêque d'Abthugni (314-315), qui évoquent de manière très concrète ce qui s'était passé au début de la persécution dans cette petite ville de Byzacène.

Le procès-verbal cirtéen est tiré des *acta* municipaux rédigés sous la responsabilité du dignitaire chargé de l'inventaire et de la confiscation des biens d'église, le flamine perpétuel et curateur Munatius Felix[31]. Nous avons déjà constaté l'intérêt de ce document pour l'étude du fonctionnement de l'administration municipale[32]. Du point de vue des attitudes religieuses, on est d'abord frappé par l'absence complète de toute volonté de résistance chez l'évêque Paul et son clergé qui assistent, consternés, à l'inventaire minutieux du mobilier et des biens confisqués. Du côté du flamine perpétuel et curateur et des employés municipaux qui l'assistent, on constate surtout une volonté déterminée d'accomplir strictement ce que la loi les obligeait de faire. Pour Paul Monceaux, le curateur « n'a aucune haine contre les chrétiens » ; il leur reprocherait seulement

---

29. Augustin, *Contra Cresconium*, III, 17, 30, éd. Finaert-De Veer, *B.A.*, 31, p. 324-327. On examina au concile de Cirta la conduite des participants le jour de la *traditio* des Écritures. Il apparut que les évêques de Tigisis, de Mascula, de Rusicade, avaient échappé à la persécution en livrant réellement les Écritures. L'intervention de l'autorité municipale est mentionnée pour Cirta, Tigisis, Rusicade, Aquae Thibilitanae (qui était, semble-t-il, une simple dépendance de la cité de Thibilis : voir notre notice *Thibilis* – N. - , n. 38-41).

30. Augustin, *Brev. coll.*, III, 13, 25, éd. Finaert-Lamirande, *B.A.*, 32, p. 192 ; *cf. infra*, p. 342-343 et n. 47-52.

31. *Gesta apud Zenophilum consularem*, éd. Ziwsa, *C.S.E.L.*, 26, p. 185-197 (le procès-verbal de la perquisition de 303 se trouve p. 186-188). Comme les *Acta purgationis Felicis*, cette minute de procès figure, sur le manuscrit unique conservé, à la suite du livre d'Optat de Milev *Contra Parmenianum donatistam*.

32. Voir notice *Cirta* – N. -, n. 36-46 et chap. iv, *supra*, p. 225.

« de ne pas être en règle avec la loi et de le forcer, par là, à une opération de police qui lui répugne[33] ». Pourtant, il semble redouter d'être trompé et de se le voir ensuite reprocher par l'autorité supérieure ; il apparaît donc nettement moins laxiste ou complaisant que certains de ses collègues d'autres cités. Ses auxiliaires ne répugnent pas à l'intimidation policière ; ainsi, le secrétaire qui dresse l'inventaire, après la découverte d'objets passés jusqu'alors inaperçus, crie à un clerc : « Tu serais mort, si tu n'avais pas trouvé cela[34] ! ». Cependant rien, dans cet important document, n'évoque un zèle quelconque pour le paganisme ; tout se situe dans une perspective de rigueur administrative, accrue par la terreur que faisait peser la bureaucratie impériale.

Les actes du procès de Félix d'Abthugni montrent que les choses se passèrent différemment dans cette dernière cité. L'évêque Félix avait été l'un des consécrateurs de Cécilien de Carthage en 312. Les partisans de Donat l'accusèrent d'avoir été *traditor*, ce qui suffisait, à leurs yeux, pour entacher de nullité l'ordination épiscopale. Un procès se déroula à Carthage en 314 et 315, devant un duumvir de la métropole, puis devant le proconsul Aelianus[35]. Tout était suspendu au témoignage du duumvir d'Abthugni Alfius Caecilianus qui avait dirigé, en 303, la procédure antichrétienne. On se rappelle que ce dignitaire était un homme fort simple, un artisan tisserand[36]. Il exposa au tribunal qu'il se trouvait en voyage dans la ville de Zama, où il se procurait du fil, quand le premier édit de persécution était parvenu en Afrique. Il vit, dans les cités où il passait, les livres saints chrétiens confisqués, les basiliques détruites. De retour à Abthugni, il vit venir des chrétiens qui lui demandèrent des nouvelles ; il leur dit ce qu'il avait vu et leur enjoignit de lui remettre les Livres Saints. Dans l'église, on détruisit sur l'ordre du duumvir le siège épiscopal, divers documents et les portes[37]. Ce dernier détail est significatif : Alfius Caecilianus avait vu détruire des basiliques à Zama et à Furnos Maius. A Abthugni, il se contenta de désaffecter l'église en l'ouvrant à tous vents[38] ; il appliquait donc modérément l'édit de persécution.

---

33. P. Monceaux, *Hist. litt. Afr. Chrét.*, t. 3, p. 95.

34. *Gesta, loc. cit.*, p. 187 : « Victor Aufidi Siluano dixit : Mortuus fueras si non illas inuenisses. » De même, le curateur ordonne d'arrêter les sous-diacres qui refusent de donner les noms des lecteurs qui détiennent chez eux les manuscrits des Écritures (*ibidem*, p. 187-188).

35. *Acta purgationis Felicis*, éd. Ziwsa, *C.S.E.L.*, 26, p. 197-204. Sur ce document de première importance pour notre propos voir notice *Karthago*, n. 53-65 et 101-105 ; notice *Abthugni* (Byzacène), n. 11-51 ; chap. iv, p. 219-221 et chap. vi, p. 319-320.

36. Notice *Abthugni*, n. 35-42.

37. *Acta, loc. cit.*, p. 199 ; notice *Abthugni*, n. 15-17.

38. On retrouve ailleurs le même procédé. Un papyrus d'Oxyrhynchos, daté de l'année 304, évoque l'enlèvement et la vente par les magistrats municipaux de la porte de bronze de l'église (*P.Ox.*, 2673, I, 16-23 ; je dois cette référence à l'obligeance de Peter Brown). La persécution fut pourtant cruelle en Égypte, mais le cas était particulier : le texte précise que cette porte de bronze était le seul objet

Les fonctionnaires municipaux se rendirent chez l'évêque Félix, mais il était absent. Il ne fut donc pas explicitement *traditor*. Au procès, douze ans plus tard, le duumvir ne dit pas combien de temps dura cette absence. A son retour, en tout cas, Félix n'eut aucun ennui et Caecilianus ne chercha pas à pousser plus loin son enquête.

L'affaire d'Abthugni, on le sait, revint tout au long de la controverse donatiste. Or, le seul grief que les schismatiques formulaient contre l'évêque Félix était le crime de *traditio* ; ce à quoi les catholiques répondaient que le procès de Carthage en avait disculpé l'intéressé, car la preuve présentée par les donatistes, un post-scriptum ajouté à une lettre du duumvir Alfius Caecilianus, avait été reconnue comme un faux grossier fabriqué par le scribe Ingentius. Il ressort de ces documents que la persécution avait été limitée à fort peu de choses à Abthugni. S'il y avait eu des martyrs ou des confesseurs emprisonnés s'opposant à un évêque *traditor*, comme ce fut le cas à Abitinae, nul doute que les donatistes en eussent tiré un excellent parti dans la controverse[39]. Or, cette dernière ne portait que sur un point très précis : Félix était-il bien absent le jour de la perquisition ? Il n'y eut pas, à Abthugni, de *dies turificationis*, où des chrétiens étaient contraints sous peine de mort à sacrifier par l'encens en l'honneur des empereurs et des dieux traditionnels. De toute évidence, les autorités municipales avaient considéré que, la *traditio* accomplie (même incomplètement), on était quitte avec l'édit impérial de persécution. Nul ne fut donc livré au tribunal du gouverneur provincial, aucune violence ne fut exercée sur les personnes[40].

W. H. C. Frend a suggéré une hypothèse fort judicieuse, qui permet d'expliquer qu'Abthugni put traverser sans dommage cette redoutable période : la manière dont les événements se déroulèrent impliquait des relations personnelles et amicales entre le duumvir et l'évêque[41]. Je

---

précieux possédé par l'église, d'où l'insistance sur son enlèvement par le logiste et sa vente.

39. L'appendice, dû à un auteur donatiste, de la passion des martyrs d'Abitinae (*loc. cit.*, p. 67 sq.) est une violente attaque contre les *traditores*, très caractéristique de l'utilisation polémique que pouvaient faire les schismatiques de violences exercées sur les personnes : l'argument *a silentio* est donc très probant, en ce qui concerne Abthugni.

40. L'obligation du sacrifice, en application du quatrième édit de persécution (printemps 304), est mentionnée en Afrique en quelques endroits (voir notice *Abthugni*, n. 30). En 314, l'avocat des donatistes, Maximus, évoqua à l'audience préliminaire devant le duumvir de Carthage, le temps où tous devaient sacrifier sur l'ordre du proconsul (*Acta*, p. 198), mais il parlait de la persécution en général, non de ce qui s'était passé à Abthugni, contrairement à ce que suggère W. H. C. Frend (*Martyrdom and persecution in the early Church*, Oxford, 1965, p. 500 ; sur ce problème, voir notice *Abthugni*, n. 30).

41. W. H. C. FREND, *The Donatist Church, a movement of protest in Roman North Africa*, Oxford, 1952, p. 4 : « The chief magistrate, the duumvir Alfius Caecilianus, and the bishop Felix appear to have been on friendly terms ». De fait, on exposa au procès que le scribe Ingentius s'était prétendu chargé par l'évêque d'une commission auprès de l'ex-duumvir, « son ami » (*Caeciliano amico meo*, *Acta*, p. 200, l. 30).

pense qu'on peut, en effet, supposer à bon droit qu'il existait entre eux une véritable complicité.

Les empereurs du Bas-Empire ont développé une indéniable tendance à l'absolutisme, au détriment des libertés locales. Cependant, les *acta purgationis Felicis* montrent, si la présente interprétation est exacte, comment concrètement, sur place, les intéressés pouvaient tourner la loi ou en faire une application minimale. A Abthugni, les autorités municipales et ecclésiastiques parvinrent à empêcher, dans les faits, l'application des édits de persécution ; elles firent, à l'échelle de leur petite ville, ce que fit à l'échelle de la Gaule et de la Bretagne le César Constance Chlore[42].

Nous sommes, me semble-t-il, en présence d'une attitude concertée du duumvir et de l'évêque. L'étonnante absence de ce dernier le jour de la perquisition fit peut-être partie d'un plan arrêté d'avance. De part et d'autre, on constate la même volonté d'éviter toute provocation, la même absence de zèle. Abthugni, ne l'oublions pas, était au contraire de Cirta une petite ville où tout le monde se connaissait. Si les dirigeants d'une petite communauté de ce genre savent imposer une cohésion, une solidarité suffisantes, elle peut très efficacement faire front contre des agressions ou des tentatives de division surgies de l'extérieur[43]. En l'occurrence, le problème était le suivant : l'évêque et le duumvir ont cherché et trouvé le moyen d'éviter que la vie tranquille de leur petite ville ne fût dramatiquement perturbée par une enquête qui pouvait mener certains de leurs concitoyens à la mort, diviser irrémédiablement la communauté, susciter des rancunes inexpiables. La solution était simple : l'église une fois désaffectée et les confiscations faites sans véritable sacrilège, l'autorité municipale pouvait affirmer au gouvernement provincial qu'il n'y avait plus de chrétiens à Abthugni et que toute nouvelle mesure de persécution était inutile. Bien entendu, le duumvir et les autres magistrats allaient fermer les yeux si les chrétiens se réunissaient en secret, ce que, pourtant, on ne pouvait ignorer dans une ville aussi médiocre ; les chrétiens devaient simplement être les plus discrets possible, en attendant des jours meilleurs[44].

---

42. La non-application des édits de persécution dans les provinces relevant du César Constance Chlore est attestée par Lactance (*De mortibus persecutorum*, XV, 7, éd. Moreau, S.C., 39, p. 94) qui signale cependant des destructions d'églises, ce que nie Eusèbe (*Hist. Ecclés.* VIII, 13, 13, éd. Bardy, S.C., 55, p. 31).

43. Mais si cet esprit de corps ne joue pas, les villages ou les petites villes peuvent voir, lors d'événements violents, des règlements de comptes impitoyables, liés aux haines locales : on l'a vu en France entre 1940 et 1944.

44. Le duumvir Alfius Caecilianus était païen ; cet homme bon et tolérant fut scandalisé par les intrigues qui déchirèrent la communauté chrétienne dans les années suivantes : *Haec est fides christianorum* ? « C'est cela, la bonne foi des chrétiens ? » demanda-t-il à son ancien collègue dans l'édilité Augentius qui cherchait à perdre l'évêque Félix (*Acta*, p. 202). Cette réflexion d'un païen simple et honnête pourrait définir toute la querelle atroce qui divisa au Bas-Empire la chrétienté africaine.

Dans les rangs chrétiens, cette attitude n'était pas unanime. La persécution cessa en Afrique après l'abdication de Dioclétien et de Maximien en 305. On put, dès lors, se montrer intransigeant sans risque. Un groupe de chrétiens rigoristes existait à Abthugni ; l'un d'eux, Augentius, avait été le collègue d'Alfius Caecilianus dans la gestion de l'édilité, et il mena la cabale contre l'évêque Félix, avec son secrétaire (*scriba*) Ingentius[45]. Ces gens considéraient ces arrangements à l'amiable (dont ils avaient bénéficié, puisqu'eux non plus ne furent pas inquiétés) comme d'inadmissibles concessions. L'habile diplomatie de Félix, ses relations amicales avec le duumvir, leur semblaient une trahison. On peut dire que, sur le fond, ils n'avaient pas tort quand ils dénonçaient la tiédeur des convictions de certains de leurs adversaires, le caractère peu glorieux de leurs compromissions avec les autorités païennes. L'idéal du duumvir et de l'évêque était de sauver la vie de leurs concitoyens ; il en est de pires. Les futurs donatistes étaient des chrétiens intransigeants, dans la ligne de Tertullien. Ils cherchèrent à prouver que Félix avait été un *traditor*, allant pour cela jusqu'à fabriquer un faux en écritures. La preuve écrite existait peut-être, mais elle avait disparu. Au procès, en 314-315, on demanda à l'ancien duumvir Alfius Caecilianus de présenter au tribunal les *acta publica* rédigés du temps de sa magistrature, mais il déclara qu'il les avait cherchés en vain : ces documents officiels étaient égarés[46]. Cette disparition était-elle fortuite ? Elle était, en tout cas, fort utile pour dissimuler quelque peu les compromissions de l'évêque avec une autorité municipale au demeurant fort bienveillante.

Les événements d'Abthugni expliquent, à mon sens, le fait singulier que nous avons relevé plus haut : la facilité avec laquelle les magistrats de plusieurs cités ont accepté de se laisser duper en se faisant remettre n'importe quel livre, au lieu de l'Écriture Sainte dont la *traditio* eût été vue par tous les chrétiens comme un très grave sacrilège. Ce fut le cas à Calama ou à Aquae Thibilitanae ; on peut donc supposer que les autorités de ces cités étaient aussi tolérantes que celles d'Abthugni. Mais ce fut aussi le cas à Carthage où il devait être infiniment plus difficile de contrevenir à la loi que dans une petite ville de l'intérieur protégée par sa médiocrité même. N'était-ce pas là que le proconsul jugeait et condamnait les chrétiens arrêtés dans toute la Proconsulaire ?

Pourtant, nous l'avons vu, l'évêque Mensurius réussit à duper les enquêteurs. Nous savons par saint Augustin qu'il fut aussitôt soupçonné de *traditio*. Il écrivit aux évêques de Numidie pour se justifier : loin d'avoir livré les Écritures, il les avait mises en lieu sûr et n'avait laissé saisir que des écrits hérétiques. Un autre grief pesait sur lui : avec son

---

45. *Acta*, p. 199. Augentius et Ingentius tentèrent d'obtenir de l'ancien duumvir une lettre compromettante pour l'évêque ; Caecilianus ayant dicté un texte anodin, Ingentius ajouta un post-scriptum de son cru.

46. *Acta*, p. 198 : « Apronianus dixit : Si omnes actus suos tulerat magistratus, unde acta quae tunc emissa erant uel confecta tanto tempore ? »

diacre et futur successeur Cécilien, il avait refusé de visiter et de secourir dans leur prison les confesseurs d'Abitinae. Il donnait comme raison que se trouvaient parmi eux des fidèles qui s'étaient dénoncés eux-mêmes, ce qui était condamnable, ainsi que des débiteurs du fisc et des criminels de droit commun[47]. A coup sûr, cette dernière allégation se rapportait au scandale de Dativus, le rapt de la jeune carthaginoise Victoria. Indubitablement, cette prudente diplomatie ecclésiastique devait paraître scandaleuse à bien des chrétiens. Les donatistes, par la suite, reprochèrent beaucoup son attitude à Cécilien[48]. Sur le moment, cette politique permit à l'église de Carthage de traverser la persécution sans grand mal. Aucun martyr carthaginois n'est attesté avec certitude à cette époque[49]. Même le trésor, qui comprenait de nombreux objets d'or et d'argent, fut sauvegardé : il devait disparaître plus tard dans d'étranges conditions. Mensurius, ayant été convoqué par Maxence, se rendit en Italie et mourut durant le voyage en 311 ; il semble que le trésor fut alors volé par des *seniores laici* indélicats[50].

Mais ces manœuvres subtiles ne pouvaient réussir que si, du côté païen, on trouvait une volonté de compromis identique, et pas seulement de la part du proconsul mais aussi de celle des autorités de Carthage. Augustin, nous l'avons vu, relate la démarche que firent certains décurions auprès du proconsul pour lui apprendre que Mensurius avait trompé les magistrats[51] ; or, cette démarche était individuelle : ces décurions ne semblaient pas avoir été mandatés par l'*ordo* tout entier ; on peut en induire que les partisans d'une réaction païenne sanglante ne constituaient qu'une minorité dans le sénat carthaginois. Ce fait pourrait avoir facilité la décision du proconsul Anullinus de ne pas donner suite à la dénonciation.

Il résulte de ces épisodes que même à Carthage, un évêque habile pouvait s'entendre avec les autorités municipales et provinciales pour obtenir une application minimale des mesures de persécution. Les choses furent

---

47. AUGUSTIN, *Brev. collat.*, III, 13, 25, éd. Finaert-Lamirande, *B.A.*, 32, p. 192-195.

48. *Passio Saturnini, Datiui...*, 17-21, éd. Cavalieri, p. 66-68. Il s'agit de l'appendice des actes des martyrs d'Abitinae, rédigé par un auteur donatiste. On accusait Mensurius et Cécilien d'avoir laissé les confesseurs d'Abitinae mourir de faim dans leur prison.

49. Il est possible, mais non certain, que furent exécutés à Carthage sous Dioclétien Agesilaus, Catulinus et Restitutus (P. MONCEAUX, *Hist. litt. de l'Afr. chrét.*, t. 3, p. 33). De toute manière, la persécution fut très limitée dans la métropole et, comme l'a bien vu Monceaux, ce fut la conséquence de l'attitude respective de l'évêque et du proconsul Anullinus que, pourtant, les actes des martyrs apocryphes considèrent comme le magistrat persécuteur par excellence. « L'attitude du proconsul en cette affaire des perquisitions, écrit Monceaux, laisse supposer que la persécution ne fut pas très vive à Carthage ».

50. Ce curieux épisode est connu par Optat, I, 17-19.

51. *Brev. coll.*, III, 13, 25, *B.A.*, 32, p. 192 : « Verumtamen quosdam Carthaginiensis ordinis uiros postea suggessisse proconsuli quod illusi fuerant qui missi erant ad christianorum scripturas auferendas et incendendas... »

plus difficiles en Numidie où le gouverneur Florus paraît avoir été nettement plus rigoureux.

De leur prison, les confesseurs abitiniens avaient lancé un solennel anathème contre quiconque avait pactisé avec les autorités persécutrices[52]. Toute la querelle donatiste était ici en germe, avec cependant, cette nuance : le clivage entre laxistes et intransigeants ne correspondit pas exactement à celui qui sépara ensuite les deux églises, car de futurs évêques donatistes avaient été *traditores* et les catholiques le rappelèrent souvent au cours de la polémique[53].

Ce qu'il faut retenir pour notre propos, c'est qu'il existait en Afrique au temps de Dioclétien deux attitudes religieuses. D'un côté se situaient des païens partisans d'une réaction anti-chrétienne violente et des chrétiens refusant toute concession, à la manière de Tertullien un siècle avant. De l'autre, on trouvait un « parti des honnêtes gens », formé de païens tolérants et de chrétiens prudents, tous satisfaits du *modus vivendi* élaboré à la suite de l'édit de Gallien. Ces gens avaient préparé le chemin, à l'échelon local, à la conciliation constantinienne. Au cours des quarante années précédentes, ces dirigeants municipaux et ces évêques avaient, dans la vie quotidienne des cités africaines, appris à se connaître, à s'estimer, à trouver les moyens de vivre en bonne intelligence, au prix de concessions réciproques. Là où ils étaient au pouvoir, ils purent éviter aux habitants de leurs villes une sanglante épreuve, en esquivant habilement les mesures impériales. Ces faits constituent un bon témoignage sur l'importance de la force d'inertie que les cités pouvaient opposer, le cas échéant, aux velléités centralisatrices de l'autorité impériale. Cette attitude montre par ailleurs, dans une bonne partie de l'élite dirigeante païenne des cités, une grande modération dans les convictions religieuses, une absence de fanatisme, qui expliquent les limites de la réaction païenne face à un christianisme en pleine expansion et dont tous les chefs n'avaient pas l'esprit politique et conciliant de Mensurius ou de Félix d'Abthugni.

II — Le déclin du paganisme de Constantin a Théodose

Si Constantin manifesta dès sa prise de pouvoir une attitude de tolérance très bienveillante envers les chrétiens, il ne rompit pas immédiatement avec la politique de ses prédécesseurs. La persécution avait, dans

---

52. *Passio Saturnini*, 21, éd. Cavalieri, p. 68. Cette proclamation comportait la formule suivante : « Quiconque aura été en communion avec les traditeurs n'aura point part avec nous au Royaume céleste ». On peut considérer que cette excommunication, qui visait surtout Mensurius et Cécilien, est le début du schisme.

53. Ainsi, les catholiques utilisèrent les actes du concile de Cirta de 304 et ceux de la perquisition dans l'église de la même ville en 303, qui montraient que de futurs évêques donatistes avaient faibli (*cf. supra*, p. 337 et n. 29 et 31).

les faits, cessé en Occident dès 305 ; le paganisme demeurait religion officielle. Ce n'est qu'après sa rupture avec Licinius en 324 que Constantin se présenta ouvertement comme chrétien. Mais il resta grand pontife et il favorisa en Afrique le culte impérial : au témoignage d'Aurélius Victor, il institua en 312, en Proconsulaire, un culte provincial de la dynastie, la *gens Flavia*, avec un collège de prêtres et des jeux périodiques[54]. Le paganisme ne fut pas persécuté sous Constantin ; ses tenants durent pourtant se résigner à voir le christianisme, honni et persécuté peu auparavant, placé sur le même plan que l'antique religion nationale. Cependant, la confiscation des biens des temples en 331 montre qu'à la fin du règne, la balance n'était pas maintenue égale entre les deux religions[55]. Ceci s'accentua sous les fils de Constantin ; des lois émises en 341 et 346 ordonnèrent la fermeture des temples et interdirent les sacrifices[56]. Il est difficile d'établir dans quelle mesure elles furent appliquées en Afrique. Optat de Milev affirme qu'avant la réaction du temps de Julien « il n'était pas permis aux païens de célébrer leurs rites sacrilèges », ce qui implique une application concrète de ces décisions[57]. Pourtant, un grand nombre de gouverneurs provinciaux étaient païens[58] et les partisans de l'ancienne religion l'emportaient dans les curies municipales[59]. Les résistances

---

54. AURELIUS VICTOR, *De Caes.*, 40. Le culte impérial constitue un problème particulier, car il survécut à toutes les interdictions du paganisme ; c'est pourquoi il convient de le disjoindre, à partir de Constantin, du reste du paganisme. Nous l'étudions à la fin de ce chapitre.

55. Cette confiscation est connue par Libanius (*Discours*, XXX, 6, 37), et, indirectement, par les mesures de Valentinien 1er et de Valens revenant sur la restitution de ces biens par Julien (*C.Th.*, V, 13, 3 et X, 1, 8 de 364). La date de 331 est donnée par la chronique de saint Jérôme.

56. *C.Th.*, XVI, 10, 2 (fin 341 ; loi de Constant et non de Constance II comme il est indiqué dans le *C.Th.* — Seeck, p. 191 —) ; cette loi affirme qu'une interdiction des sacrifices avait déjà été formulée par Constantin ; elle devait être partielle. *C.Th.*, XVI, 10, 4, du 1er décembre 356 (Seeck, p. 202) ; cette loi de Constance II est très dure : elle ordonne de fermer tous les temples et punit de mort quiconque célèbrera un sacrifice.

57. Optat, II, 15. Le très faible nombre des constructions et restaurations de temples connues par des inscriptions à cette époque implique une application réelle, mais non totale. Dans le tableau du paganisme africain de Constantin à Théodose qu'il a brossé (*Hist. litt. de l'Afr. chrét.*, t. 3, p. 47-57), P. Monceaux insiste à juste titre sur l'importance que gardait l'ancienne religion et sur le nombre de ses adhérents dans l'élite sociale, mais il exagère les manifestations publiques du paganisme : il induit une tolérance, voire une bienveillance des empereurs, de toutes les mesures concernant les conseils provinciaux et les prêtres des provinces, alors que ces institutions avaient perdu leur caractère religieux (voir *infra*, p. 362-369). De même, il affirme que la curie de Timgad était presqu'entièrement païenne dans les années 360, car figurent sur l'album municipal de nombreux flamines perpétuels, dignité qui, en fait, pouvait très bien être assumée par des chrétiens (voir *infra*, p. 367-368).

58. Ceci d'autant plus que les gouverneurs de Numidie et de Byzacène furent, à partir de cette période, des *consulares* pris, comme les proconsuls d'Afrique et leurs légats, dans l'aristocratie sénatoriale, bastion de la réaction païenne.

59. Nous avons des témoignages fort significatifs de cet attachement de l'élite des cités à l'ancien culte pour la fin du IVe siècle et le début du Ve siècle (voir *infra*, p. 355-359). C'était, bien entendu, encore plus vrai durant la période précédente.

furent donc inévitables. En témoigne l'épisode dramatique du martyre de sainte Salsa à Tipasa, datable de la fin du règne de Constantin[60].

La documentation épigraphique montre très nettement l'influence de la nouvelle politique du pouvoir impérial sur la vie religieuse officielle des cités ; on constate en effet une régression immédiate et considérable du nombre des inscriptions évoquant des constructions et des restaurations de temples ou des cérémonies publiques païennes, après Dioclétien.

Tableau chronologique des travaux publics concernant des temples, des statues et des autels païens

276-285 : 3 chantiers.

— Capsa (– B. – n. 8 ; *C.*, 100 = 11228) : Construction d'un temple indéterminé.
— Pupput (– B. – n. 4 ; *C.*, 24095 = *I.L.S.*, 5361) : Restauration d'un Capitole.
— Verecunda (– N. – n. 4 ; *C.*, 4221 = *I.L.S.*, 609) : Construction d'un temple du culte impérial.

286-293 : 7 ou 8 chantiers.

— Calama (– P. – n. 5 ; *I.L.Alg.*, I, 179 = *C.*, 5290 = *I.L.S.*, 5477) : Construction ou restauration d'un temple d'Apollon grâce à l'évergétisme privé.
— Madauros (– P. – n. 6 ; *I.L.Alg.*, I, 2048) : Restauration d'un temple d'Hercule.
— Saldae (– M.S. – n. 9 ; *A.E.*, 1928, 38) : Construction d'un autel monumental à Jupiter et à la *Gens Maura* par les *Iuuenes*.
— Segermes (– B. – n. 2 ; *C.* 906 = 11167 = 23062) : Construction ou restauration d'un Capitole.
— Sitifis (– M.S. – n. 6 ; *C.*, 8457) : Reconstruction d'un temple de Cybèle grâce à l'évergétisme privé.
— Thibilis (– N. – n. 20 ; *I.L.Alg.*, II, 2, 4656 = *C.*, 18901 ; ce chantier peut appartenir à la période suivante) : Construction d'un Capitole.
— Thubursicu Numidarum (– P. – n. 5 ; *I.L.Alg.*, I, 1241) : Construction d'un temple dédié probablement à Bellone.
— Thugga (– P. – n. 6 ; *C.*, 15507 + 26574 a + *I.L. Afr.*, 513) : Construction ou restauration d'un édifice consacré probablement au culte impérial.

---

60. Voir notice *Tipasa* – M.C. –, n. 11-15, et infra, p. 350.

293-305 : 7 ou 8 chantiers.

— Albulae (– M.C. – n. 1 ; C., 21665) : Restauration d'un temple de la *Dea Maura.*
— Castellum Ma...rensium (– P. – n. 1 ; C., 17327) : Restauration d'un temple de Mercure.
— Thabraca (– P. – n. 8 ; C., 17329) : Restauration d'un temple de Jupiter.
— Thamugadi (– N. – n. 12 ; B.C.T.H., 1907, p. 274) : Restauration d'un temple de Mercure.
— Thignica (– P. – n. 4 ; C., 1411 = 14910 + I.L.Tun., 1308) : Construction d'un temple du culte impérial.
— Thugga (– P. – n. 9 ; C., 26472) : Restauration du temple du *Genius Patrius.*
— Thibilis (– N. – n. 19 ; I.L.Alg., II, 2, 4636) : Érection d'une statue d'Hercule.
— Thibilis (– N. – n. 20 ; I.L.Alg., II, 2, 4656 = C., 18901 ; ce chantier peut appartenir à la période précédente) : Construction d'un Capitole.

Aucun chantier n'est connu durant les années 305-312.

312-324 : Un chantier.

— Auzia (– M.C. – n. 12 ; C., 9020 = I.L.S., 4456) : Consécration d'un autel votif à Pluton et aux *Cereres.*

324-337 : Un chantier.

— Karthago (– P. – n. 13 ; C., 24521) : Restauration du temple de Cybèle.

337-350 : 4 chantiers.

— Avitta Bibba (– P. – n. 5 ; C., 12272) : Restauration d'un *fanum* de Mercure.
— Regiae (– M.C. – n. 4 ; C., 21628) : Consécration d'un autel à Junon, Sylvain et au Soleil par le *dispunctor.*
— Sabratha (– T. – n. 9 ; I.R.T., 55) : Restauration du temple de Liber Pater.
— Sabratha (– T. – n. 10 ; I.R.T., 7) : Travaux effectués à un édifice dédié à Hercule.

350-361 : Un chantier.

— Mactar (– B. – n. 20 ; A.E., 1955, 51) : Construction d'un monument du culte impérial sur l'emplacement d'un temple de Liber Pater détruit.

Aucun chantier n'est connu durant les années 361-364.

364-367 : 5 chantiers.

— Cirta (– N. – n. 10 ; *I.L.Alg.*, II, 1, 541 = *C.*, 6975) : Construction ou restauration d'un *mithreum* par le gouverneur de Numidie Publilius Caeionius Caecina Albinus.
— Cirta (– N. – n. 11 ; *I.L.Alg.*, II, 1, 618 = *C.*, 19502) : Travaux effectués dans un temple sous l'égide du même gouverneur.
— Lambaesis (– N. – n. 14 ; *C.*, 2735 = 18229) : Restauration du Capitole.
— Mustis (– P. – n. 6 ; *I.L.Tun.*, 1538 b) : Restauration d'un temple.
— Thamugadi (– N. – n. 13 ; *C.*, 2388 = *I.L.S.*, 5554) : Restauration des portiques du Capitole.

Aucun chantier n'est connu durant les années 367-375.

375-383 : Un chantier.

— Madauros (– P. – n. 12 ; *I.L.Alg.*, I, 2103) : Restauration du temple de la Fortune, transformé en marché.

383-395 : 2 chantiers.

— Abthugni (– B. – n. 4 ; *C.*, 928 = 11205) : Travaux au Capitole désaffecté et dont les *cellae* servent pour des réunions profanes.
— *Djebel Moraba* (– P. – n. 1 ; *C.*, 23968 + 23969) : Restauration d'un temple et de son portique.

Travaux réalisés à une date indéterminée du Bas-Empire : 5 chantiers.

— Auzia (– M.C. – n. 13 ; *C.*, 902 = *I.L.S.*, 4457) : Consécration d'un autel votif à Pluton et aux *Cereres*.
— Bisica (– P. – n. 5 ; *C.*, 12285) : Travaux à un temple dédié peut-être à Vénus.
— Chusira (– B, – n. 2 ; *A.E.*, 1946, 45) : Travaux à un temple, entre 312 et 350.
— Sicca Veneria (– P. – n. 10 ; *C.*, 15881 = *I.L.S.*, 5505) : Restauration au sanctuaire de Vénus, peut-être sous Constantin.
— Utica (– P. – n. 16 ; *C.*, 1183 = *I.L.S.*, 5407) : Restauration d'un temple.

Le fait principal qui ressort de ce tableau est, bien entendu, la spectaculaire diminution du nombre des chantiers consacrés à des monuments du culte païen après Dioclétien. Près d'un chantier sur quatre concerne ces édifices sous Dioclétien, moins d'un sur douze sous Constantin (deux sur 25 chantiers connus au total). Sous les fils de Constantin (337-361), la proportion remonte un peu : quatre chantiers sur vingt-deux, soit un pour cinq et demi[61]. Il est singulier de ne pas trouver de mention de temples construits ou restaurés sous Julien, pour le court règne duquel neuf dédicaces de monuments construits ou restaurés sont pourtant connues[62]. Sur les 46 chantiers connus pour le règne de Valentinien 1er (364-375), cinq concernent des temples, soit un peu moins d'un sur neuf. Certes, on peut supposer avec M. Leglay que ces cinq restaurations sont dues aux conséquences de la réaction païenne du temps de Julien et à la tolérance que Valentinien manifesta à l'égard de l'ancienne religion[63]. En proportion, c'est peu pour une période qui vit, en Afrique, un essor considérable des constructions urbaines. Pourtant, nous avons à maintes reprises constaté la force de l'attachement des élites municipales africaines au paganisme, tout au long du ive siècle, voire au delà. Si les cités n'accomplirent pas davantage de travaux dans les temples, ce ne fut pas, dans la plupart des cas, par suite d'un abandon massif et rapide de l'ancienne religion dans la classe décurionale. Ce fait est dû à l'hostilité du pouvoir impérial pour le paganisme, bien avant son interdiction sous Théodose. C'est la preuve de l'importance du contrôle exercé par les gouverneurs sur les programmes de constructions édilitaires des cités. Certes, ces gouverneurs étaient souvent païens, mais ils devaient agir conformément aux ordres reçus. Un gouverneur païen déclaré pouvait cependant favoriser l'entretien des monuments de l'ancien culte. Le consulaire de Numidie Publilius Caeionius Caecina Albinus (364-367) est, selon toute probabilité, le Caecina Albinus évoqué par Macrobe dans ses *Saturnales* comme un ami intime de Symmaque[64]. Les quatre chantiers de temples menés à bien en Numidie sous son gouvernement constituent, de loin, la plus importante réalisation dans ce domaine après Dioclétien. La dédicace du *mithreum* de Cirta semble d'ailleurs impliquer qu'Albinus avait, dans ce cas, agi en évergète privé et non dans le cadre officiel municipal ou provincial[65]. Son successeur immédiat en Numidie, Ulpius Egnatius

---

61. Si la loi de Constant de 341 (*C.Th.*, XVI, 10, 2) n'a pas empêché de mener à bien quatre chantiers à des temples entre 337 et 350, la politique très hostile au paganisme menée par Constance II semble avoir porté ses fruits : le seul chantier connu entre 350 et 361 est la construction d'un édifice voué, semble-t-il, au culte impérial sur l'emplacement du temple détruit de Liber Pater à Mactar (*A.E.*, 1955, 51 ; notice *Mactaris* – B. –, n. 20). Mais, nous le savons, le culte impérial constitue un problème particulier.

62. On peut supposer que des inscriptions commémorant des chantiers de ce type sous Julien furent martelées ensuite.

63. M. Leglay, *Saturne Africain, Histoire*, p. 100. Valentinien, de fait, ne revint pas à la politique intolérante de Constance II ; il affirma que chacun était libre de pratiquer la religion de son choix et permis l'exercice de l'haruspicine (*C.Th.*, IX, 16, 9, de 371). Il en résulta assurément une certaine renaissance du paganisme, dont Optat témoigne pour l'Afrique : il déplore, sous Valentinien, que les temples soient rouverts depuis les mesures de Julien (Optat, II, 16-17 ; *cf. infra*, p. 351).

64. Macrobe, *Saturnales*, XII, 15 : « Eo uenerunt Aurelius Symmachus et Caecina Albinus, cum aetate tum etiam moribus ac studiis inter se coniunctissimi » (*cf.* A. Chastagnol, *Les consulaires de Numidie*, *Mélanges Jérôme Carcopino*, Paris, 1966, p. 226 ; *P.L.R.E.*, p. 34-35).

65. *I.L.Alg.*, II, 1, 541 = *C.*, 6975 ; notice *Cirta* – N, –, n. 10.

Faventinus, était aussi un païen militant. Sur l'inscription romaine qui commémore sa réception du taurobole et du criobole de Cybèle en 376, il énumère ses nombreux sacerdoces : augure, Père et hiérocéryx de Mithra, *archibucolus* de Liber Pater, hiérophante d'Hécate, prêtre d'Isis[66]. On ne connaît pas de temple construit ou restauré en Numidie sous son égide, mais il procéda à une dédicace fort significative : celle d'une statue de la Victoire dans la basilique civile construite à Cuicul au temps d'Albinus[67]. Réplique locale de la statue qui se dressait dans le Sénat de Rome et dont l'autel fut l'enjeu, à partir du règne de Gratien, d'une longue querelle, la Victoire de Cuicul devait elle aussi symboliser la permanence du paganisme officiel[68].

Trois chantiers sont postérieurs à 375 mais, au moins pour deux d'entre eux, ils témoignent de la ruine du paganisme et non de sa survie. Entre 375 et 383, le temple de la Fortune fut restauré à Madaure mais, précise l'inscription, des activités commerciales y avaient lieu[69]. Il s'agissait donc d'un temple désaffecté, employé pour des usages profanes. Il en est de même pour le Capitole d'Abthugni, où des travaux furent effectués entre 383 et 395 : les *cellae*, selon l'inscription, étaient utilisées pour des réunions profanes qui rassemblaient, semble-t-il, les membres des collèges autorisés de la cité ([*quibus licet co*]*ire ex s*(*enatus*) *c*(*onsulto*))[70]. Cette restitution est corroborée par une loi d'Honorius, émise en 401 et ordonnant que les temples désaffectés soient sauvegardés et entretenus par les décurions et les *collegiati*[71]. Pour le troisième cas, la restauration entre 383 et 388 d'un temple et de son portique dans la cité qui s'élevait au Djebel Moraba (Proconsulaire), on ne peut dire si le sanctuaire était utilisé ou non pour le culte à cette date, antérieure il est vrai aux mesures d'interdiction définitive du paganisme, prises à partir de 391[72].

---

66. *C.*, VI, 504 = *I.L.S.*, 4153. *Cf.* A. CHASTAGNOL, *Les consulaires de Numidie*, p. 227 ; *P.L.R.E.*, p. 325.

67. *A.E.*, 1946, 108 et 109 = *C.R.A.I.*, 1943, p. 376-386 ; notice *Cuicul* – N. –, n. 21 et 22.

68. Nous n'avons pas de témoignages précis sur une éventuelle politique favorable aux païens menée par Symmaque lors de son proconsulat d'Afrique en 373. On peut supposer que les décrets hostiles votés à son égard par le conseil provincial (SYMMAQUE, *Epistulae*, IX, 115) furent, en partie, suscités par des chrétiens. Il est possible que les statues de Victoires retrouvées à Carthage dans l'amphithéâtre, près d'une base mentionnant son nom, aient été érigées sous son proconsulat (notice *Karthago*, n. 17).

69. *I.L.Alg.*, I, 2103 ; notice *Madauros* – P. –, n. 12.

70. *C.*, 11205 = 928 ; notice *Abthugni* – B. –, n. 4-10. Cette interprétation de l'inscription est due à François Jacques, qui m'a aimablement autorisé à en faire état.

71. *C.Th.*, XV, 1, 41, du 4 juillet 401 : « *Omnia aedificia publica siue iuris templorum intra muros posita uel etiam muris cohaerentia, quae tamen nullis censibus patuerit obligata, curiales et collegiati submotis conpetitoribus teneant atque custodiant...* »

72. *C.*, 23968 + 23969 ; notice *Djebel Moraba* – P. –, n. 2.

Le paganisme, pourtant, demeurait vivace. Jusqu'à la fin du siècle, des fidèles vinrent apporter leurs offrandes au sanctuaire de Saturne qui se dressait sur le *mons Balcaranensis* (Djebel Bou Kornein) près de Carthage[73]. La plus récente stèle votive à Saturne datée, retrouvée il y a peu à El Ayaïda dans la région de Béja, fut dédiée le 8 novembre 323[74]. Les riches commandèrent au ive siècle de nombreuses mosaïques figurées à sujets païens pour orner leur demeure[75].

On s'accorde pour dater le martyre de sainte Salsa de la fin du règne de Constantin. L'auteur de la *Passion* affirme que « la foi était rare » à cette époque à Tipasa. La jeune Salsa, on le sait, jeta à la mer la tête d'un serpent de bronze vénéré par les Tipasiens et fut lynchée par les païens exaspérés par ce sacrilège[75bis].

Élève à l'école du grammairien à Madaure entre 365 et 369, le jeune Augustin avait pu voir, lors d'une fête, une étrange procession qui rassemblait les dirigeants (*primates*) et les décurions de la cité « se répandant en délire et hors d'eux-mêmes par les avenues de la ville[76] ». Ce culte frénétique était peut-être celui de la *dea Virtus*, c'est-à-dire Bellone, ou plutôt la déesse orientale Mâ : une inscription de Madaure donne la liste de ses *cisthiferi* ; l'un des prêtres avait le titre de flamine perpétuel et était donc un dignitaire municipal[77]. Plus tard, entre 370 et 383, Augustin fut étudiant, puis professeur à Carthage. Il put alors voir les rites pittoresques et obscènes des fêtes de Caelestis[78].

---

73. M. LEGLAY, *Saturne africain, Histoire*, p. 101. Le sanctuaire fut détruit à la fin du siècle, par des chrétiens de toute évidence.

74. *A.E.*, 1969-1970, 657 = *B.C.T.H.*, 1968, p. 253-268. Cette stèle, datée par les noms des consuls — *Rufino et Seuero co(n)s(ulibus)* — a été dédiée par un prêtre de Saturne, M. Gargilius Zabo. Voir aussi *infra*, p. 86

75. A. Merlin et L. Poinssot ont donné une liste de ces mosaïques tardives à sujets païens dans *Rev. Afric.*, 1956, p. 285-300.

75bis. *Catalogus codicum hagiographicorum latinorum qui asservantur in Bibliotheca Nationali Parisiensi*, t. I, Bruxelles-Paris, 1889, p. 344-352. Je pense, avec L. Duchesne (*C.R.A.I.*, 1890, p. 116 sq.) et P. Monceaux (*Hist. litt. Afr. Chrét.*, t. III, p. 163-168) et contre H. Grégoire (*Sainte Salsa, roman épigraphique*, dans *Byzantion*, 12, 1937, p. 213-224) que le récit expose un fait réel, tout en y mêlant de nombreux traits légendaires.

76. AUGUSTIN, *Epist.*, 17, 4, *C.S.E.L.*, 34, p. 43 : « decuriones et primates ciuitatis per plateas uestrae urbis bacchantes ac furentes... ». *Cf.* notice *Madauros* – P. –, n. 31.

77. *I.L.Alg.*, I, 2071 ; voir notice *Madauros* – P. –, n. 32.

78. AUGUSTIN, *Cité de Dieu*, II, 4. Augustin décrit la cérémonie de la purification (*dies solemnis lauationis*) d'une statue qui est à la fois celle de Cybèle et de Caelestis (*Caelesti uirgini et Berecynthiae matri omnium*). Cette statue est portée sur une litière (*lectica*). Ces rites sont ceux du culte de Cybèle (F. CUMONT, *Les religions orientales dans le paganisme romain*, Paris, 1929, p. 54-56). Il semble toutefois qu'il y ait eu syncrétisme avec la divinité poliade de Carthage. Augustin évoque à nouveau ces rites dans *Cité de Dieu*, II, 26, 2 ; il décrit de nouveau le cortège obscène des courtisanes et des mimes, mais il mentionne seulement la *uirgo Caelestis*. Il paraît donc qu'il y avait eu une assimilation des deux divinités à Carthage.

Deux inscriptions témoignent des espoirs suscités par l'éphémère réaction païenne officielle du temps de Julien. Elles ont été gravées en Numidie ; l'une, trouvée à Casae, qualifie Julien de « restaurateur de la liberté et de la religion romaine[79] ». La seconde, trouvée à Thibilis, le désigne comme « restaurateur des rites sacrés[80] ». En 370, Valentinien Ier estimait utile de rappeler au proconsul d'Afrique Petronius Claudius qu'il fallait appliquer, en matière religieuse, les lois en vigueur à la fin du règne de Constance II et réprimer les agissements de païens excités par des abus récents[81] : preuve de l'importance de la réaction païenne sous Julien en Afrique. Optat de Milev, vers la même époque, fait aussi allusion au renouveau que connaissait l'ancien culte[82].

Les dignitaires municipaux gardèrent dans la première moitié du IVe siècle les sacerdoces des dieux de la cité. En 314, un duumvir de Carthage était prêtre de Jupiter Très Bon et Très Grand[83]. Un curateur de Sabratha était prêtre d'Hercule entre 340 et 350[84]. A Lepcis Magna, dans le premier tiers du IVe siècle, le dignitaire évergète T. Flavius Vibianus cumulait les sacerdoces : il était *sacerdotalis* de la province de Tripolitaine, flamine perpétuel, augure et pontife de sa cité, *praefectus sacrorum*, c'est-à-dire titulaire d'une prêtrise locale d'origine punique ; en outre, il était prêtre de la Mère des dieux et prêtre des Laurentes de Lavinium[85]. Cette énumération de sacerdoces parfois assez disparates est fort caractéristique de la réaction païenne : on en trouve des exemples identiques pour des sénateurs romains jusque sous le règne de Théodose. Ceci nous amène à penser que cette inscription n'est pas antérieure au règne de Constantin[86].

---

79. *C.*, 4326 = *I.L.S.*, 752 ; lecture améliorée : *C.*, 18529 ; notice *Casae* – N. –, n. 6.

80. *I.L.Alg.*, II, 2, 4674 ; notice *Thibilis* – N. –, n. 33. Julien est appelé *templorum restaurator* sur une inscription récemment découverte près de Caesarea Paneas, en Palestine (*A.E.*, 1969-1970, 631).

81. *C.Th.*, XVI, 2, 18, du 17 février 370 : « Quam ultimo tempore diui Constanti sententiam fuisse claruerit ualeat, nec ea in adsimulatione aliqua conualescant, quae tunc decreta uel facta sunt, cum paganorum animi contra sanctisimam legem quibusdam sunt deprauationibus excitati. » Valentinien, nous l'avons vu, garda cependant une assez grande tolérance envers le paganisme et rappela le principe de la liberté de culte l'année suivante (*C.Th.*, IX, 16, 9 ; *cf. supra*, n. 63).

82. OPTAT, II, 16-17. Optat a écrit son livre entre 364 et 367 (P. MONCEAUX, *Hist. litt. de l'Afr. chrét.*, t. V, p. 249).

83. *Acta purgationis Felicis Abthugnitani*, éd. Ziwsa, *C.S.E.L.*, 26, p. 198 : « ... apud Aurelium Didymum Speretium sacerdotem Iouis Optimi Maximi duouirum splendidae coloniae Carthaginiensium. »

84. *I.R.T.*, 104 ; notice *Sabratha* – T. –, n. 11 et 20.

85. *I.R.T.*, 567 et 568 ; notice *Lepcis Magna* – T. –, n. 62.

86. L'inscription mentionne la province de Tripolitaine : elle est donc postérieure au démembrement de la Proconsulaire dans les années 294-298. Toutefois, elle est gravée en capitales rustiques de forme tardive, ce qui conduit à ne pas la dater trop avant dans le IVe siècle. Le titre de *s(acerdos) d(ei) S(aturni)* est porté en 322 par l'*egregius*, flamine perpétuel et pontife de Zama Regia (B.), C. Mucius Probus Felix Rufinus (*C.*, VI, 1686 = *I.L.S.*, 6111e ; notice, n. 11).

Si l'on ajoute à ces témoignages les documents sur les résistances et les persistances du paganisme, tout particulièrement dans l'aristocratie, après les mesures d'interdiction des dernières années du siècle, documents que nous étudions plus loin[87], on doit constater que, malgré son indéniable déclin, le paganisme africain restait vivant au IVe siècle. On sous-estimerait gravement l'importance des sentiments païens d'une bonne partie de la population, et surtout de l'élite dirigeante, si l'on n'envisageait que la rapide raréfaction des inscriptions municipales concernant les chantiers à des temples ou les cérémonies officielles[88] : ce n'était que l'aspect le plus visible de l'ancien culte, celui qu'une législation hostile pouvait le plus facilement atteindre. Pour prendre une comparaison contemporaine, il n'est nullement évident que les nombreuses fermetures d'églises ordonnées de nos jours par le gouvernement soviétique correspondent à une réelle diminution de l'attachement que de nombreux russes ont gardé pour le christianisme.

J'ai dit dans l'introduction de cet ouvrage que l'attention trop exclusive portée par les historiens modernes aux sources ecclésiastiques a gravement faussé la vision de l'Afrique au Bas-Empire. Nous en voyons ici un fort bon exemple. Il n'en reste pas moins que l'expansion du christianisme, tant dans les villes que dans les campagnes, sous la forme donatiste comme sous la forme catholique, manifestait un dynamisme incoercible. Pour reprendre l'expression de Marcel Leglay, dans la lutte que, dès le IIIe siècle, il eut à soutenir contre le Christ, Saturne fut vaincu, malgré sa longue survie.

III — DESTRUCTION ET PERSISTANCE DU PAGANISME SOUS THÉODOSE ET SES SUCCESSEURS

a) *La persécution du paganisme.*

Malgré la confiscation des biens des temples et l'interdiction des sacrifices, le culte païen demeurait. Dans les cités où la curie était dominée par les tenants de l'ancienne religion, cette dernière devait conserver un caractère assez officiel. Mais l'autorité impériale allait reprendre l'offensive. Dès 382, Gratien renonça au grand pontificat et confisqua les biens et subventions des collèges sacerdotaux romains[89] ; l'autel de la Victoire fut retiré du Sénat de Rome[90]. En 392, une loi interdit toute manifestation

---

87. *Infra*, p. 355-359.

88. Il est vraisemblable que les cités ont entretenu discrètement leurs temples, sans faire graver d'inscriptions commémoratives.

89. Le refus du manteau de *pontifex maximus* est mentionné par Zosime, IV, 35-36. La mesure contre les collèges sacerdotaux romains est connue par saint Ambroise, lettre 17, 10.

90. Sur l'affaire de l'autel de la Victoire, voir J. R. PALANQUE, *Saint Ambroise et l'empire romain*, Paris, 1933, p. 117-120 ; 131-134.

publique du culte païen[91]. La victoire de Théodose sur l'usurpateur Eugène en 394 mit fin aux espoirs des tenants de la réaction païenne : les lois contre l'ancien culte se multiplièrent[92]. En Afrique, ce n'est qu'en 399 qu'on en vint à des mesures radicales : deux envoyés impériaux, les comtes Gaudentius et Jovius, arrivèrent à Carthage « pour renverser les temples et briser les idoles[93] ». Cette formule, due à Augustin, est exagérée ; en effet, si ces fonctionnaires désaffectèrent les temples et détruisirent les statues, ils ne pouvaient pas démolir des édifices qui appartenaient au patrimoine public. Cependant, des groupes de chrétiens exaltés procédèrent alors eux-mêmes, et sans l'aveu des autorités, à des destructions de temples et de statues. Saint Augustin désapprouvait ces violences dignes, disait-il, des circoncellions. Il fallait, selon lui, laisser les autorités accomplir ce travail et, surtout, extirper les idoles du cœur de leurs adorateurs par la persuasion[94]. Le gouvernement d'Honorius s'émut de ce vandalisme avant la lettre et ordonna, dès août 399, au proconsul d'Afrique Apollodore de veiller à ce que les temples désaffectés ne fussent pas détruits[95]. Des lois ordonnèrent d'utiliser ces édifices à des usages publics profanes[96]. Ce fut tout particulièrement le cas pour les Capitoles. Ces temples, par leurs vastes proportions et leur situation au centre des villes, étaient des monuments municipaux par excellence, symboles du statut de commune romaine. Leur podium servait de tribune aux harangues quand ils dominaient le forum ; on entreposait le trésor municipal dans leur soubassement. En 429, Valentinien III ordonna au proconsul d'Afrique Celer de veiller à ce que l'or de l'impôt fût amené par les *posses-*

---

91. *C.Th.*, XVI, 10, 12 (8 novembre 392). Déjà en 391, une mesure semblable avait été prise pour la ville de Rome, alors que Symmaque était consul (*C.Th.*, XVI, 10, 10).

92. *C.Th.*, XVI, 10, 13 (395).

93. AUGUSTIN, *Cité de Dieu*, XVIII, 54,*C.C.*, 48, p. 635 : « ... in ciuitate notissima et eminentissima Carthagine Africae, Gaudentius et Iouius comites imperatoris Honorii, quarto decimo kalendas apriles, falsorum deorum templa euerterunt et simulacra fregerunt. » Augustin donne la date de cet événement : *consule Mallio Theodoro* (399).

94. AUGUSTIN, *Sermon*, 61, 11, *P.L.*, 38-39, 422-423 : « Multi pagani habent istas abominationes in fundis suis : numquid accedimus et confringimus ? Prius enim agimus ut idola in eorum corde frangemus. »

95. *C.Th.*, XVI, 10, 18 : « Aedes inlicitis rebus uacuas nostrarum beneficio sanctionum ne quis conetur euertere. Decernimus enim ut aedificiorum quidem sit integer status, si quis uero in sacrificio fuerit deprehensus, in eum legibus uindicetur, depositis sub officio idolis disceptatione habita, quibus etiam nunc patuerit cultum uanae superstitionis inpendi. » La loi ordonne l'enlèvement des idoles sous la responsabilité de l'*officium*, c'est-à-dire de l'administration provinciale ou municipale : c'est une condamnation implicite des destructions opérées par des individus sans mandat (dispositions semblables dans *C.Th.*, XVI, 10, 16 ; XVI, 10, 19). On constate que l'autorité impériale était consciente des résistances rencontrées par ces mesures : « Il est évident, lit-on dans *C.Th.*, XVI, 10, 18, que même maintenant, le culte d'une vaine superstition est voué aux idoles ».

96. *C.Th.*, XVI, 10, 19 (15 novembre 407 — Seeck — ; loi occidentale) : « Aedificia ipsa templorum ... ad usum publicum uindicentur... »

sores au Capitole, dans le délai légal de quatre mois après la publication de l'édit fixant le montant à payer[97]. Ceci montre qu'on utilisait ces édifices pour garder non seulement les trésors des cités, mais aussi l'argent versé pour les impôts impériaux. On constate une utilisation profane du Capitole d'Abthugni dès les années 383-395 : ses *cellae*, nous l'avons vu, servirent très probablement aux réunions des collèges de la cité[98]. Mais ce ne fut que plus tard, à l'époque vandale ou plus probablement byzantine, qu'une huilerie fut installée dans le soubassement du Capitole de Thuburbo Maius[99]. La loi (occidentale) de 401, qui prévoyait la responsabilité collective des décurions et des *collegiati* dans la sauvegarde et l'entretien des temples désaffectés, interdisait d'aliéner au profit de *petitores* ces édifices ou leurs matériaux[100]. Toutefois, s'il était patent que le temple ne pouvait être d'aucun usage à la cité, qu'il ne contribuait pas à sa parure (*ornatus*), on pouvait l'aliéner, après une juste estimation du prix et l'autorisation du gouverneur provincial. Le montant de la vente devait aller au trésor municipal et servir à l'entretien des autres édifices[101]. L'église pouvait donc acquérir des temples et les transformer en basiliques. Le cas fut, semble-t-il, assez rare à cette époque. Dans une étude récente, Noël Duval suggère, sur critères archéologiques, de dater de cette période la transformation en église des temples à cour de Sufetula (église dite de Servus) et de Thuburbo Maius[102]. Quodvultdeus fut, dans sa jeunesse, le témoin de la transformation en église du grand temple de Caelestis à Carthage. Toutefois il semble que, dans ce dernier cas, l'évêque Aurelius ne se vit attribuer qu'un droit de jouissance, car les autorités revinrent dès 421 sur cette attribution à la suite de protestations des païens, et décidèrent de détruire le temple devenu cathédrale[103].

---

97. *C.Th.*, XI, 1, 34.

98. Voir *supra*, p. 349 et n. 70.

99. L. MAURIN, *Thuburbo Maius et la paix vandale*, dans *Mélanges Charles Saumagne = Cahiers de Tunisie*, 1967, p. 238, n. 70 ; 249.

100. *C.Th.*, XV, 1, 41 (401) ; voir *supra*, n. 71.

101. *Ibidem* : « ... consultius ad ordinarios iudices nostri mittantur affatus ut, si neque usui neque ornatui ciuitatis adcommodum uidetur esse quod poscitur, periculo ordinis et prouincialis officii absque ullius gratiae conludio competitori sub gestorum testificatione tradantur. » On remarque la réticence avec laquelle est envisagée cette aliénation d'une partie du patrimoine des cités, les nombreuses précautions juridiques dont elle est entourée.

102. N. DUVAL, *Église et temple en Afrique du Nord, notes sur les installations chrétiennes dans les temples à cour à propos de l'église dite de Servus à Sbeitla*, dans *B.C.T.H.*, n.s., 7, 1971, p. 264-296. La loi *C.Th.*, XV, 1, 41 montre que cette transformation était juridiquement possible au début du ve siècle, mais les réticences de l'autorité impériale impliquent qu'il y en eut alors peu d'exemples. A Tipasa, une église fut construite dans la cour du « Nouveau Temple ». J. Baradez pensait que ces aménagements furent réalisés à la fin du ive siècle (*R.Afr.*, 105, 1961, p. 221 et 223 ; datation d'après des lampes chrétiennes trouvées sur le site). N. Duval (*l.c.*, p. 295) estime qu'aucune certitude n'est possible, dans l'état actuel de la fouille, pour la datation.

103. QUODVULTDEUS, *Livre des promesses et des prédictions de Dieu*, III, 38 (44), éd. R. Braun, *S.C.*, 102, p. 574-579 ; *cf.* notice *Karthago*, n. 123-130 et *infra*, p. 356-357.

b) *La résistance païenne : les violences anti-chrétiennes.*

La suppression autoritaire de l'exercice public du paganisme n'empêchait nullement de nombreux Africains de lui rester fidèles. Pas mal d'années, semble-t-il, après les lois de Théodose, saint Augustin écrivait à des décurions de Madaure que leurs temples étaient détruits, tombés en ruines, désaffectés, utilisés à des usages profanes, mais « qu'il était plus facile de fermer aux idoles leurs temples que leurs cœurs » : presque tous les membres de l'*ordo* de Madaure étaient restés païens[104]. Sans doute s'agissait-il d'un cas extrême, mais plusieurs indices montrent que l'élite dirigeante des cités compta fort longtemps en son sein des païens nombreux et déclarés.

Nous connaissons deux cas où les païens réagirent par la violence à l'agression qu'ils subissaient. Il faut d'abord constater la rareté de ce type de réaction, malgré l'acharnement, déploré par Augustin, des commandos chrétiens destructeurs d'idoles. L'œuvre d'Augustin fourmille d'allusion à des voies de fait commises par des donatistes sur la personne de catholiques. A deux exceptions près, nous ne connaissons rien de semblable à cette guerre religieuse de la part des païens, qui avaient pourtant bien des raisons d'être mécontents.

Le premier de ces épisodes de réaction païenne violente se déroula à Sufes, en Byzacène, en 399 semble-t-il. Nous le connaissons grâce à une lettre de saint Augustin. Des chrétiens avaient détruit une statue en argent d'Hercule[105], qui était le *deus patrius*, la divinité poliade de Sufes[106]. Les païens de la ville se déchaînèrent, les chrétiens furent pourchassés, soixante d'entre eux furent tués. Parmi les émeutiers se trouvaient des décurions et le plus acharné fut félicité par la curie, où les païens se trouvaient donc en nette majorité. Cet épisode est à rattacher à la campagne de fermeture de temples qui avait lieu en 399[107]. Le second événement est plus tardif ; on le date d'ordinaire de 408. Il est connu par la correspondance échangée entre Augustin et le vieil

---

104. Augustin, *Epist.* 232, *C.S.E.L.*, 57, p. 511-517 ; document analysé dans notre notice *Madauros* – P. –, n. 33-36. Augustin évoque les temples utilisés à des usages non religieux (*in usus alios commutata*), mais il ne parle pas de temples transformés en églises : c'eût été probablement impossible dans une cité dominée par un *ordo* presque exclusivement païen (« omnes aut prope omnes ordinis uiri... quorum mihi notus est superstitiosus cultus idolorum, contra quae idola facilius templa uestra quam corda clauduntur... »).

105. Augustin, *Epist.* 50, *C.S.E.L.*, 34, 2, p. 143 ; document analysé dans notre notice *Sufes* – B. –, n. 4-13.

106. On le sait par une inscription (*C.*, 11430 = 262).

107. Sur cette affaire et celle de Calama, voir l'étude de T. Kotula, *Deux pages relatives à la réaction païenne : les troubles à Sufes et à Calama*, dans *Acta Universitatis Wratislawiensis*, 205, 1974, p. 69-97 (en polonais, avec résumé en français).

aristocrate païen de Calama, Nectarius[108]. Les païens de Calama avaient célébré une fête traditionnelle interdite par les lois impériales, fête dont l'élément essentiel était une procession dansante. Ils lapidèrent au passage l'église de l'évêque catholique Possidius, disciple et futur biographe de saint Augustin. L'évêque se rendit à la curie pour protester et rappeler la législation anti-païenne. Comme à Sufes, il s'en suivit une émeute anti-chrétienne ; Possidius dut fuir et un clerc fut tué[109]. Les autorités munici-pales laissèrent faire et on n'osa pas venir au secours des chrétiens pour-chassés, pour ne pas s'attirer l'hostilité des païens qui dominaient la curie de la cité[110].

On retrouve ici le même schéma qu'à Sufes : la réaction violente est due à la volonté d'empêcher l'exercice du culte païen ; seule la complicité d'un *ordo* dominé par les tenants de l'ancienne religion rend possible le déchaînement de l'émeute.

Au total, ces faits furent exceptionnels et sans commune mesure avec le préjudice subi par les païens. En effet, si des actes de ce genre s'étaient multipliés, on en eût trouvé d'autres échos dans la correspondance de saint Augustin. Ainsi, il n'en est pas question pour Madaure où, nous l'avons vu, les païens dominaient la curie et où les temples furent systéma-tiquement fermés. Les dirigeants, qui participaient jadis à une procession dansante et frénétique comparable à celle de Calama, s'étaient résignés à l'interdiction de l'ancien culte, tout en lui gardant une fidélité intérieu-re[111].

Nous avons vu qu'en 421 les autorités revinrent sur l'attribution à l'Église du temple de Caelestis à Carthage et décidèrent sa démolition[112]. Quodvultdeus raconte que cette décision fut prise par le tribun Ursus à la suite des agissements d'un devin païen qui proclamait que le temple allait revenir à la déesse[113]. Le tribun Ursus n'était nullement suspect de sympathies pour l'ancienne religion : il était en fort bons termes avec les évêques catholiques car il était chargé de la répression contre les mani-

---

108. Ces documents sont analysés dans notre notice *Calama* – P. –, n. 25-34. *Epist.* 90, *C.S.E.L.*, 34, 2, p. 426-427 : première lettre de Nectarius, demandant l'intercession d'Augustin pour que les coupables ne fussent pas condamnés et exal-tant le patriotisme municipal. *Epist.* 91, *ibidem*, p. 427-534 : réponse d'Augustin, donnant le récit des événements. *Epist.* 103, *ibidem*, p. 579-580 : seconde lettre de Nectarius. *Epist.* 104, *ibidem*, p. 580-595 : seconde réponse d'Augustin. Sur ces textes, voir aussi chapitre VI, *supra*, p. 293-295 et *infra*, p. 358.

109. *Epist.* 91, *C.S.E.L.*, 34, 2, p. 432-433.

110. *Ibidem.* Un étranger à la ville put sauver des chrétiens des mains de ceux qui tentaient de les tuer, mais les citoyens de Calama n'osèrent pas intervenir, car les notables s'y opposaient (« ciues maximeque primates ea fieri perficiue uetuis-sent »).

111. Voir *supra*, p. 350 et n. 76-77 et notice *Madauros*, n. 31-36.

112. *Supra*, p. 354 et n. 103.

113. QUODVULTDEUS, *Livrs des promesses et des prédictions de Dieu*, III, 38 (44), éd. R. Braun, S.C., 102, p. 576 : « Cumque a quodam pagano falsum uaticinium uelut eiusdem Caelestis proferretur, quo rursus et uia et templa prisco sacrorum ritu redderentur... »

chéens[114]. L'anecdote du devin doit s'interpréter ainsi : le parti païen était assez fort à Carthage en 421 pour susciter une certaine agitation populaire. La destruction de l'édifice permettait d'apaiser ces païens sans pour autant les favoriser. On créa un cimetière sur l'emplacement du temple, c'est-à-dire qu'on utilisa pour un usage public un terrain appartenant à la cité. Mais l'épisode est un témoignage fort significatif quant aux persistances et résistances païennes.

c) *Le maintien de l'inspiration païenne du patriotisme municipal.*

Les mesures officielles anti-païennes avaient fort peu de prise sur une réalité très profonde : l'imprégnation par l'ancienne religiosité de l'esprit municipal. L'œuvre de saint Augustin contient, sur ce point, d'importants témoignages.

Peu après son retour en Afrique consécutif à sa conversion (388), Augustin reçut une lettre d'un vieux grammairien de Madaure nommé Maxime, qu'il avait peut-être connu quand il poursuivait des études dans cette ville[114bis]. Maxime prenait la défense d'un paganisme épuré et syncrétiste ; toutes les divinités adorées par les hommes n'étaient pour lui que des images du Dieu unique. Il attaquait fermement le christianisme qu'il considérait comme une religion de rustres ; son ironie s'exerçait en particulier sur le culte de martyrs aux noms barbares — en fait, puniques —, Niggin, Sanam, Lucitas, l'archimartyr Namphamo. Ces martyrs n'étaient pour lui que des criminels justement condamnés. En revanche il soulignait avec force le lien de la religion traditionnelle et de l'esprit municipal : « En vérité, écrivait-il, nous voyons et nous constatons que le forum de notre ville possède la présence de forces divines salutaires[115] ». Dans sa réponse, Augustin défendait la conception chrétienne[116] ; il refusait le syncrétisme dont il soulignait l'incohérence, il défendait les martyrs attaqués en disant que des Africains ne devaient pas se moquer de leurs noms puniques : « Je ne pense pas... que tu puisses être à ce point oublieux de toi-même, toi un homme d'Afrique, écrivant à des Africains, alors que l'un et l'autre nous sommes fixés en Afrique, pour estimer qu'il faille vilipender des noms puniques[117] ». Bien entendu, Augustin récusait radicalement l'idée de présences divines sur le forum : le

---

114. Augustin, *De haeresibus*, 46, *P.L.*, 42, 36 ; Possidius, *Vita Augustini*, 16, *P.L.*, 32, 46.

114 bis. Parmi les lettres d'Augustin, *Epist.* 16, *C.S.E.L.*, 34, 1, p. 37-39.

115. *Ibidem*, p. 37 : « At uero nostrae urbis forum salutarium numinum frequentia possessum nos cernimus et probamus. »

116. Augustin, *Epist.* 17, *C.S.E.L.*, 34, 1, p. 39-44.

117. *Ibidem*, p. 41 : « Neque enim usque adeo te ipsum obliuisci potuisses, ut homo Afer scribens Afris, cum simus utrique in Africa constituti, Punica nomina exagitanda existimares. »

forum de Madaure n'était en rien un endroit sacré, mais il était au contraire infesté par les statues de dieux païens qui s'y dressaient[118].

On doit d'abord constater que le paganisme lettré de Maxime n'avait aucune racine locale ou populaire. C'était la tradition religieuse classique gréco-romaine, telle qu'elle avait été synthétisée par les dévots païens de la nouvelle religiosité. Nous pouvons percevoir ici une des raisons essentielles de l'échec de cette forme de réaction païenne : elle se limitait à un cercle étroit de notables et d'intellectuels. L'attachement à la religion traditionnelle dans la classe dominante des cités africaines s'apparente ici étroitement à celui qui régnait au Sénat romain dans le cercle de Symmaque. En revanche, le christianisme était alors incapable d'exprimer l'unité du corps civique, il ne sacralisait pas la cité et n'était pas le support du patriotisme municipal.

Ceci apparaît fort clairement dans les lettres échangées entre Augustin et Nectarius de Calama. Ces textes, nous l'avons vu, concernaient une grave émeute anti-chrétienne. Nous avons évoqué précédemment certains passages des deux lettres de Nectarius, qui constituent un témoignage capital sur le maintien de l'idéal patriotique municipal[119]. Un argument est particulièrement caractéristique du lien étroit qui unissait l'idéal civique et la religion traditionnelle. Nectarius avait fait l'éloge du patriotisme, du dévouement total qu'un homme de bien devait montrer envers sa cité[120]. La cité au sens premier, celle où nous sommes nés et qui nous a élevés, avait droit à tout notre amour et certains philosophes avaient affirmé qu'une immortalité bienheureuse attendait les bons serviteurs de cette patrie : « Il y a comme une promotion à la cité suprême pour ces hommes qui méritèrent bien de leurs villes natales, en particulier ceux qui ont fait profiter leur patrie de leurs conseils et de leurs œuvres : ces hommes là habitent avec Dieu[121] ». Ces idées étaient, pour l'essentiel, prises au Songe de Scipion, une page du De Republica de Cicéron qui était très lue au Bas-Empire[122]. Le paganisme éclairé de Nectarius parvenait à une parfaite intégration de la perspective religieuse et de l'idéal municipal. Selon la plus pure tradition du culte poliade, la religion était ici vécue comme le garant du pacte social, selon la célèbre expression de Fustel. A coup sûr, le christianisme ne parvenait pas, à cette époque,

---

118. Sur ce point, voir notre notice *Madauros* – P. –, n. 30.

119. *Supra*, chapitre vi, p. 293-295.

120. Parmi les lettres d'Augustin, *Epist*. 90, *C.S.E.L.*, 34, 2, p. 426-427 ; *Epist*. 103, *ibid.*, p. 578-581.

121. *Epist*. 103, 2, *C.S.E.L.*, 34, 2, p. 579 : « ... de qua bene meritis uiris doctissimi homines ferunt post obitum corporis in caelo domicilium praeparari, ut promotio quaedam ad supernam praestetur his hominibus qui bene de genitalibus urbibus meruerunt, et hi magis cum deo habitent, qui salutem dedisse aut consiliis aut operibus patriae doceantur. »

122. CICÉRON, *De Republica*, VI, 13. Sur le succès de ce texte au Bas-Empire, voir P. COURCELLE, *La postérité chrétienne du Songe de Scipion*, dans *R.E.L.*, 1958, p. 205-234.

à se substituer comme ciment civique au paganisme déchu, et Nectarius savait qu'il avait, sur ce point précis, la partie belle[123].

La similitude avec l'esprit qui animait le cercle de Symmaque est encore plus nette pour la réaction païenne élégante qui avait cours dans certains milieux carthaginois dans les années 411-413. Des aristocrates romains s'étaient réfugiés à Carthage à la suite du sac de la Ville par Alaric. L'un d'eux, Rufius Antonius Agrypnius Volusianus, oncle de sainte Mélanie et futur préfet de la Ville, écrivit une lettre fort courtoise à Augustin, lui présentant les objections au christianisme qu'on formulait dans ce cercle[124]. Marcellinus, le commissaire impérial qui présida la conférence de 411, demanda à Augustin des arguments pour controverser avec ces païens[125]. Or, des aristocrates africains s'étaient joints à eux et n'étaient pas les moins virulents dans la polémique. L'un d'eux était un grand propriétaire d'Hippone, et il attaquait personnellement Augustin[126].

On voit ici la faiblesse inhérente à ce type de réaction. Ces gens se réclamaient d'un syncrétisme lettré et restaient attachés à la religion romaine traditionnelle dans la mesure où elle fortifiait le patriotisme et la fidélité aux traditions. Ils vivifiaient ce cadre officiel et froid par un monothéisme philosophique et des emprunts aux mystiques orientales. Un tel ensemble ne pouvait convenir qu'à une petite élite de gens cultivés. Certes, ils trouvaient des adeptes chez les aristocrates et les intellectuels des cités africaines, mais leur idéologie ne correspondait en rien aux aspirations populaires. Des gens du peuple étaient devenus chrétiens par milliers en Afrique, dès le iiie siècle. Les notables païens ironisaient sur leur religion fruste et naïve : nous avons vu les sarcasmes du grammairien Maxime de Madaure sur les noms puniques de certains martyrs ; nul doute que ce lettré n'ait considéré avec un égal mépris les traditions locales païennes, la vieille religion populaire. C'était donc un paganisme profondément coupé de la masse de la population que défendait au temps d'Augustin une bonne partie de l'aristocratie municipale et de l'intelligentzia africaines.

---

123. Sur ce problème, voir chapitre viii, *infra*, p. 373-376. Dans sa première réponse à Nectarius (*Epist.* 91, *C.S.E.L.*, 34, 2, p. 428) Augustin opposait la patrie de son correspondant à la sienne propre, c'est-à-dire la cité céleste, comme si le chrétien n'était pas membre d'une patrie terrestre. Plus loin (*ibid.*, p. 429), il utilise l'expression *ciuitas terrena* pour désigner la communauté civique locale ; or, cette locution est toujours, chez lui, péjorative (*cf.* chap. viii, p. 406-407).

124. Parmi les lettres d'Augustin, *Epist.* 135, *C.S.E.L.*, 44, p. 89-92. Sur ce personnage, voir A. CHASTAGNOL, *Les fastes de la préfecture de Rome au Bas-Empire*, Paris, 1962, p. 276-279. Il se convertit avant de mourir, à Constantinople en 436, sur les instances de sa nièce Mélanie (*Vie de sainte Mélanie*, 53-55, éd. Gorse, *S.C.*, 90, p. 230-239) ; *cf.* A. CHASTAGNOL, *Le sénateur Volusien et la conversion d'une famille de l'aristocratie romaine au Bas-Empire*, dans *R.E.L.*, 1956, p. 241-253.

125. Parmi les lettres d'Augustin, *Epist.* 136, *C.S.E.L.*, 44, p. 93-96.

126. *Ibidem*, p. 96 : « ... eximius Hipponiensis regionis possessor et dominus praesens aderat qui et sanctitatem tuam sub ironiae adulatione laudaret... »

Ceci explique le caractère limité de la réaction païenne. Les notables n'étaient guère enclins au fanatisme : nous avons vu le peu de conviction mis par leurs ancêtres du début du IVe siècle dans l'application des mesures de persécution. Leur religion était pour l'essentiel un conformisme social et culturel, ce qui les incitait fort peu, au début du Ve siècle, à rechercher le martyre. Certes, le christianisme était très mal adapté à leur conception du monde mais il ne remettait que fort peu en cause le statu quo social et leur prééminence[127]. Aussi, beaucoup jugèrent bon de se convertir par opportunisme.

Un sermon d'Augustin en donne un excellent exemple. Il fut prononcé en 401 à Carthage et traite de la conversion d'un certain Faustinus, qu'on accusait de demander le baptême pour faciliter sa carrière municipale[128]. Le peuple protestait : il ne voulait pas de chefs païens. Or Faustinus, jusqu'à présent païen déclaré, briguait la fonction d'*exactor*, responsable des rentrées fiscales, et la loi prévoyait une intervention populaire dans la désignation de ces responsables à Carthage[129]. Tel était le motif, disait-on, de la conversion feinte de Faustinus. Dans son sermon, Augustin demandait aux fidèles de croire à la sincérité du catéchumène, mais il semblait n'en être pas totalement persuadé lui-même[130]. Sur le caractère très superficiel de beaucoup de ces conversions, nous avons un témoignage fort explicite de Salvien. Le moine gaulois reprochait aux chrétiens de Carthage de conserver leur fidélité à Caelestis, à laquelle ils continuaient de consacrer leurs enfants. « Tels sont, ajoutait-il, la foi, la religion, le christianisme des Africains, et surtout des plus nobles ». Sans doute « tous n'agissaient pas ainsi ; mais c'étaient les plus puissants et les plus hauts placés... Or, comme ce sont les familles les plus riches et les plus puissantes qui façonnent la foule d'une cité, tu comprends bien que la superstition sacrilège de quelques grands a souillé une ville entière »[131]. Comme toujours, Salvien exagérait, pour mieux justifier le châtiment providentiel qu'était pour lui l'invasion. Mais il était bien informé des choses africaines et il connaissait l'importance des persistances païennes dans l'aristocratie du pays.

---

127. Sur cette acceptation du statu quo social, particulièrement de la part d'Augustin, voir chapitre VI, *supra*, p. 328, n. 133.

128. Augustin, *Sermo Morin I*, *P.L.S.*, II, 657-660 ; document analysé dans notre notice *Karthago*, n. 117-120 et *supra*, chapitre IV, p. 215.

129. Selon *C.Th.*, XI, 7, 20 (loi adressée au proconsul d'Afrique Eucharius en 412 ; *cf.* notice *Karthago*, n. 121).

130. Augustin évoque aussi ces conversions par opportunisme dans l'*Enarratio in ps.* 7, 9, *C.C.*, 38, p. 42.

131. SALVIEN, *De gubernatione Dei*, VIII, 2, 12, éd. Pauly, *C.S.E.L.*, 8, p. 195-196 : « Ecce quae Afrorum et maxime nobilissimorum fides, quae religio, quae christianitas fuit ! » ; *Ibidem*, VIII, 3, 14, *l.c.*, p. 196 : « ... non omnes ista faciebant, sed potentissimi quique ac sublimissimi... Sed cum ditissimae quaeque ac potentissimae domus turbam faciant ciuitatis, uides per paucorum potentium sacrilegam superstitionem urbem cunctam fuisse pollutam. »

Comme on a pu le constater pour des familles de l'aristocratie sénatoriale romaine, le christianisme a parfois pénétré dans les familles décurionales africaines par l'intermédiaire des femmes. Un monument funéraire trouvé à Tepelte (Afrique Proconsulaire) porte trois épitaphes, toutes précédées de la formule traditionnelle *D(is) M(anibus) S(acrum)*. Au centre se lit le nom de Manilius Faustinianus, ancien édile et ancien duumvir, qui fit construire le tombeau pour lui et les siens. A droite, se trouve l'épitaphe de Manilius Fortunatianus, fils du précédent, lui aussi ancien édile et ancien duumvir. A gauche, se lit le nom de Mecenatia Secundula, femme de Manilius Faustinianus, qualifiée de *c(h)ristiana fidelis*[131bis]. Un second exemple est donné par saint Augustin qui raconte, dans la *Cité de Dieu*, l'histoire d'un dirigeant de l'*ordo* de Calama, violemment hostile au christianisme, qui fut guéri d'une maladie et converti grâce aux prières de sa fille et de son gendre[132]. Enfin, nous savons que Monique obtint la conversion, à la fin de sa vie, de son mari Patricius et que c'est pour une bonne part son influence qui entraîna celle de son fils Augustin et de son petit-fils Adéodat[132bis].

On doit donc le constater : quelle que fût la vigueur de l'attachement de beaucoup de notables aux vieilles croyances, le paganisme était, au début du ve siècle, une cause perdue dans les cités africaines. Sans doute, la lenteur de la conversion des dirigeants a-t-elle parfois retardé celle des masses. Dans la région d'Hippone, le principe *cuius fundus eius religio* était en général respecté[133]. « Si tel propriétaire se convertissait, qui donc demeurerait païen ? » disait-on, au témoignage d'Augustin[134]. La conversion, formelle et superficielle certes, des paysans d'un domaine dont le maître devenait chrétien, ne semble pas avoir soulevé de difficulté particulière, hors le fait que ces chrétiens nominaux continuaient de pratiquer bien des superstitions d'origine païenne[135]. Le fait fondamental qui expli-

---

131bis. *C.*, 12260 ; notice *Tepelte* – P. –, n. 4 et 5.

132. AUGUSTIN, *Cité de Dieu*, XXII, 8, 14.

132bis. AUGUSTIN, *Confessions*, IX, 6, 14 ; IX, 9, 22.

133. Sur ce point, très caractéristique de l'assujettissement des paysans aux propriétaires fonciers, voir chapitre VI, *supra*, p. 326.

134. AUGUSTIN, *En. in ps.* 54, 13, *C.C.*, 39, p. 666 : « Ille nobilis, si christianus esset, nemo remaneret paganus ; plerumque dicunt homines : Nemo remaneret paganus, si ille esset christianus. »

135. Les témoignages d'Augustin sur ces survivances sont nombreux. Citons la *lettre* 245 (à Alypius) où est évoqué le port d'amulettes ; la *lettre* 55 (19, 35) où Augustin mentionne des superstitions relatives au baptême et à la recherche d'oracles dans l'Évangile ouvert au hasard. De nombreux textes évoquent les repas funéraires (ainsi, lettres 22 et 29), dans les cimetières et dans les églises aux fêtes des martyrs. Voir aussi *De catechizandis rudibus*, 27 ; 26. Nul doute que ces pratiques étaient particulièrement vivaces dans les campagnes. Sous ces formes, le paganisme populaire fut beaucoup plus durable que la religion intellectuelle des dirigeants. Contrairement à cette dernière, il s'accommodait fort bien d'une conversion superficielle au christianisme. Sur les survivances du culte de Caelestis à Carthage chez des chrétiens, nous avons le témoignage précis de Salvien, *Sur le gouvernement de Dieu*, VIII, 2, *M.G.H.*, *a.a.*, I, 1, p. 105-106.

que cette évolution, c'est la décadence du culte de Saturne. Un bon indice de celle-ci est la rareté des allusions de saint Augustin au culte du grand dieu africain. « Saturne régnait sur une multitude d'hommes. Où est son règne ? » s'exclamait l'évêque d'Hippone[136]. Le paganisme ne demeurait populaire et unanime que chez les peuples berbères non romanisés des marges des provinces africaines et d'au-delà du *limes*[137] : les envahisseurs contre qui durent lutter les Byzantins au vi[e] siècle étaient païens, au témoignage de Corripus.

Mais, dans l'Afrique des cités, l'effondrement de la vieille religion n'impliquait nullement une christianisation rapide des structures institutionnelles et sociales, de la culture et des mentalités. Un bon exemple de cette imprégnation païenne durable est la survivance du culte impérial et de ses prêtrises.

d) *Le maintien du flaminat perpétuel et du sacerdoce provincial : la survivance du culte impérial.*

Le concile d'Elvire (Illiberis, aujourd'hui Grenade, en Bétique), se réunit à une date située entre 295 et 309. Il a édicté des mesures pénitentielles d'un grand rigorisme, rarement égalé par la suite. Plusieurs canons concernaient les chrétiens qui étaient amenés à assumer des charges municipales[138]. Le 56e canon stipule que les duumvirs devraient s'abstenir de paraître à l'église durant l'année de leur fonction ; la raison était, assurément, qu'ils pouvaient difficilement éviter tout contact avec le culte païen. Les canons 2, 3, 4 et 55 concernaient les fidèles qui deviendraient flamines et ils étaient beaucoup plus sévères. Les flamines chrétiens qui avaient accompli des sacrifices ou offert des spectacles de gladiateurs étaient considérés comme renégats et devaient être excommuniés sans pardon possible, même à leur mort. Le cas de ceux qui n'avaient pas commis ces deux fautes mais avaient quand même reçu le flaminat n'était pas envisagé ; ils devaient être assimilés aux prêtres provinciaux (*sacerdotes coronati*) qui n'avaient pas sacrifié et dont le cas était prévu :

---

136. AUGUSTIN, *En. in ps.* 98, 14, *C.C.*, 39, p. 1391 : « Quae erant regna terrae ? Regna idolorum regna daemoniorum fracta sunt. Regnabat Saturnus in multis hominibus ; ubi est regnum eius ? »

137. AUGUSTIN, *Epist.* 199 (à Hesychius de Salone), 12 (46), *C.S.E.L.*, 57, p. 284-285 : « Sunt enim apud nos, hoc est in Africa, barbarae innumerabiles gentes in quibus nondum esse praedicatum euangelium. » Le christianisme pénétrait chez ceux qui s'étaient intégrés à l'Empire, mais ceux d'au-delà du *limes* demeuraient païens (« interiores autem qui sub nulla sunt potestate romana, prorsus nec religione christiana in suorum aliquibus detinentur... »). Nous avons évoqué ce témoignage important dans le chapitre i (*supra*, p. 46 ; 56-57). Notons ici qu'Augustin considérait que la christianisation et la reconnaissance de l'autorité romaine allaient de pair et qu'il n'envisageait pas la possibilité de missions chrétiennes au-delà du *limes*.

138. *P.L.*, 84, 301-310. Se reporter à l'étude de L. DUCHESNE, *Le concile d'Elvire et les flamines chrétiens*, dans *Mélanges L. Rénier*, Paris, 1887, p. 159-174.

on les réintégrait dans la communion de l'Église après une pénitence de deux ans.

Ces décisions sont très caractéristiques d'une époque de transition. A la veille de la conversion de Constantin, même des évêques aussi puritains et intransigeants que ceux d'Elvire ne pouvaient interdire aux chrétiens d'accomplir les charges municipales, au demeurant obligatoires pour les membres de la classe décurionale. De leur côté, les autorités municipales acceptaient que les dignitaires chrétiens se fissent remplacer par des collègues païens pour l'accomplissement des cérémonies religieuses officielles. On pouvait substituer aux combats de gladiateurs une forme d'évergétisme moins condamnable aux yeux de la loi chrétienne. De part et d'autre, donc, un *modus vivendi* s'était établi. Le plus singulier est que les évêques rigoristes d'Elvire ne considéraient pas comme une faute irrémissible pour un chrétien de recevoir le flaminat municipal ou le sacerdoce provincial : preuve que ces dignités étaient devenues, pour l'essentiel, honorifiques et politiques et que leur caractère religieux était nettement passé à l'arrière-plan, à tel point que le titulaire pouvait, sans inconvénient majeur, se dispenser des rites païens inhérents, en théorie, à ces fonctions.

La situation devait évoluer rapidement avec la politique pro-chrétienne de Constantin. Dès 314, le concile d'Arles décida que les fonctionnaires impériaux, tels les gouverneurs de province, et les magistrats municipaux, ne seraient excommuniés durant leur mandat que s'ils accomplissaient des actes contraires à la discipline chrétienne, entendons tout particulièrement la présidence de sacrifices[139]. Les flamines et les prêtres provinciaux n'étaient pas évoqués, non plus que dans les textes canoniques postérieurs. Ainsi, nous ne trouvons nulle mention des flamines dans les nombreux canons de conciles africains que nous avons conservés depuis le concile de Carthage de 348.

Or, les flamines perpétuels constituent, avec les *curatores reipublicae*, la plus nombreuse catégorie de dignitaires que nous rencontrons dans les cités africaines au Bas-Empire[140]. Sur l'album municipal de Timgad, ils sont 36[141]. L'ambassade envoyée en 322 par la colonie de Zama Regia à l'ex-consulaire de Byzacène Q. Aradius Rufinus Valerius Proculus pour lui porter une table de patronat était formée de dix flamines perpétuels[142].

---

139. *P.L.*, 8, 820. Il s'agit des gouverneurs (*praesides*) et des magistrats (*qui in republica agere uolunt*).

140. On connaît pour la période 151 curateurs et 148 flamines. Sur la signification de cette dignité dans le cursus municipal, voir chapitre III, *supra*, p. 166 et 187.

141. Leur place sur l'album, après les *honorati*, les patrons, le curateur et les duumvirs en exercice, montre bien qu'il s'agit de la dignité supérieure de la curie, à laquelle tout décurion ayant géré *munera* et *honores* pouvait légitimement aspirer. On ne peut absolument pas suivre P. Monceaux (*Hist litt. de l'Afr. chrét.*, t. 3, p. 51) quand il dit que le nombre des flamines sur l'album montre que « la municipalité de cette ville était presque complètement païenne ».

142. *C.*, VI, 1686 = *I.L.S.*, 6111e ; notice *Zama Regia* – B. –, n. 11.

L'ambassade envoyée en 321 pour la même mission par le *municipium Chullitanum* comprenait, en plus des duumvirs et des édiles en fonction, six flamines[143]. Cette dignité apparaît supérieure à celle de duumvir ; c'est parmi les flamines perpétuels, nous l'avons vu, qu'on recruta le plus souvent les curateurs quand ils furent pris dans l'*ordo* local. « Ils constituent avec les *honorati*, a écrit André Chastagnol, le groupe dirigeant de la cité[144] ». Si l'on restait à vie flamine perpétuel, on entrait dans la catégorie en étant élu par l'*ordo* flamine annuel. La fonction de ce dernier était d'assurer le sacerdoce municipal de Rome et d'Auguste. Il s'agissait donc d'une fonction religieuse païenne officielle. Pourtant, nous constatons sa persistance sous l'empire chrétien, même après l'interdiction du paganisme par Théodose et ses fils : nous avons recensé dans les cités d'Afrique 13 flamines perpétuels postérieurs à 383. A Henchir Mesguida (Casula ? Proconsulaire) un flamine est attesté entre 408 et 423[145], de même qu'à Vallis (Proconsulaire)[146]. A Aïn-el-Ansarine, dans le massif du Zaghouan, dans une zone que nous pensons relever de la cité de Thaca (Proconsulaire), une inscription évoque un flamine perpétuel qui exerça sa fonction sous Valentinien III, soit dans les années 425-439[147]. Les *Tablettes Albertini* montrent que cette dignité existait toujours à l'époque vandale : dix-neuf de ces documents concernent des ventes de terres faites par Flavius Geminius Catullinus, flamine perpétuel d'une cité de la région de Capsa ou de Theveste, entre 493 et 496[148].

La christianisation de l'Empire et l'interdiction du paganisme n'ont donc pas entraîné la disparition du flaminat municipal, non plus que celle du sacerdoce provincial que les lois impériales mentionnent et réglementent encore, pour l'Afrique, au temps d'Honorius et de Valentinien III[149].

---

143. *C.*, VI, 1684 ; notice *municipium Chullitanum* – B. –, n. 4.

144. A. CHASTAGNOL, *L'album municipal de Timgad*, p. 29-30.

145. *C.*, 24104 ; notice *Henchir Mesguida* (Casula ?) – P. –, n. 1.

146. *I.L.Tun.*, 1279 = *C.*, 14775 = 1283 ; notice *Vallis* – P. –, n. 8.

147. *C.*, 24069 ; notice *Thaca* – P. –, n. 5.

148. C. COURTOIS, L. LESCHI, Ch. PERRAT, Ch. SAUMAGNE, *Tablettes Albertini, actes privés de l'époque vandale*, Paris, 1952. Le flamine perpétuel Flavius Geminius Catullinus est mentionné sur les actes 3, b ; 6, a ; 12, b ; 14, b ; 16, b ; 18, b ; 20, b ; 22, b ; 24, b ; 41, a bis ; 26, a ; 28, b ; 31, a ; 36, b bis ; 33, a ; 40, a bis ; 35, a ; 36, b ; 37, b. Les dates sont données par les années de règne du roi Gunthamund.

149. *C.Th.*, XII, 1, 145, du 16 mai 396 (par cette loi, Honorius confirme une mesure de Théodose restaurant les *sacerdotales* africains qui semblent donc avoir été, un moment, supprimés). *C.Th.*, XII, 1, 174 (412 ; concerne le recrutement des prêtres provinciaux parmi les curiales). *C.Th.*, XVI, 5, 52 (412 ; édit d'union, contre les donatistes, prévoyant une amende de trente livres d'or pour les *sacerdotales* qui persévèreraient dans le donatisme : le législateur considérait donc comme normal qu'un chrétien assumât cette charge). *C.Th.*, XII, 1, 176 (413 ; sur le *munus sacerdotii* et la tenue du conseil provincial à Carthage). *C.Th.*, VII, 13, 22 (428 ; sur des immunités accordées aux prêtres provinciaux). Une loi émise en 415 par Honorius (*C.Th.*, XVI, 10, 20) attaque violemment les « *sacerdotales* de la superstition païenne ». Mais le contexte (la confiscation des lieux de culte païens ; une allusion aux dendrophores) montre qu'il s'agit, en fait, des prêtres des anciens cultes

Dans une étude récente, A. Chastagnol et Noël Duval ont montré que des *sacerdotales prouinciae* existaient toujours à l'époque vandale[150].

Les conciles, les écrivains ecclésiastiques et tout particulièrement saint Augustin, étaient très vigilants dans leurs dénonciations des survivances païennes et ne manifestaient nulle bienveillance envers les tenants de l'ancien culte[151]. Leur rigueur visait même des aspects non religieux de la vie publique, comme les spectacles, qu'ils jugeaient incompatibles avec l'éthique chrétienne[152]. Il est donc fort remarquable qu'on ne trouve jamais de mention du flaminat municipal ou du sacerdoce provincial dans leurs diatribes contre l'« idôlatrie ». Pourtant, de nombreux flamines existaient dans chaque cité et, à mesure de la conversion de la classe dirigeante, ils comptaient nécessairement parmi eux un nombre croissant de chrétiens. La seule explication de ce silence est le fait que ces fonctions avaient totalement perdu leus caractère religieux initial. Le concile d'Elvire tolérait, en fait, que les fidèles notables municipaux gérassent ces dignités en s'abstenant de tout rite païen, ce qui impliquait que ces sacerdoces étaient, dès avant Constantin, des fonctions civiles pour l'essentiel. La pratique suggérée à Elvire devint ensuite la règle. La preuve de cette évolution est donnée par l'inscription d'Hispellum (aujourd'hui Spello, en Ombrie)[153]. Ce document donne la copie d'un rescrit de Constantin. La mention des Césars Constantin II, Constance et Constant (sans celle de Dalmatius et d'Hannibalianus) permet de dater le texte des années 333-335, donc de la fin du règne, d'une époque où la politique pro-chrétienne et anti-païenne de Constantin était très nettement affirmée. Le rescrit accordait aux habitants d'Hispellum de célébrer sur place, et non plus à Volsinies en Tuscie, des jeux annuels en l'honneur de l'empereur. Un temple de la *gens Flauia*, c'est-à-dire de la famille impériale, devait être élevé avec toute la splendeur nécessaire. Un prêtre annuel devait être élu, qui présiderait sur place les jeux. Toutefois, le rescrit impérial précisait qu'il fallait « qu'on prît soin que le temple consacré à notre Nom ne fût souillé par les mensonges d'aucune superstition contagieuse[154] ». Cette formule désignait les rites païens et, plus précisément, les sacrifices. Ces termes de mépris pour désigner les pratiques de l'ancienne religion

---

(*sacerdotes*) et que le mot *sacerdotales*, qui désigne ceux qui ont été une année *sacerdos prouinciae*, est employé par suite d'une erreur du rédacteur ou du copiste.

150. A. CHASTAGNOL et N. DUVAL, *Les survivances du culte impérial dans l'Afrique du nord à l'époque vandale*, dans *Mélanges d'histoire ancienne offerts à William Seston*, Paris, 1974, p. 87-118 (voir *infra*, p. 368 et n. 166-171).

151. Citons le canon 84 du code des canons de l'église d'Afrique, demandant aux empereurs la destruction non seulement des statues des dieux mais même des lieux, bois ou arbres sacrés (*Reg. eccles. Carth. excerpta*, éd. Munier, *C.C.*, 149, p. 205).

152. Voir chapitre VIII, *infra*, p. 376-381.

153. *C.*, XI, 5265 = *I.L.S.*, 705. Traduction par A. CHASTAGNOL, *Le Bas-Empire*, Paris, 1969, p. 187-188.

154. *Loc. cit.*, I, 45-47 : « ... ea obseruatione perscripta, ne aedis nostro nomini dedicata cuiusquam contagiose superstitionis fraudibus polluatur. » Sur une institution semblable en Afrique au temps de Constantin, voir *supra*, p. 344 et n. 54.

se retrouvent dans la législation contemporaine : ainsi dans la loi contre les sacrifices émise peu après (en 341) par Constant[155]. Paradoxalement, ce rescrit maintenait et même développait des pratiques de l'ancien culte, ordonnait de construire un temple et de désigner un prêtre. Comme l'a montré dans une étude récente Jacques Gascou, le culte instauré par Constantin à Hispellum avait pour but d'exprimer le loyalisme, la fidélité envers la dynastie régnante, et non une adoration religieuse. Le culte impérial apparaissait ici dépouillé explicitement de son contenu religieux païen et des rites que ce dernier impliquait[156]. On ne conservait que l'aspect de fête civile et d'exaltation de la majesté impériale. Le rôle du prêtre ne se bornait pas à la présidence des jeux, sans quoi la construction du temple eût été inutile ; les cérénomies comportaient des hommages solennels et publics aux empereurs et à leur famille. Nous savons qu'à Constantinople, la statue de Constantin recevait l'hommage de l'encens et des supplications ; la foule s'agenouillait, lors des jeux, devant les statues impériales portées en procession[157]. Saint Jean Chrysostome devait protester contre ces usages, au début du Ve siècle, dans un Empire où tout rite païen était proscrit[158]. Ce n'est qu'en 425 qu'une loi prescrivit en Orient que ces pratiques fussent limitées et sans comparaison avec l'hommage rendu à la Divinité suprême[159]. Le rite conservé devait probablement comporter ces longues séries d'acclamations en l'honneur des empereurs que la foule ou les membres d'une assemblée devaient scander en certaines circonstances[160].

Certains historiens ont pensé que le rescrit d'Hispellum ne concernait que la partie restée païenne de la population : Constantin aurait désiré renforcer ses sentiments de fidélité, tout en lui interdisant certaines pratiques ; les chrétiens n'auraient donc pas participé à ce culte impérial, même épuré de ses rites proprement païens[161]. On ne peut souscrire à

---

155. *C.Th.*, XVI, 10, 2 : « Cesset superstitio, sacrificiorum aboleatur insania. »

156. J. GASCOU, *Le rescrit d'Hispellum*, dans *M.E.F.R.*, 1967, p. 609-659. La signification politique et religieuse du document est étudiée, p. 647-656. J. Gascou montre bien l'émergence d'un culte impérial dépouillé de sa dimension religieuse ; je me sépare sur un point de son interprétation : il pense que la fête se limitait à des spectacles et que le rôle du prêtre se bornait à les présider. A coup sûr, il y avait aussi un hommage à la majesté impériale.

157. PHILOSTORGE, *Fragments de l'Hist. Ecclés.*, II, 17, 18.

158. SOCRATE, *Hist. Ecclés.*, VI, 18. On trouvera une analyse du maintien, sous l'empire chrétien, de cette sacralisation du pouvoir impérial dans le livre de Michel MESLIN, *Le christianisme dans l'empire romain*, Paris, 1970, p. 111-115.

159. *C.Th.*, XV, 4, 1 = *C. Just.*, I, 24, 2. Cette loi donnait gain de cause *post mortem* à saint Jean Chrysostome : ses protestations à ce sujet avaient certainement été une des causes principales de son conflit avec l'impératrice Eudoxie et de sa perte.

160. On trouve des exemples de ces acclamations rituelles dans le papyrus de l'assemblée d'Oxyrhynchos (WILCKEN, *Chrestomathie*, 45), où elles sont le fait du peuple d'une cité sous Dioclétien, ainsi que dans le préambule du *Code Théodosien*, où elles sont scandées par les sénateurs de Rome, lors de l'approbation de la promulgation du code en 438.

161. C'est l'opinion de Jacques Gascou (*Le rescrit d'Hispellum*, p. 655).

cette hypothèse, si l'on considère le grand nombre des documents attestant le maintien du flaminat et du sacerdoce provincial, même au ve siècle.

Il est fort remarquable qu'on ne chercha pas à substituer à ces usages des rites d'inspiration chrétienne, même sous Théodose et ses successeurs. Certes, le christianisme refusait aux empereurs le caractère divin que leur avait attribué l'ancienne religion. Toutefois, dans la perspective de la théologie politique d'Eusèbe de Césarée, on eût fort bien pu instituer des cérémonies chrétiennes en l'honneur du Très Pieux empereur régnant par la grâce de Dieu et inspiré par lui, des supplications solennelles et publiques au Dieu des chrétiens pour appeler sa bénédiction sur le souverain. Il n'en fut rien. Les chrétiens prièrent dans leurs églises pour l'empereur, comme ils le faisaient au temps des apôtres, de saint Clément de Rome ou de Tertullien, mais cette prière ne fut pas un rite officiel de l'État[162]. Or le culte impérial était toujours jugé nécessaire pour exprimer le loyalisme des habitants de l'Empire, leur vénération pour la majesté impériale, leur unité autour du monarque. C'est pourquoi les flamines des cités et les prêtres des provinces continuèrent à présider de solennels hommages publics au souverain, célébrés sans référence religieuse explicite dans un Empire devenu officiellement chrétien[163].

C'est là une preuve manifeste de la lenteur de la christianisation des structures de l'état romain au Bas-Empire, de la difficulté qu'éprouva le christianisme à jouer le rôle d'une religion officielle, d'un ciment civique.

On comprend, dans cette perspective, l'indifférence des conciles et des Pères de l'Église devant le maintien du flaminat municipal et du sacerdoce provincial, assumés de plus en plus par des chrétiens. Ce n'était pas dans ces institutions qu'ils cherchaient à traquer les survivances du paganisme. Du coup, des chrétiens juxtaposèrent sans nulle gêne sur des inscriptions les symboles de leur foi et la mention de leurs titres de *flamen perpetuus* et de *sacerdotalis*. On en connaît sept exemples en Afrique. Le document le plus ancien est, semble-t-il, la tablette de patronat offerte par la colonie de Thamugadi à Aelius Julianus, qui fut curateur deux fois entre 364 et 367, au témoignage d'autres documents. Sur l'album municipal, qu'il faut dater du temps de Julien, il était déjà rangé parmi les flamines perpétuels. Sur la tablette, Aelius Julianus est toujours qualifié de *flamen perpetuus*. Or, en tête du document, figure un chrisme entre

---

162. Sur l'absence de l'église dans la vie publique municipale, voir chapitre viii, *infra*, p. 371-376.

163. Sans doute y eut-il des traces du caractère religieux païen de la fonction jusqu'au règne de Théodose, au moins en Orient : en 386, cet empereur décida qu'on ne pouvait contraindre un chrétien à accepter cette charge contre sa conscience (*C.Th.*, XII, 1, 112). En revanche, je pense qu'on ne peut interpréter dans ce sens la loi *C.Th.*, XVI, 10, 20, de 415 (*cf. supra*, n. 149). Ce caractère païen était cependant bien limité, puisqu'en 401, le pape Innocent 1er, dans une lettre au concile de Tolède (Mansi, *Sac. conc. coll.*, III, col. 1069), demandait seulement qu'on ne leur conférât pas les ordres. Sur ces problèmes, voir A. Chastagnol, article cité *supra*, n. 150, p. 109-118.

l'alpha et l'oméga ; ceci implique que ses convictions religieuses étaient notoires[164]. Il convient de dater cette tablette, vu les étapes précédentes de la carrière de Julianus, du temps de Valentinien Ier, après l'année 366 ou 367 qui vit sa seconde curatelle[165]. On voit qu'à cette époque, l'exercice du flaminat par un chrétien n'était considéré ni comme choquant ni comme paradoxal.

Les autres inscriptions semblent plus tardives. Elles ont été trouvées à Cuicul, Ammaedara (trois inscriptions) Uppenna et Abitinae.

Noël Duval a donné une édition critique de ces six documents[166]. Pour cinq d'entre eux, les trois inscriptions d'Ammaedara[167], celle de Cuicul[168] et celle d'Uppenna[169], les dates proposées d'après l'écriture et le contexte archéologique ne sont pas antérieures au ve siècle ; à Ammaedara, on peut même descendre jusqu'au début du vi[e] siècle, avant la reconquête byzantine[170]. Ces documents ont donc l'immense intérêt de montrer la survivance des titres romains de flamine et de *sacerdotalis* à l'époque vandale et donc, selon A. Chastagnol, du maintien d'un culte monarchique en l'honneur des rois germaniques[171]. La datation de l'épitaphe trouvée à Abitinae est moins précise : elle pourrait remonter à la fin du ive siècle[172].

---

164. *A.E.*, 1913, 25 = *B.C.T.H.*, 1912, p. LXIII (+ 1913, p. 173) = *I.L.C.V.*, 387 ; notice *Thamugadi* – N. –, n. 40-41. Autres documents mentionnant ce dignitaire : album municipal, col. 1, l. 36 (parmi les flamines perpétuels) ; *C.*, 2388 = *I.L.S.*, 5554, notice *Thamugadi*, n. 13 (364-367) ; *A.E.*, 1895, 108 = *B.C.T.H.*, 1894, p. 361 = notice *Thamugadi*, n. 32 (364-367).

165. Sur la chronologie de la carrière d'Aelius Julianus, voir A. CHASTAGNOL, *L'album de Timgad*, p. 44-48.

166. Article cité *supra*, n. 150, p. 88-105.

167. *C.*, 450 = 11523 = *I.L.C.V.*, 126 = N. DUVAL, *Inscriptions chrétiennes d'Ammaedara*, 401 (notice *Ammaedara* – P. –, n. 12 ; épitaphe d'Astius Vindicianus, clarissime et flamine perpétuel). *C.* 10516 = *I.L.C.V.*, 388 = N. DUVAL, *loc. cit.*, 413 (notice, n. 13 ; épitaphe d'Astius Mustelus, *fl(amen) p(er)p(etuus) cristianus*). *A.E.*, 1972, 691 = *C.R.A.I.*, 1969, p. 435 = N. DUVAL, *loc. cit.*, n° 424 (notice, n. 14 ; épitaphe d'Astius Dinamius, *sacerdotalis* de la province d'Afrique).

168. *C.*, 8348 = *I.L.C.V.*, 392 (notice *Cuicul* – N. –, n. 46 ; mosaïque offerte dans une église par le *sacerdotalis* Tullius Adeodatus).

169. *C.*, 23045 a (notice *Upenna* – B. –, n. 2 ; épitaphe avec croix monogrammatique, dans une église, de Julius Honoratus flamine perpétuel).

170. Les inscriptions ont été retrouvées dans la basilique IV, dite « chapelle vandale ». Sur cet édifice et sa datation, voir N. DUVAL et J. M. GASSEND, *Les églises d'Haïdra, II : recherches franco-tunisiennes de 1969*, dans *C.R.A.I.*, 1970, p. 429-436.

171. A. Chastagnol, article cité *supra* n. 150, p. 113 et 188. Un *sacerdotalis* (de Numidie ou de Maurétanie Sitifienne) est mentionné dans la novelle 13 de Valentinien III (445) parmi les délégués qui demandèrent à l'empereur des réductions d'impôts pour les régions restituées à l'Empire par Genséric (*Maximinus, u(ir) l(audabilis), sacerdotalis* ; éd. Mommsen-Meyer, *Leges nouellae ad Theodosianum pertinentes*, p. 95).

172. *I.L. Afr.*, 490 = *I.L.C.V.*, 389 a (notice *Abitinae* – Chouhoud-el-Batel ; P. –, n. 7 ; épitaphe de Minucius Apronianus, flamine perpétuel, qualifié de *fidelis*). Sur la datation, voir N. Duval, article cité *supra* n. 150, p. 105.

Nous voyons ici fort concrètement la souplesse de système institutionnel romain, sa grande possibilité d'adaptation pragmatique à des réalités nouvelles. Le flaminat municipal et le sacerdoce provincial étaient devenus, dès avant le Bas-Empire, des étapes importantes et recherchées de la carrière des notables locaux. Le culte impérial, d'autre part, avait été depuis ses origines beaucoup plus une manifestation de loyalisme politique qu'une pratique vraiment religieuse. Or on s'efforça, en Afrique tout particulièrement, de conserver le plus possible les institutions municipales telles qu'elles s'étaient constituées sous le Haut-Empire. L'abandon de la religion traditionnelle n'impliqua donc pas de mesures systématiques comme la suppression pure et simple de ces institutions familières ou leur remplacement par des fonctions et des rites chrétiens. On se contenta de les vider de leur signification directement religieuse, ce qui était d'autant plus aisé qu'elle était, dans la réalité concrète, passée à l'arrière-plan dès avant Constantin.

En dernière analyse, pourtant, le problème était religieux. Même au ve siècle, le christianisme se révélait inapte à exprimer la consécration des carrières des notables et l'exaltation du pouvoir politique, comme le faisaient les titres de flamine et de prêtre provincial. Les chefs des églises, évêques et clercs, n'étaient nullement intégrés dans les cadres curiaux ; ils constituaient, et de plus en plus, une catégorie séparée du reste de la population. Au moins en Occident, la tentative de sacralisation chrétienne du pouvoir impérial menée par Eusèbe de Césarée avait eu peu d'échos. Il apparut donc nécessaire de conserver certaines formes de l'ancien paganisme officiel, malgré la politique fort hostile du pouvoir impérial à l'égard de l'ancienne religion. C'est peut-être le signe le plus manifeste de la puissante emprise du paganisme sur la vie et la société municipales, et de la difficulté qu'éprouva le christianisme pour prendre le relai.

CHAPITRE VIII

Ecclesia Dei et patria terrena : le christianisme et la vie municipale

I — L'ABSENCE DE « CHRÉTIENTÉ »

Les historiens français du xixᵉ siècle ont élaboré une théorie sur les rapports de l'Église et des cités à partir de Constantin, théorie à laquelle Fustel de Coulanges donna une forme particulièrement systématique. Bien entendu, on trouvait au point de départ la vision alors admise de curies totalement dépeuplées, de magistratures municipales moribondes, de structures urbaines irrémédiablement déchues. Sur ces ruines grandissaient la puissance et le prestige de l'Église, qui avait contribué à la décadence des curies en éloignant ses fidèles des charges publiques. Dès lors, l'Église prit la place de la cité : « Les prêtres, disait Fustel de Coulanges, siégèrent de plein droit dans les curies devenues chrétiennes et l'évêque y fut le premier et le plus puissant personnage[1] ». Certains pensèrent que l'évêque avait reçu la fonction de *defensor plebis* et pouvait, à ce titre, diriger la cité[2]. A l'origine de cette théorie se trouvaient les textes du vᵉ siècle qui évoquaient le rôle que certains évêques ont joué pour protéger leur ville au moment des invasions. Mais aucun document ne permet de justifier cette hypothèse en dehors de ces cas précis et épisodiques. Jean Declareuil a montré l'inanité de cette conception, en se fondant principalement sur l'abondante législation des empereurs chrétiens mettant de multiples obstacles à l'entrée des membres de l'ordre

---

1. FUSTEL DE COULANGES, *L'invasion germanique et la fin de l'Empire*, (Paris, 1890 ; publié par C. Jullian), p. 64. Les auteurs qui énoncèrent cette théorie ont été recensés dans l'article de J. Declareuil cité *infra*, n. 3.

2. On avait en effet pensé que le *defensor* était alors devenu le premier magistrat (ainsi G. Bloch, dans E. LAVISSE, *Histoire de France*, t. 1, Paris, 1900, p. 318).

curiale dans le clergé. En fait, la curie et le clergé restèrent jusqu'au bout deux organismes parfaitement distincts et on n'a aucun exemple d'une substitution du second à la première[3].

Le dossier des cités africaines au Bas-Empire confirme pleinement les vues de Declareuil et permet même d'aller plus loin dans sa perspective. Nous constatons en effet que l'Église africaine s'est trouvée en présence, au temps de l'Empire chrétien, d'une vie municipale très vivace, active et structurée. Le paganisme, nous venons de le voir, y resta longtemps vivant, en particulier dans l'élite sociale et, même après les conversions massives de la fin du IVe et du début du Ve siècle, il continua d'imprégner les mentalités. La christianisation du droit, des institutions et des structures sociales fut extrêmement lente. Il est d'usage de définir l'empire post-constantinien comme le prototype du régime de chrétienté et des multiples osmoses et compromissions entre l'Église et le monde qu'implique cette situation. Les documents sur les villes africaines du Bas-Empire ne témoignent pas en faveur de cette conception ; au contraire, le maintien des structures et des mentalités pré-constantiniennes est très net et l'on peut dire, en bref, que saint Augustin n'a pas vécu dans une chrétienté[4].

Nous avons analysé des centaines d'inscriptions qui éclairent la vie municipale de l'Afrique au Bas-Empire. Nous devons constater que le christianisme tient une place on ne peut plus modeste dans ces documents. Certes, une catégorie spéciale de clercs figure sur l'album municipal de Timgad, mais loin d'être l'expression d'une faveur envers l'Église, cette mention est liée à la suppression par Julien de l'exemption des charges municipales pour les membres du clergé[5]. Toujours à Timgad, on constate la présence d'un chrisme sur la tablette de patronat offerte au dignitaire municipal Aelius Julianus, au temps de Valentinien Ier. Le même symbole chrétien apparaît sur la tablette de patronat que l'*ordo* de Tipasa offrit au comte et gouverneur de Maurétanie Césarienne Flavius Hyginus, en fonction à la fin du IVe ou au début du Ve siècle[6]. On ne peut considérer comme une christianisation des institutions la mention sur des tombes chrétiennes des titres de flamine perpétuel ou de *sacerdotalis*

---

3. J. Declareuil, *Les curies municipales et le clergé au Bas-Empire*, dans *Rev. Hist. de droit franç. et étr.*, 1935, p. 26-53. Declareuil avait déjà exprimé ce point de vue dans *Quelques problèmes d'histoire des institutions municipales au temps de l'Empire Romain*, Paris, 1911, p. 97-121.

4. J'ai évoqué ce problème dans mon étude *Les limites de la christianisation de l'état romain sous Constantin et ses successeurs*, dans *Christianisme et pouvoirs politiques. Études d'histoire religieuse*, Lille-Paris, 1973, p. 25-41, et dans ma communication *Saint Augustin et la cité romano-africaine*, dans *Jean Chrysostome et Augustin*, Actes du colloque de Chantilly, 1974, publié par C. Kannengiesser, Paris, 1975, p. 13-39. Je développe dans le présent chapitre des points déjà abordés dans cette dernière étude.

5. Voir *supra*, chap. V, p. 282-286.

6. *A.E.*, 1913, 25 = *B.C.T.H.*, 1912, p. LXIII + 1913, p. 173 = *I.L.C.V.*, 387. Voir notre notice *Thamugadi* - N. -, n. 40-43.

provincial : il s'agit plutôt, nous l'avons dit, d'une survivance païenne vidée de son contenu religieux[7].

Ces maigres exceptions mises à part, on ne trouve pas la moindre allusion au christianisme sur les multiples inscriptions qui évoquent la vie des cités, qu'elles concernent des constructions ou des restaurations d'édifices publics, des générosités évergétiques, des dédicaces honorifiques à des empereurs, des gouverneurs ou des dignitaires locaux. Certes, on voit, à partir du règne de Constantin, se raréfier puis disparaître les mentions de construction de temples ou d'autels païens, les inscriptions évoquant des sacrifices, des cérémonies officielles de l'ancien culte[8]. Mais aucun document municipal n'évoque la construction d'un monument chrétien par décret des décurions et aux frais de la cité. Les personnes qui payaient de leurs deniers ces constructions agissaient en tant que fidèles de l'Eglise, c'est-à-dire, du point de vue du droit public, en tant que personnes privées. Quand il eut cessé de construire des temples, l'organisme municipal se cantonna dans l'édification et l'entretien des bâtiments publics profanes. Les édifices du culte chrétien étaient élevés par l'église locale, grâce à ses ressources propres ou à la générosité de certains fidèles. Saint Ambroise de Milan exprima cette règle avec force lors de sa controverse avec Symmaque. Le champion de la réaction païenne tenta, en 384, d'amener Valentinien II à revenir sur la mesure prise deux ans plus tôt par Gratien, confisquant les biens des grands collèges sacerdotaux païens de Rome et supprimant les subventions publiques qu'ils recevaient. Ambroise parvint à faire débouter Symmaque de sa demande ; l'un de ses arguments essentiels était que l'église chrétienne, à laquelle l'empereur appartenait, vivait de la générosité de ses fidèles et non des deniers publics[9]. L'épigraphie africaine confirme cette assertion. Certes, la générosité impériale avait permis, sous Constantin, l'édification de grandes basiliques à Rome et en Palestine. Un cas semblable est connu en Afrique : les donatistes avaient occupé la basilique de Cirta ; quand Constantin eut émis l'édit de tolérance de 321, il décida de la leur laisser pour éviter un affrontement et il donna aux catholiques, pour les dédommager, une nouvelle église bâtie aux frais du fisc impérial[10]. Ce fait resta exceptionnel et, en tout cas, l'exemple ne fut nullement suivi par les cités africaines même quand, au début du ve siècle, la population fut devenue massivement chrétienne (ce qui est attesté pour certaines villes, comme Bulla Regia)[11]. On peut

7. C., II, 2210 = I.L.S., 6116 (tablette retrouvée à Cordoue ; voir notice Tipasa – M. C. –, n. 9).

8. Cf. chap. vii, supra, p. 343-352.

9. SYMMAQUE, Relatio III, éd. Seeck, M.G.H., A.A., VI, p. 280-283 ; Saint Ambroise, lettre 18, 1 (adressée à Valentinien II), P.L., 16, 972. Sur l'épisode, voir J. R. PALANQUE, Saint Ambroise et l'Empire romain, Paris, 1933, p. 129-136.

10. Lettre de Constantin aux évêques catholiques de Numidie conservée dans le « dossier du donatisme », placé en appendice au livre d'Optat de Milev (éd. Ziwsa, C.S.E.L., 26, p. 215).

11. Augustin, Sermo « Denis » 17, 7-9, Miscellanea agostin., I, p. 87-89, P.L., 46, 879-880.

dire que l'extraordinaire mutation que fut le triomphe du christianisme passerait totalement inaperçue aux yeux de l'historien de l'Afrique tardive s'il ne disposait comme sources que des inscriptions municipales[12]. De même, la législation sur les curies ignore le christianisme, sauf pour rappeler régulièrement l'interdition de fuir les charges municipales en devenant clerc.

Les institutions ne furent nullement christianisées ; aucun symbole chrétien n'orna les édifices municipaux ; on ne demanda pas aux évêques ou aux prêtres d'appeler la bénédiction divine sur les nouveaux magistrats, de bénir les bâtiments publics inaugurés, de prononcer des prières à l'ouverture d'une séance de la curie. L'expression publique du paganisme a, semble-t-il, rapidement décliné dès le temps de Constantin ; mais, même quand l'ancien culte fut totalement interdit, on ne chercha pas à remplacer les formes et les rites de la vieille religion civique par de nouvelles pratiques d'inspiration chrétienne. Certes, la longue persistance du paganisme, chez les notables municipaux en particulier, explique fort bien ces réticences. Toutefois, nous l'avons vu, les faits de réaction païenne violente disparurent après la première décennie du Ve siècle : le christianisme avait gagné la partie et les derniers païens perdaient de jour en jour davantage leur influence. Mais, même à cette époque, la vie publique ne fut pas christianisée. On ne trouve d'ailleurs aucune suggestion dans ce sens de la part d'Augustin ou des conciles africains ; les conseils d'Augustin aux responsables publics chrétiens étaient d'ordre moral : ils devaient accomplir leurs fonctions avec honnêteté, justice et bienveillance, mais on ne leur demandait pas une affirmation publique de leur foi. La disparition progressive du paganisme officiel avait, en quelque sorte, laïcisé les fonctions municipales ; les cités ne finançaient plus la construction ou l'entretien de bâtiments à usage religieux, les magistrats n'organisaient ni ne présidaient plus les sacrifices ou les autres cérémonies de l'ancien culte : l'organisme municipal était strictement cantonné dans des responsabilités et des activités profanes. On ne peut même pas trouver l'équivalent, dans l'Afrique du temps de saint Augustin, des cérémonies qui persistent dans notre France d'aujourd'hui, officiellement laïque, telles les messes pour les morts au champ d'honneur commandées par les communes ou les bénédictions de navires[13].

---

12. L'argument *a silentio* est parfaitement recevable pour appréhender un phénomène d'histoire des mentalités de ce type. Comme l'a dit Paul Veyne pour une tout autre source historique, « le trait le plus surprenant du récit thucydidéen est qu'une chose en est absente, les dieux de l'époque » (*Comment on écrit l'histoire, essai d'épistémologie*, Paris, 1971, p. 275).

13. L'aspect le plus caractéristique de cette situation est, assurément, la survivance du culte impérial et des sacerdoces officiels ; les fonctions de flamine municipal et de *sacerdos prouinciae* en particulier, sont vidées de leur contenu proprement religieux et assumées sans problème par des chrétiens ; nous avons étudié cette survivance dans le précédent chapitre. Le maintien de ces titres vides s'explique en partie par l'impossibilité de leur donner un équivalent chrétien.

La vie des cités africaines n'était pas rythmée, au long de l'année, par le calendrier liturgique chrétien. Dans une loi adressée au proconsul d'Afrique en 399, Honorius déclarait : « Quand nous avons interdit par une loi salutaire les rites sacrilèges, nous n'avons pas permis que les fêtes qui rassemblent les citoyens et le plaisir commun de tous soient abolis. En conséquence, nous décrétons que, selon les anciennes coutumes, des distractions soient fournies au peuple, mais sans nul sacrifice ni superstition condamnable[14] ». La grande fête qui réjouissait le peuple à la fin du mois de décembre, ce n'était pas la naissance de Jésus-Christ, mais les *munera* qui avaient lieu à l'amphithéâtre à cette époque de l'année, en Afrique comme à Rome, et qui vidaient les églises de leurs fidèles, au grand scandale d'Augustin[15].

Le christianisme n'a donc pas joué dans les cités romano-africaines, même à la veille de la conquête vandale, le rôle d'une religion civique par les rites de laquelle se serait exprimée la vie de la collectivité. Ce n'est pas l'idéal chrétien qui a animé l'esprit civique ou le patriotisme local[16]. L'Église et la Cité ont constitué, comme avant Constantin, deux entités bien distinctes, chacune possédant ses institutions, ses chefs, son droit, son esprit, sans qu'on voie vraiment se créer ces osmoses multiples qui caractérisent un régime de chrétienté. La cité était trop ancrée dans une tradition païenne multiséculaire pour pouvoir intégrer rapidement l'Église. Nous l'avons vu, les Romano-Africains du Bas-Empire ont déployé d'immenses efforts pour maintenir l'héritage municipal des siècles précédents et, pour l'essentiel, ils y sont parvenus. Or, la cité antique impliquait des structures juridiques et institutionnelles, des solidarités sociales, une culture antérieures au christianisme. Henri-Irénée Marrou l'a bien vu en ce qui concerne l'éducation et la culture : le christianisme n'avait pas de civilisation nouvelle à proposer pour remplacer la culture païenne[17]. Augustin a critiqué sans indulgence l'enseignement de son temps, dans les *Confessions* particulièrement : les études étaient fondées sur des récits mythologiques, donc sur le paganisme ; les sophismes des philosophes éloignaient de la foi[18]. Pourtant, Augustin

---

14. *C.Th.*, XVI, 10, 17 = *C.Just.*, I, 11, 4 (texte cité dans notre notice *Karthago*, n. 131). Des documents impériaux parallèles sont cités *infra*, p. 381 n. 43-45.

15. Sur les spectacles de décembre en Afrique, voir A.-M. La Bonnardière, *Les « enarrationes in psalmos » prêchées par saint Augustin à Carthage en décembre 409*, dans *Recherches Augustiniennes*, 11, 1976, p. 85-90. De même, dans le *sermo* 51 (*P.L.*, 38-39, 333), Augustin évoquait l'église pleine, quelques jours auparavant, pour la fête de Noël ; mais ce jour-ci, il y avait très peu de monde, car beaucoup étaient allés au *munus* (*quia et dies muneris multos hinc uentilauit*).

16. Les meilleurs témoignages à cet égard sont les lettres adressées à Augustin par le grammairien Maxime de Madaure (correspondance d'Augustin, *Epist.* 16, *C.S.E.L.*, 34, 1, p. 37) et par Nectarius de Calama (*Epist.* 90 et 103, *C.S.E.L.*, 34, 2, p. 426-427 et 578-581), analysées *supra*, chapitre VI, p. 293-295 et VII, p. 356-358. Voir aussi *infra*, p. 404-405.

17. H. I. Marrou, *Saint Augustin et la fin de la culture antique*, Paris, 1936, p. 329-413 ; *Histoire de l'éducation dans l'Antiquité*, Paris, 1948, p. 67-68.

18. *Confessions*, I, 16-18 ; de même, *Cité de Dieu*, II, 7-9.

et les autres Pères de l'Église ont jugé cette éducation nécessaire ; elle était même vue comme un préalable indispensable à des études religieuses chrétiennes approfondies[19]. Il ne fut pas question de créer, même pour les clercs, des écoles spécifiquement chrétiennes. Or, l'enseignement était une des charges et des prérogatives des cités, qui recrutaient et payaient les professeurs[20]. De 374 à 383, Augustin lui-même avait été rhéteur municipal à Carthage[21]. Et pourtant, dans la *Cité de Dieu*, on voit ce lettré imprégné des auteurs classiques latins dire à ses interlocuteurs païens « votre Virgile, votre Varron », comme si cette culture lui était devenue étrangère[22]. Mais c'est dans toute la vie des cités qu'on retrouve cette dualité.

Pendant trois siècles, les communautés chrétiennes avaient été des minorités mal vues ou persécutées. L'un des principaux griefs des païens était que les chrétiens affirmaient avec saint Paul que leur cité se trouvait dans les cieux et non sur la terre ou, avec l'auteur de la *Lettre à Diognète*, qu'ils étaient, dans toute cité, des étrangers[23]. En Afrique même, ces conceptions avaient été poussées jusqu'à leurs plus extrêmes conséquences par un Tertullien. Les temps avaient changé, l'empereur était devenu chrétien et, à la fin du IVe siècle, le paganisme était proscrit. Pourtant, peu de rapports profonds s'étaient établis entre la cité et l'Église et, sur certains points comme les spectacles et l'évergétisme, une attitude d'hostilité et de concurrence caractérisait toujours l'Église.

II — L'ATTITUDE DE SAINT AUGUSTIN DEVANT L'ÉVERGÉTISME ET LES SPECTACLES : ESSAI D'INTERPRÉTATION

Nous avons évoqué plus haut les nombreux témoignages donnés par saint Augustin sur les spectacles du théâtre, de l'amphithéâtre et du cirque et sur leur financement par des évergètes ; ce sont des documents très importants sur le maintien, jusqu'à la veille de la conquête vandale, d'une activité urbaine et municipale très caractéristique du mode de vie romain, sur la persistance d'une prospérité économique nécessaire pour financer ces divertissements coûteux[24]. Nous voudrions aborder ici un autre problème : les raisons et les implications de l'hostilité

---

19. *De ordine*, II, 44 ; *ep.* 118, 12 ; le *De doctrina christiana* donne l'exposé le plus élaboré de cette conception (*cf.* H.-I. MARROU, *Saint Augustin et la fin de la culture antique*, p. 387-413).

20. Voir *supra*, chap. IV, p. 228-230.

21. Voir notice *Karthago*, n. 70-80.

22. Ainsi, *Cité de Dieu*, III, 4 : « Nam et uir doctissimus eorum Varro. »

23. *Philip.*, 3, 20-21 ; *A Diognète*, V, 1-10, éd. Marrou, *S.C.*, 33, p. 63-65 (« Toute terre étrangère leur est une patrie et toute patrie une terre étrangère »). Augustin reprit cette conception en qualifiant la cité divine de *peregrina* (*cf. infra*, p. 408).

24. Chap. VI, *supra*, p. 298-302.

sans faille manifestée par Augustin et les autres écrivains ecclésiastiques à l'égard de cet aspect de la vie municipale.

Le premier grief est l'immoralité : les spectacles sont l'école du vice et de la débauche[25]. Ceci vaut surtout pour le théâtre, dont les représentations sont décrites (sans précision d'ailleurs) comme grivoises et lascives ; la profession de mime est assimilée à la prostitution, les actrices sont toujours considérées comme des courtisanes[26]. Notons pourtant que dans quelques passages, Augustin rend un hommage inattendu au talent incontestable de certains comédiens, tout en regrettant qu'ils ne consacrent pas leurs dons à de meilleures causes[27]. Des considérations morales de ce type étaient aussi émises à propos des spectacles de l'amphithéâtre et du cirque, dont les chasseurs et les cochers étaient, pour Augustin, des gens peu recommandables[28]. On a remarqué qu'il n'évoque pas les combats de gladiateurs, sauf allusivement et jamais comme un fait actuel en Afrique. Est-ce l'influence du christianisme ou le coût trop élevé de ces spectacles qui les avait fait disparaître ? Il est difficile de trancher[29]. Mais les chasses aux animaux sauvages dans l'amphithéâtre connaissaient toujours un immense succès, non seulement à Carthage mais aussi à Hippone et même à Thagaste, où le bienfaiteur d'Augustin, Romanianus, avait offert de mémorables chasses à l'ours[30].

Un important grief d'Augustin à l'égard des spectacles était leur succès, le fait qu'ils rassemblaient des foules énormes et exerçaient une incomparable fascination sur elles. Or, pour l'opinion unanime des moralistes chrétiens, reprenant souvent les idées des Stoïciens, ces jeux étaient en bloc frivoles et dégradants. La condamnation formulée par Augustin

---

25. Citons le *Sermo* 32, 20 (*C.C.*, 41, p. 407) : « ludicra nequitiae, ludicra malae cupiditatis. »

26. Ainsi, *Epist.* 138, 14, *C.S.E.L.*, 44, p. 140 : « ... cum theatrorum molles extruuntur et effodiuntur fundamenta uirtutis, ... cum, ex his quae diuitibus abundant, luxuriantur histriones... » ; *Sermo* « Denis », 17, 7-9, *Miscellanea agost.* I, p. 87-89, *P.L.*, 46, 879-880 : ce sermon évoque la prospérité du théâtre à Bulla Regia et la venue dans cette ville d'étrangers en quête de *meretrices* et de *mimi*. La présentation des gladiateurs, des histrions et des auriges comme des gens totalement méprisables est une tradition chez les moralistes latins.

27. *Cité de Dieu*, XXII, 24, 3 (*C.C.*, 48, p. 849) : « ... quae in theatris mirabilia spectantibus, audientibus incredibilia facienda et exhibenda molita sit. » Dans *De doctrina christiana*, II, 25-28, *C.C.*, 32, p. 60, Augustin évoque avec sympathie l'art du comédien. Ces textes m'ont été aimablement signalés par Mlle A.-M. La Bonnardière.

28. En particulier par le fait qu'ils se faisaient payer fort cher et qu'on gaspillait pour eux l'argent dont les pauvres auraient pu profiter (*En. in. ps.* 102, 12-13 ; 147, 12).

29. Georges Ville (*Les jeux de gladiateurs dans l'empire chrétien*, dans *M.E.F.R.*, 1960, p. 319-320) estime que leur disparition est seulement due à leur prix trop élevé. Ce n'est pas évident.

30. Augustin, *Contra Academicos*, I, 2, éd. Jolivet, *B.A.*, 14, p. 16-19. Sur ce texte, le plus saisissant document conservé sur l'évergétisme romano-africain, voir *supra*, chap. vi, p. 298-299.

allait très loin ; dans un sermon prononcé à Carthage en 409, au moment
des *munera* de décembre, il évoquait la foule qui quittait l'amphithéâtre
à la fin du spectacle et se pressait dans les *uomitoria* : «La *cauea*, disait-il,
vomissait la foule des damnés[31]». On pouvait seulement espérer que
certains de ces malheureux se convertiraient et obtiendraient le salut,
au prix de l'abandon de ces plaisirs funestes. Il est évidemment difficile
à un lecteur moderne de comprendre pourquoi le fait d'assister à une
corrida serait un crime inexpiable, méritant l'enfer éternel.

Augustin savait bien que ces foules enthousiastes qui emplissaient
les lieux de spectacle étaient largement formées de chrétiens. Dans un
sermon prononcé à Bulla Regia, il constatait avec amertume que le
théâtre était florissant dans une ville devenue chrétienne en totalité.
On venait de loin à Bulla pour des représentations où s'exhibaient des
histrions des deux sexes à la moralité plus que douteuse[32]. En 409, l'évêque
Aurelius de Carthage avait invité Augustin à donner une série de sermons[33]
dans la capitale pendant les *munera* de décembre, espérant que la présence
de l'illustre prédicateur dissuaderait les fidèles de se rendre au théâtre,
à l'amphithéâtre ou au cirque. Cet espoir se révéla illusoire, surtout le
jour du *munus*, c'est-à-dire de la chasse dans l'amphithéâtre, où l'église
fut presque vide. A plusieurs reprises, Augustin déplora cette préférence
accordée aux spectacles condamnés. Un jour de Noël, l'église était
comble. Seuls quelques fidèles se déplacèrent un jour suivant : c'était
dies muneris et ils emplissaient l'amphithéâtre[34]. Bien entendu, à mesure
que se multipliaient les conversions massives, baissait la proportion
des chrétiens fervents, prêts à suivre leurs pasteurs sur la voie de l'ascétisme.

Les évergètes, sur qui reposait pour une très large part le financement
de ces plaisirs coûteux, étaient durement attaqués par Augustin. Nous
avons vu que cette polémique constitue un témoignage capital sur la
persistance de l'évergétisme et de la recherche des honneurs municipaux
par des générosités fastueuses, tout comme sous le Haut-Empire : c'était
pour obtenir des hommes de « vains honneurs » qu'on acceptait de tels
sacrifices pécuniaires[35]. Toutefois, la critique d'Augustin ne visait pas
seulement leur ambition, leur souci de prestige. Elle attaquait surtout
le mauvais usage qu'ils faisaient ainsi de leur fortune : « Grâce à ceux qui
regorgent de richesses, les histrions vivent dans le luxe, les pauvres ont à

---

31. *En. in ps.* 147, 8. Sur la date de ce texte, voir l'étude de A.-M. La Bonnardière
citée *supra*, n. 15.

32. *Cf.* n. 26.

33. Sur cette série d'*Enarrationes in psalmos*, voir notice *Karthago*, n. 133-144,
et l'étude cité *supra*, n. 15.

34. *Sermo* 51, 1 (*P.L.*, 38, 333).

35. Sur la condamnation de l'ambition des évergètes, voir *infra*, p. 381. Sur
ces témoignages capitaux sur le maintien au Bas-Empire de la brigue des honneurs
municipaux par le moyen de la munificence, voir chap. VI, *supra*, p. 298-302.

peine le nécessaire[36] » ; « l'homme du siècle... offre des jeux, des chasses à l'ours, il donne ses biens à des bestiaires, pendant que le Christ souffre de la faim en la personne des pauvres[37] » ; « ces hommes insensés, pétris et gonflés d'arrogance, vides à l'intérieur, bouffis d'orgueil à l'extérieur, veulent même perdre leurs biens en les donnant à des acteurs, des histrions, des bestiaires, des auriges. Quelle masse de dons, quelle masse de dépenses ! Ils dissipent les richesses non seulement de leur patrimoine mais aussi de leur âme. Ces gens méprisent le pauvre, car le peuple ne crie pas pour qu'on donne au pauvre, mais pour qu'on donne au bestiaire ». Augustin déplore ensuite qu'on offre de splendides costumes aux *uenatores* pour parader dans l'arène, alors que des pauvres manquent cruellement de vêtements[38].

Ici, Augustin relève un indéniable aspect anti-social de l'évergétisme : on gaspillait des sommes énormes pour des frivolités, alors que des indigents avaient faim. Les plus démunis eussent préféré le pain quotidien, des vêtements chauds, un toit, les choses nécessaires à la vie. Mais les générosités évergétiques étaient, par nature, spectaculaires et fastueuses. Elles apportaient à ceux qui possédaient déjà le minimum indispensable des plaisirs fort appréciables : les spectacles, l'usage des thermes, des banquets plantureux mais occasionnels, un beau cadre urbain. C'était ce qui permettait aux évergètes de déployer leur faste, de faire un étalage glorieux de leur prodigalité, ce que n'eût pas permis une distribution de vivres à des nécessiteux[39]. Il peut paraître surprenant que le peuple, au témoignage d'Augustin, appuyait par ses pressions, par ses clameurs, les générosités envers les bestiaires[40] et ne réclamait pas de dons plus utiles ; mais c'est une situation fort comparable qu'on trouve à l'époque contemporaine dans les pays de la péninsule Ibérique, où une partie de la population connaît une grave pauvreté et où les toreros célèbres acquièrent une immense popularité et font de rapides fortunes.

_____

36. *Epist.* 138, 14, *C.S.E.L.*, 44, p. 140 : « ... cum ex his quae diuitibus abundant, luxuriantur histriones, et necessaria uix habent pauperes... ».

37. *Sermo* 32, 20, *C.C.*, 41, p. 407 : « ... ludos et ursos emit, donat res suas bestiariis, esuriente Christo in pauperibus ».

38. *En. in ps.* 149, 10, *C.C.*, 40, p. 2184 : « Hinc homines insani effecti et inflati typho, inanes intus, foris tumidi, etiam res suas perdere uolunt, donando scaenicis, histrionibus, uenatoribus, aurigis ; quanta donant, quanta impendunt ! Effundunt uires, non patrimonii tantum, sed etiam animi sui. Isti fastidiunt pauperem, quia non clamat populus ut pauper accipiat, clamat populus ut uenator accipiat ».

39. Dans le *Sermo* 21, 10 (*C.C.*, 41, p. 285-286), Augustin évoque l'homme riche qui « offre des jeux fastueux, qui donne des cadeaux insensés à des histrions mais qui ne donne rien aux pauvres : ce ne serait pas un usage glorieux de l'or » (*edit pompaticos ludos, insana munera donat histrionibus, pauperibus non donat : non est decus auri*). Les deux derniers mots constituent un raccourci saisissant de l'esprit évergétique et de son opposition essentielle à la charité chrétienne.

40. La mosaïque représentant les jeux de l'amphithéâtre trouvée à Smirat, près de Sousse, est un bon document sur ces manifestations et ces pressions (A. BESCHAOUCH, *C.R.A.I.*, 1966, p. 134-157 = *A.E.*, 1967, 549).

La critique d'Augustin se situait donc à trois niveaux : l'immoralité ou la frivolité des spectacles ; le caractère intéressé de l'évergétisme, qui visait à la conquête d'une popularité de mauvais aloi et à l'obtention de dignités municipales et provinciales, prélude éventuel à l'accès aux honneurs impériaux ; le gaspillage de grosses sommes au détriment de générosités utiles envers les plus pauvres[41]. Pour Augustin, l'attitude de l'Église était toute différente : l'Église n'était guidée ni par la vanité, ni par l'ambition, elle ne recherchait pas la vaine gloire, mais elle pratiquait une charité discrète et désintéressée, en secourant les plus indigents, en prenant en charge mendiants, veuves, orphelins, vieillards, sans attendre en retour ni honneurs, ni pouvoirs, ni promotions.

On peut se demander si ces jugements étaient totalement objectifs. Il faut, tout d'abord, tenir compte d'un puritanisme enclin à condamner systématiquement toute recherche du plaisir. Augustin professait un idéal monastique d'une grande austérité. Sa conception de la nature humaine devenait, à mesure que les années passaient, de plus en plus pessimiste ; le moindre plaisir lui semblait donc suspect et marqué par le péché. Il n'y avait rien de commun entre cet ascétisme et l'idéal de « coopérative de bien-être » qui caractérisait, selon une formule d'Henri Marrou, la cité hellénistico-romaine. L'historien moderne est parfois irrité par le caractère abrupt du jugement augustinien, surtout s'il pense que ces conceptions entraînèrent, dans la suite des temps, bien des conduites obscurantistes : c'est en se fondant sur ces textes qu'au xviie siècle l'église gallicane persécuta Molière.

Les conceptions d'Augustin étaient nettement plus rigoristes que celle de la plupart des évêques d'Afrique ; en témoigne la mesure réaliste du concile de Carthage de 401 : les évêques demandèrent qu'on intervînt auprès des autorités pour que les spectacles n'eussent pas lieu le dimanche ou les jours de fêtes chrétiennes. Ceci impliquait que le concile se résignait à ce que les chrétiens allassent aux spectacles et qu'il était surtout soucieux d'éviter que la concurrence de ces derniers n'amenât une désertion du culte[42]. De son côté, nous l'avons vu, la législation des « très pieux empereurs chrétiens » ne tenait nul compte des condamnations des Pères de l'Église : Honorius, au temps d'Augustin, ordonnait de veiller à ce que la tradition d'offrir des jeux à Carthage lors de la tenue annuelle du conseil

---

41. Ce jugement n'est pas propre à saint Augustin ; on le retrouve chez les Pères grecs. Dans son traité *Sur la vaine gloire et l'éducation des enfants* (4-8), saint Jean Chrysostome donne une description pleine de vie et de verve des jeux de l'amphithéâtre, de la gloire éphémère de l'évergète et de sa ruine, consécutive à ses prodigalités (éd. A.-M. MALINGREY, *S.C.*, 188, p. 74-85).

42. *Registri Ecclesiae Carthaginiensis excerpta*, canon 61, *Concilia Africae*, éd. MUNIER, *C.C.*, 149, p. 197. Les plaintes d'Augustin sur le fait que les spectacles vidaient l'église sont fréquentes. Citons le *Sermo* 51, 1 (voir *supra*, n. 15), *En. in ps.* 30, II, *sermo* 2, *C.C.*, 38, p. 203 : « Quomodo non tribuletur iste de hac multitudine, quando uidet ipsos implere theatra et amphitheatra, qui paulo ante ecclesias impleuerunt ? » De même, *En. in ps.* 80, 2 et 147, 7 (voir notice *Karthago*, n. 143-144).

provincial soit maintenue[43]. Il précisait, dans un rescrit au proconsul d'Afrique, que l'interdiction du culte païen n'entraînait nullement la suppression des spectacles offerts au peuple les jours de fête traditionnels[44]. Une loi impériale affichée à Carthage en 413 précisait que les actrices étaient tenues de jouer les jours de fête[45]. L'importance des jeux de l'amphithéâtre dans la vie des Africains, à Carthage tout particulièrement, était un lieu-commun que reprenaient de nombreux écrivains, l'auteur de l'*Expositio totius mundi* sous Constance II[46] aussi bien que Salvien au Ve siècle[47]. La polémique menée par Augustin ne pouvait avoir qu'un effet limité et, à coup sûr, elle ne réussit pas à changer le comportement des Africains à cet égard. Dans un sermon, cependant, il fait allusion à des amphithéâtres en ruines[48], dans des villes de l'intérieur semble-t-il ; mais ceci pourrait être aussi bien l'indice d'un certain appauvrissement des cités après la mort de Théodose, fait que l'épigraphie atteste[49], plutôt que d'une modification des goûts de leurs habitants.

La condamnation de l'ambition des évergètes est, elle aussi, contestable. La recherche d'honneurs et de responsabilités politiques suppose toujours, chez le candidat, une part d'orgueil et de volonté de puissance ; mais le but n'est-il pas, en fin de compte, de se consacrer au service de la collectivité ? Les historiens modernes, nous l'avons vu, ont presque totalement négligé ces textes augustiniens prouvant, dans l'Afrique du Bas-Empire, l'existence d'une émulation chez les riches pour l'obtention des charges publiques et des magistratures locales. Or, on ne peut non plus récuser les textes juridiques montrant combien ces responsabilités étaient lourdes et difficiles et comment le législateur devait souvent user de contrainte pour les faire accomplir. Le témoignage d'Augustin sur ces volontaires est donc l'un des éléments qui nous conduisent à constater la bonne santé de la vie municipale dans l'Afrique tardive[50]. Mais sa polémique est dans la droite ligne d'une tradition de l'église primitive prônant l'indifférence à l'égard de la cité terrestre de la part du chrétien dont « la cité est dans les cieux ». Il est permis de douter que cette attitude ait été conforme à l'intérêt général[51].

---

43. *C.Th.*, XII, 1, 145 (395).

44. *C.Th.*, XVI, 10, 17 = *C.Just.*, I, 11, 4 (399) ; *cf.* notice *Karthago*, n. 131.

45. *C.Th.*, XV, 7, 13.

46. *Expositio totius mundi*, éd. ROUGÉ, S.C., 124, p. 202. Cf. notice *Karthago*, n. 48.

47. SALVIEN, *De gubernatione Dei*, VI, 69, *C.S.E.L.*, 8, p. 144.

48. AUGUSTIN, *Sermo «Denis»* 24, 13, *Mis. Agost.*, I, p. 153 ; *P.L.*, 46, 930 : «Attendite enim, fratres, et uidete amphitheatra ista, quae modo cadunt. »

49. Voir *supra*, chap. III, p. 108-111. Ce déclin fut, nous l'avons vu, lent et relatif.

50. Un texte très significatif est le passage du sermon 32 où Augustin vilipende « l'homme du siècle » qui « demande aux hommes de vains honneurs et, pour les obtenir, leur offre des spectacles » (sermon 32, 20, *C.C.*, 41, p. 407 ; *cf. supra*, chap. VI, p. 300 et notice *Hippo Regius* – P. –, n. 18).

51. Un bon exemple de cette attitude est le cas de Licentius, fils du bienfaiteur d'Augustin le riche Romanianus, étudié dans le chapitre V (*supra*, p. 273-275). Nous avons vu que ce jeune homme doué et brillant cherchait à entrer dans l'ordre

L'argument social nous touche davantage, car il montre fort lucidement l'incapacité du système évergétique à remédier à la misère : ces prodigalités ne faisaient que rendre la vie agréable à ceux qui possédaient déjà le minimum vital. Mais l'évergétisme n'était pas toujours aussi frivole que le prétendait Augustin. Un texte du *Code Théodosien* nous apprend l'existence d'un *munus* patrimonial qui pesait sur les terres des propriétaires carthaginois et grâce auquel on distribuait au peuple de la nourriture au titre de l'annone municipale[52] ; ce système existait aussi, semble-t-il, dans d'autres cités[53]. Quand, dans le *Contra Academicos*, Augustin décrivait les générosités de Romanianus à l'égard de ses concitoyens de Thagaste, il évoquait les repas quotidiens que l'évergète offrait au peuple[54]. La « bourse » que le même Romanianus avait jadis donnée au futur évêque d'Hippone pour lui permettre de poursuivre ses études à Carthage était un fort bon exemple d'évergétisme utile et moralement inattaquable[55].

Ces réserves posées et compte-tenu d'une indéniable systématisation rhétorique de l'opposition chez Augustin, nous devons constater le caractère nettement antithétique de la munificence traditionnelle et de la charité chrétienne. Dans son livre récent *Le pain et le cirque*, Paul Veyne nie radicalement toute continuité historique entre l'évergétisme antique et les œuvres de charité que suscita l'église chrétienne tout au long de son histoire[56]. Il remarque que le monde antique ne s'est pas préoccupé des pauvres en tant que catégorie spécifique de la société, ayant droit aux dons des riches. L'évergète païen donnait à la cité, à ses concitoyens et non à une partie d'entre eux ; son éthique patricienne et civique ignorait la morale populaire de l'entraide et de l'aumône que prônait le christianisme[57]. Julien l'Apostat le reconnaissait quand il écrivait : « Comme nos prêtres ne s'occupaient pas des miséreux, les

---

sénatorial en faisant carrière dans la haute administration impériale. Augustin et Paulin de Nole cherchèrent (en vain) à le détourner de ces ambitions et à l'amener à embrasser la vie monastique (lettre 26 d'Augustin, lettre de Paulin et Thérèse parmi les lettres d'Augustin, 22 ; textes cités *supra*, chap. v, p. 274 et n. 74-80). A coup sûr, l'idéal monastique de fuite du monde ne coïncidait pas avec l'intérêt légitime de l'État. Par la suite, la position d'Augustin évolua et devint plus réaliste. Vers 417, il écrivit au futur comte d'Afrique Boniface qu'il ne devait pas avoir de scrupules à exercer le métier des armes : les moines combattaient par leurs prières des ennemis invisibles ; lui, combattait des ennemis visibles, les barbares et il s'agissait, en quelque sorte, d'un service analogue. (*Epist.* 189, 5, *C.S.E.L.*, 57, p. 134).

52. *C.Th.*, XIV, 25, 1, de 318 (Seeck) ; *cf.* notice *Karthago*, n. 67-69.

53. Nous avons une mention épigraphique d'un service annonaire municipal à Sitifis (Sétif ; *C.*, 8480 = *I.L.S.*, 5596 ; notice, n. 9). Les inscriptions mentionnent parfois des distributions annonaires (ainsi *C.*, XI, 379 = *I.L.S.*, 6664 — Ariminum — : ... *annonae populi... saepe subuenit*).

54. Augustin, *Contra Academicos*, I, 2, *B.A.*, 14, p. 16 (sur ce texte, voir *supra*, chap. vi, p. 298-299).

55. *Contra Academicos*, II, 2 ; *cf. Confessions*, II, 3, 5.

56. Paul Veyne, *Le pain et le cirque, sociologie historique d'un pluralisme politique*, Paris, 1976, p. 44-67.

57. *Ibidem*, p. 45.

impies Galiléens ont imaginé de s'adonner à cette forme de philanthropie pour populariser leur exécrable entreprise[58] ». P. Veyne reprend donc pleinement à son compte les affirmations des Pères de l'Église selon lesquelles il y a totale incompatibilité entre évergétisme et charité[59]. Il reconnaît pourtant quelques points communs ; même si certains motifs étaient différents, les riches chrétiens étaient tenus à la générosité de par leur rang social et les responsabilités qu'ils assumaient. De fait, les offrandes à l'Église pouvaient leur donner autant de gloire et de prestige que les dons évergétiques traditionnels[60]. D'autre part, le peuple attendait parfois des bienfaiteurs de l'Église des satisfactions semblables à celles que lui procuraient les évergètes ; en témoignent, en Afrique, les banquets en l'honneur des martyrs qui dégénéraient parfois en beuveries et qu'Augustin eut le plus grand mal à interdire à ses fidèles[61]. Mais les institutions que multiplia la bienfaisance chrétienne, les orphelinats, les asiles de vieillards ou de mendiants, constituaient, comme l'a dit Henri Marrou, une véritable innovation dans l'histoire de la civilisation[62]. A l'époque de saint Augustin, la cité était trop imprégnée de la tradition païenne pour prendre à son compte ces institutions ; c'était à l'Église seule d'y pourvoir, grâce aux dons de ses fidèles.

Si l'on va au fond des choses, il faut donc constater une profonde rupture entre l'idéal chrétien tel qu'Augustin l'expose et la civilisation traditionnelle des cités romano-africaines. L'Église apparaît ici très nettement en marge de la collectivité civique. On peut même dire qu'elle cherchait à capter à son profit l'esprit évergétique : c'est net quand Augustin opposait la frivole inutilité des générosités traditionnelles aux œuvres de charité pratiquées par l'Église en faveur des indigents. Dans l'un des sermons prêchés à Carthage en décembre 409 au moment des *munera*, Augustin conseillait à ses auditeurs fortunés de donner de l'argent à leur église pour lui permettre d'achever la construction de basiliques, plutôt que d'offrir des cadeaux somptueux à des bestiaires ou des histrions[63]. On constate ici une véritable concurrence faite par l'Église à la cité dans la sollicitation des générosités évergétiques. Du coup, prévaut l'impression qu'un siècle après la conversion de Constantin, l'Église n'était pas intégrée à la communauté civique.

Il est cependant permis de se demander si la systématisation théologique et rhétorique n'a pas quelque peu durci l'opposition entre évergétisme

---

58. JULIEN, *Epist.* 69, éd. BIDEZ, *Coll. des Univ. de Fr.*, p. 89.

59. Il se fonde sur des textes des Pères grecs, mais nous pouvons constater que les textes augustiniens analysés ici vont exactement dans le même sens.

60. P. VEYNE, *op. cit.*, p. 52.

61. AUGUSTIN, *Epist.* 22, 2-7, C.S.E.L., 34, 1, p. 55-60 ; *Epist.* 29, 3-14, *ibidem*, p. 115-122.

62. J. DANIÉLOU et H.-I. MARROU, *Nouvelle histoire de l'Église*, t. 1, Paris, 1963, p. 369.

63. *En. in ps.* 103, *sermo*, 3, 12, C.C., 40, p. 1511 ; *En. in ps.* 80, C.C., 39, p. 1122-1123.

et charité. Malgré les objurgations de leurs pasteurs, les fidèles chrétiens se rendaient en masse aux spectacles ; ils conservaient assurément à l'église les goûts et la mentalité qu'ils avaient ailleurs. Des inscriptions chrétiennes africaines en donnent des exemples caractéristiques : ainsi l'inscription de dédicace d'une basilique de Rusguniae (Matifou, Maurétanie Césarienne), datée par Stéphane Gsell de la fin du IVe ou du début du Ve siècle. Ce document nous apprend que l'édifice, destiné à abriter une relique de la croix du Christ, fut promis à la suite d'un vœu et dédié par le donateur, Flavius Nuvel, ancien préposé des *equites armigeri iuniores*, fils d'un *honoratus* (*ex comitibus*). La femme et la famille de Nuvel s'associèrent au financement de l'opération et à la décicace de la basilique[64]. L'inscription mentionne donc les titres officiels du donateur et de son père, comme les documents d'évergétisme habituels ; elle n'évoque aucun évêque ou membre du clergé. Les formules sont directement empruntées à l'épigraphie évergétique classique (*basilicam... uoto promissam atque oblatam... dedicauit*).

On trouve la même transposition de l'esprit évergétique dans les inscriptions métriques sur mosaïque, très semblables dans leur libellé, qui évoquent la générosité des évêques Cresconius de Cuicul et Alexandre de Tipasa, grâce auxquels furent construites des basiliques. Sans la moindre humilité chrétienne, ces textes proclament que la gloire d'avoir réalisé ces constructions revient aux évêques, et non à de riches notables (*proceres*)[65]. On date d'ordinaire ces deux textes du début du Ve siècle. A Cuicul encore, les donateurs de la mosaïque qui ornait le sol de la basilique nord du groupe épiscopal appartenaient aux grandes familles de la ville, bien connues par d'autres documents. Sept inscriptions les mentionnent sur la mosaïque. Leurs titres officiels sont indiqués après leur nom ; dans un cas, c'est le titre de *sacerdotalis* provincial. Ces textes se terminent par les formules traditionnelles *uotum soluit* ou *uotum compleuit* ; ils datent de la première moitié du Ve siècle[66].

On voit donc bien par ces exemples combien la mentalité de l'évergétisme classique pouvait imprégner des fidèles chrétiens, voire des évêques.

---

64. *C.*, 9255 = *I.L.C.V.*, 1822 :
D(e) sancto ligno crucis | Christi saluatoris adlato | adq(ue) hic sito Flauius Nuuel | ex praepositis eq(u)itum armigero |rum (i)unior(um) filius | Saturnini uiri perfectissimimi ex | comitibus et Col[i]cia[e] (?) honestissi |mae feminae, pr[on]epos Eluri Laconi | basilicam uoto promissam adq(u)e | oblatam cum coniuge Nonnica | ac suis omnibus dedicauit.
Sur ce texte et sa datation, voir S. GSELL, *Monuments antiques de l'Algérie*, II, p. 227. Les *equites armigeri iuniores* faisaient partie de la *uexillatio comitatensis* en Afrique (*Notitia dign., Occ.*, VI, 80). Il ne semble pas que le donateur, Flavius Nuvel, puisse être assimilé avec Nubel, père de Firmus et de Gildon.

65. Basilique de l'évêque Cresconius à Cuicul : *A.E.*, 1922, 25 = *B.C.T.H.*, 1922, janvier, p. XI ; notice *Cuicul* – N. –, n. 56-57. Basilique de l'évêque Alexandre à Tipasa : *C.*, 20903 = *I.L.C.V.*, 1825 ; notice *Tipasa* – M.C. –, n. 16.

66. *C.*, 8344 ; 8345 ; 8347 ; 8348 ; *A.E.*, 1914, 64 ; 65 ; *B.C.T.H.*, 1914, p. 306. Notice *Cuicul*, n. 46-55. *Cf.* P.-A. FÉVRIER, *Inscriptions chrétiennes de Djemila*, dans *Bull. arch. alg.*, I, 1962-1965, p. 210-214 ; *idem, Djemila*, Alger, 1968, p. 21.

Ceci oblige à nuancer quelque peu l'opinion de Paul Veyne sur l'opposition irréductible entre la bienfaisance chrétienne et l'ancienne munificence. Un épisode célèbre, survenu à Hippone, permet de voir fort concrètement comment le peuple pouvait les confondre.

Christianisme et évergétisme : la tentative d'ordination forcée de Valerius Pinianus.

Un grave incident, qui se déroula en 410 dans la basilique d'Augustin, éclaire bien les rapports ambigus de l'évergétisme et de la charité chrétienne. Il s'agit de la véritable émeute qui éclata quand le peuple fidèle voulut contraindre Pinien (Valerius Pinianus), époux de Mélanie la Jeune, à recevoir l'ordination presbytérale. Mélanie et Pinien appartenaient à la plus haute noblesse sénatoriale romaine ; ils étaient cousins et issus de l'illustre famille des *Valerii* ; par sa mère Albine, Mélanie appartenait à la famille des *Caeionii Albini*. Ces *gentes* fournirent, au IVe siècle, de nombreux préfets de la Ville[67]. Pinien et Mélanie possédaient des domaines dans tout l'Empire, particulièrement en Occident. Une grande partie de la famille resta longtemps païenne et participa activement à la réaction sénatoriale en faveur de l'ancienne religion. Cependant, des femmes se convertirent et manifestèrent une grande ferveur : Mélanie l'Ancienne, grand-mère de la femme de Pinien, finit ses jours en ascète sur le Mont des Oliviers[68]. Mélanie la Jeune voulut suivre cet exemple et convainquit son mari de faire de même, dans les premières années du Ve siècle. Au grand scandale de leur famille, ils se mirent à vendre leurs énormes possessions et à utiliser le produit pour des œuvres de charité, des dons aux églises et à des communautés monastiques[69]. En 409, ils quittèrent Rome menacée par Alaric et, l'année suivante, ils se rendirent d'Italie du sud en Afrique, emmenant Albine, mère de Mélanie[70].

Les illustres voyageurs se fixèrent à Thagaste, auprès de l'évêque Alypius, ami et disciple d'Augustin. Cependant, ils liquidèrent leurs biens situés en Afrique, qui étaient considérables, parmi lesquels les domaines de la région de Thagaste, donnés à l'église de la ville ou attribués à des monastères[71]. Or, un jour qu'ils assistaient au service domi-

---

67. Sur ces familles, voir A. CHASTAGNOL, *Les fastes de la préfecture de Rome au Bas-Empire*, Paris, 1962, p. 293 et 295 ; *P.L.R.E.*, p. 1138 ; *stemmata*, p. 1142 et 1147. Voir aussi l'introduction de l'édition de *La vie de sainte Mélanie* par D. Gorse, *S.C.*, 90, Paris, 1962, p. 20-36.

68. A. Chastagnol a étudié la pénétration du christianisme dans cette famille (*Le sénateur Volusien et la conversion d'une famille de l'aristocratie romaine du Bas-Empire*, dans *R.E.A.*, 58, 1956, p. 241-253).

69. *Vie de sainte Mélanie*, 8-19, *loc. cit.*, p. 140-167.

70. *Ibidem*, 19-21, *loc. cit.*, p. 166-173.

71. *Ibidem*, 21-22, *loc. cit.*, p. 172-173. L'auteur dit que l'église de Thagaste, pauvre jusqu'alors, devint un objet d'envie pour les autres évêques de la province. C'est la seule allusion de la *Vie* à l'incident d'Hippone.

nical à Hippone, des voix s'élevèrent dans le peuple, criant « Pinien prêtre ! ». Il exprima son refus. Un extraordinaire tumulte se déchaîna alors dans la basilique. Nous connaissons ces faits par les lettres qu'Augustin écrivit sur ce sujet à Alypius et à Albine, mère de Mélanie[72]. Tout en niant que, comme on l'avait rapporté à Albine, Pinien ait été menacé de mort, Augustin reconnaissait la violence de la manifestation. Alypius de Thagaste, accusé de vouloir retenir Pinien, avait été violemment injurié. Augustin avait craint que l'église ne fût profanée ou que, s'il se retirait, des furieux ne fissent un mauvais parti à Pinien. Des « personnes honorables et dignes », entendons des *seniores laici* ou des notables locaux, vinrent trouver l'évêque dans l'abside et, sur leur conseil, Augustin déclara qu'on ne pouvait ordonner Pinien de force et il menaça de démissionner de sa charge épiscopale ; on lui cria qu'on ferait faire l'ordination par un autre évêque. Comme l'émeute grandissait, Augustin suggéra un compromis : il proposa à Pinien de rester à Hippone sans être ordonné. Finalement, conseillé par Augustin, Pinien finit par accepter de jurer que, s'il devenait prêtre un jour, ce serait à Hippone. Pour calmer le peuple, il dut signer un engagement écrit[73].

Quand elle apprit ces événements, Albine prit fort mal la chose. Elle écrivit à Augustin une lettre que nous ne possédons pas mais qui, à en juger par la réponse de l'évêque d'Hippone, exprimait son indignation en des termes très vifs. Pour elle, les gens d'Hippone n'en voulaient qu'aux biens de sa fille et de son gendre. Si ce dernier devenait prêtre dans leur ville, ils pouvaient espérer d'importantes donations, voire la totalité des propriétés qui restaient à Pinien. C'était donc la cupidité qui avait été la cause de ce scandaleux tumulte, des menaces et des pressions inadmissibles subies par son gendre[74].

Dans sa réponse, Augustin essayait de justifier ses fidèles et lui-même ; sa gêne était manifeste et son argumentation assez faible. Selon lui, le peuple voulait s'attacher Pinien à cause de ses vertus, de sa piété, et nullement en vue d'un avantage pécuniaire[75]. Contre toute vraisemblance, il affirmait que le peuple de Thagaste n'avait retiré aucun avantage des

---

72. AUGUSTIN, *Epist.* 125, à Alypius, *C.S.E.L.*, 44, p. 3-7 ; *Epist.* 126, à Albine, *ibidem*, p. 7-18.

73. Le récit des événements est donné par Augustin dans la lettre 126, adressée à Albine (*loc. cit.*, p. 8-12).

74. *Epist.* 125, à Alypius, *loc. cit.*, p. 3 : « ... (Hipponienses) se non clericatus sed pecuniae causa hominem diuitem atque huius modi pecuniae contemptorem et largitorem apud se tenere uoluisse. » *Epist.* 26, à Albine, 7, *loc. cit.*, p. 12 : « Non ergo populus... ardentissime flagitans suum pecuniarum commodum quaesiuit a uobis... » L'expression *commodum pecuniarum*, l'avantage tiré des richesses, est fort significative ; elle correspond très bien à ce qu'on attendait traditionnellement des évergètes.

75. *Epist.* 126, 7, *loc. cit.*, p. 12 : Le peuple, affirmait Augustin, avait aimé non la richesse de Pinien, mais son mépris pour celle-ci.

biens donnés à l'église de la ville[76]. Or, de toute évidence, des donations de ce genre permettaient aux églises de développer des œuvres de bienfaisance dont beaucoup profitaient, surtout les plus démunis. Un des plus mauvais arguments est une comparaison entre le cas de Pinien et le sien propre : Augustin avait donné à l'église de Thagaste, sa ville natale, sa part de l'héritage paternel et cela n'avait nullement déchaîné la jalousie du peuple d'Hippone[77]. Il reconnaissait qu'il ne s'agissait que de « quelques petits champs », en affectant de ne pas se rendre compte que l'énorme contraste entre ces deux fortunes expliquait fort bien la différence de l'attitude populaire.

La suite de la lettre était plus lucide et plus convaincante ; Augustin faisait remarquer à sa très noble correspondante que des mendiants et des nécessiteux avaient certainement mêlé leurs cris à ceux du peuple des fidèles : ils espéraient trouver dans les générosités de Mélanie et de Pinien un soulagement à leur misère, et nul chrétien ne pouvait le leur reprocher ni qualifier leur attitude de cupidité pure[78]. Cependant, à la fin de la lettre, Augustin niait que le serment arraché à Pinien fût invalide et il affirmait qu'il devrait, le cas échéant, tenir ses engagements[79].

L'intervention du peuple dans la désignation d'un membre du clergé n'était nullement exceptionnelle ; c'est ainsi que saint Ambroise fut désigné comme évêque de Milan en 373[80]. Augustin lui-même avait été proclamé prêtre à son corps défendant par le peuple d'Hippone en 391[81]. Ce qui est fort significatif pour notre propos, c'est la transposition faite spontanément par le peuple des habitudes civiles dans les structures ecclésiastiques. Dans la cité hellénistico-romaine, les notables étaient obligés, pour tenir leur rang, d'accepter des responsabilités publiques et de pratiquer l'évergétisme ; leur popularité et leur prestige étaient

---

76. *Ibidem* : « ... plebs Tagastensis de his quae contulistis ecclesiae Tagastensi non habet nisi gaudium boni operis uestri. »

77. *Ibidem* : « Nam si in me dilexerunt quod audierant paucis agellulis paternis contemptis ad Dei liberam seruitutem me fuisse conuersum, neque in hoc inuiderunt ecclesiae Tagastensi, quae carnalis patria mea est... »

78. *Epist.* 126, 7, *loc. cit.*, p. 13 : « Nam etsi fuerunt illi multitudini permixti inopes uel mendici, qui simul clamabant et de uestra uenerabili redundantia indigentiae suae supplementum sperabant, nec ista, ut arbitror, cupiditas turpis est. »
A coup sûr, ces très grands aristocrates à l'éducation raffinée connaissaient fort mal le peuple et ses besoins : ils étaient très déconcertés par ses réactions parfois brutales. Un autre exemple est donné par le désarroi de Mélanie et de Pinien devant la révolte de leurs esclaves de Rome et de sa région qui redoutaient un affranchissement les laissant libres mais sans ressources, ou une vente avec les domaines qui eût pu les faire passer sous le joug d'un maître beaucoup moins bienveillant. « Grand fut leur trouble, écrit naïvement l'auteur de la *Vie de sainte Mélanie*, en voyant s'agiter leurs esclaves dans la banlieue de Rome » (éd. GORSE, *S.C.*, 90, p. 146-147).

79. *Epist.* 126, 11-14, *loc. cit.*, p. 16-18.

80. Rufin, XI, 11 ; Socrate, IV, 30 ; Sozomène, VI, 24 ; Théodoret, IV, 7.

81. AUGUSTIN, *Sermo.* 355, 1 (2) *P.L.*, 39, 1569 ; POSSIDIUS, *Vita Aug.* IV, *P.L.*, 32, 36-37.

à ce prix. En Afrique tout particulièrement, le peuple intervenait pour pousser aux honneurs tel ou tel, pour exiger d'un ¦dignitaire ou d'un riche des prodigalités évergétiques ; les acclamations dans les lieux de spectacle avaient souvent ce sens[82]. Le législateur se préoccupait de ces interventions parfois intempestives qui risquaient de troubler le bon ordre de la vie urbaine et des *cursus* municipaux[83]. La prêtrise chrétienne impliquait, pour le récipiendaire, le don à l'Église d'au moins une partie de ses biens[84] ; s'il était riche, cela pouvait signifier une augmentation substantielle des possibilités de secours aux indigents, aux veuves, orphelins, vieillards entretenus par l'Église. Certes, on l'a dit, Augustin et à sa suite les historiens modernes ont nettement opposé évergétisme et charité : les buts et les bénéficiaires de ces deux formes de générosité étaient différents. Pourtant ici, l'attitude populaire est la même ; l'émeute décrite par Augustin était du type de celles qui se déroulaient dans les théâtres et amphithéâtres. Les fidèles catholiques d'Hippone avaient agi conformément à un principe séculaire : aux riches les honneurs, les magistratures, les sacerdoces, pourvu que, par la pratique de l'évergétisme, ils fassent profiter de leur fortune l'ensemble de la collectivité qui les appelait à ces fonctions. Sans doute, les fidèles d'Hippone savaient-ils que les avantages retirés de la charité de Pinien seraient différents de ceux de la munificence classique : non plus des spectacles, des plaisirs, mais des secours aux plus pauvres. Mais, ceci posé, l'attitude du peuple envers les riches et les notables est semblable et, surtout, les méthodes sont identiques : clameurs, acclamations, tumulte le cas échéant. Augustin se plaignait souvent que la masse des chrétiens peu fervents désertât l'église les jours de spectacle. Tout naturellement, ces gens transposaient dans la communauté chrétienne les comportements et les exigences qui étaient les leurs dans la cité. La société hellénistico-romaine avait fortement privilégié les nobles et les riches, tout en les assujetissant à des obligations très astreignantes. C'est dans cette tradition qu'il faut situer l'attitude des fidèles chrétiens du Bas-Empire à l'égard de leurs clercs. Ce mimétisme est un indice de la vitalité de l'institution municipale prise comme modèle. Il témoigne aussi du fait que l'opposition radicale entre Église et Cité décrite par Augustin était, d'une certaine manière, plus théorique que réelle ; les mêmes hommes constituaient l'une et l'autre société et ils ne changeaient ni de nature ni de mentalité en se rendant du forum à la basilique chrétienne, ceci d'autant plus que les conversions massives avaient beaucoup ôté au baptême son caractère de rupture radicale avec le monde environnant.

---

82. La mosaïque de Smirat (*cf. supra*, n. 40) comporte des inscriptions qui relatent ces cris, ces pressions sur l'évergète. Paul Veyne nomme ces manifestations des « charivaris » du peuple (*Le pain et le cirque, op. cit.*, p. 220-222 ; 230).

83. Ainsi, *C.Th.*, XII, 5, 1 (325) ; voir chapitre III, *supra*, p. 142 et n. 105.

84. Pour le cas d'Augustin lui-même, voir *supra*, n. 74. Ceci valait tout particulièrement pour des clercs moines, comme ceux que formait Augustin, et qui abandonnaient à l'Église toute leur fortune.

III — L'essor de l'Église a-t-il amoindri l'autorité municipale ?

Si l'on ne peut plus affirmer avec les historiens français du XIXᵉ siècle que le clergé remplaça à la tête des villes les curies défaillantes, on peut se demander si la christianisation massive des populations, l'appui du pouvoir impérial, l'accroissement de la fortune des églises, ne donnèrent pas aux évêques une grande puissance temporelle, au détriment des autorités des cités. Le mouvement fut, à coup sûr, freiné en Afrique par la persistance du paganisme dans l'élite urbaine et par le schisme qui déchirait les chrétiens. Or, c'est au temps de l'épiscopat d'Augustin que les mesures impériales portèrent un coup fatal au paganisme et que l'offensive menée par l'évêque d'Hippone et par Aurelius de Carthage amenèrent, surtout après la conférence de 411, un déclin décisif du donatisme. L'église catholique d'Afrique devint dès lors une puissance considérable et elle acquit, grâce à l'autorité d'Aurelius et aux conciles pléniers qu'il présida, une remarquable cohésion. Mais intervint-elle dans le domaine administratif et judiciaire demeuré jusqu'alors l'apanage des autorités municipales ? Le problème se pose en particulier à propos du rôle de juge que Constantin avait attribué aux évêques.

a) Le tribunal épiscopal, concurrent de la juridiction municipale ?

La question de l'*episcopalis audientia* est fort complexe et obscure[85]. La documentation africaine apporte quelques lumières nouvelles sur un problème qui concerne directement notre propos. L'existence dans chaque cité d'un tribunal épiscopal apte à connaître non seulement des conflits religieux et canoniques, mais de toute espèce de procès, impliquait un empiètement grave de l'autorité ecclésiastique sur les prérogatives du pouvoir civil et, d'abord, des magistrats des cités. La juridiction épiscopale existait dès le temps de l'église primitive : saint Paul avait demandé aux chrétiens de faire arbitrer leurs litiges par l'Église et non par les juges publics[86]. Bien entendu, l'évêque devait trancher aussi les conflits proprement ecclésiastiques. Cette juridiction fut officiellement reconnue par Constantin, mais le premier empereur chrétien lui donna sur deux points une extension considérable ; il décida d'abord que les sentences seraient exécutoires sans appel ni aucune voie de recours ;

---

85. Se reporter à la mise au point de Jean Gaudemet, dans *L'Église dans l'empire romain*, Paris, 1958, p. 230-240. Pour l'Afrique et le témoignage d'Augustin, voir l'importante étude de François Martroye, *Saint Augustin et le problème de la juridiction ecclésiastique au Vᵉ siècle*, dans *Mélanges de la Soc. Nat. des Ant. de Fr.*, 7ᵉ série, X, 1910, p. 1-78. Martroye n'avait cependant pas relevé les cas que nous étudions ici.

86. I *Cor.*, VI, 1-8.

il établit d'autre part que l'évêque pourrait être saisi sur la requête d'une seule des parties en cause : il pouvait donc citer à comparaître une partie non consentante et l'*episcopalis audientia* cessait alors d'être une simple procédure d'arbitrage[87]. La raison d'être de ce privilège exorbitant était, a-t-on dit, la volonté d'éviter aux chrétiens la malveillance de juges en grande majorité païens.

Prises au pied de la lettre, ces mesures faisaient de l'Église un état dans l'État. Aucun type de procès n'étant exclu, les évêques pouvaient juger au criminel aussi bien qu'au civil ; ils pouvaient faire comparaître et juger des parties païennes ou, en Afrique, donatistes ; les autorités civiles, municipales ou provinciales, n'intervenaient que pour faire exécuter des sentences sans appel. Cela pouvait aboutir à des situations absurdes : l'obscur évêque d'une médiocre bourgade africaine aurait pu émettre une sentence aberrante, et le proconsul ou le préfet du Prétoire, jugeant au nom de l'empereur, n'auraient pas été habilités à la réformer[88].

Dans les faits, on ne constate rien de tel. Aucun évêque catholique ne cite à comparaître ses adversaires donatistes ou païens devant son tribunal. Les innombrables procès, grands ou petits, auxquels donna lieu la querelle donatiste se déroulèrent toujours devant les instances civiles. On déposait plainte dans les *acta publica* d'une cité, les magistrats municipaux instruisaient l'affaire *in iure* et, si l'affaire dépassait leur compétence, ils envoyaient les parties et le dossier devant le tribunal du gouverneur provincial[89].

Au témoignage des sources, l'Église tenait à trois prérogatives judiciaires. Tout d'abord, elle voulait que ses instances fussent souveraines en matière proprement religieuse, pour tout ce qui touchait le dogme, la

---

87. Ces principes sont connus par deux lois de Constantin : *C.Th.*, I, 27, 1, de 318 et *Const. Sirmondienne*, I, de 333 (éd. Mommsen, *Cod. Theodos.*, t. II, p. 907-908). Ces lois obligent le juge civil à se dessaisir d'une cause si l'une des parties veut porter le litige devant l'évêque. Le document de 333 précise que l'évêque peut être saisi de toute espèce de litige, que la règle de la prescription, valable pour les tribunaux civils, n'a pas cours au tribunal de l'évêque, que les décisions de ce dernier sont sans appel. L'énormité de ces privilèges avait amené Godefroy à supposer que la loi de 333 était un faux, à la manière de la prétendue « donation de Constantin ». Flavigny et Volterra ont suivi Godefroy, mais les auteurs récents estiment qu'il n'y a pas de raison décisive pour mettre en doute l'authenticité de ce texte (*cf.* J. Gaudemet, *op. cit.*, p. 231, n. 3).

88. L'absence de possibilité d'appel eût impliqué que n'importe quel évêque avait les prérogatives d'un *iudex sacrarum cognitionum*, ce qui est totalement aberrant.

89. Sur ces procédures, voir chapitre IV, *supra*, p. 216-222. Vu les rapports exécrables qui régnaient entre évêques catholiques et donatistes, jamais un évêque schismatique ne se serait rendu à une citation de son collègue catholique ; nulle part il n'est fait allusion à une citation de ce genre qui, même à l'égard d'un simple fidèle donatiste et pour une banale affaire civile, se serait révélée impossible. L'*episcopalis audientia* en Afrique n'a jamais été, semble-t-il, qu'une procédure pour régler les différents à l'intérieur d'une communauté chrétienne catholique et, lors des périodes de tolérance, donatiste (sur ce dernier point, voir *infra*, p. 293-294 et n. 106-108).

pratique sacramentelle, l'organisation ecclésiastique[90]. D'autre part, elle demandait que les clercs relevassent exclusivement de tribunaux ecclésiastiques, même quand une action criminelle était engagée contre eux[91]. Ce dernier point fut difficilement admis par la législation impériale[92]. La dernière prérogative exigée par l'Église était la possibilité de recourir à l'évêque comme à un arbitre. Saint Augustin se plaignait du fardeau écrasant que représentaient ces audiences, ces mesquines querelles qu'il lui fallait arbitrer ; il décrit lucidement et sans indulgence l'égoïsme et l'âpreté des plaignants[93]. Pourtant, il conseillait à ses fidèles de recourir au tribunal épiscopal plutôt qu'aux juridictions civiles[94].

Ces trois points demeurèrent, mais on n'a aucune trace dans nos documents (africains ou autres) d'affaires où un évêque aurait cité à comparaître une partie non consentante, en dehors des procès canoniques[95]. Il semble donc que l'Église n'aît pas utilisé le privilège exorbitant accordé par Constantin et que rapidement, dans la pratique sinon dans la loi, l'autorité impériale soit revenue en arrière. Comme l'écrit Jean Gaudemet, cette législation « risquait de dépasser les vœux ou du moins les possibilités des évêques, de provoquer des protestations d'un groupe païen encore nombreux et influent[96] ». Dans son étude détaillée sur ce sujet, François Martroye a montré naguère que la juridiction épiscopale

90. Cette libre juridiction dans les domaines spirituels et canoniques fut reconnue par Gratien, au témoignage de saint Ambroise (*Epist.* 22, *P.L.*, 16, 1003).

91. Ce privilège fut accordé aux évêques par Constance II en 355 (*C.Th.*, XVI, 2, 12) ; il fut ensuite étendu à tous les clercs (*C.Th.*, XVI, 2, 41, de 412 ; *C.Th.*, XVI, 2, 47, de 425). C'est le privilège du for des canonistes médiévaux ; sur les réticences de l'autorité impériale pour la compétence au criminel, voir note suivante.

92. En 376, Gratien rappelait à des évêques qu'une action criminelle ne pouvait être menée que par les juges ordinaires ou extraordinaires (*C.Th.*, XVI, 2, 23) ; en 384, Théodose confirma solennellement le privilège du for, mais il semblait le restreindre aux causes proprement ecclésiastiques (*Const. Sirmond.*, III) ; Valentinien III (*nov.* 25) décida en 452 qu'un laïc pouvait obliger un clerc à comparaître devant le juge civil. L'Église revendiquait un privilège du for sans limite : ainsi, le 9e canon du 3e concile de Carthage (397) affirmait la compétence de la juridiction d'Église à l'égard d'un clerc contre qui était engagée une action criminelle (*Breuiarium Hipponense*, 9, éd. MUNIER, *C.C.*, 149, p. 36). Les réticences impériales sur ce point montrent bien que l'autorité publique était mal disposée à se dessaisir d'une part de sa souveraineté ; ceci incite à interpréter de façon limitative les prérogatives civiles de l'*episcopalis audientia*.

93. *De opere monachorum*, 29, 37, *P.L.*, 40, 576 ; POSSIDIUS, *Vita Aug.*, 19, *P.L.* 32, 50. Voir le commentaire des textes d'Augustin sur la corvée qu'était pour lui cette fonction dans Gustave COMBÈS, *La doctrine politique de saint Augustin*, Paris, 1927, p. 171-175.

94. *En. in ps.* 80, 21, *C.C.*, 39, p. 1133.

95. J. Gaudemet (*op. cit.*, p. 234, n. 89 ; 239-240) estime que c'est le manque d'importance des litiges jugés qui explique le silence des sources. Deux affaires criminelles sont connues : un vol de vêtements destinés aux pauvres, dans une église (S. BASILE, *Epist.* 286) ; l'infanticide commis par une jeune femme de Vérone (S. AMBROISE, *Epist.* 5 et 6) ; mais l'une et l'autre affaire intéressaient directement l'Église.

96. J. GAUDEMET, *op. cit.*, (*supra*, n. 85), p. 233.

se limita aux causes civiles de faible importance, qu'elle n'eut jamais de véritable compétence au criminel et qu'elle ne disposa pas des prérogatives du ministère public[97].

La législation impériale clarifia progressivement la situation Dès 376, l'empereur Gratien déniait toute compétence aux tribunaux d'église en matière criminelle. En 398 en Orient, en 408 en Occident, il fut décidé qu'on ne pourrait recourir à l'*episcopalis audientia* que si les deux parties étaient d'accord pour le faire[98]. La justice civile de l'évêque était désormais officiellement ramenée à la procédure traditionnelle de l'arbitrage privé. La constitution d'Honorius de 408 déclarait : « Comme de simples particuliers peuvent prononcer, sans intervention du juge, entre parties consentantes, nous admettons que la même faculté soit reconnue (aux évêques) qui sont l'objet de notre particulière vénération[99] ». Dès 399, dans un rescrit au proconsul d'Afrique Apollodore, le même Honorius affirmait fort clairement que seules les causes de la religion regardaient les évêques ; les autres litiges étaient du ressort des juges civils[100]. En 452, une novelle de Valentinien III réduisit encore le champ de l'*episcopalis audientia* ; dans le préambule, l'empereur déclarait vouloir mettre fin à toutes les difficultés que cette juridiction avait soulevées. Non seulement le consentement des deux parties était requis, mais elles devaient avoir conclu un compromis préalable. « Il est évident, disait cette loi, que les évêques n'ont pas de juridiction légale et qu'ils ne peuvent connaître, selon les divines constitutions d'Arcadius et d'Honorius insérées au Code Théodosien, des causes autres que celles de la religion[101] ».

Sans doute, la conversion au christianisme des détenteurs de l'autorité publique, accélérée depuis le règne de Théodose, rendait-elle caduque la garantie accordée par Constantin aux chrétiens de pouvoir échapper, par le recours à l'*episcopalis audientia*, à l'éventuelle malveillance d'un juge civil. Toutefois, l'examen du dossier du donatisme nous permet, semble-t-il, d'affirmer que la législation des fils de Théodose et celle de Valentinien III ne faisaient que sanctionner une pratique de jurisprudence qui s'était établie dans le courant du ive siècle[102].

---

97. F. Martroye, *op. cit.* (*supra*, n. 85).

98. Loi d'Arcadius : *C.Just.*, I, 4, 7 ; loi d'Honorius : *C.Th.*, I, 27, 2.

99. *C.Th.*, I, 27, 2 : « Cum enim possint priuati inter consentientes etiam iudice nesciente audire, his licere id patimur, quos necessario ueneramur... ».

100. *C.Th.*, XVI, 11, 1.

101. *Val. III, nou. 25* (éd. Mommsen, *C.Th.*, t. II, p. 142) : « Quoniam constat episcopos forum legibus non habere nec de aliis causis secundum Arcadii et Honorii diualia constituta, quae Theodosianum corpus ostendit, praeter religionem posse cognoscere ».

102. Le concile de Carthage de 397 (canon 10 = canon 15, *C, in causa Apiarii*, éd. Munier, *C.C.*, 149, p. 138) prônait l'arbitrage entre parties consentantes, ce qui montre que l'Église s'était ralliée à cette solution avant les lois de 398 et 408 et n'avait guère cherché à profiter de l'ensemble des possibilités que lui avait données Constantin et qu'on ne pouvait pas, dans les faits, concilier avec le reste du droit en vigueur (*cf.* J. Gaudemet, *op. cit.*, *supra*, n. 85, p. 235, n. 5).

A coup sûr, il ne faut pas retenir l'image d'une juridiction ecclésiastique concurrençant les tribunaux publics et, tout particulièrement, se substituant dans la cité à une autorité municipale défaillante. Nous avons vu l'importance des prérogatives judiciaires des magistrats de la cité, leur rôle capital pour l'enregistrement des plaintes dans les *acta publica*, pour la recherche et la convocation des témoins, la constitution du dossier d'un procès même si, vu l'importance de son enjeu, il devait être jugé par le gouverneur[103]. Sans doute, au niveau de la justice de première instance, celle pour laquelle les magistrats municipaux étaient habilités à rendre des sentences, y avait-il vraiment concurrence. Des plaignants préféraient recourir à l'évêque dont le jugement pouvait passer, s'il avait du prestige, pour plus juste et plus bienveillant. Ils étaient nombreux à Hippone sous l'épiscopat d'Augustin qui se plaignait du temps que cette fonction lui faisait perdre, au détriment de sa tâche pastorale et de son œuvre théologique. Mais nos documents sont muets sur le contenu précis des litiges jugés tant par les duumvirs que par les évêques. On ignore aussi s'il y eut jamais conflit de juridiction, concurrence avouée. Cependant, un exemple du pouvoir judiciaire de l'évêque est donné par saint Augustin dans un sermon : il y décrit l'affranchissement d'un esclave dans l'église. Le maître, qui va procéder à la manumission d'un esclave qu'il veut ainsi récompenser de sa fidélité, l'amène dans l'église. Il lit publiquement l'acte d'affranchissement (*libellus*), il brise les tablettes où était rédigé l'acte de propriété de l'esclave[104]. Ceci est conforme à la loi émise en 321 par Constantin et qui autorisait cette forme d'affranchissement à condition qu'elle ait lieu en présence de l'évêque, qui tenait donc la place du magistrat, témoin habilité de l'affranchissement. Constantin précisait que les esclaves ainsi affranchis recevaient *ipso facto* la citoyenneté romaine, que l'évêque était donc autorisé à conférer, au lieu du magistrat compétent[105].

Dans deux cas il nous a semblé qu'Augustin faisait clairement allusion à des abus commis dans le cadre de la juridiction épiscopale. Il s'agit d'abord d'Optat, évêque donatiste de Timgad de 388 à 398. Ce personnage farouche est dépeint comme un chef de brigands, semant la terreur chez ses adversaires catholiques ou maximianistes, sans que les autorités osent intervenir contre lui[106]. Dans le *Contra litteras Petiliani*, Augustin lui reproche des malversations judiciaires : « Il opprima les veuves, déposséda

---

103. Voir *supra*, chap. IV, p. 218-221.

104. Augustin, *Sermo* 21, 6, *C.C.*, 41, p. 281 : « Seruum tuum manumittendum ducis in ecclesiam. Fit silentium, recitatur libellus tuus, aut fit tui desiderii prosequutio. Dicis te seruum tuum manumittere, quod tibi in omnibus seruauerit fidem... Ut manumittas seruum tuum, frangis tabulas eius. » La précision juridique de cette description est notable.

105. *C.Th.*, IV, 7, 1 : « Qui religiosa mente in ecclesiae gremio seruulis suis meritam concesserint libertatem, eandem eodem iure donasse uideantur, quo ciuitas romana sollemnitatibus decursis dari consueuit ; sed hoc dumtaxat his, qui sub aspectu antistitum dederint, placuit relaxari. »

106. Voir notre notice *Thamugadi* – N. –, n. 106-109.

des pupilles, disposa du patrimoine d'autrui, brisa des mariages, mit à l'encan les biens des innocents et, devant les propriétaires en pleurs, il fit part à deux de leurs prix[107] ». Ces abus de pouvoir et ces prévarications concernent tous des actes de droit civil (tutelle des biens de veuves et d'orphelins, ventes de biens - fonds, testaments, divorces). Ils ne peuvent avoir pour cadre qu'un droit de juridiction utilisé de manière abusive : Optat mésusait de l'*episcopalis audientia*. A notre avis, en effet, les évêques donatistes ont pu exercer cette prérogative durant les périodes où leur église fut tolérée, entre 321 et 347, entre 362 et l'édit d'Honorius de 405 (les lois de Théodose contre les hérétiques n'ayant pas été appliquées aux schismatiques africains). De plus, le soutien total du comte d'Afrique Gildon assurait Optat de l'impunité. Nous avons remarqué dans notre étude sur Thamugadi qu'aucune inscription municipale n'est, dans cette cité, postérieure au règne de Valentinien Ier. Il est possible que, lorsque Timgad devint la forteresse d'une forme très agressive de donatisme, l'autorité municipale y fut fort diminuée ; le vrai maître de la cité était l'évêque schismatique, Optat puis, jusqu'en 421, son successeur Gaudentius. Dans ce cas précis, la juridiction épiscopale aurait donc éclipsé la juridiction municipale[108].

Le second cas d'évêque prévaricateur est celui d'Antonius de Fussala. Ce *castellum* dépendant d'Hippone était situé loin de la ville, dans la montagne ; la population, farouchement donatiste, devint catholique après 411. Augustin y créa un nouvel évêché et le confia à un jeune clerc de son monastère, Antonius, qui était en fonction en 416. Mais il dut être déposé à la suite des plaintes de ses fidèles[109]. On lui reprochait essentiellement des abus de pouvoir (*intolerabilis dominatio* ; *oppressio*) et des vols (*rapinae*)[110]. Il est fort vraisemblable que ces abus furent commis par Antonius au moins autant dans l'exercice de son droit de juridiction que dans son ministère pastoral.

Ces deux cas concernent des évêques indignes et les faits relatés peuvent être tenus pour exceptionnels. Ils n'en témoignent pas moins de l'importance que put avoir l'évêque dans la cité, surtout à partir des conversions massives qui se produisirent à la fin du ive et au début du ve siècle. Incontestablement, son prestige put, dans certains cas, grandir au détri-

---

107. Augustin, *Contra litteras Petiliani*, II, 23 (52-53) éd. Finaert, *B.A.*, 30, p. 290-293 : «... uiduas oppressit, pupillos euertit, aliena patrimonia prodidit, aliena matrimonia separauit, res uendendas innocentium procurauit, uenditarum pretia cum dominis plangentibus diuisit ».

108. Voir notice *Thamagadi* – N. –, n. 105-112.

109. Ces faits sont connus par la *lettre* 209 de saint Augustin (*C.S.E.L.*, 57, p. 347-353) adressée au pape Innocent 1er (401-417) auprès de qui Antonius avait fait appel de sa déposition. Antonius participa au concile de Milev en 416 (parmi les lettres de saint Augustin, *Epist.* 176, *C.S.E.L.*, 44, p. 664).

110. Augustin, *Epist.* 209, *loc. cit.*, p. 349 : «... a castellanis et illius regionis hominibus de intolerabili dominatione, de rapinis et diuersis oppressionibus et contritionibus obiciebatur ».

ment de l'autorité publique. Même réduite à un simple arbitrage de petits litiges civils, l'*episcopalis audientia* retira à l'autorité municipale une certaine partie de son rôle. Mais, nous l'avons vu, cette dernière n'était nullement moribonde, nullement décidée à abdiquer ses prérogatives entre les mains de l'évêque ; cette concurrence resta donc limitée.

b) *Les interventions de l'évêque auprès des autorités et les limites de son influence.*

Nous possédons de nombreux témoignages sur des interventions de saint Augustin auprès des autorités publiques. Les fidèles pensaient que ces démarches en leur faveur étaient inhérentes à la fonction épiscopale : l'évêque était donc vu comme une sorte de patron, ou encore de *defensor plebis*. A la suite d'une série d'auteurs, Gustave Combès croyait encore que la fonction de *defensor* avait été officiellement confiée à des évêques ; il n'en fut rien[111]. Tout au plus, en 409, Honorius agrégea l'évêque au collège électoral chargé de désigner le *defensor*[112]. Les interventions épiscopales étaient donc accomplies à titre privé. On voit ainsi Augustin demander à des gouverneurs d'épargner à des accusés la torture et la condamnation capitale[113]. A coup sûr, un bon nombre de démarches concernaient la fiscalité ; l'évêque était chargé d'aller demander des allègements d'impôts à des *potestates* qu'Augustin ne désigne pas avec précision[114] : il s'agissait des responsables municipaux, les *susceptores* et *exactores* curiaux, mais aussi des intendants des domaines impériaux, des fonctionnaires régionaux ou provinciaux du fisc.

---

111. G. Combès, *La doctrine politique de saint Augustin*, Paris, 1927, p. 320. Sur le *defensor*, voir *supra*, chap. iii, p. 193-194. Assurément, les démarches exigées de l'évêque s'apparentent beaucoup à celles qu'on demandait traditionnellement à un patron ; on constate ici, comme pour l'évergétisme, une transposition caractéristique des institutions et coutumes civiques traditionnelles dans la structure ecclésiastique. Mais c'est toujours la cité qui demeure le modèle, la norme. Le concile d'Afrique de 401 demanda la nomination par l'autorité impériale de défenseurs pour la protection des pauvres, pour que cette tâche ne repose pas trop sur l'Église (*Reg. eccles. Carthag. excerpta*, canon 75, éd. Munier, *C.C.*, 149, p. 202).

112. *C.Just.*, I, 55, 8.

113. On trouvera une analyse de ces interventions dans G. Combès, *op. cit.*, p. 188 à 200. Elles sont d'autant plus remarquables qu'il s'agit, le plus souvent, d'accusés païens ou donatistes qui avaient commis de graves voies de fait contre des catholiques. On trouve dans la *Cité de Dieu*, XIX, 6, une admirable critique de l'usage de la torture.

114. Voir *Sermo.* 302, cité note suivante. Augustin accomplissait aussi des démarches auprès des personnes privées ; ainsi il exigea du propriétaire foncier Romulus qu'il cessât de faire payer à ses colons des redevances doubles de celles qu'ils lui devaient (*Epist.* 247, *C.S.E.L.*, 57, p. 585-589). Les *potestates* du sermon 302 étaient des représentants de l'autorité publique : des propriétaires privés eussent plutôt été appelés *potentes*.

Quel qu'en fût l'objet, ces nombreuses démarches semblaient pénibles à Augustin. Dans le sermon 302, il supplia ses fidèles de ne pas lui imposer sans cesse cette corvée. Il devait, disait-il, faire antichambre ; on faisait entrer des visiteurs plus ou moins dignes de passer avant lui ; parfois, il était reçu en coup de vent ; il fallait supplier, supporter des humiliations, parfois s'en aller tristement sans avoir rien obtenu. Les fidèles s'impatientaient : ne l'avaient-ils pas chargé d'une intervention qu'ils jugeaient décisive ? Augustin devait leur avouer avec gêne qu'il avait accompli la démarche, mais que le responsable concerné n'avait pas voulu l'écouter. « Laissez-moi en paix, disait-il aux fidèles, ne nous imposez pas cette charge, ne nous forcez pas à subir ces humiliations, accordez nous cette faveur, laissez nous libre de ce fardeau. Nous vous en prions, nous vous en conjurons, que personne ne nous y contraigne : nous ne voulons pas avoir de conflit avec les autorités[115] ».

Ce texte est d'un immense intérêt. Il montre, de façon indubitable, les limites de la christianisation de la cité africaine au temps de Théodose et de ses fils. Les rebuffades qu'Augustin devait essuyer de la part des autorités d'Hippone et qui faisaient tant souffrir sa sensibilité aiguë manifestent qu'un évêque, fût-il particulièrement prestigieux, n'était à l'époque qu'une personnalité au prestige limité que magistrats municipaux et fonctionnaires impériaux pouvaient facilement éconduire et rabrouer[116].

Bien entendu, ce témoignage d'Augustin montre fort clairement l'inanité de la théorie rappelée au début de ce chapitre et soutenue au siècle dernier par Fustel de Coulanges : l'évêque substituant au Bas-Empire son autorité à celle des magistrats municipaux disparus. Mais nous devons aussi constater, à la lumière de ce texte, que le développement de l'*episcopalis audientia* n'avait pas été tel que l'évêque pût, par sa puissance et son

---

115. AUGUSTIN, *Sermo.* 302, *P.L.*, 38-39, 1391-1392 : « Saepe de nobis dicitur : Iuit ad illam potestatem ; et quid quaerit episcopus illa potestate ? Et tamen omnes nostis quia uestrae necessitates nos cogunt uenire quo nolumus, obseruare, ante ostium stare, intrantibus dignis et indignis expectare, nuntiari, uix aliquando admitti ; ferre humilitates, rogare, aliquando impetrare, aliquando tristes abscedere. Quis uellet haec pati nisi cogeremur ? Dimittamur, non illa patiamur, nemo nos cogat : ecce concedatur nobis, date nobis ferias huius rei. Rogamus uos, obsecramus uos, nemo nos cogat : nolumus habere rationem cum potestatibus. Scitis si monuinus ? Nescitis siue fecerimus siue non fecerimus. Hoc noui, quia nescitis, et temere iudicatis. Tamen, fratres mei, obsecro uos, de potestatibus potest dici mihi : Moneret illum et bona faceret. Et respondeo ego : Monui, sed non me audiuit ». Le texte est d'une véhémence frémissante. Visiblement, l'humiliation subie a beaucoup fait souffrir la sensibilité d'Augustin. Il s'agit d'un problème précis, que les auditeurs devaient bien connaître mais qu'Augustin n'expose pas : il ne veut pas mettre en cause publiquement l'autorité et c'est, pensons nous, cette attitude qui fait qu'on ne trouve guère, dans son œuvre, de renseignements précis sur la vie municipale à Hippone (voir notre notice *Hippo Regius* - P. -, où nous avons déjà présenté ces textes comme documents sur la vie de la cité).

116. Tout particulièrement s'il s'agissait de questions fiscales, matière pour laquelle l'autorité impériale était fort rigoureuse,

prestige dans la cité, jouer sur place un rôle déterminant et, sinon remplacer, du moins concurrencer sur leur propre terrain les autorités civiles.

Il y eut sans doute des exceptions, nous l'avons vu, dans certains cas
aberrants tels ceux d'Optat de Thamugadi ou d'Antonius de Fussala ;
malgré son immense prestige personnel, ce ne fut pas le cas d'Augustin
à Hippone[117]. Dans sa ville, certains pensaient qu'un autre intercesseur
serait plus efficace ; ainsi, deux décurions d'Hippo Regius, Félix et
Quintus, préférèrent solliciter la protection du chef de la réaction païenne,
Symmaque, auprès du proconsul d'Afrique Apollodore (399-400)[118].

On connaît cependant un cas exceptionnel. En 379 ou 380, la cité de
Césarée envoya comme ambassadeur auprès du *comitatus* impérial l'évêque
de la ville, Clément, pour solliciter une rémission d'impôt, vraisemblablement la dispense d'avoir à payer l'or coronaire pour l'avènement de
Théodose, eu égard aux malheurs récents de la ville, ravagée par Firmus
quelques années plus tôt. Le plus étonnant est que cette démarche est
connue par une lettre de recommandation de Symmaque, adressée à son
frère Titianus Celsinus, alors vicaire d'Afrique[119]. Des ambassades municipales de ce type étaient chose fréquente ; ce qui est singulier, c'est d'en
avoir confié la charge à un évêque. Sans doute Clément avait-il été choisi
à cause de ses brillantes relations qui lui permirent de se faire recommander auprès du futur préfet de la Ville, en dépit de son hostilité bien connue
envers le christianisme.

Quelques cas particuliers mis à part, on ne peut qu'approuver la
formule lapidaire de Jean Gaudemet : « L'évêque reste une personne
privée[120] ». L'État et les autorités municipales gardent leurs prérogatives
et ne songent pas à s'en dépouiller à son profit. Les multiples intercessions
de l'évêque ne sont que le prolongement de sa mission charitable et les
autorités ne sont nullement obligées d'en tenir compte. Souvent, elles
n'en avaient pas la possibilité : si les *exactores* de la curie d'Hippone
avaient accepté des remises d'impôts, ils eussent payé cher ces générosités
inconsidérées, puisqu'ils étaient responsables sur leurs propres biens
des rentrées fiscales[121].

---

117. C'est net quand on constate la difficulté qu'il eut à obtenir une aide, même
restreinte, de l'autorité municipale dans sa lutte contre le donatisme (*cf. infra*,
p. 399-400 et n. 124-131).

118. Symmaque, *Epistolae*, IX, 51, éd. Seeck, *M.G.H.*, *A.A.*, VI, 1, p. 251.
Symmaque dit que ces deux curiales lui étaient recommandés par des hommes
éminents (*summatibus uiris interuenientibus*). Peut-être Félix, Festus et leurs
protecteurs, à coup sûr des sénateurs romains, appartenaient-ils au parti païen.
Sur le proconsul Apollodore, *cf.* Pallu, *Fastes*, II, p. 113-114.

119. Symmaque, *Epistulae*, I, 64, éd. J.-P. Callu, *Coll. des Univ. de Fr.*, p. 121-
122. Symmaque dit non sans humour, dans cette lettre, que son frère sera fort
étonné de le voir recommander un évêque. Sur ce texte, voir notre notice *Caesarea*
– M.C. –, n. 28-34.

120. J. Gaudemet, *L'Église dans l'empire romain*, Paris, 1958, p. 351.

121. Je suggère, sous toute réserve, d'interpréter ainsi la démarche suivie d'un
échec évoquée par Augustin dans le *Sermo* 302 (*supra*, n. 115).

Nous devons donc constater que, sur tous les points, l'intégration de l'Église dans la communauté civique était loin d'être réalisée en Afrique au temps de saint Augustin. Tant au niveau du droit et des institutions qu'à celui des croyances et des mentalités, un large fossé subsistait. La vitalité, constatée à maintes reprises, de la cité traditionnelle impliquait le maintien d'un genre de vie et d'une conception de la société pré-chrétiens. A bien des égards, la nouvelle religion continuait à faire figure de corps étranger. Pourtant, dès les années 360, l'évêque Optat de Milev avait affirmé que « l'Église était dans l'État, c'est-à-dire l'empire romain » (*ecclesia est in re publica, id est imperium romanum*). Il polémiquait contre les donatistes qui affirmaient que l'Afrique, seule région où se trouvait, selon eux, la véritable Église, était la nouvelle Terre Sainte. Optat leur répondait que la nouvelle Terre Sainte, c'était l'empire romain, où brillaient des vertus qu'on ne trouvait pas chez les barbares et qui permettaient à l'Église de prospérer[122]. Comme la théologie politique d'Eusèbe de Césarée, cette formule a permis à des historiens modernes de définir l'empire post-constantinien comme un régime de chrétienté. On le voit, l'examen précis de la situation concrète africaine oblige à contester radicalement ces vues souvent admises.

Pourtant, l'Afrique pouvait paraître destinée à une intégration de l'Église dans la cité plus rapide qu'ailleurs en Occident. Le christianisme s'y était répandu plus vite ; la vieille religion ancestrale, le culte de Baal-Saturne, avait connu un rapide déclin dans la seconde moitié du IIIe siècle, et des populations entières étaient passées à la religion nouvelle, notamment dans les campagnes[123]. Comme nous l'avons vu dans le précédent chapitre, les cités africaines n'avaient pas attendu la conversion de Constantin pour pratiquer une large tolérance à l'égard des chrétiens. Mais, comme ailleurs, la christianisation des institutions, de la société, des mentalités, se révéla très ardue. Deux faits spécifiques ont aussi freiné la réunification de la cité dans le cadre d'une civilisation chrétienne ; tout d'abord, l'attachement très durable de l'élite urbaine au paganisme, que nous avons pu rapprocher à plusieurs reprises de la réaction païenne dans le Sénat romain ; d'autre part, le schisme donatiste. La désunion crée la faiblesse, et les chrétiens d'Afrique au IVe siècle étaient désunis de manière aiguë : ils songeaient plus à leurs différends qu'à une christianisation des structures sociales.

Certes, le donatisme ne fut pas la force de contestation de l'ordre politique et social romain que des historiens modernes ont cru pouvoir discerner. Sans doute fut-il, durant la plus grande partie de la période, largement toléré par les autorités et il compta en son sein de nombreux notables

---

122. OPTAT DE MILEV, *Contra Parmenianum donatistam*, III, 3, éd. ZIWSA, C.S.E.L., 26, p. 74.

123. M. LEGLAY, *Saturne Africain, Histoire*, Paris, 1966, p. 487.

et propriétaires fonciers[124]. Il n'en reste pas moins que, même tolérée, cette église qui rassemblait une très large partie des chrétiens africains ne bénéficia pas de la bienveillance des autorités impériales. Sa situation fut en gros semblable à celle des églises au temps de la tolérance instaurée par Gallien et que Dioclétien interrompit en 303. Les donatistes se croyaient la communauté des Saints et des Purs, à l'abri d'un monde mauvais. Ils voulaient demeurer en tout fidèles à la tradition préconstantinienne et refusaient toute nouveauté. Certes, les attaques violentes de leurs chefs contre l'état romain furent rares, et limitées à des périodes de crise grave. De plus, les circoncellions ne représentaient qu'une aile extrémiste et fanatique de l'église de Donat[125]. Il n'en reste pas moins que l'attitude et la situation des donatistes ne les préparaient nullement à une réelle intégration civique.

Les autorités municipales eurent tendance à demeurer neutres dans le conflit des deux églises. Cette conduite était sage et prudente, car donner des gages à l'un ou l'autre parti eût suscité sur place de graves difficultés dont la cité eût de toute manière pâti. Nul doute que le paganisme en profita. Le conflit était si âpre que mieux valait, pour un donatiste ou un catholique, avoir affaire à un curateur ou un duumvir païen qu'à un magistrat membre de l'église ennemie[126]. Cantonnée dans le domaine profane par l'interdiction du paganisme officiel, l'autorité municipale pouvait apparaître comme un arbitre, un terrain neutre. Un épisode advenu au début de l'épiscopat d'Augustin le montre bien. L'évêque d'Hippone voulut déposer une plainte contre son rival donatiste Proculeianus à qui il reprochait d'avoir rebaptisé une jeune brute qui terrorisait et menaçait de mort sa mère, restée catholique[127]. Augustin se heurta à une fin de non-recevoir de la part d'un dignitaire nommé Eusebius, un *honoratus* qui avait été gratifié de la qualité de clarissime. De toute évidence, ce personnage était le curateur de la cité[128]. Dans sa

---

124. Selon l'expression de Peter Brown, le donatisme, dans la seconde moitié du IVe siècle, « constituait en Numidie l'église établie » (*La vie de saint Augustin*, p. 267).

125. Voir chap. II, *supra*, p. 92-96.

126. Cette hypothèse ne repose pas sur des documents, mais elle me paraît logique. Bien entendu, aucun des deux antagonistes ne pouvait le reconnaître publiquement, mais il est évident que les deux églises, toutes à leur querelle, ne faisaient nullement front commun contre le paganisme.

127. AUGUSTIN, *Epist.* 34 et 35, *C.S.E.L.*, 34, 2, p. 23-31. Augustin devait passer par l'intermédiaire de l'autorité publique, car Proculeianus refusait de le recevoir et même de lire ses lettres.

128. *Epist.* 34, *loc. cit.*, p. 25 : *... clarissima dignitate praeditum*, c'est-à-dire gratifié de, doté de la dignité clarissime. Cette expression implique qu'Eusebius n'était pas un clarissime de naissance, mais un *honoratus*, ce qui exclut qu'il ait été, comme le supposait P. Monceaux, le légat de la Numidie Proconsulaire (*Hist. lit. Afr. chrét.*, t. 7, p. 134 et 138). Augustin lui demandait l'insertion d'un procès-verbal dans les *acta municipalia* d'Hippone, ce qui n'était nullement du ressort du légat. Sa qualité de clarissime excluant qu'il fût duumvir, Eusebius était donc *curator rei publicae*. Sur cette question, voir notice *Hippo Regius – P. –*, n. 30-35.

réponse, Eusebius disait ne pas vouloir « être juge entre des évêques[129] ». Dans une seconde lettre, Augustin précisa qu'il ne demandait qu'une chose : qu'un procès-verbal de l'affaire en litige fût consigné dans les *acta publica* d'Hippone. Il disposerait dès lors d'une pièce officielle dont ses adversaires ne pourraient pas contester la valeur. Le droit était formel, on ne pouvait lui refuser cette procédure dans une cité romaine[130]. Dans la suite de la lettre, Augustin accusait Eusebius de favoriser les donatistes, sans dire qu'il était membre de la secte ; de toute évidence, il était païen mais il ne voulait pas s'attirer l'inimitié de cette communauté, particulièrement influente à Hippone. Sa prudente réserve est significative, selon nous, du désir des autorités municipales de rester le plus possible en dehors du conflit[131].

La cité n'étant pas juge et partie, nous voyons Augustin et le concile de Carthage tenter d'utiliser l'organisme municipal comme un lieu de rencontre avec les donatistes. En 403, le concile plénier d'Afrique décida que des entrevues officielles entre les évêques des deux églises seraient

---

129. *Epist.* 35, *loc. cit.*, p. 29 : « ... recusanti uoluntati tuae iudicium, sicut dicis, inter episcopos subeudum... »

130. *Epist.* 35, *loc. cit.*, p. 29 : « Aut, si male facio, per tuam beneuolentiam ista corrigenda curare, de me nullus quaeratur, si haec illi perferri in notitiam per codices publicos fecero, qui mihi negari, ut arbitror, in romana ciuitate non possunt. » La possession du document officiel éviterait à Augustin d'être accusé de mensonge par ses adversaires, puisque Proculeianus lui-même ne récusait pas l'administration municipale (« quando etiam apud ipsam Hipponem iam dicitur non hoc Proculeianum mandasse quod publicum renunciauit officium » ; *Epist.* 34, *loc. cit.*, p. 25). Ce dernier point est fort significatif du fait que l'administration de la cité (*publicum officium*) restait relativement neutre dans le conflit, tout en ménageant le parti le plus fort, c'est-à-dire, à Hippone à cette époque, les donatistes.

131. *Epist.* 35, *loc. cit.*, p. 27 : « Quod quidem etiam, si suadere uoluissem, possem fortasse facile ostendere quam ualeas iudicare inter nos in tam manifesta atque aperta causa et quale sit illud, quod facis, ut non auditis partibus iam ferre non dubites pro una parte sent潦iam, qui iudicium reformidas. » Augustin accuse Eusebius de partialité : sans avoir écouté les parties en présence, il penche en faveur de l'une d'elles (les donatistes), lui qui dit redouter de prononcer un jugement. Bien entendu, il ne peut être le légat du proconsul, à qui Augustin ne pourrait se permettre d'adresser des critiques aussi sévères et formulées aussi sèchement. Sans doute pouvait-il être véhément à l'égard d'un dignitaire municipal, mais il n'en demeure pas moins que cet épisode constitue encore une rebuffade essuyée par Augustin de la part de l'autorité de la ville, comme dans le cas évoqué dans le *Sermo* 302 (*supra*, n. 115). Il en ressort clairement qu'un évêque pouvait être encore, dans la cité, une personnalité de second plan. Le plus douloureux de ces échecs d'Augustin eut lieu en 413, quand son ami Marcellinus, le président de la conférence de 411, fut accusé de complicité dans la révolte du comte d'Afrique Heraclianus, sommairement jugé et exécuté, malgré les interventions les plus pressantes de l'évêque d'Hippone (AUGUSTIN, *Epist.* 151, *C.S.E.L.*, 44, p. 382-392). Peter Brown écrit justement que « cela montrait combien l'église catholique officielle d'Afrique était peu capable de se faire respecter de la société dans laquelle elle vivait... Augustin avait perdu tout enthousiasme pour l'alliance entre l'Empire romain et l'Église, au moment précis où elle venait d'être effectivement scellée » (*Vie de saint Augustin*, trad. franç., p. 399-400).

organisées dans les cités, en présence des magistrats[132]. La mauvaise volonté des donatistes qui, non sans raison, flairaient le piège, fit échouer l'opération ; mais, si la procédure échoua, il est fort significatif qu'elle ait été tentée.

Ainsi, le christianisme divisa la communauté civique au lieu de l'unir sur des bases nouvelles. Pour maintenir une certaine cohésion, l'autorité municipale ne pouvait que maintenir les valeurs traditionnelles héritées du paganisme et, tout en se cantonnant dans les affaires profanes, garder une stricte neutralité.

Nous devons donc constater que l'Église, dans l'Afrique du Bas-Empire, a fort peu empiété sur les prérogatives de l'autorité publique, sur le plan municipal en particulier. Au reste, si l'on en croit Augustin, elle ne le désirait pas ; rien n'était plus étranger à sa pensée que l'idée d'une prise du pouvoir temporel par les évêques. Il ne revendiquait nulle puissance sur la cité séculière et il manifesta toujours un grand respect des prérogatives de l'autorité civile, dans son domaine[133]. Il cherchait seulement à amener individuellement, par la persuasion, les détenteurs de la puissance publique à exercer leur mandat avec plus de justice et de douceur[134]. Un exemple fort caractéristique de cette volonté d'éviter les empiétements des clercs dans le domaine politique est la lettre qu'Augustin envoya, dans sa vieillesse, à un jeune évêque nommé Auxilius, dont nous ignorons le diocèse[135]. Cet Auxilius avait excommunié avec toute sa famille un haut fonctionnaire nommé Classicianus, qui possédait les titres de *uir spectabilis* et de *comes*, parce que ce dignitaire avait arrêté des délinquants qui avaient cherché asile dans l'église[136]. Classicianus avait reproché à l'évêque Auxilius d'avoir abrité des hommes coupables de parjure. La lettre d'Augustin est très sévère. Il reproche à son jeune collègue son inexpérience et son manque de maîtrise de soi, de même qu'il l'accuse d'avoir outrepassé ses droits canoniques. Dans une lettre au comte Classicianus, Augustin promet d'agir auprès du concile d'Afrique et, s'il le faut, auprès du Siège Aposto-

---

132. *Regest. eccles. Carthag. excerpta*, canons 67 et 91, éd. Munier, C.C., 149, p. 199-200 et 210. P. Monceaux, *Hist. litt. Afr. chrét.*, t. 4, p. 280-284.

133. Sur la conception augustinienne de l'État, on peut toujours se reporter au livre classique de Gustave Combès, *La doctrine politique de saint Augustin*, Paris, 1927. Le livre remarquable de R. A. Markus, *Saeculum, History and society in the theology of St Augustine*, Cambridge, 1970, complète fort utilement l'étude de Combès, sur le plan philosophique et théologique.

134. Voir Combès, *op. cit.*, p. 181-200. Augustin ne ménagea pas, cependant, ses critiques à la justice humaine ; l'ordre temporel était, pour lui, ambigu et lié à un monde déchu, inhérent à la nature pécheresse, mais l'Église ne pouvait se substituer à lui sans hériter de ses tares.

135. *Epist.* 250, C.S.E.L., 57, p. 593-598.

136. On ne peut déterminer les fonctions de ce *comes* ; ses prérogatives semblent avoir été judiciaires (peut-être par le biais fiscal). Sa dignité de *spectabilis* impliquait le rang de *comes primi ordinis* ; il s'agissait donc d'un haut dignitaire.

lique, pour faire lever l'excommunication[137]. On le voit, il ne cherchait pas à utiliser le droit d'asile dans les églises aux dépens des prérogatives de l'État. Ce respect de la souveraineté de l'autorité publique dans son ordre a été souvent exprimé par Augustin. Particulièrement net est le chapitre 17 du livre III de la *Cité de Dieu* : c'est par les lois de la cité terrestre que s'administre tout ce qui a trait à cette vie mortelle ; durant son pélerinage terrestre, l'Église obéit à ces lois et, dans ce qui concerne les intérêts présents, elle veille à conserver la bonne harmonie entre elle et la cité terrestre[138]. Elle reste cependant lucide quant aux injustices et aux carences qui entachent cet ordre terrestre, imparfait et marqué par le péché.

On le constate, cette doctrine serait incompatible avec une volonté de supplanter les responsables civils, au niveau de l'Empire aussi bien que sur le plan de la cité.

IV — LA CITÉ DE DIEU ET LA CITÉ SÉCULIÈRE

La cité antique païenne avait constitué un univers pleinement cohérent. Les divers aspects de sa vie, la politique et les rapports sociaux mais aussi la religion et la culture, constituaient un tout solidaire. Les chrétiens avaient rompu cette unité en se disant eux-mêmes étrangers dans la Cité, et ce fut une des causes essentielles des persécutions. Depuis Constantin, l'Église et la Cité coexistaient pacifiquement. De plus en plus, à mesure de la progression des conversions, les fidèles de l'une et les citoyens de l'autre étaient les mêmes personnes. Pourtant, nous l'avons constaté, les deux entités demeuraient profondément distinctes et même, sur certains plans, opposées. L'étude des cités romano-africaines du Bas-Empire oblige l'historien à constater que les contemporains d'Augustin, même s'ils étaient chrétiens, ne vivaient pas dans un système de chrétienté, dans cet univers stable, perçu comme cohérent, cet ordre collectif fondé sur des valeurs morales et culturelles unanimement admises que décrivent les historiens pour le temps de saint Louis ou l'âge

---

137. *Epist.* 250 A, *C.S.E.L.*, 57, p. 598-599.

138. *Cité de Dieu*, XIX, 17 : « Ac per hoc dum apud terrenam ciuitatem, uelut captiuam uitam suae peregrinationis agit, ... legibus terrenae ciuitatis, quibus haec administrantur quae sustentandae mortali uitae accomodata sunt, obtemperare non dubitat... ut, quoniam communis est ipsa mortalitas seruetur in rebus ad eam pertinentibus inter ciuitatem utramque concordia. » On note, dans ce passage, une assimilation indéniable de l'Église de la terre et de la Cité céleste, de l'État et de la Cité terrestre, assimilation qui ne rend pas compte de la véritable pensée augustinienne sur ce sujet, longuement développée ailleurs (*cf. infra*, p. 406-408 et n. 151-155).

baroque[139]. Même quand il devint, à partir du règne de Théodose, la religion officielle et presque obligatoire de l'Empire, le christianisme eut beaucoup de mal à constituer un ciment civique. Le droit et les institutions aussi bien que l'éducation et la culture lui restaient étrangers. Les Pères de l'Église continuaient de fustiger les fêtes et plaisirs traditionnels de la communauté urbaine et jusqu'à l'idéal civique qui animait ses chefs. Deux « cités » coexistaient de fait, dans une ville africaine du temps de saint Augustin.

On peut cependant se demander si cette situation n'était pas en voie de transformation profonde durant le premier tiers du ve siècle. Les conversions massives (et plus ou moins sincères) au christianisme, suscitées par les mesures anti-païennes de Théodose et de ses fils puis, à partir de 411, la déroute du donatisme, amenèrent la montée d'une nouvelle unanimité autour du christianisme catholique. Parallèlement, les dons et les legs permettaient à l'Église de se constituer un vaste patrimoine. Chefs spirituels (au moins nominaux) de l'ensemble de la communauté, disposant d'importantes ressources, les évêques devenaient des notables de plus en plus importants dans les cités ; les autorités civiles allaient donc de moins en moins pouvoir les rabrouer lors de leurs interventions, comme ce fut encore le cas à Hippone pour Augustin. Ajoutons que bien des collègues de ce dernier devaient être beaucoup moins sensibles que lui à l'opposition radicale entre l'idéal civique et l'idéal chrétien qu'il exposait si brillamment ; seul un intellectuel pouvait systématiser ainsi des antithèses qui allaient se révéler de plus en plus forcées, car la réalité humaine qu'elles exprimaient était en voie d'unification. Au début du ive siècle, à Abthugni, nous avons vu l'évêque Félix et le duumvir Alfius Caecilianus parvenir à un *modus vivendi* qui assurait la paix publique et évitait les horreurs de la persécution[140]. Leurs successeurs, un siècle plus tard, pouvaient aller plus loin et, au prix de concessions mutuelles, reconstituer l'unité morale de la communauté civique. En bref, la chrétienté n'était pas réalisée, mais elle était en vue. L'invasion vandale brouilla les cartes, mais elle accéléra peut-être le processus puisqu'elle regroupa dans une haine commune de l'envahisseur germanique et arien les tenants de l'idéal civique romano-africain et ceux de la foi catholique.

Quoi qu'il en soit, cette évolution était loin d'avoir profondément modifié les données du problème lors de l'arrivée des barbares. Nous avons vu les témoignages nombreux et significatifs qu'Augustin nous a transmis sur la persistance de la mentalité païenne au ve siècle. En 421 encore, les chrétiens de Carthage devaient renoncer, à cause des pressions de l'opinion païenne, à conserver l'usage de l'ancien temple de

---

139. Ainsi pour le xviie siècle, Pierre Chaunu, dans son ouvrage *La civilisation de l'Europe classique*, Paris, 1966.

140. Chap. vii, *supra*, p. 338-341.

Caelestis qu'ils avaient transformé en église[141]. A cette époque, Augustin était déjà un homme âgé ; né en 354, il avait vécu jusqu'à l'âge mûr dans un monde où le christianisme était resté une réalité relativement marginale par rapport à la cité. La tendance à l'unanimité religieuse qu'il vit dans la dernière partie de sa vie l'incita à accepter l'entrée dans l'Église de chrétiens à la conviction douteuse[142] et à juger souhaitables les mesures de coercition religieuse prises par l'autorité politique[143]. Mais cette doctrine ne l'amena pas à modifier fondamentalement sa position sur les rapports de l'Église et de l'État et leurs fonctions respectives. C'est ce qui ressort de la *Cité de Dieu*, qu'il écrivit de 411 à 425. Dans ce grand ouvrage, Augustin voulait montrer à ses contemporains, traumatisés par la prise de Rome en 410 et les malheurs des invasions, que le Royaume de Dieu ne saurait se confondre avec un état ou une société quelconques : le dessein de Dieu sur l'histoire humaine transcende de très haut les aléas que nous pouvons voir dans notre courte vie et la compréhension très limitée que nous avons du devenir humain. Du coup, apparaissait clairement l'inanité de la formule naïve d'Optat de Milev, « l'État n'est pas dans l'Église, c'est l'Église qui est dans l'État, c'est-à-dire l'Empire romain ». On trouve déjà l'ébauche de cette réflexion dans les lettres écrites par Augustin à ces païens lettrés et patriotes municipaux qu'étaient Maxime de Madaure et Nectarius de Calama. Nous avons vu comment ces deux correspondants témoignaient du maintien, au temps d'Augustin, de l'idéal du patriotisme municipal, étroitement lié à la religion traditionnelle[144]. Pour Maxime de Madaure, le forum de sa cité « possédait la présence de forces divines salutaires[145] ». Pour Nectarius de Calama, lecteur du *Songe de Scipion* de Cicéron, les bons serviteurs de la patrie terrestre étaient récompensés au-delà de la mort par une promotion à la patrie céleste et vivaient avec Dieu[146]. Ces païens discernaient fort bien ce qui était, selon eux, une grave carence du christianisme, l'impossibilité où il se trouvait d'intégrer l'idéal et les valeurs de la cité antique. Augustin répondait à Nectarius que ses louables dispositions patriotiques feraient de lui un bon citoyen de la Cité de Dieu. Tout en

---

141. QUODVULTDEUS, *Livre de promesses et de prédictions de Dieu*, III, 38 (44), éd. R. BRAUN, *S.C.*, 102, p. 574-579, *C.C.*, 60, p. 185 ; *cf.* notice *Karthago*, n. 123-130 et *supra*, chap. VII, p. 356-357.

142. Particulièrement significatif est le *Sermo « Morin »* 1, prononcé à Carthage en 401 (*P.L.S.*, 2, 657-660 ; notice *Karthago*, n. 117-120).

143. Sur cette question, voir Peter BROWN, *St. Augustine's attitude to religious coercion*, dans *J.R.S.*, 1964, p. 107-116 (étude reproduite dans *Religion and Society in the age of saint Augustine*, Londres, 1972, p. 260-278). Sur la liquidation du donatisme, voir E. TENGSTRÖM, *Donatisten und Katholiken*, p. 165-184.

144. Voir *supra*, chap. VI, p. 293-295 et VII, p. 357-359.

145. Parmi les lettres d'Augustin, *Epist.* 16, *C.S.E.L.*, 34, 1, p. 37 ; texte cité *supra*, chap. VII, p. 357, n. 114bis-117.

146. Parmi les lettres d'Augustin, *Epist.* 103, *C.S.E.L.*, 34, 2, p. 579 ; texte cité *supra*, chap. VII, p. 358 et n. 121. Cette réflexion est inspirée de CICÉRON, *De Republica*, VI, 26.

polémiquant contre le paganisme, il ne récusait nullement la légitimité de l'amour de la cité, mais il est certain que sa position était bien moins simple et cohérente que celle de ses correspondants. De fait, l'attitude chrétienne était beaucoup plus difficile, beaucoup plus ambiguë. Comme l'a dit Henri Marrou, l'empire chrétien possédait une « structure bipolaire », entraînant « un véritable schisme dans l'âme[147] ... qui, au-delà du niveau des institutions, atteignait celui des consciences que nous saisissons souvent comme déchirées entre deux fidélités également exigeantes mais contradictoires[148] ». Ceci valait non seulement au niveau de l'Empire, seul envisagé par Augustin dans la *Cité de Dieu*, mais aussi à l'humble niveau municipal, celui du patriotisme local exalté par Nectarius, dans les régions telle l'Afrique où subsistaient les structures et l'idéal de la cité traditionnelle.

Pourtant Gustave Combès, dans son livre sur la doctrine politique de saint Augustin, avait affirmé que ce dernier ne pensait jamais à la petite patrie, la cité locale, quand il évoquait les notions de *patria*, de *ciuitas* ; il s'agissait toujours de Rome, de l'Empire. De fait, les références à la cité terrestre dans le *De ciuitate Dei* sont prises à l'histoire romaine, vue à travers Tite-Live ou Cicéron. « La patrie dont il parle n'est ni Calama, ni Hippone, ni l'Afrique, c'est celle qu'a célébrée Cicéron », écrit Combès à propos de la correspondance d'Augustin avec Nectarius de Calama, où il n'est pourtant question, nous venons de le voir, que de la petite patrie, la cité[149]. Assurément, Combès était tributaire de l'historiographie de son temps, qui décrivait une vie municipale décadente et presque disparue au Bas-Empire ; il n'avait donc nullement une vision claire de la réalité civique vivace, tout imprégnée d'une mentalité pré-chrétienne, à laquelle l'évêque d'Hippone se trouvait confronté. Augustin n'a jamais approché le pouvoir impérial, contrairement à un Ambroise de Milan. A Thagaste dans son enfance près de son père décurion, à Carthage comme étudiant puis comme rhéteur municipal, enfin à Hippone, il a passé presque toute sa vie dans les cités de l'Afrique Proconsulaire. C'est dans ce cadre municipal et provincial qu'il a acquis toute son expérience de la vie publique et sociale. Il est donc impossible que sa pensée et son comportement n'en aient pas reçu une profonde empreinte.

Cependant, l'historien de l'Afrique du Bas-Empire est déçu par la très grande rareté, dans la *Cité de Dieu*, d'exemples concrets pris dans l'expérience vécue d'Augustin. Le livre est rédigé selon les principes de la rhétorique antique et donc illustré par des citations des auteurs classiques qu'on suppose avoir une valeur universelle. C'est particulièrement déroutant quand la polémique contre le paganisme vise des aspects archaïques

---

147. L'expression est d'Arnold J. Toynbee.

148. J. DANIÉLOU et H.-I. MARROU, *Nouvelle Histoire de l'Église*, t. 1, Paris, 1963, p. 285.

149. G. COMBÈS, *op. cit.*, p. 230-231.

de la religion romaine, décrits d'après Varron qui les avait lui-même,
près d'un demi-millénaire plus tôt, exposés en antiquaire. De même,
les exemples politiques sont pris à la Rome des origines ou de l'époque
républicaine ; on ne trouve que très peu de renseignements sur le Bas-
Empire ou sur le néo-paganisme syncrétiste de la nouvelle religiosité[150].

Pourtant, nous pensons pouvoir affirmer que le contexte africain, et
particulièrement celui de la vie des cités, éclaire des aspects importants
de la pensée d'Augustin sur l'État.

On connaît la perspective dualiste de la *Cité de Dieu*. La *ciuitas Dei*
rassemble les élus, au long de son pélerinage terrestre, vers son triomphe
définitif eschatologique. La *ciuitas terrena* est toute à son orgueil, son
égoïsme, sa volonté de domination ; elle chemine vers la perdition.
Toutefois, ces deux cités ne sauraient être assimilées à des réalités humaines
empiriques données. L'Église de la terre n'est pas la Cité de Dieu, car
elle comprend dans son sein des pécheurs. L'état romain n'est pas la
cité du mal, car il a prôné des vertus ou des valeurs ordonnées à la cité
divine. Ici-bas, les deux cités sont mêlées (*permixtae*) et seul le jugement
eschatologique permettra d'opérer le tri définitif, comme pour le bon
grain et l'ivraie dans la parabole[151]. Il ne peut donc être question de
considérer les deux communautés bien distinctes qui coexistaient dans
une ville au temps d'Augustin, le corps des citoyens et le peuple des fidèles,
comme la forme locale des « deux cités ». La réalité empirique, politique
et sociale, ne se confond pas, pour Augustin, avec la cité du diable vouée
à la damnation. Toutefois, comme l'a montré Henri Marrou, cet ordre
humain ne constitue pas une troisième cité neutre ; ses éléments

---

150. Ceci s'explique en partie par le fait que les adversaires intellectuels païens
d'Augustin faisaient de même ; les auteurs classiques étaient pour eux une manière
d'écriture sainte qu'ils opposaient à la Bible (*cf.* H.-I. MARROU, *Saint Augustin
et la fin de la culture antique*, p. 89-94 et *Retractatio*, p. 672-674. Sur ce problème,
voir aussi les réflexions de Peter BROWN, *Vie de saint Augustin*, trad. franç., p. 358-
361).

151. Sur cette question complexe, se reporter à l'article d'H.-I. MARROU, « *Civitas
Dei, civitas terrena : num tertium quid* ? », dans *Studia Patristica*, II, Texte und
Untersuchungen, 64, 1957, p. 342-350, reproduit dans H.-I. MARROU, *Christiana
tempora*, Rome, 1978, p. 415-423. H.-I. Marrou montre que l'assimilation de l'Église
à la *ciuitas Dei*, de l'État à la *ciuitas terrena*, se rencontre en bien des endroits de
l'œuvre d'Augustin, mais qu'il s'agit alors d'une utilisation polémique de ces notions
ou d'une amplification rhétorique. Quand Augustin parle des deux cités d'une
manière rigoureuse, c'est en tant qu'entités idéales, au sens platonicien, qu'on ne
saurait confondre avec des éléments donnés de la réalité empirique. Sur cette
même question, voir aussi l'ouvrage du même H.-I. MARROU, *L'ambivalence du
temps de l'histoire chez saint Augustin*, Montréal, 1950. Dans son important ouvrage
récent *Saeculum, History and Society in the Theology of St. Augustine*, Cambridge,
1970, R. A. Markus montre la désacralisation radicale de l'État, de l'empire romain,
à laquelle procéda Augustin. Mais il souligne aussi la fréquence, dans son œuvre,
de l'assimilation de l'État à « Babylone » et, en conséquence, le caractère pessimiste
de la vision augustinienne de la vie politique.

s'ordonnent diversement par rapport aux deux cités[152]. La pensée augustinienne est bien trop profonde et subtile pour se satisfaire d'un dualisme primaire.

Ceci posé, il est indéniable qu'Augustin, dans le feu de la polémique ou par le goût des contrastes tranchés propre au rhéteur, assimile souvent l'état romain et la Babylone maudite qu'est la *ciuitas terrena*, l'église terrestre et la *ciuitas Dei*. Le paganisme est vu en bloc comme intrinsèquement mauvais et diabolique ; le jugement sur l'État dépouillé de sa base religieuse ancienne est, certes, plus pondéré[153]. Il n'en reste pas moins que l'éthique qui préside à l'édification de la cité du mal, dans la célèbre description des deux cités au livre XIV du *De ciuitate Dei*, ressemble fort aux valeurs fondamentales qui ont présidé à l'histoire de Rome ou à la vie municipale des villes de l'Empire :

« Deux amours ont bâti deux cités : l'amour de soi jusqu'au mépris de Dieu a bâti la cité terrestre, l'amour de Dieu jusqu'au mépris de soi a bâti la cité céleste. L'une se glorifie en soi, l'autre dans le Seigneur ; l'une cherche sa gloire dans les hommes ; Dieu, témoin de la conscience, est la plus grande gloire de l'autre. L'une, appuyée sur sa propre gloire, redresse la tête ; l'autre dit à son Dieu : Tu es ma gloire et tu redresses ma tête (*ps.* 3, 4). Chez les princes et les nations que l'une s'est soumis, la passion du pouvoir l'emporte ; dans l'autre, tous se font les serviteurs du prochain dans la charité[154] ».

L'amour de la vaine gloire, l'orgueil, la volonté de domination, la cupidité, tels sont pour Augustin les moteurs de la cité terrestre. Et l'on retrouve ici les thèmes de sa polémique contre l'évergétisme, contre l'ambition qui poussait les notables à briguer des charges, à accomplir des carrières publiques dans le cadre de la cité et de la province, avec l'espoir que ces honneurs locaux seraient un marchepied vers les dignités impériales. C'est cette vie locale, et non le Sénat de Rome ou la cour impériale, qu'il avait sous les yeux ; c'est donc au premier chef aux réalités africaines, municipales et provinciales, que s'appliquait cette vision fort négative de l'activité politique.

Il existe, à notre point de vue, une nette parenté entre le système théologique des deux cités et la « structure bipolaire » que nous observons dans les villes africaines au temps de l'empire chrétien. La métaphore des deux cités a donc pu être en partie inspirée par la situation concrète qu'Augustin avait sous les yeux. Certes, il n'est pas question de procéder

152. H.-I. MARROU, *op. cit.*, p. 342-345, contre Ch. JOURNET, *L'Église du Verbe Incarné*, II, p. 26-34. Ce dernier auteur attribuait indûment à Augustin la conception thomiste d'une neutralité de l'ordre naturel.

153. Ainsi, Augustin rend hommage aux vertus des anciens Romains qui, pour lui, reçurent de Dieu leur empire comme récompense (*Cité de Dieu*, V, 15-18).

154. *Cité de Dieu*, XIV, 28 (traduction dans A. Lauras-H. Rondet, *Le thème des deux cités dans l'œuvre de saint Augustin*, dans *Études Augustiniennes*, Paris, 1953, p. 145-146).

ici à un réductionisme primaire, et de faire d'une pensée aussi complexe la simple expression idéologique d'une infrastructure sociale. Mais il est légitime de penser que la situation vécue empiriquement influa sur cette pensée et sur les images qui l'exprimaient[155].

De même qu'Augustin était l'héritier fidèle de la culture et de la rhétorique classiques, il était ici dans la continuité d'une longue tradition chrétienne qui remonte à saint Paul, celle qui voit dans les chrétiens tendus vers la patrie céleste des étrangers dans ce monde. Près d'un siècle d'empire chrétien n'en avait pas modifié substantiellement les données, preuve que les structures sociales et mentales traditionnelles de la cité avaient subsisté : un chrétien ne pouvait s'y sentir vraiment citoyen, parfaitement de plain-pied avec les autres. Augustin qualifie la Cité de Dieu de *ciuitas peregrina*, c'est-à-dire non seulement voyageuse, en pélerinage, comme on traduit d'ordinaire, mais étrangère. Durant de longs siècles on avait, dans l'Empire, qualifié de *ciuitas peregrina* toute commune qui ne possédait pas le droit romain ou latin ; les notables des cités africaines avaient brigué avec ardeur les statuts de municipe ou de colonie honoraire qui leur permettaient d'accéder à la citoyenneté romaine et ils avaient fêté ces promotions en élevant sur leur forum les *ornamenta libertatis*, telles les statues de la Louve romaine ou de Marsyas[156]. Deux siècles après la généralisation de la citoyenneté romaine, Augustin ressuscitait cette vieille appellation, pour l'appliquer aux chrétiens qui ne pouvaient se sentir citoyens à part entière de leur cité terrestre. Sans doute Augustin exprimait-il là, à sa manière, un sentiment inhérent à la profession du christianisme : un chrétien ne peut rendre à César plus que son dû, et il en résultera toujours une tension et un déchirement ; mais un sujet d'un roi Très-Chrétien du Moyen Age ou du début de l'âge moderne ne devait pas, et de loin, les ressentir avec une telle acuité[157]. A cet égard, la pensée augustinienne est donc un témoignage capital sur le maintien en Afrique, au début du Vᵉ siècle, de l'idéal civique traditionnel, fondé sur les valeurs pré-chrétiennes de la civilisation hellénistico-romaine.

---

155. Toute métaphore durcit et gauchit la pensée qu'elle exprime, mais elle est significative aux yeux de l'historien, car son auteur la prend dans son expérience sensible ou sa culture ; elle révèle donc une vision du monde plus authentiquement qu'une pensée rigoureuse et abstraite.

156. Voir chap. III, *supra*, p. 122-123 ; 129-131. A. Cillium, en Byzacène, une inscription du temps de Constantin évoque la restauration d'*ornamenta libertatis*, sculptés sur un arc de triomphe (*C.*, 210 = *I.L.S.*, 5570 ; notice *Cillium*, n. 6).

157. Fort significative à cet égard est l'utilisation de la *Cité de Dieu* au Moyen-Age par les théoriciens de la chrétienté occidentale, au prix de contre-sens, de gauchissements, d'utilisations arbitraires de passages isolés de leur contexte. Voir à ce sujet les réflexions d'Henri MARROU, *Saint Augustin et l'augustinisme*, Paris, 1955, p. 159.

CONCLUSION

Depuis l'époque antonine jusqu'au passage du détroit de Gibraltar par les Vandales en 429, l'Afrique romaine fut totalement épargnée par les invasions barbares, si l'on met à part ses régions périphériques de Maurétanie et de Tripolitaine. La richesse du pays suscita l'admiration et l'envie des contemporains. On trouve à plusieurs reprises la trace d'une hostilité à l'égard des Africains ; l'auteur de l'*Expositio totius mundi* les dit indignes d'un pays si magnifique car ils sont fourbes et menteurs[1]. Salvien affirme qu'ils sont tous corrompus, à l'exception de quelques moines[2]. Le vieux lieu-commun littéraire de la *fides punica* perdurait, mais il est permis de voir dans cette attitude l'expression d'une jalousie devant des gens qui restèrent, jusqu'au début du ve siècle, des privilégiés parmi les Occidentaux. Les découvertes épigraphiques et archéologiques ont confirmé les témoignages des auteurs littéraires quant à la prospérité du pays. Le maintien des multiples villes africaines, grandes et petites, avec leur cadre urbain luxueux, les distractions offertes au peuple, les générosités évergétiques, constitue le plus sûr indice de cette heureuse conjoncture, de même que le caractère limité de la désertion des curies, qui impliquait que les notables avaient gardé la possibilité et le goût de consacrer leurs personnes et leurs biens au service de la *res publica*. Ceci m'incite à penser que, dans les zones les plus urbanisées, le processus de romanisation atteignit son apogée au ive siècle. En témoigne en particulier la parfaite assimilation des structures juridiques et administratives romaines, que l'on constate jusque dans des bourgades[3].

Pourtant, il ne me semble pas qu'on puisse, avec André Piganiol, dire sans plus que la civilisation romaine a été assassinée, même dans les

---

1. *Expositio totius mundi*, éd. Rougé, S.C., 124, p. 203.

2. Salvien, *De gubernatione Dei*, VII, 13-17, éd. F. Pauly, C.S.E.L., 8, p. 173-181.

3. Cette romanisation impliquait probablement l'usage du latin par l'ensemble de la population dans certaines zones du nord-est de la Proconsulaire. Si les paysans de la région d'Hippo Regius parlaient toujours le punique au début du ve siècle, ceux de la plaine de Fahs ou de la moyenne Medjerda étaient très certainement latinisés. Une langue populaire romano-africaine s'était créée, dont les linguistes pourraient retrouver certaines caractéristiques grâce aux inscriptions funéraires.

régions africaines où elle restait florissante au Bas-Empire. En revanche, suivre Christian Courtois et penser qu'elle ne constituait qu'une brillante illusion ne serait qu'éluder le problème. Comme nous le disions dans l'introduction de ce livre, les historiens de l'empire romain tardif ont cherché à expliquer la catastrophe par une décadence universelle, une crise multiforme englobant toutes les régions, toutes les formes de l'activité humaine, à la manière de médecins qui, pour expliquer la mort d'un patient, lui attribueraient toutes les maladies qui peuvent accabler un être humain. En fait, si l'historien doit reconnaître à l'Afrique romaine du Bas-Empire une indéniable vitalité, il constate aussi l'existence de faiblesses pouvant devenir très graves.

La première ressort d'une constatation géographique. Au nord-est du Maghreb, dans un rectangle de 480 kilomètres sur 230, soit 110 000 kilomètres carrés environ, le cœur de l'Afrique romaine vit prospérer ses campagnes fertiles et ses centaines de cités. Cette superficie correspond à peu près au triple de la Hollande actuelle, au cinquième de la France. De là proviennent les quatre cinquièmes des documents que nous avons analysés au long de cette étude. Il s'était créé au cours des siècles une région profondément romanisée, pendant en Afrique du Nord de la Narbonnaise en Gaule. Mais en dehors de cet ensemble cohérent, la romanisation resta sporadique ; les villes du Sahel de Sousse et de Sfax, celles de la côte de Tripolitaine, les colons militaires du *limes*, étaient en contact avec des populations fort peu touchées par la romanité, de même qu'au nord les voisins de l'Atlas Tellien[4]. Certes, nous l'avons vu, ces peuples ne menacèrent nullement la sécurité des provinces sauf en Tripolitaine, mais leur présence marque une limite de la romanisation. En Maurétanie, cette dernière se limita à la côte, à quelques plaines et quelques vallées, et elle ne put survivre que grâce à une protection militaire constante. D'autre part, nous avons constaté que le puissant dynamisme de la romanisation s'interrompit après Dioclétien : on ne procéda plus à la fondation de villes nouvelles, à la création de communes romaines, à la municipalisation de communautés villageoises ou tribales[5]. On se contenta de conserver l'acquis.

On ne peut ,avec Christian Courtois, étendre au cœur de l'Afrique romaine la situation constatée ailleurs, celle d'îlots de romanité au milieu d'un monde étranger et parfois résolument hostile ; mais on doit constater que le secteur romanisé de manière homogène ne correspondait qu'à peine au tiers de l'Afrique du Nord, les régions arides du Sud étant exclues. A l'échelle de l'ensemble de l'Afrique blanche, ce territoire apparaît réduit. Sa richesse en faisait une proie tentante, à la fois pour les Vandales de Genséric, les nomades sahariens et les montagnards maurétaniens. Certes, une infrastructure militaire relativement légère avait suffi durant de

---

4. Voir chapitre I, p. 41-46.

5. Les dernières fondations de municipes connus (Uzappa, Chidibbia, Thibilis) se situent sous Gallien et Claude II (voir chapitre III, p. 122-125).

longs siècles à protéger le pays contre les barbares africains, mais si la garde du *limes* n'était plus assurée, cette sécurité devait disparaître : on le vit à la fin du vᵉ siècle.

A l'intérieur de la zone la plus romaine, des plaines de la Numidie au nord de la Byzacène, de Carthage et Hippone à Mactar et à Lambèse, les documents ne permettent pas d'appréhender, au Bas-Empire, un rejet de la romanité fondé sur des sentiments ethniques. En revanche, on doit constater des tensions sociales entre les propriétaires fonciers et le prolétariat rural. Les violences des circoncellions ne constituèrent que l'élément le plus spectaculaire de ce problème ; nous pensons avoir montré que la grande jacquerie qu'ils suscitèrent fut limitée dans le temps et l'espace[6]. Mais nous avons constaté que plusieurs textes de saint Augustin confirment les données fournies par les codes sur un asservissement de plus en plus dur des colons[7]. C'était sur eux que pesaient, en dernière analyse, l'accroissement du fardeau fiscal, le coûteux maintien des villes, du train de vie des notables et de leurs générosités ; il semble donc que leur niveau de vie se détériora au Bas-Empire. Peu importait à ces pauvres gens la survie de la civilisation romaine ; quand des compagnons de Genséric reçurent les domaines de riches propriétaires romains, les colons ne firent que changer de maîtres.

La permanence de la vie municipale et du genre de vie urbain traditionnel est, assurément, une preuve manifeste du maintien de la prospérité générale et de l'attachement à un aspect essentiel de la civilisation romaine. Toutefois, le prix à payer était lourd, surtout en Afrique, vu la multiplicité des villes. On peut donc légitimement se demander si l'Afrique romaine ne vivait pas au-dessus de ses moyens. Les dépenses liées à la vie urbaine et municipale supposaient, nous l'avons vu, une dure exploitation des campagnes. Mais on peut aussi penser que les sommes utilisées pour les spectacles et l'entretien des thermes eussent été plus utilement employées en vue de la défense du pays. Hors des Maurétanies, les Romano-Africains n'acceptèrent pas une économie de guerre. L'exemple le plus typique est donné dans le sermon de l'évêque de Carthage Quodvultdeus prononcé en 439, alors que Genséric s'apprêtait à fondre sur la capitale de l'Afrique. L'évêque déplorait qu'alors que la province était à toute extrémité, la population continuât à s'entasser dans l'amphithéâtre ou le cirque[8].

Au vrai, le problème n'était pas seulement pécuniaire. Les Romano-Africains semblent n'avoir jamais envisagé de défendre eux-mêmes leur pays contre l'envahisseur. Une lettre de saint Augustin montre, lors de l'avance des Vandales, une déroute lamentable, entraînant à la suite de l'armée du comte Boniface les autorités provinciales, municipales

---

6. Chapitre II, p. 91-97.

7. Chapitre VI, p. 326-330.

8. QUODVULTDEUS, *Sermo de tempore barbarico*, I, 1, C.C., 60, 423-424 ; voir notice *Karthago*, n. 147.

et ecclésiastiques[9]. Certes, cette faiblesse n'était pas propre à l'Afrique, elle était inhérente à l'organisation militaire du monde romain depuis Auguste : l'autorité impériale ne pouvait accepter l'organisation d'une auto-défense qui eût permis des sécessions. Il reste que les moralistes chrétiens avaient raison de dénoncer comme une frivolité inexcusable le maintien, à grands frais, des distractions urbaines au milieu de dangers aussi graves. La paix qui, depuis des siècles, régnait dans le pays n'avait nullement préparé les Romano-Africains à réagir contre les barbares. Privilégiés par rapport à l'Europe, ils avaient persisté jusqu'en 429 à se croire protégés par la Méditerranée du fléau des invasions.

Pour comprendre la chute de l'Afrique romaine devant les Vandales, il n'est donc nullement nécessaire de formuler l'hypothèse d'une décadence générale que les sources obligent à récuser. Les tares et faiblesses précises que nous venons d'évoquer suffisent à expliquer la catastrophe des années 429-439, surtout si l'on considère que l'Empire, submergé par les barbares dans ses provinces européennes, ne pouvait pas envoyer les renforts nécessaires.

La prise de Carthage par Genséric le 19 octobre 439 ne marque pas la fin de la romanité africaine qui devait survivre durant de longs siècles. Charles Saumagne et Christian Courtois ont parlé de la « paix vandale » et ont montré que la prospérité économique s'était maintenue dans le royaume de Genséric[10]. Toutefois, selon C. Courtois, si les campagnes demeurèrent riches et bien cultivées, les villes connurent une rapide déchéance[11]. On doit, de fait, constater que l'épigraphie municipale disparaît presque totalement à l'époque vandale. Beaucoup de propriétaires fonciers furent spoliés et remplacés par des Germains qui ne se soucièrent nullement d'assumer les *munera* des cités. La vie municipale, avec ses structures sociales et institutionnelles complexes et les lourdes dépenses qu'elle impliquait, était assurément une réalité vulnérable[11bis]. Toutefois, les rois vandales avaient intérêt à ce que les cités fussent correctement gérées et les institutions traditionnelles survécurent en partie. Le maintien des titres honorifiques de prêtre provincial et de

---

9. AUGUSTIN, *Epist.* 228, C.S.E.L., 57, p. 484-496. Sur cette déroute, voir P. COURCELLE, *Histoire littéraire des grandes invasions germaniques*, 2e éd., Paris, 1964 p. 115-139. Comme l'écrit Peter Brown, « on ne trouve mention nulle part d'une résistance de la population, nulle part les communautés catholiques ne se rallièrent derrière leurs évêques, comme elles l'avaient fait en Espagne, pour résister aux barbares et pour les harceler » (*Vie de saint Augustin*, trad. franç., Paris, 1971, p. 510).

10. C. SAUMAGNE, *La paix vandale*, dans *Rev. Tunisienne*, 1930, reproduit dans *Cahiers de Tunisie*, 10, 1962, p. 417-425 ; Ch. COURTOIS, *Vandales*, p. 310-323.

11. Ch. COURTOIS, *Vandales*, p. 312-315.

11bis. L'Empire récupéra provisoirement les Maurétanies et la Numidie occidentale en 442. Dans une novelle consacrée à ces régions et émise en novembre 445, Valentinien III constate que « les malheurs publics ont réduit à un petit nombre l'effectif des *ordines* » et que les *acta municipalia* seraient valides s'ils étaient rédigés par l'*exceptor* en présence de trois curiales, donc en l'absence d'un magistrat (Novelle 13 de Valentinien III, t. II de l'éd. Mommsen-Meyer du *Codex Theodosianus*, p. 96).

flamine perpétuel est attesté par des inscriptions funéraires d'Ammaedara et par les *Tablettes Albertini*[12]. Victor de Vita montre le roi Hunéric chargeant les *ordines* des villes de l'exécution d'un édit[13] : des curies de décurions subsistaient donc à la fin du Ve siècle. Seules des fouilles nombreuses et menées avec rigueur pourront apporter des connaissances précises sur le destin des villes aux temps vandales et byzantins. A l'époque byzantine, la ville africaine se regroupe autour des églises et de la forteresse, non autour du forum, des temples et des thermes. L'importance des édifices chrétiens suppose, sinon les structures municipales anciennes, tout au moins une population non négligeable et des ressources financières[14].

Mais le maintien de la vie municipale traditionnelle n'avait pas été la simple conséquence d'une conjoncture économique favorable : c'était un fait de civilisation. Les Romano-Africains ont déployé un immense effort, à partir du règne de Dioclétien, pour conserver non pas seulement leurs villes, mais l'ensemble des formes sociales et juridiques inhérentes aux cités romaines. Jusque dans des bourgades obscures persistèrent au Bas-Empire le sens et l'usage du droit romain, de l'acte écrit. Dans l'histoire de la civilisation, il s'agit d'un fait aussi important que l'assimilation de la culture littéraire et philosophique hellénistico-romaine ; ainsi s'expliquent les carrières accomplies dans l'administration impériale par de nombreux africains depuis le second siècle. On ne peut donc parler, dans ces multiples villes dont la population était, en son immense majorité, d'origine autochtone, de cette âme berbère inaccessible aux apports extérieurs que certains historiens modernes ont décrite d'une manière bien trop systématique.

Nous pensons avoir contribué à montrer que l'histoire de ces villes ne se limita pas à un bref apogée sous les Antonins et les Sévères suivi d'un rapide déclin, mais que leur richesse et leurs structures municipales perdurèrent jusqu'au temps de saint Augustin. De fait, les lacunes de l'œuvre de Rome ne doivent pas, à nos yeux, occulter son ampleur. Les

---

12. A Ammaedara, dans la « chapelle vandale », furent retrouvées les épitaphes de deux flamines perpétuels (*C.*, 450 = 11523 = *I.L.C.V.*, 126 ; *C.*, 10516 = *I.L.C.V.*, 388 ; notice *Ammaedara* - P. –, n. 12 et 13) et d'un *sacerdotalis prouinciae Africae* (*A.E.*, 1972, 691 ; notice n. 14). Sur ces documents, voir A. CHASTAGNOL et N. DUVAL, *Mélanges William Seston*, Paris, 1974, p. 87-118. Les *Tablettes Albertini*, mentionnant le flamine perpétuel Flavius Geminius Catullinus, sont datées des dernières années du Ve siècle (C. COURTOIS, L. LESCHI, C. PERRAT, C. SAUMAGNE, *Tablettes Albertini*, Paris, 1952).

13. VICTOR DE VITA, *De persec. Vandal.*, III, 8-11, *M.G.H.*, *A.A.*, III, 1, p. 41.

14. Ceci apparaît bien dans la grande étude de Noël DUVAL, *Les églises africaines à double abside*, Paris, 1972. Il faut cependant noter la survivance d'un élément important de la vie urbaine romaine : les spectacles du théâtre, de l'amphithéâtre et du cirque subsistèrent dans l'Afrique vandale et byzantine. Pour la période vandale, voir C. COURTOIS, *Vandales*, p. 228 et n. 5. Une inscription du VIe siècle évoque des *ludi* à Ammaedara (*A.E.*, 1973, 672 = N. DUVAL et J. MALLON, *Bull. Soc. Nat. Ant. Fr.*, 1969, p. 118-124). De même, une mosaïque d'époque byzantine trouvée à Gafsa représente des courses dans le cirque (P. GAUCKLER, *Inventaire des mosaïques de la Gaule et de l'Afrique*, tome II, Paris, 1910, n° 321).

sites de villes antiques sont aussi nombreux dans certaines zones de la Tunisie septentrionale que les villages dans les campagnes françaises. Il n'est pas d'endroit au monde où puisse paraître plus juste l'invocation à Rome formulée par le gaulois Rutilius Namatianus, quand les barbares déferlaient sur l'Europe :

Fecisti patriam diuersis gentibus unam...
Dumque offers uictis proprii consortia iuris,
Urbem fecisti, quod prius orbis erat,

« des nations diverses tu fis une patrie unique ..., en offrant aux vaincus la communauté de ton droit, de la terre entière, tu fis Rome[15] ».

Toutefois, cette civilisation municipale était fort complexe, voire subtile. Elle supposait un enseignement du droit, des structures administratives précises, un personnel, bénévole ou rétribué, abondant. Même si sa fragilité était bien moindre qu'on ne l'a dit, elle pouvait difficilement résister aux assauts successifs que connut le pays à partir du ve siècle. Certes, la longue survie des villes africaines après la conquête vandale est une conséquence de leur prospérité à l'époque précédente, mais cette histoire ultérieure est celle d'un déclin inexorable. Au terme se trouve incontestablement une solution de continuité dans l'histoire de la civilisation, en ce pays où fut écrite cette grande méditation sur le caractère transitoire des empires et de toutes les constructions du génie humain qu'est la *Cité de Dieu*

---

15. RUTILIUS NAMATIANUS, *De reditu suo*, 63 ; 65-66 ; éd. VESSEREAU-PRÉCHAC, *Coll. des Univ. de Fr.*, Paris, 1961, p. 5. Littéralement, le troisième vers cité signifie : « Tu fis la Ville de ce qui était, auparavant, le monde ». Il est fort remarquable que Rutilius Namatianus, deux siècles après l'édit de Caracalla, restait conscient que le processus d'assimilation à Rome avait été rendu possible par l'octroi aux peuples soumis du droit de citoyenneté romaine. C'est, de fait, ce *consortium iuris* qui fit des provinciaux les égaux des habitants de l'*Urbs*, solidaires de la civilisation et du destin de Rome.

Proconsulaire

u. H.R.   B.R.   Ab.   Karthago

a   C.   Th. Medjerda   Thugga   Th. m.
ibilis   S.V.   Abt.
gadi   M.
   Mactaris   Hadrumetum
   Am.
   Theveste   Sufes
   Sufetula   Thysdrus

Byzacène

   Thaenae

   Fedjedj
   Djérid

Gigthis

   Oea
Sabratha   Lepcis
Magna
Tripolitaine

0   100   200
50   150   250 KM

Ab.	:	Abitinae
Abt.	:	Abthugni
Am.	:	Ammaedara
B. R.	:	Bulla Regia
C.	:	Calama
H. R.	:	Hippo Regius
M.	:	Madauros
Mi.	:	Milev
Ru.	:	Rusicade
S. V.	:	Sicca Veneria
Th.	:	Thagaste
Th. m.	:	Thuburbo maius

On trouvera dans le tome II des cartes des diverses provinces permettant de situer toutes les cités étudiées.

Table des matières du tome I

CET OUVRAGE A ÉTÉ ACHEVÉ
D'IMPRIMER EN AOUT 1979
SUR LES PRESSES DE L'IMPRIMERIE
DE L'INDÉPENDANT, CHATEAU-GONTIER

DÉPOT LÉGAL - 3e TRIMESTRE 1979

Imprimé en France